«HISTORIAE MUSICAE CULTORES»

CXL

diretta da

VIRGILIO BERNARDONI, LORENZO BIANCONI, FRANCO PIPERNO

ILARIA GRIPPAUDO

MUSICA E DEVOZIONE NELLA «CITTÀ FELICISSIMA»

Ordini religiosi e pratiche sonore a Palermo tra Cinque e Seicento

FIRENZE

LEO S. OLSCHKI EDITORE

MMXXII

CASA EDITRICE LEO S. OLSCHKI
Viuzzo del Pozzetto, 8
50126 Firenze
www.olschki.it

Istruzioni per accedere all'appendice digitale sul sito www.torrossa.com:

1. cliccare sul pulsante 'Codice abbonato' posto in alto a destra nella homepage e inserire il codice HJ72K8;
2. selezionare 'Collezione per Editore' e quindi Leo S. Olschki;
3. cliccare su 'Monografie e miscellanee': verrà visualizzato il contenuto e si potrà accedere al fulltext;
4. selezionare il volume, quindi cliccare sull'icona 'Leggi online' o 'Scarica'. Per poter aprire e scaricare il file è necessario compilare i campi della maschera che viene visualizzata quando si clicca sull'icona 'Scarica': dove compare 'Email/User' deve essere inserita la parola 'user' e nel campo 'Pwd/Code' il codice HJ72K8.

ISBN 978 88 222 6791 7

ABBREVIAZIONI E SIGLE

AGS   = Archivo General de Simancas

ASCPa = Archivio Storico Comunale di Palermo

ASPa   = Archivio di Stato di Palermo

CRS   = Fondo Corporazioni Religiose Soppresse

ECG   = Fondo Ex Case Gesuitiche

BCP   = Biblioteca Comunale di Palermo

New Grove = *The New Grove Dictionary of Music and Musicians*, voll. 29, a cura di Stanley Sadie, Londra, Macmillan 2001.

Sartori = Claudio Sartori, *Catalogo dei libretti italiani a stampa*, voll. 6, Cuneo, Bertola & Locatelli 1990.

Avvertenza

Prima dell'Unità d'Italia, la moneta di conto dell'isola era l'oncia (o onza), divisa in 30 tarì. Ogni tarì era formato da 20 grani (grana) che a loro volta erano formati ciascuno da 6 "piccoli" o "denari". Lo scudo equivaleva a 12 tarì. Sino al Cinquecento si usava anche il ducato, che equivaleva a circa 13 tarì. Risulta difficile stabilire con precisione il valore dell'onza in relazione alla moneta di oggi, considerando anche la valenza diversa dei beni in epoche differenti. Si tenga conto che il peso di un'onza corrispondeva a circa 26,45 gr. d'oro e che, al momento dell'unificazione d'Italia, il suo valore fu stabilito in £ 12,75 (l'equivalente oggi di 820 euro circa). A titolo d'esempio ricordiamo che nel Seicento un vano di casa di *gentilhomini* era valutato 12 onze; uno di case comuni da 5 a 10 onze; il formaggio (pecorino o *cascavallo*) tarì 1 al rotolo (circa 800 gr.); il pepe da 5 a 9 tarì a rotolo; un bue da macello sui 90 tarì; una pecora 6-7 tarì; una gallina circa 2 tarì. Su questi aspetti si rimanda fra gli altri a Orazio Cancila, *I prezzi su un mercato dell'interno della Sicilia alla metà del XVII secolo*, «Economia e Storia», II, 1966, pp. 184-216 e Francesco Figlia, *Il Seicento in Sicilia: Aspetti di vita quotidiana a Petralia Sottana, terra feudale*, Palermo, Officina di Studi Medievali, 2008, p. 29, n. 18.

Ai miei nonni
Attilio, Tanina, Carmineo, Enza

![Casalini libri s.p.a.]

Casalini libri s.p.a.

Via Benedetto da Maiano, 3
50014 Fiesole (FI) - Italia
Tel. (++39-55) 5018.1
gen@casalini.it

Fax (++39-55) 5018.201 - N. Id. C.C.E. e Part. I.VA IT03106600483 - Cap. Soc. € 619.752
C.C.P. 11178522 - Reg. Trib. Firenze 32660 - Pos. Mec. FI043112 - C.C.I.A.A. Firenze 309587

Date
Data

CORE LEVEL CATALOGUING

Grippaudo, Ilaria
Musica e devozione nella "Città
felicissima" : ordini religiosi e pratiche
sonore a Palermo tra Cinque e Seicento. /
Ilaria Grippaudo.. - xvi, 268 p. : ill. ;
24 cm.. - ("Historiae Musicae Cultores," ;
CXL). - Firenze : Leo S. Olschki editore ,
2022.

ISBN / ISSN	PRICE / PREZZO		DEWEY	LC	SUBJECT / MATERIA	
9788822267917	32,00		780	ML	Music	
	CARD No. / N. SCHEDA CUSTOMER / CLIENTE	YOUR REF.: / VS. RIF.::				8130443
22040390	ILV040M	EBO A0900000				

INTRODUZIONE

Come è noto, nell'affrontare la produzione musicale siciliana fra Cinque e Seicento, gli studiosi hanno spesso privilegiato lo specifico campo della musica profana, concentrandosi sul genere del madrigale, fecondo terreno d'indagine in rapporto a quella scuola polifonica che tuttora non ha esaurito le proprie potenzialità quale oggetto di studio. Il *focus* su una delle più raffinate espressioni della cultura musicale del Rinascimento italiano ha comportato che si trascurassero forme egualmente significative di diffusione della musica siciliana nel periodo considerato.

Alcuni tentativi di indagine in tale direzione sono raccolti negli atti del convegno *Musica sacra in Sicilia tra rinascimento e barocco*, tenuto a Caltagirone negli anni '80.[1] Relativamente a Palermo, è fondamentale l'introduzione di Paolo Emilio Carapezza, seguita dai contributi di Rosalia Lo Coco sulla collegiata di Monreale e di Maria Antonella Balsano sull'*Atto della Pinta* allestito presso l'abbazia benedettina di San Martino delle Scale.[2] Sta di fatto che, escludendo i preziosi ma ormai lontani contributi di Ottavio Tiby sulla Real Cappella Palatina,[3] a oggi non esistono studi organici sulle pratiche sonore e sulle cappelle musicali operanti nelle chiese palermitane durante il periodo rinascimentale. Più ricca, invece, la bibliografia relativa all'epoca barocca, sia riguardo alla situazione siciliana sia nello specifico per Palermo, grazie ai contributi di Roberto Pagano,[4] Anna Tedesco,[5] Luciano

---

[1] *Musica sacra in Sicilia tra rinascimento e barocco*, Atti del convegno (Caltagirone, 10-12 dicembre 1985), a cura di Daniele Ficola, Palermo, Flaccovio, 1988.

[2] Cfr. Paolo Emilio Carapezza, *Introduzione. La musica sacra in Sicilia tra rinascimento e barocco*, in *Musica sacra in Sicilia* cit., pp. 7-22; Rosalia Lo Coco, *La cappella musicale della collegiata di Monreale*, ivi, pp. 175-194; Maria Antonella Balsano, *L'Atto della Pinta: un crescendo durato mezzo secolo*, ivi, pp. 195-236.

[3] Ottavio Tiby, *La musica nella Real Cappella Palatina di Palermo*, «Anuario musical dell'Istituto Español de Musicologia del C.S.I.C.», VII, 1952, pp. 177-192; Id., *I polifonisti siciliani del XVI e XVII secolo*, Palermo, Flaccovio, 1969, pp. 41-46.

[4] Roberto Pagano, *La vita musicale a Palermo e nella Sicilia del Seicento*, «Nuova Rivista Musicale Italiana», III, 1969, pp. 439-466; Id., *Le origini ed il primo statuto dell'Unione dei Musici intitolata a Santa Cecilia in Palermo*, «Rivista Italiana di Musicologia», X, 1975, pp. 545-563; Id., *Giasone in Oreto. Considerazioni sull'introduzione del melodramma a Palermo*, «I Quaderni del Conservatorio», I, 1988, pp. 11-18.

[5] Anna Tedesco, *Il Teatro Santa Cecilia e il Seicento musicale palermitano*, Palermo, Flacco-

Buono,[6] Umberto d'Arpa[7] e Giuseppe Collisani,[8] di volta in volta incentrati sul genere dell'oratorio, sulle occasioni festive, sul rapporto con il contesto urbano e sulle congregazioni di musici operanti in città.

Ciò premesso, il lavoro condotto nell'ambito del dottorato in 'Storia e analisi delle culture musicali' (Università di Roma 'La Sapienza') ha offerto l'occasione per lo spoglio sistematico di alcuni fondi presenti nell'Archivio di Stato di Palermo, in particolare le serie *Corporazioni Religiose Soppresse*. Il cospicuo materiale preservato (si tratta dei documenti amministrativi prodotti dalle congregazioni palermitane nell'arco di quattro secoli) ha indotto a concentrare l'attenzione sulle fonti datate fra Cinquecento e metà Seicento al fine di ricostruire le attività musicali nelle istituzioni ecclesiastiche, in particolare in quelle monastiche e conventuali, fra Rinascimento e Barocco. Il periodo considerato coincide con gli anni di fioritura della scuola polifonica, cioè dalle prime prove di Pietro Vinci sino alla seconda metà del XVII secolo, quando si affermano nuovi generi di intrattenimento musicale, fra cui il *dialogo* (termine con il quale in Sicilia si indicava l'oratorio) e soprattutto il melodramma.

Iniziato nel 2006, il percorso di ricerca ha mirato a uniformarsi a quanto i musicologi stavano già facendo da diversi anni in altre regioni e città

---

vio, 1992; EAD., *Alcune note su oratori e dialoghi a Palermo e in Sicilia*, in "Tra Scilla e Cariddi". *Le rotte mediterranee della musica sacra tra Cinque e Seicento*, Atti del Convegno Internazionale di Studi (Reggio Calabria-Messina, 28-30 maggio 2001), a cura di Nicolò Maccavino e Gaetano Pitarresi, Reggio Calabria, Edizioni del Conservatorio di Musica "F. Cilea", 2003, pp. 203-256; EAD., *La cappella de' militari spagnoli di Nostra Signora della Soledad di Palermo*, in *Giacomo Francesco Milano e il ruolo dell'aristocrazia nel patrocinio delle attività musicali nel XVIII secolo*, Atti del Convegno Internazionale di Studi (Polistena-San Giorgio Morgeto, 12-14 ottobre 1999), a cura di Gaetano Pitarresi, Reggio Calabria, Laruffa Editore, 2001, pp. 199-254; EAD., *La ciudad como teatro: rituales urbanos en el Palermo de la Edad Moderna*, in *Música y cultura urbana en la Edad Moderna*, a cura di Andrea Bombi, Juan José Carreras e Miguel Ángel Marín, Valencia, Universitat de València-IVM, 2005, pp. 219-242; EAD., *La serenata a Palermo alla fine del Seicento e il duca d'Uceda*, in *La serenata tra Seicento e Settecento: musica, poesia, scenotecnica*, Atti del Convegno Internazionale di Studi (Reggio Calabria, 16-17 maggio 2003), II, a cura di Nicolò Maccavino, Reggio Calabria, Edizioni del Conservatorio di Musica "F. Cilea", 2007, pp. 547-598; EAD., *Aspetti della vita musicale nella Palermo del Settecento*, in *Il Settecento e il suo doppio. Rococò e neoclassicismo, stili e tendenze europee nella Sicilia dei viceré*, a cura di Mariny Guttilla, Palermo, Kalós, 2008, pp. 391-401.

[6] LUCIANO BUONO, *Forme oratoriali in Sicilia nel secondo Seicento: il dialogo*, in *L'oratorio musicale italiano e i suoi contesti (secc. XVII-XVIII)*, Atti del convegno internazionale (Perugia, Sagra Musicale Umbra, 18-20 settembre 1997), a cura di Paola Besutti, Firenze, Olschki, 2002, pp. 115-139.

[7] UMBERTO D'ARPA, *Notizie e documenti sull'unione dei musici e sulla musica sacra a Palermo tra il 1645 e il 1670*, «I Quaderni del Conservatorio», I, 1988, pp. 19-36.

[8] GIUSEPPE COLLISANI, *Occasioni di musica nella Palermo barocca*, «I Quaderni del Conservatorio», I, 1988, pp. 37-73; ID., *I musici del "primo atrio del paradiso"*, «Regnum Dei – Collectanea Theatina», XLIX, 2003, pp. 129-137.

italiane: studiare i meccanismi di produzione della musica da chiesa nelle istituzioni ecclesiastiche, sia in quelle 'maggiori', spesso dotate di una propria cappella, sia in quelle 'minori', economicamente più deboli, ma non per questo prive di forme significative di attività musicale. Allo scopo di analizzare il fenomeno *musica* in tutte le componenti di cui esso è formato, si è privilegiato un approccio di tipo documentario-archivistico, in modo da cogliere la componente concreta della produzione musicale, focalizzando l'attenzione non sulla singola istituzione, bensì sulle reti di contatto fra chiese e monasteri.

Certificati ideali della quotidianità musicale saranno proprio i documenti amministrativi, in modo particolare i libri maestri (registri contabili divisi per argomento), i giornali di cassa (analoghi ai primi, ma articolati giornalmente e più dettagliati), i libri di introito ed esito (finalizzati alla quantificazione dei movimenti d'entrata e di uscita), le cautele (ricevute di pagamento), i mandati (autorizzazioni di pagamento) e le apoche (scritture pubbliche che attestavano l'avvenuta remunerazione da parte di un soggetto, sia privato che istituzionale). A queste è necessario aggiungere l'essenziale apporto di altre tipologie documentarie, come gli atti notarili, le Regie Visite e le testimonianze di cronisti e storiografi, sia coeve che posteriori.

L'analisi di tali documenti ha favorito l'incontro fra musicologia ed etnomusicologia, nella misura in cui intende pervenire alla costruzione di «una semplicissima 'antropologia' della musica del passato, surrogata non da fonti sonore registrate sul campo ma da fonti musicali scritte, da fonti d'archivio […], nonché da ogni altro tipo di fonte abitualmente usata ai fini della musicologia storica».[9] Sia Bryant che Quaranta sottolineano l'importanza di una ricognizione a tappeto fra le carte d'archivio per comprendere le modalità di produzione e consumo della musica sacra nei secoli passati, insieme alla conoscenza della «realtà storica, giuridica e sociale del luogo e del periodo considerato».[10] Tali fondamenti sono peraltro condivisi dalla *Urban Musicology*, affermatasi nel corso degli ultimi anni e sempre più attenta all'analisi del contesto, allo scopo di collocare l'evento musicale nel tempo e nello spazio grazie ancora al supporto delle ricerche documentarie.[11]

---

[9] DAVID BRYANT – ELENA QUARANTA, *Per una nuova storiografia della musica sacra da chiesa in epoca pre-napoleonica*, in *Produzione, circolazione e consumo. Consuetudine e quotidianità della polifonia sacra nelle chiese monastiche e parrocchiali dal tardo Medioevo alla fine degli Antichi Regimi*, Atti del seminario di studi (Fondazione Ugo e Olga Levi, Venezia, 28-30 ottobre 1999), a cura di David Bryant e Elena Quaranta, Bologna, il Mulino, 2006, p. 13.

[10] ELENA QUARANTA, *Oltre San Marco. Organizzazione e prassi della musica nelle chiese di Venezia nel Rinascimento*, Firenze, Olschki, 1998, p. 185.

[11] Cfr. *infra*, capitolo III.

A fondamento di tale approccio sta il principio della *longue durée*, al contrario di una storia del breve periodo che nelle parole di Jacques Le Goff appare «incapace di cogliere e di spiegare le permanenze e i cambiamenti».[12] Il concetto di *longue durée* informa il metodo comparativo, nella misura in cui è difficile pensare a una storia efficace che non si sviluppi paragonando fenomeni simili in contesti diversi. Analizzare le attività musicali in realtà ecclesiastiche fra loro differenti, con particolare attenzione alle forme di finanziamento, costituisce dunque un percorso obbligato, poiché il confronto fra documenti permette di individuare regolarità e differenze che qui riguardano i meccanismi di produzione musicale («attraverso la comparazione si è in grado di comprendere ciò che manca, ovvero il significato di una particolare assenza»).[13]

Altrettanto determinante l'apporto delle scienze economiche, in particolare l'analisi della curvatura salariale, che non solo aiuta a monitorare la situazione economica nell'ambito di conventi e monasteri, ma soprattutto cerca di definire il *ruolo sociale* del 'musico' (nell'accezione più ampia, comprendente il cantore come il suonatore o il maestro di cappella). Facilmente intuibili le ripercussioni a livello documentario: a essere privilegiati saranno, infatti, i libri di conto, i registri, le ricevute di pagamento, e in generale tutta la documentazione amministrativa che contribuisce a rispecchiare la realtà economica e quantitativa di una o più istituzioni. In quest'ottica, «il documento di base, l'unità di informazione è ormai il dato, non il fatto. […] Le fonti migliori sono quelle che forniscono dati in grande quantità, e il modello ideale è il registro parrocchiale».[14] Più del singolo dato, è dunque importante la 'serie', l'insieme dei rapporti che si instaurano fra loro, e in relazione alla serie che precede e segue.

Già da anni gli studi sociali e antropologici sono sensibili a queste istanze.[15] Adottare una prospettiva socio-antropologica vorrà dire, nel nostro caso, puntare l'attenzione non soltanto sugli eventi di grande rinomanza, ma soprattutto sui processi di formazione di quegli eventi, sulla consuetudine della presenze musicali, sulle pratiche performative degli esecutori. E nell'analizzare i comportamenti e le cause che avrebbero determinato quei fenomeni, molto spesso capiterà di scontrarsi con motivazioni economiche, in un panorama quanto mai variegato: ecclesiastici e monache, nella doppia veste di committenti ed esecutori, non di rado appartenenti a

---

[12] JACQUES LE GOFF, *La nuova storia*, Milano, Mondadori, 1980, p. 37.

[13] PETER BURKE, *Storia e teoria sociale*, Bologna, il Mulino, 1995, p. 38.

[14] J. LE GOFF, *La nuova storia* cit., p. 37.

[15] Si veda, ad esempio, ALAN P. MERRIAM, *Antropologia della musica*, Palermo, Sellerio, 1990.

famiglie palermitane di alto lignaggio; membri di nobiltà e alta borghesia, economicamente operosi nella committenza privata; cantori e musicisti, protagonisti concreti della vita musicale, oggetto di articolata e variabile considerazione sociale a seconda del ruolo ricoperto.

Alle prospettive enunciate va aggiunto il parametro del gusto, che comporta una chiave di lettura di stampo più estetico, in relazione al valore che la musica assume nel contesto esaminato per coloro che la producevano o ne fruivano: elemento indispensabile della quotidianità del rito così come della straordinarietà della festa, ma nella sua pervasività a volte considerata più come simbolo che come prodotto artistico valido per se stesso. Una volta evidenziate queste componenti, si potrà meglio analizzare la presenza della musica nelle istituzioni ecclesiastiche, articolando l'indagine secondo alcune direttive privilegiate: l'organizzazione e il finanziamento delle attività musicali, il personale impiegato dalle istituzioni (organisti, cantori, strumentisti), le pratiche esecutive di maggiore diffusione, il ruolo degli strumenti e l'attività di promozione svolta da alcuni ordini religiosi, in modo particolare dai gesuiti.

Considerando la specifica prospettiva metodologica, in questo percorso la fonte musicale si colloca alla fine. Da una parte i repertori manoscritti, piuttosto esigui rispetto alla quantità di opere realmente prodotte, e ancora tutti da indagare; dall'altra le fonti a stampa di musica sacra, spesso avulse dal probabile contesto di riferimento, ma promosse e talvolta finanziate dalle singole istituzioni (è il caso dell'abbazia di San Martino delle Scale per Mauro Panormita detto 'Ciaula', suo organista e forse maestro di cappella alla fine del '500).

Il frutto di tale lavoro ha visto la luce nel 2010, al termine del percorso previsto dal dottorato di ricerca. L'intenzione di convogliare gli sforzi in una pubblicazione era già ben presente, ma si scontrava con diverse difficoltà pratiche, in particolare con la necessità di mantenere intatta la fisionomia della tesi, garantendo al contempo un taglio editoriale che non sacrificasse le ovvie esigenze di leggibilità. Il problema principale è stato, dunque, quello di gestire la quantità di materiale documentario, nucleo fondante del lavoro, che si è deciso di convogliare in un'apposita appendice digitale, parte integrante del volume. Inoltre, proprio allo scopo di non appesantire la trattazione, fra le appendici sono incluse anche le tavole più estese, relative sia al calendario delle feste palermitane, sia ai nomi dei numerosi musicisti citati nelle fonti d'archivio.

In tal modo si spera di aver salvaguardato l'intenzione primaria: fornire una visione complessiva della storia musicale nelle istituzioni ecclesiastiche palermitane, attraverso un rimando costante alle fonti d'archivio, riportate di volta in volta, in modo più o meno dettagliato, nel corpo del testo, ma comunque integralmente trascritte nelle appendici documentarie. Al lettore si lascia, dunque, la decisione di approfondire quei materiali sui quali riterrà opportuno focalizzare la propria attenzione o che semplicemente attireranno maggiormente la sua curiosità, avvalendosi in ogni caso dei riferimenti archivistici che sempre si è deciso di inserire, in modo puntuale e sistematico, nelle note a piè di pagina.

Nel corso degli anni, alcune parti del lavoro sono comparse in forma di articolo o saggio in svariate sedi editoriali (riviste specializzate, atti di convegno, volumi collettanei). Ricompaiono qui rese opportunamente organiche al discorso complessivo nonché necessariamente snellite; alle redazioni originarie occasionalmente si rinvia per l'approfondimento di alcuni aspetti qui non trattati.

La realizzazione del presente lavoro sarebbe stata impossibile senza il prezioso aiuto e supporto di amici, colleghi, docenti e istituzioni. È a costoro che va la mia riconoscenza, in primo luogo ad Anna Tedesco, già tutor del mio percorso di dottorato e costante punto di riferimento, che mi ha seguito con attenzione e disponibilità; al co-tutor, Arnaldo Morelli, per i consigli in corso d'opera; a tutto il collegio del dottorato di ricerca, specialmente al coordinatore del XXII ciclo, Giovanni Giuriati, e ai docenti del dipartimento 'Aglaia. Sezione musica' (oggi sezione musicale di Scienze Umanistiche) dell'Università di Palermo, in particolare Paolo Emilio Carapezza, Giuseppe Collisani, Maria Antonella Balsano, Amalia Collisani, Pietro Misuraca, Massimo Privitera.

Più di un debito di riconoscenza mi lega a David Bryant ed Elena Quaranta, con i quali nel 2006 ebbi modo di collaborare nell'ambito di diverse iniziative di ricerca incentrate sulla musica sacra, e in particolare sullo studio delle pratiche musicali nelle istituzioni ecclesiastiche della penisola italiana, progetto coordinato da Bryant presso la Fondazione Cini di Venezia. Le ricerche effettuate in quell'occasione costituirono il punto di partenza per le indagini successive, confluendo in gran parte nel lavoro per la tesi di dottorato. Da quell'esperienza ho inoltre appreso il metodo di indagine poi sviluppato e approfondito negli anni a venire, in un contesto lavorativo che si è rivelato straordinario sotto ogni punto di vista, grazie soprattutto a un ambiente stimolante e produttivo.

Indispensabile si è dimostrata la collaborazione del personale dell'Archivio di Stato di Palermo dove è stata condotta la maggior parte della ricerca. Un ringraziamento speciale va agli studiosi che ho avuto modo di incontrare e conoscere all'interno dell'Archivio e che mi hanno aiutato in non poche occasioni: Antonino Palazzolo, Arturo Anzelmo, Francesco Lo Piccolo, Patrizia Sardina, Antonino Marchese. Si ringraziano anche l'Archivio Storico Comunale, Rosalba Guarneri, già responsabile della sezione 'Manoscritti e rari' della Biblioteca Comunale, la Galleria Regionale di Palazzo Abatellis e la Biblioteca Centrale della Regione Siciliana, in particolare Giovanna Cuttitta, Rita Di Natale e il personale della sezione 'Fondi antichi'.

L'interesse per le vicende storiche e musicali in Sicilia è condiviso da numerosi amici e colleghi ai quali devo un sostegno costante, oltre a una serie di illuminanti conversazioni in cui si è avuta occasione di scambiare pensieri e opinioni. Informazioni di grande utilità mi sono state fornite da Renata De Simone, Maurizio Vesco, Salvatore Fodale, Maria Concetta Di Natale, Filippo Milazzo, Giovanna Vizzola, Giovanni Paolo Di Stefano, Jorge Morales, Luciano Buono. Mi sia consentito, inoltre, un riconoscimento di stima e affetto a Laura Sciascia, connubio insostituibile di competenza e cortesia, delle quali ho abusato in fin troppe circostanze.

Nel 2014 la tesi è risultata vincitrice della seconda edizione del Premio "Pier Luigi Gaiatto", istituito dalla Fondazione Ugo e Olga Levi, in collaborazione con la famiglia Gaiatto e il Centro Studi e Ricerche "Giovanni Tebaldini" di Ascoli Piceno. Questo importante riconoscimento mi ha consentito non soltanto di concretizzare il progetto di pubblicazione, ma soprattutto di conoscere Gabriella, Angelo e Davide Gaiatto. È grazie alla loro sensibilità e generosità che le pagine di questo libro contribuiscono a mantenere vivo il ricordo di Pier Luigi Gaiatto, alla cui memoria il premio è dedicato. A loro sono grata da un punto di vista umano e professionale, così come alla commissione giudicatrice del 2014 (Luisa Maria Zanoncelli, Maria Teresa De Gregorio, Anna Maria Novelli, Franco Colussi, Roberto Calabretto) e al direttore della Fondazione Levi, Giorgio Busetto.

Un sentito ringraziamento va, inoltre, ai direttori della collana 'Historiae musicae cultores', Lorenzo Bianconi, Virgilio Bernardoni e Franco Piperno. Quest'ultimo, con attenzione e pazienza, ha letto e revisionato lo scritto, offrendo suggerimenti preziosi che hanno conferito ulteriore valore ai contenuti e alla struttura del presente lavoro. Ringrazio, infine, la mia famiglia, i colleghi del dottorato di 'Storia e analisi delle culture musicali', e soprattutto Angela Fodale, Giuliano Scalisi, Federica Faldetta, Eleonora Di Cintio, Giulia Giovani, Patrizia Mazzina e Vanna Crupi. Senza la loro amicizia e il loro sostegno questo percorso si sarebbe rivelato più faticoso e probabilmente non si sarebbe ancora concluso.

PARTE PRIMA
OCCASIONI DI MUSICA: FESTE RELIGIOSE, LITURGIE E CERIMONIE ALL'APERTO

Capitolo primo

MONASTERI, CONVENTI E PRASSI MUSICALE: LE FESTE DEI SANTI TITOLARI

1.1. Fonti per lo studio di monasteri e conventi

A Palermo, come nelle altre grandi città della penisola, il computo dei monasteri e conventi presenti nel territorio implica questioni che tuttora rendono difficile individuarne il numero esatto, soprattutto a partire dalla seconda metà del XVI secolo. In relazione a questo aspetto la situazione palermitana costituisce, infatti, un caso abbastanza esemplare, con variabili di cui è necessario tenere conto e che spesso hanno prodotto opinioni discordanti. Fra le variabili più significative vanno considerate le fondazioni di nuove istituzioni, particolarmente frequenti proprio negli anni a ridosso della Controriforma, e gli spostamenti delle comunità religiose, che talvolta causavano la compresenza o alternanza di diversi nuclei all'interno del medesimo edificio.

Il quadro delle fonti a disposizione è peraltro piuttosto ampio. L'interesse per le istituzioni ecclesiastiche si sviluppa, infatti, già nel Cinquecento e include esempi importanti, fra i quali la *Descrizione delle chiese di Palermo* (1590) di Valerio Rosso o il *Sacro Teatro Palermitano* (seconda metà del XVII secolo) di Onofrio Mangananti.[1] Tuttavia, il taglio dei contributi di Cinque e Seicento è più descrittivo che propriamente storico, ad eccezione della *Sicilia Sacra* di Rocco Pirri, pubblicata nella prima metà del XVII secolo e relativa al panorama siciliano nel suo complesso.[2] Un tentativo più sistematico di codificazione delle vicende degli ordini religiosi palermitani si ha solo nella prima metà del Settecento, con la redazione della *Storia sagra di tutte le chiese, conventi, monasteri, spedali e altri luoghi pii della città di Palermo* ad

---

[1] Entrambe le opere sono conservate manoscritte presso la Biblioteca Comunale di Palermo, rispettivamente alle segnature Qq D 4 e Qq D 11-15.

[2] Rocco Pirri, *Sicilia Sacra disquisitionibus et notitiis illustrata*, Palermo, Pietro Coppola, 1633.

opera del canonico Antonino Mongitore, conservata in 10 volumi manoscritti presso la Biblioteca Comunale di Palermo. I manoscritti relativi agli
ordini ecclesiastici includono informazioni sia sulle istituzioni appartenenti
alle comunità maschili (chiese e case dei regolari) sia su quelle femminili
(monasteri e conservatori).[3] Tuttavia, soltanto nel caso degli ordini maschili l'edizione critica a cura di Francesco Lo Piccolo ha reso accessibile l'opera
sui conventi,[4] in attesa che il progetto prosegua con la pubblicazione dei
rimanenti volumi.

Un'indagine sulle attività musicali nei conventi e monasteri palermitani
si scontra, dunque, già in partenza con difficoltà oggettive, dovute all'assenza di studi di carattere generale sull'insediamento degli ordini religiosi
e sulle istituzioni a essi connesse. Le ricerche finora effettuate – censite
nel volume di Rosario La Duca, dedicato ai contributi bibliografici relativi
agli edifici religiosi della città[5] – riguardano, infatti, le singole istituzioni e
tendono a privilegiare quelle più importanti, lasciando in ombra i luoghi
di culto di minore rilevanza, sia sul piano socio-economico sia su quello
artistico e architettonico. Di conseguenza non possiamo che condividere
l'opinione di Lo Piccolo quando afferma che «la ricerca sull'insediamento
del monachesimo e sullo sviluppo degli ordini regolari in Sicilia può consi-
derarsi sostanzialmente ferma all'opera di Rocco Pirri».[6] Allo stesso tempo
un'idea generale sulla storia delle istituzioni palermitane risulta imprescindibile per chi voglia accostarsi allo studio della musica sacra a Palermo fra
Cinque e Seicento.

Relativamente alle finalità della ricerca, più che i dati sulle singole comunità interessano, dunque, le questioni relative a contatti e competizione
fra gli ordini religiosi, alle iniziative di committenza, ai possibili legami con
le autorità cittadine, ai finanziamenti dei privati. Ciò in relazione a dinamiche di natura sociale e al prestigio che un ordine o una determinata co-

---

[3] ANTONINO MONGITORE, *Storia sagra di tutte le chiese, conventi, monasteri, spedali e altri luoghi pii della città di Palermo: Le chiese e le case dei regolari*, BCP, sec. XVIII, ms. Qq E 5; *Storia
sagra di tutte le chiese, conventi, monasteri, spedali e altri luoghi pii della città di Palermo: Monasteri
e conservatori*, BCP, sec. XVIII, ms. Qq E 7. Da un punto di vista terminologico, pur esistendo
confusione e ambiguità nelle fonti, ricordiamo quanto specificato da Pitrè, ovvero che «per
convento in Sicilia s'intende monastero, con uomini; e per *monastero*, convento, con monache»
(GIUSEPPE PITRÈ, *La vita in Palermo cento e più anni fa*, I, Palermo, A. Reber, 1904; rist.: Firenze,
G. Barbera, 1944, p. 49).

[4] ANTONINO MONGITORE, *Storia delle chiese di Palermo. I conventi*, ed. critica a cura di Francesco Lo Piccolo, voll. 2, Palermo, Cricd, 2009.

[5] ROSARIO LA DUCA, *Repertorio bibliografico degli edifici religiosi di Palermo*, Palermo, Oftes,
1991.

[6] A. MONGITORE, *Storia delle chiese di Palermo. I conventi* cit., I, p. XVI.

munità riusciva a ottenere in ambito cittadino. Il quadro che ne consegue si rivela inevitabilmente complesso, a maggior ragione se consideriamo il consistente numero di istituzioni che operavano fra XVI e XVII secolo nel contesto palermitano. Infatti, pur mancando dati incontrovertibili su questo aspetto, è attestato che a metà Seicento esistevano a Palermo non meno di ventitré fra monasteri e conservatori e una cinquantina di chiese annesse a conventi e noviziati, con una popolazione di circa 24.000 anime su un totale di circa 140.000 abitanti, stando almeno al censimento indetto nel 1613 dal cardinale Giannettino Doria.[7]

1.2. LE ISTITUZIONI

Al predominio in età medievale di alcuni ordini monastici subentrò nei secoli successivi quello di altre congregazioni, sempre più attive in ambito isolano e cittadino, come i benedettini, i francescani e i domenicani. Tale predominio nella storia religiosa, politica e culturale di Palermo si mantenne con alterne vicende fino al Seicento, nonostante il progressivo affermarsi di altre compagnie, giunte in città tra la seconda metà del XVI secolo e gli inizi del Seicento. Fra queste si distinsero i gesuiti, i teatini e gli oratoriani, di fondamentale importanza per lo sviluppo delle attività musicali in questo periodo. Non infrequenti erano anche le forme di competizione fra i diversi ordini che diedero vita a vere e proprie «guerre di santi», spesso combattute senza esclusione di colpi.[8] Tali lotte avvenivano sia sul piano territoriale, sia su quello ideologico, quest'ultimo da leggersi alla luce del concetto di «consumo della devozione» che risulta determinante ai fini dell'analisi delle iniziative musicali promosse dalle corporazioni religiose palermitane fra XVI e XVII secolo.[9]

Non meno interessante la realtà delle istituzioni femminili le quali, rispetto a quelle maschili, annoverano iniziative a carattere assistenziale, quasi sempre rivolte a categorie di donne appartenenti a fasce deboli della società ('Reepentite', 'Malmaritate', 'Riparate', etc.). Ciononostante, il vasto ambito delle attività culturali promosse dai monasteri di donne, in particolare nel Sud Italia, costituisce tuttora un argomento poco indagato,

---

[7] Cfr. FRANCESCO MAGGIORE-PERNI, *Statistica della città di Palermo. Censimento della popolazione nel 1861 pubblicato dall'Ufficio Comunale di Economia e Statistica*, Palermo, Tipografia Francesco Lao, 1865, pp. CII-CIV.

[8] A. MONGITORE, *Storia delle chiese di Palermo. I conventi* cit., I, p. XVI.

[9] Su questi aspetti rimandiamo ad ANGELO TORRE, *Il consumo di devozione. Religione e comunità nelle campagne dell'Ancien Régime*, Venezia, Marsilio, 1995.

sebbene ne sia oggi palese l'importanza e la centralità.[10] Peraltro lo studio delle istituzioni femminili è complicato dal maggior numero di distruzioni e soppressioni inflitte nel tempo a importanti complessi del territorio urbano. Si pensi, ad esempio, al cantiere per la costruzione del Teatro Massimo, edificato a fine Ottocento nel luogo dei monasteri di San Giuliano e delle Stimmate di San Francesco, o ancora ai pesanti danni subiti a causa dei bombardamenti della seconda guerra mondiale, con la distruzione pressoché completa dei due monasteri del Cancelliere e delle Vergini.

Parallelamente al rifiorire dell'interesse storiografico nei confronti del monachesimo femminile, anche per Palermo di recente sono comparsi diversi studi incentrati sulle dinamiche di interazione culturale fra monasteri e tessuto urbano in epoca di *ancien régime*, per quanto dedicati agli edifici più rilevanti da un punto di vista artistico e architettonico.[11] Sta di fatto che nel quadro delle indagini sulla promozione delle attività culturali la musica occupa un posto tuttora secondario, situazione che accomuna indifferentemente istituzioni femminili e maschili. Al contrario il contributo delle comunità religiose alla vita musicale palermitana in età moderna si è rivelato di grande interesse, come si cercherà di dimostrare nelle pagine seguenti. Non solo, sia conventi che monasteri si proponevano quale centri importanti di pratica diretta della musica da parte dei membri della comunità, intesa non soltanto in senso devozionale, ma anche in senso ricreativo. Nell'equilibrio tra le due finalità e nella dinamica fra interno ed esterno, acquista importanza il rapporto con il contesto cittadino, un aspetto di cui

---

[10] Un panorama bibliografico sull'argomento si trova in GABRIELLA ZARRI – FRANCESCA MEDIOLI – PAOLA VISMARA CHIAPPA, *"De Monialibus" (Secoli XVI-XVII-XVIII)*, «Rivista di storia e letteratura religiosa», XXXIII, 1998, pp. 643-715 e ancora in GIANNA POMATA – GABRIELLA ZARRI, *Introduzione*, in *I monasteri femminili come centri di cultura fra Rinascimento e Barocco*, a cura di Gianna Pomata e Gabriella Zarri, Roma, Edizioni di Storia e Letteratura, 2005, pp. IX-XLIV. Per quanto riguarda la musica, si rimanda a DINKO FABRIS, *Angeli humanati e celesti sirene nei chiostri dell'Europa moderna*, in *Celesti Sirene. Musica e monachesimo dal Medioevo all'Ottocento*, Atti del Seminario Internazionale (San Severo di Puglia, 7-9 marzo 2008), a cura di Annamaria Bonsante e Roberto Matteo Pasquandrea, Foggia, Claudio Grenzi Editore, 2010, pp. 1-13. Un'eccezione all'assenza di studi sulla musica nei monasteri femminili del Meridione è il lavoro condotto su Napoli da ANGELA FIORE (*"Non senza scandalo delli convicini": pratiche musicali nelle istituzioni religiose femminili a Napoli 1650-1750*, Bern, Peter Lang, 2017).

[11] Cfr. gli studi di HELEN HILLS, in particolare *Convents in the city; choirs in the convents: Aristocratic female convents and urbanism in early modern Palermo and Naples*, in *Annali del Barocco in Sicilia: Pompeo Picherali. Architettura e città fra XVII e XVIII secolo. Sicilia, Napoli, Malta*, a cura di Lucia Trigilia, Roma, Gangemi, 1997, pp. 61-76; EAD., *Iconography and Ideology: Aristocracy, Immaculacy and Virginity in Seventeenth-century Palermo*, «Oxford Art Journal», XVII/2, 1994, pp. 16-31; EAD., *Cities and Virgins: Female Aristocratic Convents in Early Modern Naples and Palermo*, «Oxford Art Journal», XXII/1, 1999, pp. 31-54; EAD., *Monasteri femminili aristocratici a Napoli e a Palermo nella prima età moderna e la "conventualizzazione" della città*, in *Il santo patrono e la città. San Benedetto il Moro: culti, devozioni, strategie di età moderna*, a cura di Giovanna Fiume, Venezia, Marsilio, 2000, pp. 68-80.

è necessario tenere conto e che spesso condizionava il profilo musicale di una determinata istituzione.

Considerando quanto detto, appare utile fornire un elenco orientativo delle istituzioni monastiche e conventuali riferibili al contesto palermitano nel XVI e XVII secolo, esplicitando fra parentesi l'ordine religioso di appartenenza e suddividendole in base alla collocazione territoriale, in particolare al mandamento (o quartiere) nel quale erano situate (Fig. 1).[12]

Tavola 1:
Istituzioni monastiche e conventuali (secc. XVI-prima metà XVII)

I. Albergheria / Palazzo reale

1. Annunziata alle Balate (Francescani)
2. Annunziata a Porta Montalto (Francescani)
3. Carmine Maggiore (Carmelitani)
4. Casa Professa (Gesuiti)
5. Infermeria dei Cappuccini (Cappuccini)
6. Madonna del Soccorso (Carmelitani)
7. S. Agata dei Careri (Mercedari)
8. S. Chiara (Clarisse)
9. S. Demetrio o SS. Trinità (Trinitari)
10. S. Elisabetta Regina (Francescane)
11. S. Francesco Saverio (Gesuiti)
12. S. Giorgio in Kemonia (Basiliani, poi Cistercensi, poi Olivetani)
13. S. Giovanni degli Eremiti (Benedettini)
14. S. Giovanni dell'Origlione (Benedettine, dal 1532 anche Olivetane)
15. S. Giuseppe dei Teatini (Teatini)
16. S. Nicolò ai Bologni (Carmelitani)
17. S. Pietro ex Santa Teresa al Trappetazzo (Carmelitane dal 1629 al 1653)
18. S. Pietro in Vinculis (Fatebenefratelli)
19. SS. Crocifisso (Trinitari)
20. SS. Salvatore (Basiliane)

II. Seralcadi / Monte di pietà

21. Monastero dei Sett'Angeli (Minime)

22. Monastero dell'Immacolata Concezione al Capo (Benedettine)
23. Monastero delle Stimmate di S. Francesco (Clarisse)
24. S. Agostino (Agostiniani)
25. SS. Cosma e Damiano (Francescani)
26. S. Cristoforo (Basiliani fino al 1697)
27. S. Giuliano (Teatine)
28. S. Gregorio (Agostiniani)
29. S. Lucia della Trinità (Olivetane dal 1531 al 1584, poi trasferite al Cancelliere)
30. S. Marco (Chierici Regolari Minori)
31. S. Maria del Cancelliere (Benedettine)
32. S. Maria della Grotta del Collegio Massimo (Gesuiti)
33. S. Maria della Mercede (Mercedari)
34. S. Maria di Monte Oliveto (Clarisse)
35. S. Maria di Montevergine (Clarisse)
36. S. Maria Maddalena (Francescani dal 1608 al 1648)
37. S. Ninfa dei Crociferi (Crociferi)
38. S. Silvestro (Scolopi)
39. S. Vito (Francescane)
40. SS. Sacramento al Noviziato (Gesuiti)
41. Spirito Santo (Benedettini)

III. Kalsa / Tribunali

42. Immacolata Concezione (Mercedari)

---

12 L'elenco è stilato sulla base delle notizie contenute nei manoscritti del Mongitore, integrate da *Il Palermo d'oggigiorno di Francesco M. Emanuele e Gaetani marchese di Villabianca da' manoscritti della Biblioteca Comunale di Palermo a' segni Qq E 91-92*, in *Biblioteca storica e letteraria di Sicilia. Diari della città di Palermo dal secolo XVI al XIX*, XIII, Palermo, Pedone Lauriel, 1873 e Gaspare Palermo, *Guida istruttiva per potersi conoscere con facilità tanto dal siciliano, che dal forestiere tutte le magnificenze, e gli oggetti degni di osservazione della Città di Palermo Capitale di questa parte de' R. Dominj*, Palermo, Reale Stamperia, 1816.

43. S. Maria dei Miracoli (Francescani)
44. Monastero dello Scavuzzo (conservatorio, poi monastero di Francescane)
45. S. Carlo Borromeo (Benedettini)
46. S. Caterina d'Alessandria o delle Donne (Domenicane)
47. S. Francesco d'Assisi (Francescani)
48. S. Giovanni Evangelista (Chierici Regolari Minori)
49. S. Maria degli Angeli (Francescani)
50. S. Maria dell'Assunta (Carmelitane)
51. S. Maria della Grazia o 'Reepentite' (Olivetane, poi Francescane)
52. S. Maria della Pietà (Domenicane)
53. Monastero della Martorana (Benedettine)
54. S. Maria dello Spasimo (Olivetani, prima metà sec. XVI)
55. S. Maria di Montesanto, ex S. Antonio Abate (Carmelitane, poi Carmelitani)
56. S. Maria la Misericordia (Francescani)
57. Noviziato dei Crociferi e S. Mattia Apostolo (Crociferi)

58. S. Nicolò degli Scalzi (Francescani)
59. S. Nicolò di Tolentino ex S. Maria del Popolo (Clarisse fino al 1579, Agostiniani dal 1596)
60. S. Rosalia (Benedettine)
61. S. Teresa alla Kalsa (Carmelitane)

IV. La Loggia / Castellammare

62. Annunziata delli Spersi (Benedettini?, seconda metà sec. XVI)
63. S. Maria dell'Itria (Carmelitani)
64. Madonna della Pietà al Molo (Fatebenefratelli)
65. S. Maria di Monserrato (Benedettini)
66. S. Basilio (Basiliani)
67. S. Cita o Zita (Domenicani)
68. S. Domenico (Domenicani)
69. S. Ignazio all'Olivella (Oratoriani)
70. S. Maria della Catena (Teatini)
71. S. Maria delle Vergini (Benedettine)
72. S. Maria di Valverde (Carmelitane)
73. S. Maria della Candelora (Clarisse, prima metà sec. XVI)

Fuori le mura

74. Annunziata alla Zisa (Francescani)
75. Convento e chiesa dei Cappuccini (Cappuccini)
76. Madonna della Consolazione al Molo (Agostiniani)
77. Madonna della Vittoria (Minimi)
78. S. Agata la Pedata (Mercedari, poi Agostiniani)
79. S. Antonio di Padova (Francescani)
80. S. Francesco di Paola (Minimi)
81. S. Giovanni di Baida (Benedettini, poi Francescani)
82. S. Isidoro (Carmelitani)
83. S. Lucia al Borgo (Trinitari, poi Francescani)
84. S. Maria dei Rimedi o S. Teresa (Carmelitani)
85. S. Maria della Sanità (Agostiniani)
86. S. Maria del Popolo al Molo (Mercedari)
87. S. Maria d'Altofonte o del Parco (Cistercensi)
88. S. Maria di Gesù (Francescani)
89. S. Martino delle Scale (Benedettini)
90. S. Nicolò lo Gurguro o S. Maria della Grazia (Cistercensi, poi Benedettini, poi Francescani)
91. S. Rosalia a Monte Pellegrino (Francescani)
92. Santo Spirito (Cistercensi, poi Agostiniani, poi Olivetani)
93. Santa Maria del Bosco (Olivetani, dal 1785 Agostiniani della Consolazione)

Chiaramente non per tutte queste istituzioni si sono trovate notizie di natura musicale, a causa anche della dispersione di documenti relativi all'ambito cronologico preso in considerazione. Tuttavia, sia per i conventi che per i monasteri, il materiale finora individuato autorizza ad articolare una riflessione di tipo trasversale e fondata sulle fonti d'archivio, indispensabili per chiarire il ruolo delle istituzioni ecclesiastiche nel contesto musicale palermitano. Ed è nell'ambito delle celebrazioni festive che tale ruolo emerge con particolare forza e intensità.

1.3. MUSICA E FESTA A PALERMO

Con l'inizio della dominazione spagnola e la trasformazione dell'isola in viceregno si era affermata una concezione dello spettacolo festivo in cui l'elemento religioso era considerato componente sì ineliminabile della celebrazione, ma subordinata alle logiche di potere del governo centrale.[13] Parallelo a tale concezione, registrabile per lo più nella sfera delle occasioni ufficiali promosse dalle autorità, fu lo sviluppo di forme autonome e più elaborate di solennizzazione delle feste religiose, realizzate in modo particolare dagli ordini monastici, soprattutto a partire dal XVI secolo. La festa diventava così il biglietto da visita della singola istituzione, occasione ideale per presentarsi all'esterno e manifestare il proprio prestigio sul piano pubblico, allo scopo di ottenere maggiori consensi.

L'idea dello spettacolo come evento totale, iniziata con l'arrivo degli Aragonesi e destinata a raggiungere la propria pienezza d'espressione con il periodo barocco, si nutriva di ingredienti fissi, riassunti dal cerimoniale del governo spagnolo,[14] nella sinestesica combinazione di stimoli visivi, uditivi, olfattivi e persino gustativi. L'evento festivo si presentava, dunque, come un fenomeno articolato, condizionato da precise dinamiche sociali che pure esercitarono la loro influenza sul piano sonoro. Infatti, già nel periodo normanno ma ancor più con i dominatori spagnoli, le esibizioni musicali erano state introdotte in modo stabile nelle cerimonie ufficiali, costituendo uno degli aspetti irrinunciabili della festa pubblica.

Per delineare un quadro delle occasioni celebrative diffuse a Palermo fra Cinque e Seicento, e degli interventi musicali che esse prevedevano,

---

[13] Nel panorama bibliografico dedicato all'argomento si segnalano i contributi di GIOVANNI ISGRÒ, in particolare *Festa teatro rito nella storia di Sicilia*, Palermo, Cavallotto Editore, 1981; ID., *Il paesaggio scenico della Sicilia*, Palermo, Anteprima, 2005.

[14] Sebbene si tratti di una fonte dal carattere più descrittivo che prescrittivo, si rimanda al *Ceremoniale de' Signori Viceré (1584-1668)*, a cura di Enrico Mazzarese Fardella, Laura Fatta Del Bosco e Costanza Barile Piaggia, «Documenti per servire alla storia di Sicilia», s. IV, XVI, Palermo, Società Siciliana di Storia Patria, 1976.

è necessario focalizzarsi sulle cerimonie che avevano luogo negli edifici di culto, in particolare su quelle legate alla manifestazione del potere ecclesiastico. Infatti, quello che fino a un certo momento si era configurato come un rapporto di collaborazione fra poteri, nel Cinquecento cominciò a trasformarsi in competizione, nonché smania di visibilità. Tutto questo comportò una maggiore attenzione nei confronti della componente sonora che si esprimeva particolarmente all'interno delle feste religiose. Quest'ultime vanno a formare un ambito vasto che necessita di *distinguo* e di ulteriori classificazioni, in base all'istituzione e all'ordine religioso che le promuoveva.

1.4. LE FESTE RELIGIOSE

Notizie più o meno dettagliate sulle feste religiose organizzate dalle comunità ecclesiastiche palermitane possiamo trarle dal *Giornale Sacro Palermitano* di Giuseppe Bernardo Castellucci o Castelluccio,[15] pubblicato a Palermo nel 1680. Si tratta di una fonte posteriore rispetto ai limiti cronologici prefissati (che, ricordiamo, includono tutto il XVI secolo e la prima metà del XVII secolo), ma che ugualmente può risultare di grande interesse. Infatti le informazioni che ne ricaviamo si riferiscono per lo più a celebrazioni di consolidata tradizione, di cui talvolta si riporta una breve storia, a testimoniarne la longevità e il radicamento nelle consuetudini cittadine.

Al centro dell'attenzione vi erano soprattutto le celebrazioni che si legavano a usi locali (ad esempio le pratiche devozionali relative al culto delle reliquie) e che attiravano maggiormente l'interesse dell'autore e dei suoi lettori, nella misura in cui costituivano una peculiarità distintiva della città. Di conseguenza, a essere meno considerate da Castellucci erano proprio le feste più rilevanti dell'anno liturgico, come ad esempio la Pasqua e il Natale, che allo stesso tempo, dal raffronto con la documentazione contabile delle chiese, sembravano esigere un intervento ancor più significativo della componente musicale.

L'accertamento di una tradizione continuativa nelle occasioni festive può essere anche esteso alle relative esecuzioni musicali. Se le caratteristiche di quest'ultime erano condizionate dagli stili e dalle pratiche esecutive del momento, dobbiamo anche ricordare che la Chiesa, nella musica come negli altri ambiti, era più incline a perpetuare le usanze che ad adottare le

---

15 GIUSEPPE BERNARDO CASTELLUCCI, *Giornale Sacro Palermitano. In cui si descriuono tutte le Feste de' Giorni, che si fanno nelle Chiese dentro, e fuori la Feliciss. e Fedelissima Città di Palermo […]*, Palermo, per l'Isola, 1680.

novità. Gli stessi fedeli, pur andando alla ricerca di trovate moderne e al passo coi tempi, desideravano assistere a celebrazioni che non si distanziassero granché dall'abitudine, che garantissero una sorta di continuità fra passato e presente.

A riprova di quanto detto, i volumi amministrativi dei monasteri e dei conventi, pure nell'arco di periodi abbastanza estesi, testimoniano una sostanziale stabilità nell'organizzazione delle *performances* musicali legate alla festa, percepibile nell'ambito delle pratiche esecutive come anche nelle modalità di finanziamento.[16] La medesima continuità si può peraltro riscontrare anche attraverso i testi a stampa, se si considera che cinquant'anni dopo la pubblicazione del *Giornale Sacro Palermitano*, da una fonte tipologicamente vicina quale è il *Diario Sagro* di Giovanni Vincenzo Papa,[17] rileviamo notizie per lo più simili a quelle segnalate da Castellucci mezzo secolo prima.

Combinando le informazioni del *Giornale Sacro* con quelle manoscritte dei libri di conto, possiamo ottenere un quadro riassuntivo delle principali feste religiose celebrate nelle chiese monastiche e conventuali di Palermo fra Cinque e Seicento, con indicazioni più o meno esplicite sulla presenza della musica [Tavola 2].[18] Nel privilegiare una scansione di tipo giornaliero, condivisa sia dalle fonti a stampa che dai libri-giornale delle istituzioni, si può notare l'importanza che la celebrazione della festa rivestiva nella vita cittadina, a tal punto da divenire, pur nella straordinarietà dell'evento, una presenza costante e quasi quotidiana, e quindi in questo senso 'ordinaria' quanto a ricorrenza e modalità di svolgimento.

Inoltre, laddove non venga chiaramente segnalato l'intervento della musica, possiamo comunque dedurlo da alcuni indicatori, relativi alla presenza di personalità importanti o al tipo della celebrazione. Nel primo caso la partecipazione dell'arcivescovo, e soprattutto del viceré, costituiva una garanzia relativamente alla necessità di rendere il festeggiamento il più possibile adeguato all'autorità presente, prevedendo un commento sonoro che includesse l'intervento di musicisti. Nel secondo caso, l'allusione alla solen-

---

[16] Tale aspetto emerge per quelle istituzioni che ci offrono il maggior numero di informazioni in archi cronologici prolungati, in particolare per San Domenico e San Martino delle Scale, che a distanza di molti decenni presentano le medesime forme di realizzazione delle cerimonie musicali. Si vedano le considerazioni più avanti esposte in merito alle celebrazioni del periodo quaresimale, della Settimana Santa o del Natale nelle rispettive istituzioni (cfr. *infra*, capitolo II).

[17] Giovanni Vincenzo Papa, *Diario sagro in cui si descrivono tutte le Feste, che si fanno nelle Chiese dentro, e fuori la Felicissima, e Fedelissima Città di Palermo*, Palermo, Vincenzo Toscano, 1730.

[18] La Tavola 2 è inserita nell'Appendice digitale.

nità (in particolare la dicitura *festa solenne*) è da intendersi come sinonimo di celebrazione con musica, secondo quanto si può ipotizzare dal raffronto con la documentazione prodotta direttamente dalle istituzioni.[19]

Prevedibilmente le notizie finora raccolte confermano che le principali ricorrenze liturgiche celebrate a Palermo con l'intervento della musica erano soprattutto il periodo della Quaresima (in particolar modo la Settimana Santa, con picchi notevoli il Venerdì Santo e la Domenica di Pasqua), la festa del Santissimo Sacramento o *Corpus Domini*, l'Avvento, l'Epifania, le festività mariane (principalmente l'Immacolata, che godeva di particolare culto, ma anche la Visitazione e l'Assunta), la festa di Tutti i Santi, la commemorazione dei defunti e le cosiddette feste peculiari. Categoria a sé era quella delle feste dei padri fondatori e delle feste del titolo, relative cioè sia al titolo della chiesa sia al titolo dell'ordine religioso di appartenenza.

Nell'ambito delle feste peculiari rientravano le celebrazioni legate al culto di una particolare immagine (sia statue che immagini dipinte), di una reliquia o del santo al quale era dedicata una cappella o un altare all'interno della chiesa. Un discorso a parte va fatto per due solennità: da una parte la festa della patrona, Santa Rosalia, che prevedeva una sinergia di collaborazioni fra diverse autorità e istituzioni, articolandosi in vari momenti e svolgendosi per lo più all'aperto; dall'altra la devozione delle Quarantore, che diverrà centrale a partire dalla seconda metà del Cinquecento e sulla quale ci soffermeremo nel capitolo dedicato alle attività musicali promosse a Palermo dai gesuiti.

1.5. FESTE DI SANTI TITOLARI E PADRI FONDATORI

1.5.1. *San Domenico*

Nel panorama delle occasioni festive promosse dagli ordini religiosi particolare rilievo assumevano le iniziative musicali connesse alla celebrazione delle feste titolari e dei padri fondatori. Quest'ultime, infatti, offrivano a ciascuna istituzione l'opportunità ideale per proporsi alla cittadinanza in modo prestigioso, all'interno di una festività che fosse unica e specifica della fisionomia della comunità religiosa. Nelle feste del titolo le comuni-

---

[19] Ad esempio, a partire già dalla festa della Circoncisione, Castellucci riferisce che si celebrava festa solenne nel convento di San Domenico, senza esplicito accenno alla musica. La presenza di interventi musicali è però documentata nei libri contabili dell'istituzione, per lo meno dal 1639 (cfr. *infra*, capitolo II). Stessa cosa avviene per altre occasioni, come ad esempio l'Epifania, San Tommaso, Sant'Anna o San Francesco di Paola. Per un quadro più dettagliato si rimanda alla Tavola 2 già citata e riportata nell'appendice.

tà trovavano, dunque, un'occasione di riconoscimento, ma al contempo di competizione, facendo a gara fra chi potesse offrire la celebrazione più sontuosa. Per questo le istituzioni, in presenza o meno di organici musicali stabili, largheggiavano nell'ingaggio di cantori ed esecutori esterni, itineranti o affiliati ad altre cappelle e specializzati in esecuzioni di tal genere.

Relativamente alle feste titolari, si ridimensiona anche la distinzione fra istituzioni 'principali' e 'secondarie', visto che da un punto di vista 'quantitativo' le risorse musicali impiegate erano pressoché le stesse. Sarebbe stato infatti motivo di somma vergogna non adeguarsi alle tradizioni, trascurando la componente musicale delle occasioni più importanti. Per questo si può anche ipotizzare che alcune spese per determinate esecuzioni musicali non venissero dichiarate in modo esplicito, tanto erano radicate nella normalità del consumo e nella rigida ripetitività del calendario liturgico.

La mancanza di molti dei libri di conto anteriori al XVI secolo e il carattere generico della maggior parte delle indicazioni fanno sì che i riferimenti espliciti all'impiego dei musicisti siano alquanto sporadici e non indicativi della reale situazione, almeno per quanto riguarda il Cinquecento. Ad esempio, nel convento di San Domenico per quasi tutto il secolo le voci relative alle spese per la festa del titolo sono piuttosto sommarie e non alludono alla presenza della musica, anche se dall'entità del pagamento possiamo ipotizzarla. Soltanto nel 1580 per la prima volta viene specificata nella spesa totale «per la festa di santo Domenico» l'elargizione «a li musici» di 2 onze e 4 tarì,[20] esplicitazione che nel corso del Seicento troveremo con continuità, come già testimonia il pagamento di onze 2 e tarì 12 dell'agosto 1600.[21]

Per le celebrazioni del 1610 e 1612 l'intervento di musicisti è indirettamente ma incontrovertibilmente confermato da due simili note di pagamento: la prima (15 agosto 1610) di 24 tarì «per portare tavole e travi et per acattare cioda per fare un talamo alla musica per detta festa», la seconda (11 agosto 1612) di onze 1. 6 «per portatura di travi e per chiova et fattura delli talami nella chiesia per la musica».[22] Non si accenna minimamente ai musicisti che suonarono o cantarono nei suddetti talami, né tanto meno alla loro retribuzione.

Tale assenza di informazioni, in questo come in altri casi, può essere forse spiegata dall'esistenza, oltre ai volumi principali, di specifici libri contabili adibiti alla registrazione di altre spese, fra cui quelle musicali. Non

---

[20] ASPa, CRS, *San Domenico*, vol. 475, c. 59r.

[21] «Dedi onze sidici tarì setti et grana setti per la pitanza matina e sera nel giorno di S. Domenico, fra pesci, ova et frutti, riso, ricotti, meli, misturi / Eodem Dedi alli musici per detta festa onze dui et tarì dudici» (ASPa, CRS, *San Domenico*, vol. 570, c. 105v).

[22] *Ivi*, cc. 312r, 342v.

si può comunque escludere che intervenissero diverse forme di finanziamento o che si utilizzassero esclusivamente musicisti interni alle singole istituzioni. Tuttavia, la terza ipotesi risulta poco convincente, entrando in contrasto con le indicazioni degli anni successivi. Infatti, anche ipotizzando la presenza di una cappella musicale che includesse, oltre a cantori, strumentisti in grado di sostenere gli impegni connessi alla celebrazione del titolo, essa da sola non spiegherebbe la totale mancanza di indicazioni e quindi andrebbe abbinata con una delle prime due ipotesi.

In ogni caso, a partire da questo periodo i riferimenti si fanno costanti e talvolta più dettagliati quanto a indicazione di organici e pratiche esecutive. Nell'agosto del 1613 la dicitura è ancora generica, poiché allude soltanto alla retribuzione di 3 onze e 6 tarì «per la musica nella festa di San Domenico»[23] e di nuovo alle spese per i talami. Tuttavia, un anno dopo troviamo notizie più precise che specificano la presenza di musica a due cori per la messa e i vespri «con sinfonie di strumenti»,[24] oltre alle spese per la maestria dei due talami. Negli anni successivi si riscontra un assestamento della spesa intorno a una cifra abbastanza stabile, che si aggira sulle onze 5 e tarì 12.[25] Contemporaneamente assistiamo all'infittirsi dei riferimenti sul trasporto o rifacimento di strumenti musicali e all'aumento delle spese per i talami, *catafalchi* e *letterini*, destinati ad accogliere i musicisti o anche una personalità di particolare importanza chiamata a cantare la messa per l'occasione.[26]

Nel 1620 la presenza di un terzo coro di musica fa lievitare la cifra a 6 onze e 12 tarì e a ben 11 onze nel 1622. Dopo questa data, dovremo aspettare qualche anno per trovare nuovamente notizie musicali relative alla festa del titolo, precisamente il 4 agosto 1626, allorché vengono stanziate 6 onze «per la musica a dui chori nella festa del Padre San Domenico» e in più 1 onza «alli sopra detti musici che cantorno per tratenimento nel giorno della detta festa fuora dell'hori deputati».[27] Stessa cosa avviene l'anno successivo: ancora 6 onze per la musica a due cori e il pagamento straordinario agli esecutori «per il tratenimento della musica che cantò in detta festa fuori dell'hori deputati»,[28] ai quali si aggiungono 2 tarì e 8 grana di neve per i suddetti musicisti.

---

[23] ASPa, CRS, *San Domenico*, vol. 571, c. 21r.

[24] *Ivi*, c. 42v.

[25] *Ivi*, cc. 72v, 91r, 111r, 133r, 153r.

[26] È quanto accade il 5 agosto 1619, quando vengono pagati 10 tarì «per quattro tavole di favo per accomodare il talamo di monsignor di Girgenti per cantare la messa nel giorno di s. Domenico» (*ivi*, c. 152r).

[27] ASPa, CRS, *San Domenico*, vol. 572, c. 115r.

[28] *Ivi*, c. 163r.

Nel 1628 torniamo di nuovo alla musica a tre cori, per la quale vengono pagate 10 onze e 18 tarì, più 13 tarì destinati a «confettioni et biscotti per li musici che cantorno fuora delli hori deputati nel giorno del Padre S. Domenico e per il fratello del viceré».[29] Questa forma di pagamento si ripete con regolarità per alcuni anni, variando a seconda delle risorse musicali impiegate. Nel 1631, ad esempio, troviamo distinte le tipologie esecutive: musica a due cori per il primo e secondo vespro, a tre cori per la messa cantata, oltre a un pagamento di 6 onze per l'allestimento di un sontuoso apparato che doveva arrivare «insino al tetto».[30] E ancora nell'agosto 1632 e 1633, insieme ai consueti interventi musicali per messa e vespri, si segnalano ulteriori «trattenimenti nell'organo» che dovevano svolgersi la mattina.[31]

La mancanza di uno dei *Libri di borsaria* non consente di ricavare notizie sugli interventi musicali per i successivi cinque anni. La serie di informazioni riprende nell'agosto del 1638, con lo stanziamento di 8 onze per la musica della festa di San Domenico,[32] ma dopo questa data si interrompe bruscamente per un decennio. I motivi di tale interruzione possono forse riferirsi alle cattive condizioni dell'organo, al quale proprio in quegli anni vengono riservati numerosi interventi di restauro e manutenzione. La nota del 15 agosto 1648 riporta, ad esempio, il pagamento di 1 onza e 12 tarì «per accordare l'organo per la festa di San Domenico che era sconcertato assai per havere più di dui anni che non si accordava».[33]

Non per questo dobbiamo pensare che la festa del titolo fosse rimasta improvvisamente priva di contributi musicali. Proprio intorno agli anni '30 del XVII secolo si moltiplicano le indicazioni sugli strumenti musicali presenti in convento, facendo supporre che venissero suonati dagli stessi padri, non soltanto per diletto personale, ma forse anche in occasione delle principali celebrazioni festive. Fra l'altro, in questo come in altri casi, l'interruzione nella sequenza di informazioni sulla celebrazione di un evento, a maggior ragione della festa del titolo, non allude necessariamente all'effettiva mancanza di musicisti. Al contrario l'improvvisa assenza di notizie andrebbe ascritta alle variabili di cui si è parlato in precedenza, fra cui la dispersione dei libri contabili, il cambio di mano del copista o l'introduzione anche solo per un periodo di tempo limitato di un diverso sistema di retribuzione.[34]

---

[29] *Ivi*, c. 209r.

[30] ASPa, CRS, *San Domenico*, vol. 574, c. 57r.

[31] *Ivi*, cc. 80v, 102v.

[32] ASPa, CRS, *San Domenico*, vol. 576, c. 31r.

[33] ASPa, CRS, *San Domenico*, vol. 579, c. 10r.

[34] Cfr. E. QUARANTA, *Oltre San Marco* cit., p. 145.

1.5.2. San Martino delle Scale

Quanto detto sulle modalità di solennizzazione musicale nella chiesa di San Domenico è esemplificativo della situazione in altre chiese palermitane. Da un punto di vista quantitativo anche il caso dell'abbazia di San Martino delle Scale è uno dei più fortunati: l'ingente mole di documenti relativi all'istituzione – più di 2.000 distinti in due fondi, nell'arco di otto secoli, dal XII alla fine del XIX secolo – va infatti a formare il complesso più sostanzioso fra quelli delle *Corporazioni Religiose Soppresse*. Per quanto riguarda i libri di conto, inoltre, si riscontra la presenza di svariate tipologie: accanto ai volumi principali (libri maestri e libri-giornale) compaiono altri registri diversificati in base al contenuto o al compilatore, come ad esempio i libri «del dare e avere» (strutturalmente simili a quelli maestri, ma redatti da monaci diversi), i libri di cassa e soprattutto le *vacchette*, volumi di ridotte dimensioni in cui si annotavano giornalmente le spese più dettagliate, indispensabili per accertare la presenza della musica.

Nonostante tale varietà, nel Cinquecento le notizie musicali sulle due feste del titolo (San Martino e San Benedetto, rispettivamente della chiesa e dell'ordine monastico) appaiono di rado e sempre in forma generica. In realtà il primo riferimento risale già alla seconda metà del XV secolo, nello specifico al 26 ottobre 1475, «per orgayni accattati per la festa di sanctu Martinu».[35] Eppure, a dispetto di una notizia così indietro nel tempo, nei libri contabili cinquecenteschi mancano del tutto i riferimenti agli interventi musicali per le feste dei santi titolari, ad eccezione dei pagamenti ai trombettieri[36] e di una spesa del 16 novembre 1532 per fare cantare la messa nella *grancia* dello Spirito Santo che l'abbazia possedeva nella città di Palermo.[37]

Anche nel caso di San Martino delle Scale prende vigore l'idea che già agli inizi del XVI secolo fossero attivi veri e propri monaci musicisti sotto la guida dell'organista, per quanto in apparenza non organizzati secondo

---

[35] ASPa, CRS, *San Martino delle Scale – fondo II*, b. 708: *Giornale 1475-1476*, c. 10v.

[36] La presenza dei trombettieri per la festa di San Martino viene attestata per la prima volta l'1 dicembre 1574 (ASPa, CRS, *San Martino delle Scale – fondo II*, b. 1405: *Libro di spese minute 1574-1575*, c. 4a) e successivamente nel 1576 (vol. 757, c. 15r), nel 1577 (vol. 758, c. 22r) e nel 1578 (vol. 759, c. 13r).

[37] ASPa, CRS, *San Martino delle Scale – fondo II*, vol. 722, c. 66a. Per *grancia* (*grangia* o *gancia*) si intendeva un ospizio di religiosi o più frequentemente una chiesa o convento non autonomi, ma dipendenti da altra chiesa o convento principali. Probabilmente il termine proveniva dallo spagnolo *granja* che significa *podere, masseria, tenuta, fattoria*. Cfr. *Vocabolario Siciliano*, II, a cura di Giovanni Tropea, Palermo-Catania, Centro di Studi Filologici e Linguistici Siciliani. Opera del Vocabolario Siciliano, 1985, p. 186.

il modello istituzionale di cappella musicale. A confermare tale supposizione, oltre all'insolita assenza di informazioni sui contributi musicali per gli eventi più importanti, intervengono i già citati volumi di spese minute, che proprio in corrispondenza delle due feste titolari certificano interventi su alcuni strumenti appartenenti a monaci dell'istituzione.[38] Anche il fatto che le fonti parlino della musica solo in relazione ad apporti di natura esterna è forse indizio della presenza di musici interni all'abbazia benedettina, incaricati della pratica musicale ordinaria, secondo le abitudini dell'ordine.

Soltanto agli inizi del XVII secolo la documentazione comincia ad attestare continuativamente le spese musicali per la festa del titolo: nel 1608 onze 2 «alli musici il giorno di San Martino»,[39] nel 1609 onze 3. 8 «alli cinque musici che cantaro la messa al monastero alla festa di S. Martino [...] et alli trombittieri a tarì 10. l'uno»,[40] nel 1610 la stessa cifra per trombettieri, suonatore di trombone e basso[41] e nel 1611 6 onze e 4 tarì «alli musici et trombitteri per la messa pontificali».[42] Spese di tal genere continuano a essere documentate fino alla metà del Seicento, aumentando progressivamente con il passare dagli anni. Nella cifra erano però compresi anche i servizi musicali per la grancia dello Spirito Santo. Ce lo conferma la vacchetta del 1613, relativamente alla somma di 9 onze e 10 tarì che si specifica destinata sia alla musica nel monastero sia a quella nella grancia.[43] La dicitura si ripeterà con regolarità, fino a quando le uscite musicali non verranno distinte in voci separate.

Stesso discorso può essere fatto per la festa di San Benedetto. Il 19 marzo 1609 si registra un pagamento «per far sonare alla madre chiesa per la festa di S. Benedetto», e ulteriori interventi musicali vengono certificati nel 1610 (24 tarì) e nel 1613 (2 onze per la musica e 6 tarì per i trombettieri).[44] Il 23 febbraio 1614 vengono spesi tarì 16 «per far scrivere l'antifone del padre San

---

[38] A partire da metà Cinquecento, nel mese di novembre, si attestano pagamenti per corde di viola per i 'bisogni' dei monaci (ASPa, CRS, *San Martino delle Scale – fondo II*, b. 1405: *Libro di spese minute 1569-1571*, c. 96r; b. 1136: *Libro di spese minute 1597-1598*, c. 68v). Lo stesso avveniva in altre occasioni, ad esempio agli inizi di gennaio, ad agosto o ancora a febbraio, per le ricreazioni del Carnevale (cfr. *infra*, capitoli II e IV).

[39] ASPa, CRS, *San Martino delle Scale – fondo II*, vol. 791, c. 10v.

[40] ASPa, CRS, *San Martino delle Scale – fondo II*, b. 1137: *Vacchetta 1609-1610*, c. 19r. Non è chiaro se in questo caso i musici siano stati cinque o quattro: in sopralinea è segnato il numero 4, ma la parola «cinque» non è cancellata.

[41] ASPa, CRS, *San Martino delle Scale – fondo II*, b. 1137: *Vacchetta 1610-1611*, cc. 32r, 32v.

[42] *Ivi*, cc. 34v, 35r.

[43] ASPa, CRS, *San Martino delle Scale – fondo II*, b. 1137: *Vacchetta 1613-1614*, c. 33b.

[44] ASPa, CRS, *San Martino delle Scale – fondo II*, b. 1137: *Vacchetta 1609-1610*, cc. 31r, 35r; *Vacchetta 1611-1613*, c. 38v.

Benedetto»[45] e nei due anni successivi sempre 2 onze e 6 tarì per la musica della festa.[46] A partire dal 1618 tale cifra lievita fino alle 6 onze, ma anche in questo caso l'aumento va probabilmente spiegato in relazione all'inclusione delle spese relative ai festeggiamenti nella chiesa dello Spirito Santo.

La presenza di una grancia annessa all'istituzione e intitolata allo Spirito Santo comportava speciale attenzione per la musica della Pentecoste, che assumeva a tutti gli effetti la funzione di festa titolare. I primi pagamenti risalgono, infatti, al 1474: 3 tarì stanziati il 27 maggio «al Spiritu Sanctu per sonari li organi per la festa» e 15 grana il 2 giugno «per cantari lu avangeliu al Spiritu Sanctu».[47] Dopo questa data dovremo attendere più di un secolo, il 24 maggio 1584, per ritrovare un compenso di 8 tarì all'organista «che sonò li organi in questi quattro giorni della Pentecoste».[48]

Nel Seicento la maggior parte delle indicazioni sulle celebrazioni alla grancia riguarda le spese per la musica di San Martino. Continuano, comunque, a susseguirsi i riferimenti alla musica per la Pentecoste, in particolare per il terzo giorno, come viene attestato nel 1617 e soprattutto a partire dal 1618.[49] L'incremento degli interventi musicali di questo periodo può essere ricondotto alla ricostruzione della chiesa, iniziata nel 1613 e ultimata proprio nel settembre 1618. Fra l'altro, in entrambe le occasioni fu previsto un contributo di natura musicale, vale a dire trombette e musici «per buttare la prima pietra»[50] e pure musica e trombe «nell'aprirse la chiesa nova dello Spirito Santo».[51]

1.5.3. *Carmine Maggiore e San Francesco di Paola*

Nei volumi del convento del Carmine Maggiore i riferimenti alle esecuzioni musicali per la festa del titolo compaiono a partire dal 1570.[52] Trombe e tamburi venivano utilizzati per pubblicizzare l'evento per le vie della città[53]

---

[45] ASPa, CRS, *San Martino delle Scale – fondo II*, b. 998: *Cassa 1613-1615*, c. 26r.

[46] ASPa, CRS, *San Martino delle Scale – fondo II*, b. 998: *Cassa 1613-1615*, c. 101r; b. 1137: *Vacchetta 1615-1616*, c. 41r.

[47] ASPa, CRS, *San Martino delle Scale – fondo II*, b. 707: *Libro Maggiore 1473-1474*, c. 233r.

[48] ASPa, CRS, *San Martino delle Scale – fondo II*, b. 1203: *Libro di spese minute 1584-1585*, c. 2b.

[49] ASPa, CRS, *San Martino delle Scale – fondo II*, b. 1138: *Vacchetta 1618-1619*, c. 37v.

[50] ASPa, CRS, *San Martino delle Scale – fondo II*, b. 1137: *Vacchetta 1613-1614*, c. 17a.

[51] ASPa, CRS, *San Martino delle Scale – fondo II*, b. 1138: *Vacchetta 1617-1618*, c. 32r.

[52] ASPa, CRS, *Carmine Maggiore*, vol. 252, c. 222r.

[53] *Ibid*. Come ha sottolineato Elena Quaranta, l'utilizzo della musica – in particolare di trombe, pifferi e tamburi – per reclamizzare una determinata festività religiosa era diffuso sin dai tempi più antichi e «a sostegno dell'ipotesi […] sta la semplice considerazione che ad un

e quasi sicuramente anche durante la celebrazione.[54] È certa la presenza di musica a due cori durante i vespri e per la messa solenne, documentata già alla fine del XVI secolo.[55] A queste indicazioni si affiancano ricorrenti informazioni sul rifocillamento dei musici e sui numerosi 'suoni-rumori' che caratterizzavano la festa, dal rintocco delle campane alla tipica *masculiata*.[56] Di un certo interesse appare poi l'esplicitazione di un'antica consuetudine interna al convento:

[Exitus maragmatis anni ij.e Indictionis 1573] A li paraturi tarì sei per parare la ecclesia a complimento di tri scuti quali che forono dati per la ditta paratura a li quali paraturi che fu data unza una di fra Cipriano per haver cantato la missa quello iorno di la festa di lu Carmino per la ditta paratura *secundo l'antica consuetudini di lu conventu* la quali è che tutti quelli che cantano la missa in quello iorno anno appagari la paratura.[57]

Il passo conferma non solo l'origine remota dell'uso di solennizzare la festa del Carmine con l'intervento di cantori, ma soprattutto pone l'attenzione sulla connessione musica / decorazioni sulla quale si tornerà nel capitolo dedicato alle forme di finanziamento. Sul piano strettamente economico, la cifra stanziata per la musica della festa del titolo si aggirava intorno alle onze 1. 6 e quasi sempre includeva il mangiare per i musici, provenienti o meno dall'esterno.[58]

Anche nel convento di San Francesco di Paola la festa del padre fondatore veniva solennizzata in modo adeguato e la musica occupava un ruolo di assoluto rilievo. Lo confermano diversi pagamenti, documentati a partire dal 1613, che includevano sia le spese per i talami[59] sia il cibo per gli esecutori.[60] Dolci, neve e altri rinfreschi venivano elargiti in gran quantità

---

maggiore afflusso di fedeli nel giorno della festa avrebbe corrisposto un più cospicuo beneficio alle finanze […] della chiesa» (E. QUARANTA, *Oltre San Marco* cit., p. 146).

54 «Addì 18 Julij [1570] dedimus al Padre frat'Anselmo di Paulino per dare alli trombitteri per la festività del Carmino tarì deciotto / Alli tamburinari tarì deciotto» (ASPa, CRS, *Carmine Maggiore*, vol. 252, c. 132v).

55 Il primo riferimento risale al luglio 1595: «Musica per dui vesperi et una missa a dui chori onze 2. 12.» (ASPa, CRS, *Carmine Maggiore*, vol. 253, c. 223r).

56 Sui suoni della festa in Sicilia cfr. SERGIO BONANZINGA, *Forme sonore e spazio simbolico. Tradizioni musicali in Sicilia*, Palermo, Nuova graphicadue, 1992, in particolare le pp. 11-27.

57 ASPa, CRS, *Carmine Maggiore*, vol. 252, c. 185v (corsivi nostri).

58 «Per dare da mangiare alli cantori di sua ecc.a quali fecero musica alla messa maggiore et a tutti dua li vesperi unza una, tarì setti et grana quattro» (ASPa, CRS, *Carmine Maggiore*, vol. 252, c. 375v).

59 «Adì 12 [Aprile 1614] / […] / Dato a mastro Minicho mastro di axia per fari lu choru della musica» (ASPa, CRS, *San Francesco di Paola*, vol. 438, c. 37v).

60 Per un quadro sui cibi e i dolci che venivano offerti ai musicisti di San Francesco di Paola si veda *infra*, capitolo VIII, Tavola 13.

come compenso dei servizi dei musici, sulla base di una consuetudine che si consolida man mano che ci avviciniamo a metà Seicento. Al contrario, nei primissimi anni del secolo le indicazioni risultano generiche, poiché forniscono pochi dettagli sulle pratiche performative e quasi nessuno sui generi eseguiti. Soltanto nel 1624, all'interno della spesa generale di onze 11 per la musica, si specifica l'esecuzione cantata del *Te Deum laudamus* per la visita del Padre Reverendissimo,[61] forse identificabile con il padre provinciale dell'ordine. Dovremo aspettare gli anni '30 perché le fonti inizino a fornire maggiori indicazioni, sebbene relative ad altre occasioni celebrative dell'istituzione.[62]

1.5.4. *Feste titolari in istituzioni femminili*

Le considerazioni finora formulate per i conventi maschili possono estendersi in egual misura alle istituzioni femminili, in particolare a quegli istituti che accoglievano le fanciulle della migliore nobiltà palermitana. Fra questi il monastero della Martorana (o Santa Maria la Nuova), appartenente all'ordine benedettino, si distingueva non soltanto per il nobile lignaggio delle monache che accoglieva, ma anche per il possesso della splendida chiesa normanna di Santa Maria dell'Ammiraglio, concessa da Alfonso di Aragona negli anni '30 del XV secolo. Stando alle testimonianze successive, l'istituzione aveva acquisito il titolo di San Simone dalla cappella o chiesa edificata a metà Quattrocento per volere dell'arcivescovo Simone Bologna, e annessa al suddetto monastero.[63] All'evento fa riferimento il Castellucci:

In questa chiesa [la Martorana] vi è il Monasterio delle Monache di s. Benedetto, dove fù fondata, e consecrata un'altra chiesa circa l'anno 1457. è oggi in-

---

[61] ASPa, CRS, *San Francesco di Paola*, vol. 442, f. 107.

[62] Nei libri consultati sono assenti le notizie relative alla solennizzazione con musica della festa di Sant'Oliva, titolo della chiesa. Di questa celebrazione continuava a occuparsi la maestranza dei sartori, alla quale originariamente apparteneva la chiesa e che, in base all'atto di concessione del novembre 1518, manteneva il diritto di «liberamente far la festa della santa padrona Oliva» il 10 giugno di ogni anno, nella cappella dedicata alla santa, come ancora attesta nel XVIII secolo il Mongitore (A. MONGITORE, *Storia delle chiese di Palermo. I conventi* cit., II, pp. 103 e 113).

[63] Cfr. SALVATORE MORSO, *Memoria sulla chiesa di Santa Maria l'Ammiraglio*, in *Descrizione di Palermo antico ricavata sugli autori sincroni e i monumenti de' tempi da Salvadore Morso R. Professore di lingua arabica*, Palermo, Lorenzo Dato, 1827, pp. 73-106. Ricordiamo che una cappella intitolata a San Simone era stata donata al monastero da Pagano de Parisio nel 1195, a patto che le monache si attenessero ad alcune condizioni, fra cui la celebrazione della festa del santo. Su questi aspetti si veda GIOVANNI CARDAMONE, *La Scuola di Architettura di Palermo nella Casa Martorana*, Palermo, Sellerio, 2012, pp. 138-149.

corporata dentro la clausura di esso Monasterio da Simone di Bologna, Cittadino, & Arcivescovo di Palermo, il quale la consecrò, e dedicò al Glorioso Apostolo s. Simone in riguardo al suo nome, e volse perciò daindi in poi, che ogn'anno nella sua giornata si celebrasse la festa di esso Santo Apostolo, come ancor oggi s'osserva, la quale festa si fà nella sudetta chiesa di s. Maria dell'Ammiraglio.[64]

Di conseguenza è logico supporre che per la festa di San Simone fosse previsto l'intervento della musica sin dai tempi più antichi, anche se per la mancanza dei libri d'esito possiamo attestarla soltanto a partire dalla prima metà del Seicento. In questi anni le note di spesa registrano una somma fissa, corrispondente a 8 onze «per la musica del primo e 2° vespero e intermedii e messe», oltre al pagamento «per li sacerdoti di primo e secondo vespero e messa cantata».[65] Non lo stesso si può dire per la solennità di San Benedetto: i libri d'esito, infatti, non fanno mai cenno alla musica per questa occasione. Con ogni probabilità essa veniva finanziata in altro modo, come testimonia un riferimento non datato al legato di onze 3. 20 voluto da Suor Giovanna Battista Ricca «per spendersi ogni anno onze 2. per una messa sollenne con musica del giorno del Padre San Benedetto».[66]

Una situazione documentaria abbastanza simile si può riscontrare nel fondo del monastero delle Vergini, detto anche di Sant'Andrea Apostolo.[67] Anche in questo caso le notizie musicali sulle due feste del titolo (Sant'Andrea e San Benedetto) sono documentate soltanto a partire dalla metà del XVII secolo. Tuttavia è lecito credere che anche in precedenza la musica fosse presente, pur non essendo esplicitata con chiarezza. Ne è prova che la somma stanziata nel 1600[68] coincida perfettamente con quella impiegata 47 anni dopo per lo stesso scopo, inclusi 7 tarì «per allugatura di lignami per li barchetti delli musici e chiodi».[69] È dunque nei libri di cassa del Seicento che riscontriamo specifiche notizie sulle esecuzioni musicali durante

---

[64] G.B. CASTELLUCCI, *Giornale Sacro Palermitano* cit., p. 212. Sappiamo che nell'antica chiesa di San Simone era attiva sin dal '300 una confraternita femminile intitolata ai Santi Simone e Giuda, come testimonia il necrologio dipinto su tavola del 1396, di anonimo pittore siciliano, oggi esposto alla Galleria Regionale di Palazzo Abatellis. Cfr. MARIA CONCETTA DI NATALE, *Le Confraternite dell'Arcidiocesi di Palermo. Committenza, arte e devozione*, in *Le Confraternite dell'Arcidiocesi di Palermo. Storia e arte*, a cura di Maria Concetta Di Natale, Palermo, Oftes, 1993, p. 20.

[65] ASPa, CRS, *Monastero della Martorana*, vol. 802, c. 207v; vol. 803, c. 231r.

[66] ASPa, CRS, *Monastero della Martorana*, vol. 918, carte sciolte.

[67] Nell'istituzione erano presenti le sacre reliquie di Sant'Andrea, oggetto di speciale devozione, alle quali si fa cenno in ASPa, CRS, *Monastero delle Vergini*, vol. 266, c. 11v.

[68] «Onze 1. 6. contanti per Simone di Mattei per elemosina per fare la festa di Santo Andrea» (ASPa, CRS, *Monastero delle Vergini*, vol. 334, c. 101v).

[69] ASPa, CRS, *Monastero delle Vergini*, vol. 265, c. 22v.

le feste dei santi titolari, alle quali si destinava una cifra variabile, ma abbastanza sostanziosa. Il maggior impegno economico veniva, comunque, richiesto dalla solennizzazione del titolo: onze 6 e tarì 12 per la musica del 1647, onze 8 nel 1649, onze 6 nel 1652.[70]

Notizie di un certo interesse si trovano anche nel monastero basiliano del Santissimo Salvatore. Esse riguardano prevalentemente la festa del Salvatore o Trasfigurazione, solennizzata il 6 agosto, e la festa di San Basilio, di cui invece si attesta un solo pagamento di 2 onze, datato 15 giugno 1602.[71] Regolari, invece, i pagamenti per la musica per la festa del titolo, che compaiono sin dalla metà del XV secolo e che talvolta riportano i nomi degli organisti, più raramente quelli dei cantori. Fino alla metà del Cinquecento le somme stanziate per la musica appaiono contenute: 1 tarì a ciascun cantore per servizio musicale, poco più all'organista (da 1 a 2 tarì). Andando avanti la cifra aumenta, ma non supera mai i 27 tarì. Soltanto alla fine del XVI secolo sembra lievitare considerevolmente, sebbene le indicazioni si riferiscano a più occorrenze, impedendo l'individuazione della cifra esatta destinata alla musica.[72]

A ricevere particolare attenzione musicale da parte delle monache era pure la festa di San Matteo. Quest'ultima va considerata allo stesso livello di festa titolare, visto che nell'istituzione sin dai tempi antichi erano state introdotte le monache di altri cenobi, fra cui quelle del monastero basiliano di San Matteo al Cassaro, aggregate al Santissimo Salvatore nel XII secolo.[73] È probabilmente per questo motivo che accanto alla festa del Salvatore si trovano anche diverse informazioni sull'intervento dell'organista e dei cantori per la festa di San Matteo, attestati però soltanto nella metà del XV secolo.

Nei libri contabili del monastero di domenicane intitolato a Santa Maria della Pietà sono frequenti le attestazioni relative alla presenza degli organisti e alle collaborazioni con musicisti, ma possiamo solo ipotizzare un collegamento con le occasioni celebrative che esigevano un adeguato commento sonoro. Infatti, prima della metà del XVII secolo solo in un caso il riferimento alla musica per la festa del titolo diviene esplicito, ovvero il

---

[70] *Ivi*, cc. 27r, 118v. ASPa, CRS, *Monastero delle Vergini*, vol. 266, c. 70v. Di entità minore i pagamenti riservati alla musica per la festa di San Benedetto, la cui cifra poteva oscillare fra le onze 1. 6 e le onze 2. 12 (ASPa, CRS, *Monastero delle Vergini*, vol. 265, cc. 14r, 137r).

[71] ASPa, CRS, *Santissimo Salvatore*, vol. 778, c. 64a.

[72] ASPa, CRS, *Santissimo Salvatore*, vol. 777, c. 66v.

[73] Cfr. Lorenzo Coco Grasso, *Del successivo progresso del cattolicismo in Sicilia per lo mezzo degli ordini religiosi e claustrali. Memorie storico-critiche-archeologico-sacre scritte da Lorenzo Coco-Grasso*, Palermo, Stamperia Barcellona, 1847, pp. 23-27.

17 febbraio 1643, quando si precisa il pagamento di tarì 2 «di regalo alli trubitteri nel giorno della festa di nostra Signora la Pietà».[74] Dal 1651, invece, comincia a essere esattamente indicata la cifra per la musica della festa, in particolare 5 onze nel 1651 e 6 onze nel 1655,[75] insieme a ulteriori pagamenti a sacerdoti e maestri di cerimonie per l'assistenza della messa e vespri cantati.

Non risultano più dettagliate le informazioni sulla festa del padre fondatore. Per il Cinquecento e la prima metà del Seicento le uscite riservate alle feste sono sempre indicate con una formula globale, che non distingue eventuali interventi della musica. Molto probabilmente quest'ultimi venivano notati a parte, nei libretti personali della madre badessa, ai quali i libri maggiori fanno riferimento, ma che non ci sono pervenuti. Un esempio viene offerto dalla nota di pagamento del 7 ottobre 1620. A differenza degli altri casi, qui la «spesa di celebratione di feste» è meno generica ed elenca le occasioni alle quali si rivolgeva, alludendo pure alla presenza della musica che sembrerebbe esclusivamente riguardare la festa del Santissimo Sacramento.[76] Invece, per il dettaglio delle altre due occasioni, fra cui anche San Domenico, si rimanda al libretto della reverenda madre priora del monastero.

Dai riferimenti successivi sappiamo che anche per la festa del padre fondatore erano previste esecuzioni musicali, in corrispondenza della messa e dei vespri solenni. Così come per altre istituzioni ecclesiastiche – quali San Martino delle Scale o Santa Maria delle Vergini –, pure nel caso del monastero della Pietà possiamo riscontrare un significativo divario fra le uscite per la musica del titolo e quelle per il padre fondatore. Quest'ultime, infatti, si aggiravano intorno a 1 onza e 6 tarì, per lo meno negli anni in cui vengono dichiarate. Un posto a sé veniva, invece, occupato dalle informazioni sulla musica per la festa di San Girolamo, di entità piuttosto sostanziosa e già esplicitate agli inizi del XVII secolo.[77] Tali pagamenti vanno forse spiegati alla luce dell'intenzione di Francesco Abatellis, fondatore del monastero, di intitolare originariamente la nuova istituzione a questo

---

[74] ASPa, CRS, *Santa Maria della Pietà*, vol. 270, c. 100r.

[75] ASPa, CRS, *Santa Maria della Pietà*, vol. 273, c. 66r; vol. 275, c. 35v.

[76] La nota riporta un pagamento cumulativo per varie occasioni, fra cui «per la festa del Santissimo Sacramento onze 10. 12. con la musica» (ASPa, CRS, *Santa Maria della Pietà*, vol. 264, c. 107r).

[77] La prima nota di pagamento compare proprio nel più antico fra i libri giornali pervenuti (anni 1599-1611) e risale all'11 ottobre 1603, indicando la spesa di 10 onze «per pagarli à diversi religiosi, musici e per altre spese fatte per la celebratione della festa del glorioso San Geronimo celebrata nella chiesa del nostro monasterio à 30. di Settembre prossimo passato» (ASPa, CRS, *Santa Maria della Pietà*, vol. 261, c. 138b).

santo, desiderio che tuttavia non venne soddisfatto, non esistendo in Sicilia case religiose appartenenti all'ordine di San Girolamo.[78]

1.5.5. *Altre feste titolari*

Molte altre sono le feste di santi titolari e padri fondatori per le quali è stato possibile documentare l'intervento di musicisti.[79] Si tratta, però, di riferimenti occasionali, che per la tipologia dei rispettivi fondi non condividono il carattere continuativo delle notizie finora esposte. Come se non bastasse, in molti fondi delle *Corporazioni soppresse* spesso mancano i libri contabili anteriori al XVIII secolo, situazione che impedisce di indagare il rapporto fra musica e festa in periodi antecedenti al Settecento. In alcuni casi intervengono, comunque, altre tipologie di documenti, che in modo indiretto ci aiutano in questa operazione. Fra questi gli atti notarili, che però il più delle volte risultano utili per l'individuazione dei rapporti di collaborazione con musicisti, ma non per la presenza della musica durante le feste, alla quale alludono assai di rado.

Quando questo succede, può anche accadere che sia difficile determinare di quale occasione si tratti. Un esempio ci viene offerto dal documento dell'11 aprile 1640 nel quale Domenico Russo si obbligava a decorare la chiesa di Santa Maria dell'Itria dei carmelitani e in particolare «il loco dove ci sarà la musica per la prossima festa».[80] Non si specifica quale sia la festa, ma dalla data possiamo ipotizzare che si tratti della solennità in onore della Madonna dell'Itria (o Madonna Odigitria), celebrata il primo martedì dopo Pasqua. Ciò però non esclude che potesse anche trattarsi di un'altra occasione, considerando che le celebrazioni legate alle festività pasquali erano arricchite dalla musica e spesso dall'intervento esterno di cantanti e strumentisti, come vedremo più in dettaglio nel capitolo seguente.

---

[78] Cfr. L. Coco Grasso, *Del successivo progresso del cattolicismo in Sicilia* cit., p. 63.

[79] Ricordiamo San Benedetto nel monastero di Santa Maria del Cancelliere; Santa Elisabetta nel monastero omonimo di suore francescane; Sant'Ignazio nella chiesa dei padri oratoriani all'Olivella; San Filippo Neri nella medesima istituzione; San Francesco d'Assisi nel monastero di Santa Maria di Monte Oliveto; le Sacre Stimmate e Santa Chiara nel monastero delle Stimmate di San Francesco; San Benedetto nel convento di San Carlo Borromeo; Sant'Anna nel convento della Misericordia; San Giuliano nel monastero delle Vergini Teatine.

[80] ASPa, *Notai defunti – Stanza I*, vol. 10439, c. 159v. Ringrazio Arturo Anzelmo per avermi segnalato questo documento.

Capitolo secondo

DALLA QUARESIMA ALLE FESTE PECULIARI: ALTRE CERIMONIE MUSICALI

2.1. Quaresima, Settimana Santa, Pasqua e Pentecoste

2.1.1. *Il periodo quaresimale*

Da un punto di vista musicale, il periodo della Quaresima rivestiva un ruolo significativo nel quadro delle occasioni liturgiche celebrate annualmente dalle istituzioni siciliane. Questo aspetto viene confermato dalla documentazione dei monasteri e conventi palermitani. Infatti, per le istituzioni nelle quali è stato possibile accertarla, la presenza del canto e della musica durante la Quaresima (e soprattutto nella Settimana Santa, suo momento culminante) si rivelava una costante irrinunciabile, a conferma di come in Sicilia la Pasqua rappresentasse a tutti gli effetti «non [...] una festa ma *la festa*, il rito che rifonda il tempo e lo spazio, assicurando la rigenerazione annuale della natura e dell'umanità».[1]

I quaranta giorni che precedevano la celebrazione pasquale erano caratterizzati da pratiche devozionali di natura penitenziale, in contrasto con il turbinio del Carnevale. I momenti dolenti e quelli gioiosi, sapientemente dosati nell'alternanza tra fasi sregolate e ordinate, ricoprivano funzioni opposte e complementari. È per questo che sul piano rituale e simbolico gli si riservava la medesima importanza, a sua volta riflessa in campo sonoro e musicale. A differenza, poi, di quanto accadeva per le feste dei santi titolari, nel caso della Pasqua non si verificava quell'esclusiva individuazione della celebrazione, distintiva di un'istituzione o di un ordine religioso. Al contrario, tutta la città assumeva la connotazione di 'luogo sacro' che autorizzava ciascuna chiesa a solennizzare l'evento secondo la consuetudine. Ciò comunque non impediva che si verificassero quelle forme di competizione alle quali si è accennato e di cui la musica costituiva un supporto essenziale.

---

[1] Antonino Buttitta, *Pasqua in Sicilia*, Palermo, Promo Libri, 2003, p. 21.

A fianco delle manifestazioni specificamente connesse alla Settimana Santa, ricorrenti e documentate nella maggior parte delle istituzioni palermitane, fra XVI e XVII secolo possiamo anche registrare diversi interventi per la compieta dei venerdì e delle domeniche di Quaresima. Il riferimento a una specifica ora canonica non è casuale: come ha sottolineato Fatima Giallombardo, in Sicilia gli aspetti della ritualità quaresimale si dispiegavano principalmente durante le ore notturne, simboliche in quanto liminali, poiché la sera è il palcoscenico della morte che grava, che sta giungendo.[2]

Contributi musicali per la Quaresima sono documentati soprattutto a San Domenico, dove a partire dal 1570 si attesta la presenza di cantanti esterni che probabilmente si aggiungevano agli elementi già presenti, per rendere più solenne il contesto celebrativo. A partire da questa data i riferimenti diventano costanti e indicativi ai fini dell'individuazione delle pratiche esecutive. In alcuni casi vengono pure riportati i nomi dei musicisti, pagati per lo più dall'organista, che all'interno dell'istituzione rivestiva il ruolo di organizzatore delle attività musicali. Nel 1611 si precisa che il pagamento di 20 onze «per elemosina per farsi la musica tre giorni la settimana nella quaresima» era stato concesso dal Senato di Palermo, consuetudine che talvolta ritroveremo negli anni successivi e che probabilmente può essere estesa anche a quelli precedenti.[3]

Il sistema di finanziamento tramite elemosine rende difficile il tentativo di individuare la cifra esatta che veniva stanziata per la musica della Quaresima. Alla fine del XVI secolo essa si aggirava intorno alle 7 onze, ma già agli inizi del 1600 si cominciano a registrare notevoli aumenti, che arriveranno a sfiorare le 20 onze. Fra l'altro è pure probabile che in questa somma venissero computate le spese per la musica della Settimana Santa[4] che soltanto in un secondo momento verranno distinte con maggiore chiarezza.

Dal 1615 in poi sempre più spesso i copisti riportano il dettaglio delle voci di spesa per i singoli servizi, sia canori che musicali, permettendo di approfondire numero e tipologia di esecutori coinvolti. Tali esecutori si collocavano, come di consueto, all'interno dei talami, strutture effimere costruite appositamente per l'occasione e poi smantellate alla fine della ce-

---

[2] FATIMA GIALLOMBARDO, *I cibi della Passione. Un codice alimentare festivo in Sicilia*, «Archivio Antropologico Mediterraneo», V-VII, 2002-2004, p. 172.

[3] ASPa, CRS, *San Domenico*, vol. 478, c. 161v. Pure nell'aprile del 1601 si specifica che la somma di 5 onze e 6 tarì destinata «alli musici che hanno cantato in questa quadragesima» veniva erogata «a complimento di onze 13 li quali s'hanno fatto di elemosina» (ASPa, CRS, *San Domenico*, vol. 570, c. 123v).

[4] Ad esempio il 4 aprile 1614 si registra una spesa complessiva di onze 10 e tarì 26 «per la musica nella quaresima e settimana santa, cioè nelle domeniche feste, venerdì e passii e officii delle tenebre» (ASPa, CRS, *San Domenico*, vol. 571, c. 35v).

lebrazione per essere riposte in un magazzino.[5] Era soprattutto in relazione ai venerdì di Quaresima che si richiedevano servizi musicali di natura straordinaria. Solitamente si assoldavano due o tre cantori e due strumentisti, retribuiti mediamente con 6 tarì a singolo servizio, fino a 12 tarì per gli esecutori particolarmente richiesti.

Per quel che riguarda i registri vocali, è regolarmente attestata la presenza di soprano e basso, ai quali talvolta si aggiungeva anche il contralto. Soltanto nell'aprile del 1628 viene esplicitato per la prima volta l'intervento del tenore, all'interno di una nota che appare significativa non soltanto per l'indicazione dei nomi dei musicisti, ma soprattutto per la precisazione sulla provenienza istituzionale dell'organista, detto «della Matri Chiesa [...] a ragione d'un unza e tarì sei per servitio».[6] Alla luce di questo dato, possiamo ipotizzare che pure altri musicisti chiamati per la Quaresima, così come per le solennità più importanti del convento, fossero affiliati alla cattedrale, anche se in altri casi è possibile accertare la presenza di esecutori della Palatina.[7]

L'ipotesi che tali musicisti si aggiungessero all'organico di San Domenico viene suggerita nel marzo 1633, quando si precisa l'ingaggio esterno di tre voci, un liutista e due violinisti, specificando che «una voce fu del convento, che fu fra Carlo novitio, e l'organista del convento».[8] Le notizie dei libri contabili non consentono di tracciare un quadro esaustivo della situazione musicale interna all'istituzione, considerando che non si fa mai riferimento a una vera e propria cappella di musica, né ai musicisti che eventualmente vi operavano. Ancora una volta ipotesi indirette si possono formulare a partire da altri dati, come ad esempio dalle notizie sugli strumenti musicali e dalle spese, già registrabili dalla seconda metà del Cinquecento, per l'acquisto di carta pentagrammata (*carta rigata*). Quest'ultima veniva destinata al padre cantore o all'organista per l'annotazione delle musiche da eseguirsi nelle feste dell'istituzione, in particolare proprio durante il periodo quaresimale.

---

[5] Per i talami si spendevano cifre variabili destinate al maestro d'ascia, alla portatura delle travi, all'affitto del legname e delle gelosie. Che tutto il materiale (o *attratto*, secondo la terminologia del tempo) venisse alla fine riportato in un magazzino viene esplicitamente detto nell'aprile del 1626: «Dedi tarì uno e grana dieci alli bastasi che aggiutorno a fra Giovanni Domenico a sfare il thalamo della musica delli venerdì di quadragesima et riportari tutto l'attratto al magazeno» (ASPa, CRS, *San Domenico*, vol. 572, c. 103r).

[6] *Ivi*, c. 196r.

[7] Il coinvolgimento dei musici del viceré viene suggerito dal riferimento del 30 marzo 1578 che annota «al padre fra Benedetto Seidita organista tarì vinti quattro li quali servio alla musica di quaresima inclusi con alcuni beveragi che detto padre organista diedi alla musica di sua eccellenza» (ASPa, CRS, *San Domenico*, vol. 474, c. 97r).

[8] ASPa, CRS, *San Domenico*, vol. 574, c. 93v.

Oltre che nel convento di San Domenico, sporadici riferimenti alle musiche per la compieta dei venerdì di Quaresima si possono trovare nella chiesa di Santa Maria la Misericordia dei padri francescani, in particolare il 7 aprile del 1656, quando viene annotato un pagamento di 18 tarì «al musico per sei venerdì di quadragesima».[9] Invece, nella chiesa di Sant'Ignazio all'Olivella la presenza di una cappella stabile e di un prefetto che ne gestiva le spese rende dettagliate le notizie di tipo economico e contabile, ma paradossalmente più vaghe le informazioni sugli organici e soprattutto sul tipo di occasioni celebrative. Una delle poche eccezioni riguarda proprio una nota di spesa del 31 marzo 1641 che attesta lo stanziamento di onze 10. 23. 12, ovvero «onze 5. 18. 12. per la musica straordinaria della quadragesima et onze 5. 5. spesi per li salarii ordinarii».[10]

Stranamente nei volumi del Carmine Maggiore non si fa allusione a esecuzioni musicali per la Pasqua e la Settimana Santa. Soltanto nel maggio 1564 troviamo un compenso di onze 1. 6 «al reverendo don Ambrosio per salario di aiutar a cantar la compieta nella predetta quadragesima»,[11] confermando come anche in questa istituzione l'intervento straordinario dei cantori venisse richiesto per 'aiutare' quelli già presenti nel convento, ai quali verisimilmente era affidato il compito di espletare i servizi connessi alla cornice sonora degli eventi di maggiore rilievo.

Altre notizie vengono fornite dal *Giornale Sacro* di Castellucci. Da lui sappiamo che nella chiesa dei teatini, tutti i mercoledì di Quaresima, si esponeva dopo pranzo il Santissimo Sacramento con musica e sermone, così come in cattedrale (esposizione del legno della Santa Croce, compieta con musica) e a San Francesco d'Assisi. Sempre nei venerdì di Quaresima era prevista l'esposizione con musica della reliquia della Santa Spina sia al Carmine che alle Opere Pie, mentre a Sant'Agostino «s'espone il legno della s. Croce, e mostrano li misterii della Passione, cantando alcuni improperii appropriati à ciascheduno Misterio».[12] Una situazione analoga si riscontra per i sabati di Quaresima presso la chiesa della Madonna della Catena, dove s'esponeva «il Santissimo con musica, e sermone in onore di M. V. della Catena».[13] Infine, nelle mattine delle domeniche di Quaresima si attesta la presenza della musica alla Congregazione dei Cavalieri presso San Giuseppe dei Teatini e nella chiesa di San Marco dei Minoriti.

---

[9] ASPa, CRS, *Santa Maria la Misericordia*, vol. 171, c. 118v.

[10] ASPa, CRS, *Congregazione di San Filippo Neri all'Olivella*, vol. 159, c. 32v.

[11] ASPa, CRS, *Carmine Maggiore*, vol. 252, c. 51v.

[12] G.B. CASTELLUCCI, *Giornale Sacro Palermitano* cit., p. 192.

[13] *Ivi*, p. 193.

Per quanto riguarda le rimanenti chiese annesse a conventi e monasteri, non è stato possibile rintracciare informazioni esplicite sulla presenza della musica nel periodo quaresimale. Tuttavia, in alcuni casi l'entità dei pagamenti è tale da far ipotizzare con fondata ragionevolezza la presenza di interventi musicali. Ciò accadeva, ad esempio, a Santa Maria della Pietà per le domeniche del tempo quaresimale e nella chiesa di San Giuseppe dei Teatini, in particolare per la solennizzazione dei sabati, che da fonti successive (seconda metà del XVII secolo-XVIII secolo) sappiamo celebrati con il regolare apporto della musica, sia vocale che strumentale.

2.1.2. Settimana Santa e Pasqua

Decisamente più ricco il quadro che si può ricavare dalle notizie sulla musica per la Settimana Santa, per la Pentecoste e in genere per le celebrazioni pasquali. Infatti, anche in presenza di evidenti lacune documentarie o di notizie di carattere generico, è assai raro trovare a Palermo un'istituzione ecclesiastica che non prevedesse una qualche forma di commento musicale per le suddette occasioni. Come ancora si può osservare dalla tabella relativa al calendario festivo palermitano [Tavola 2], a essere coinvolte erano tutte le principali comunità religiose del contesto urbano, che nelle rispettive chiese organizzavano esecuzioni musicali spesso inserite in celebrazioni di più ampio respiro.

Oltre alla musica per la messa solenne della domenica di Pasqua, l'interesse convergeva principalmente verso i tre giorni culminanti della Settimana Santa, e soprattutto nel Venerdì Santo, apice simbolico della Passione di Gesù Cristo e momento di massima entropia, che proprio per questo necessitava di particolari forme rituali e celebrative. Nelle chiese più importanti era previsto l'allestimento di uno specifico apparato che prendeva il nome di *sepolcro*, di cui abbiamo notizia nei libri contabili a partire dai primi anni del XVII secolo. In diversi casi tale apparato era pure destinato ad accogliere la drammatizzazione dei momenti salienti della Passione, con interventi significativi di cantori e musicisti.[14]

---

[14] Per quanto riguarda la Sicilia, la bibliografia relativa è piuttosto scarna e si occupa per lo più delle rappresentazioni sacre in epoca medievale. Per una visione generale sull'Italia e sul rapporto fra drammaturgia, liturgia e spettacolo si segnala il volume di CLAUDIO BERNARDI, *La drammaturgia della Settimana Santa in Italia*, Milano, Vita e Pensiero, 1991. Dello stesso autore è il saggio *Il tempo sacro: "Entierro". Riti drammatici del venerdì santo*, in *La scena della gloria. Drammaturgia e spettacolo a Milano in età spagnola*, a cura di Annamaria Cascetta e Roberta Carpani, Milano, Vita e Pensiero, 1994, pp. 585-620, incentrato sugli anni della dominazione spagnola, con informazioni sui riti processionali e drammatici organizzati a Milano durante la Settimana Santa. L'autore sottolinea la funzione del sepolcro di Cristo quale 'teatro' della viva presenza

Gli esempi relativi alle celebrazioni musicali per la Settimana Santa e per la Pentecoste risultano significativi per comprendere quante fossero contemporaneamente le occasioni di musica a Palermo e di conseguenza il numero considerevole di musicisti che dovevano operare in città fra Cinque e Seicento. È ancora Castellucci a confermarcelo. Nella sezione del *Giornale Sacro* dedicata alle «Prediche della Quaresima» ci informa, infatti, delle istituzioni palermitane che organizzavano esecuzioni musicali durante la Settimana Santa. Le prime indicazioni riguardano la Domenica delle Palme: in cattedrale il viceré faceva cappella e si cantava il *Passio* in musica, come a Casa Professa, Sant'Ignazio all'Olivella, San Giuseppe dei Teatini, San Francesco d'Assisi e Santa Maria la Misericordia. Inoltre, sia nell'Oratorio dei Cavalieri che nell'Oratorio del Santissimo Rosario, si esponeva con musica il Santissimo Sacramento fino al Martedì Santo.[15]

Anche durante il Martedì Santo si testimonia l'esecuzione con musica del *Passio* a Casa Professa e a Sant'Ignazio all'Olivella. Stessa cosa avveniva il Mercoledì, quando si cantava il mattutino con musica alla cattedrale, a Casa Professa, Sant'Ignazio all'Olivella, San Giuseppe, San Francesco d'Assisi, Santa Maria la Misericordia, Santissimo Salvatore, Santa Maria dell'Ammiraglio, Santa Maria del Cancelliere, Santa Maria delle Vergini, Santa Caterina, Santa Maria della Pietà, monastero delle Stimmate «& in molte altre chiese, e Monasterij, & in tutti gl'Oratorij delle Compagnie». Durante il Giovedì Santo nelle suddette chiese l'ufficio divino era accompagnato dalla musica, ed erano solite uscire «molte Compagnie, e Congregationi con musica a visitare diverse chiese».[16] Il maggior numero di notizie riguarda, comunque, il Venerdì Santo. Interventi musicali erano infatti previsti per il *Passio* «al Duomo, al Giesù, all'Olivella, a s. Giuseppe, a s. Francesco alli Chiodari, & alla Misericordia»,[17] e dopo pranzo si cantavano con musica gli uffici divini in tutte le chiese già elencate nella sezione dedicata al Mercoledì Santo.[18]

---

nella storia di Cristo risorto, sotto le 'apparenze' del pane eucaristico», soprattutto in epoca barocca, quando il tema del sepolcro «viene messo in scena in due grandi moduli rituali, che prevedono grandi apparati scenografici e teatrali. Il primo è il culto eucaristico, in cui emerge la visita alle chiese per le Quarantore (spesso in uso nei primi tre giorni della settimana santa) e per i sepolcri del giovedì santo. Il secondo riguarda le molteplici devozioni della Passioni di Cristo e le funzioni di deposizione e sepoltura del venerdì santo. L'uno, funzionale all'adorazione o venerazione del Cristo vivo, è un teatro della gloria. L'altro, in cui si celebra il funerale del Redentore, è un teatro della morte» (*ivi*, p. 620).

[15] G.B. Castellucci, *Giornale Sacro Palermitano* cit., p. 202.

[16] *Ivi*, pp. 203-205.

[17] *Ivi*, pp. 205-206.

[18] Anche nel Sabato Santo, oltre agli offici cantati nei monasteri e nelle chiese dei padri regolari, si attesta il canto con musica del mattutino nel convento di Santa Cita dei padri domenicani.

Fra gli ordini religiosi più attivi in tal senso vi erano, dunque, l'ordine francescano e quello benedettino, sia nell'ambito delle comunità maschili come in quelle femminili. Ad esempio, a Santa Elisabetta, nel 1649 si riscontra un pagamento di onze 2 «per li passii cantati la settimana santa passata», oltre a onze 1. 3 per la spesa del sepolcro.[19] Si tratta, però, dell'unica indicazione di questo genere, dato che i libri contabili degli anni precedenti sono andati perduti. Simile il quadro documentario del convento di Santa Maria la Misericordia: è infatti nell'unico libro di introito ed esito che ci è rimasto (anni 1652-1663) che troviamo riferimenti a interventi musicali in occasione delle celebrazioni pasquali. In alcuni casi le notizie appaiono generiche (come i 15 tarì elargiti nel 1655 «per regalo della Pascha all'organista», probabilmente quel frate Cherubino che l'anno successivo verrà compensato con una cifra simile «per righaro [regalo] della Pascha per sonare l'organo»),[20] in altri più specifiche e dettagliate (nell'aprile del 1656, quando vengono spesi 1 tarì «per inquaternari li libra delli passii», 16 tarì «a un musico per cantari dui passii e dui offitii di tenebri» e 3 tarì «a quelli che livaro l'organo e il littirino»).[21]

Nel monastero di Santa Maria di Monte Oliveto le attestazioni sulla musica per la Settimana Santa si registrano a partire dal 1620 e sono messe in relazione alle spese per il sepolcro, confermando lo stretto legame fra musica e apparato scenico. La cifra stanziata per i musicisti si aggirava intorno alle 2-3 onze, mentre a parte venivano considerati i pagamenti per i sacerdoti che erano chiamati a cantare la messa.[22] Nessuna indicazione, invece, sulla musica per la Domenica di Pasqua e per la Pentecoste, anche se le fonti successive (seconda metà del XVII secolo) registrano puntualmente per entrambe le occasioni gli interventi di piffari e trombette, oltre al regolare trasporto dell'organo.[23]

Anche nel monastero delle Stimmate di San Francesco si trovano indicazioni sulla festa del santo sepolcro, in particolare per la musica del Giovedì Santo. In quasi tutte le note di spesa, la cifra relativa viene indicata con precisione e distinta dagli altri pagamenti, consentendo di accertare l'estrema regolarità della somma che veniva destinata all'aspetto musicale, sempre intorno alle onze 1. 18, fino a un massimo di 2 onze nell'aprile 1624.[24] Non altrettanto dettagliate sono le informazioni sugli organici, sui generi

---

19 ASPa, CRS, *Santa Elisabetta*, vol. 145, c. 89a.

20 ASPa, CRS, *Santa Maria la Misericordia*, vol. 171, cc. 66v, 120v.

21 *Ivi*, cc. 118r, 119v.

22 ASPa, CRS, *Santa Maria di Monte Oliveto*, vol. 57, c. 195v.

23 ASPa, CRS, *Santa Maria di Monte Oliveto*, vol. 58, ff. 394-395.

24 ASPa, CRS, *Monastero delle Stimmate di San Francesco*, vol. 73, c. 6r.

e sulle pratiche esecutive: sia per le celebrazioni pasquali che per le altre occasioni le indicazioni sulla musica appaiono indefinite e per il dettaglio si rimanda sempre al libretto della madre badessa che era allora in carica.

Per quanto riguarda l'ordine benedettino, il numero più sostanzioso di notizie riguarda proprio le istituzioni femminili, in particolare il monastero della Martorana e il monastero delle Vergini. Nel primo si attesta l'esecuzione del *Passio* durante la Settimana Santa, il canto della messa per la Domenica di Pasqua e soprattutto la celebrazione cantata del giorno di Pentecoste.[25] Medesima la situazione che si può rilevare nel monastero delle Vergini, dove si registrano frequenti pagamenti per i *Passi* della Settimana Santa (eseguiti in quattro occasioni: Domenica delle Palme, Giovedì, Venerdì e Sabato Santo) e per la festa del sepolcro, oltre alla consueta messa cantata della Pentecoste.[26]

Nel monastero di Santa Rosalia l'esecuzione della messa cantata per il giorno di Pasqua e per la Pentecoste era prevista già nell'atto di fondazione dell'istituzione ad opera di Aleramo Del Carretto, allora pretore della città ed esecutore testamentario della sorella Eumilia.[27] Anche nel monastero del Cancelliere si trova un pagamento che, seppur in maniera implicita e indiretta, alluderebbe a interventi musicali per la Settimana Santa.[28] Invece, nel convento di Santa Maria dello Spasimo, appartenente alla congregazione degli olivetani sotto la regola di San Benedetto, l'unico accenno risale al marzo del 1567 e riguarda il pagamento di «tarì otto dati à doi preti che ci agiutano questa Settimana Santa in coro».[29]

Altre istituzioni che riportano notizie musicali per il periodo pasquale sono Santa Maria della Pietà, il Santissimo Salvatore e l'abbazia di Santa Maria del Bosco. Abbastanza tipiche le informazioni che ci vengono fornite dai libri-giornale del monastero domenicano: come di consueto, le spese riguardano il sepolcro, le messe cantate e l'esecuzione dei *Passi*. Tuttavia, sino alla metà del XVII secolo, i riferimenti risultano abbastanza vaghi e solo nei casi più fortunati riferiscono dell'intervento di sacerdoti per cantare la messa e i passii nella Domenica delle Palme e durante la Settimana

---

[25] ASPa, CRS, *Monastero della Martorana*, vol. 802, c. 375r; vol. 803, c. 407r; vol. 804, cc. 73v, 227v.

[26] ASPa, CRS, *Monastero delle Vergini*, vol. 265, cc. 28v, 38r, 137v.

[27] ASPa, CRS, *Santa Rosalia*, vol. 40, c. 3r.

[28] ASPa, CRS, *Santa Maria del Cancelliere*, vol. 540, c. 235b.

[29] ASPa, CRS, *Santa Maria dello Spasimo*, vol. 51, c. 119r. In realtà anche nell'anno precedente si segnala un pagamento di tarì 14 «per lo organo per la festa». Pur non sapendo di quale occasione si tratti, la data (19 aprile 1566) potrebbe suggerire che anche questo sia un riferimento da mettere in relazione alle celebrazioni pasquali (*ivi*, c. 78r).

Santa.[30] Nel 1647 troviamo un riferimento a contributi propriamente musicali: infatti per quella occasione vengono stanziate «onze cinque e tarì 24. pagati per tavola [...] per doverli portare alla reverenda madre Priora del nostro monasterio et à lei per doverli pagare à quelli che cantorno lo passio in musica et altri che assistero à 14. del presente».[31]

Nel monastero basiliano del Santissimo Salvatore, sin dai primi anni del XVI secolo veniva impiegata una cifra variabile da destinare annualmente alla musica della Settimana Santa e della Pasqua. In particolare si chiamava un sacerdote / cantore che da solo o con il supporto di altri elementi doveva occuparsi del canto delle messe, offici e *Passi* della Settimana Santa, oltre a eseguire la messa cantata della Domenica di Pasqua.[32] Al cantore si aggiungeva l'organista che, ad esempio, nell'aprile del 1602 veniva retribuito «per li missi, vesperi et compieti delli tri festi di questa santa Pascha».[33] Infine, nel fondo della Consolazione di Santa Maria del Bosco si attestano diversi pagamenti a strumentisti ciechi (detti comunemente *orvi* o *orbi*),[34] chiamati ad aiutare a suonare il Giovedì Santo e a Pasqua.[35]

Tuttavia, le informazioni più copiose e dettagliate si trovano nella documentazione delle due istituzioni già discusse, vale a dire San Domenico e San Martino delle Scale. A partire dalla prima annotazione del marzo 1573, in cui vengono spesi 13 grana «per un quinterno di carta per notari li passii per mano di lu padri fra Bernardo»,[36] le indicazioni sulla musica per la Settimana Santa a San Domenico, e in particolare per dare da mangiare ai «musici secolari», si ripetono con crescente dovizia di dettagli per tutto il XVII secolo. Come nel caso della musica per la Quaresima, anche le spese per la Settimana Santa venivano effettuate ad opera dell'organista; si specifica, inoltre, che l'ingaggio dei musicisti esterni era riservato ai giorni centrali della Settimana Santa (dal Martedì al Venerdì Santo) e probabilmente alla

---

[30] ASPa, CRS, *Santa Maria della Pietà*, vol. 270, c. 103v.

[31] ASPa, CRS, *Santa Maria della Pietà*, vol. 272, c. 42v.

[32] ASPa, CRS, *Santissimo Salvatore*, vol. 686, c. 18r.

[33] ASPa, CRS, *Santissimo Salvatore*, vol. 778, c. 63b.

[34] Non necessariamente, però, essi erano affetti da cecità. Come ricorda Pitrè, «dire *orbu*, e dire *sunaturi* o *ninnariddaru*, è lo stesso» (GIUSEPPE PITRÈ, *Usi e costumi. Credenze e pregiudizi del popolo siciliano*, I, Palermo, Pedone Lauriel, 1889 [«Biblioteca delle tradizioni popolari siciliane», XIV], p. 345).

[35] ASPa, CRS, *Convento della Consolazione di Santa Maria del Bosco*, vol. 68, c. 11v, ff. 108, 276. Nel 1785 gli agostiniani della Consolazione ottennero l'abbazia di Santa Maria del Bosco di Calatamauro, dei padri olivetani, situata nel comune di Contessa Entellina. Considerando la tipologia di riferimenti, le notizie musicali reperite per la prima metà del Seicento vanno riferite a quest'ultima istituzione.

[36] ASPa, CRS, *San Domenico*, vol. 473, c. 51v.

Domenica delle Palme.[37] Invece, per la Domenica di Pasqua è verosimile che fossero coinvolti i soli musicisti stabili, visto che l'unico riferimento in tal senso risale soltanto al 1622 e riguarda un pagamento «alli bastasi che riportorno li tavoli et castagnoli che servirono per il thalamo della musica per detta Pascha».[38]

A differenza di quanto rilevato per la festa dei santi titolari, nell'abbazia di San Martino delle Scale interventi di musicisti per le celebrazioni pasquali sono attestati in modo continuativo a partire già dalla metà del XVI secolo.[39] Le indicazioni relative consentono, inoltre, di sollevare alcune questioni di natura terminologica. Infatti, nei documenti amministrativi i copisti spesso non fanno distinzione fra *cantori* e *musici*, ponendo problemi relativamente all'individuazione degli organici e alla presenza degli strumenti. Nel caso di San Martino delle Scale, fino al 1575 vengono notati solo i pagamenti per i cantori – cosa che non escludeva l'intervento degli strumentisti, stipendiati in natura o tramite elemosine – mentre soltanto alla fine del secolo si cominciano a distinguere le due tipologie di prestazione. È un'ipotesi che assume vigore dal confronto fra la spesa dell'aprile 1595, nella quale venivano elargite onze 3. 12 ai musici ed onze 3. 24 ai cantori per un totale di onze 7. 6[40] e quella di più di vent'anni prima (1577) in cui la stessa quantità di denaro era erogata a generici «musici della Settimana Santa».[41]

Notizie più specifiche sugli strumenti suonati per la Settimana Santa e sui registri vocali si trovano nel Seicento, confermando la compresenza sia di cantanti che di strumentisti. Per quel che riguarda il giorno di Pasqua, l'unica indicazione finora trovata riferisce della presenza dei trombettieri,[42] giustificata dalla particolare letizia dell'evento. Altri riferimenti confermano poi la presenza della musica per i tre giorni di Pentecoste – di cui abbiamo parlato nel precedente paragrafo – e soprattutto per le feste dei giovedì

---

[37] La presenza di cantori per la Domenica delle Palme viene attestata nella nota dell'aprile 1574: «Eodem [17 aprile 1574] dedi per pexi per li cantori per la domenica de le palme passata tarì tri» (ASPa, CRS, *San Domenico*, vol. 473, c. 79v). Non è specificato se si trattava di esecutori straordinari o dei cantori dello stesso convento. Quel che è certo è che anche quel giorno si organizzava l'esecuzione del *Passio*, come confermato dalla spesa di tarì 6 «alla musica de lo Passio de la domenica de le palme» (ASPa, CRS, *San Domenico*, vol. 475, c. 81v).

[38] ASPa, CRS, *San Domenico*, vol. 571, c. 215r.

[39] Nel 1540 si registra il primo pagamento di 18 tarì «a Jacobo lo Grammatico per lo banco de Xirotta et sonno per havere sonato li organi in Santo Martino li festi di Pasca» (ASPa, CRS, *San Martino delle Scale – fondo II*, vol. 727, c. 83b). Dopo questa data, la regolare presenza di cantori e musici si attesta dal 1571 al 1577, nel 1588 e dal 1595 sino a tutto il XVII secolo.

[40] ASPa, CRS, *San Martino delle Scale – fondo II*, b. 1135: *Libro di spese minute 1595-1596*, cc. 66b, 173b.

[41] ASPa, CRS, *San Martino delle Scale – fondo II*, vol. 757, c. 32v.

[42] ASPa, CRS, *San Martino delle Scale – fondo II*, b. 1137: *Vacchetta 1615-1616*, c. 24v.

(detti anche *giobbia*) dopo Pasqua e prima della Pentecoste, solennizzati con interventi straordinari di musicisti nella grancia dello Spirito Santo, consuetudine che a quanto pare era specifica di questa istituzione, visto che non trova riscontro documentario nei fondi archivistici delle altre congregazioni.

2.1.3. *Musiche, spettacoli e 'ricreazioni' per il Carnevale*

Particolare attenzione va infine riservata agli interventi musicali per il Carnevale. Tralasciando per il momento i riti delle Quarantore, che per lo più avevano luogo in questo periodo, in alcuni monasteri e conventi si riscontrano indicazioni interessanti sui contributi dei musicisti per le cosiddette *ricreazioni* del Carnevale. Questo avveniva, ad esempio, nell'abbazia di Santa Maria del Bosco, che per l'occasione ingaggiava i medesimi esecutori della Pasqua, vale a dire musicisti *orbi*, spesso retribuiti «per amorevolezza per haverci fatto molti servitii questo Carnovale».[43] In realtà non è ben chiaro se si trattava di prestazioni per le Quarantore o di servizi specificamente destinati a intrattenere la comunità religiosa durante le feste del Carnevale. Tuttavia, in altri casi la dicitura lascia adito a pochi dubbi, come nel marzo del 1626, quando una cifra di entità simile viene elargita «d'amorevolezza» agli stessi strumentisti «per haver sonato in questo carnevale à recreatione».[44]

La natura limitata dei pagamenti e il fatto che venissero erogati per carità (*amorevolezza* o elemosina) spiega la rarità dei relativi riferimenti nei libri amministrativi delle istituzioni palermitane. Probabilmente influiva anche il prevalere di modalità celebrative eterodosse, incline ad esaltare gli aspetti lieti e goliardici del codice festivo, conformi al tono della ricorrenza e opposti al clima austero del periodo quaresimale. Dopo il Concilio di Trento le autorità ecclesiastiche avevano cercato di porre argine a quelle pratiche che, per quanto diffuse, entravano in contrasto con l'ortodossia cattolica e con il rigore che per convenzione si associava alla vita monastica e religiosa. In realtà queste abitudini continuarono a proliferare senza sostanziali variazioni, sia prima che dopo la Controriforma, forti del diffuso consenso popolare.

Ciò comunque non toglie che fossero tenute ufficialmente nascoste e che di rado trovassero spazio nei libri contabili istituzionali, anche se con le dovute eccezioni. Una di queste è costituita dalla documentazione di San Domenico. Sappiamo che nel convento, durante il Carnevale, si allestivano esibizioni teatrali o *commedie*, interpretate sia da attori professionisti sia da studenti della stessa istituzione. Riportiamo a scopo esemplificativo un pagamento del marzo 1629 che registra una spesa di 2 onze, 14 tarì e 12 grana

---

43 ASPa, CRS, *Convento della Consolazione di Santa Maria del Bosco*, vol. 68, f. 165.
44 *Ivi*, f. 264.

«in più volte per loeri [affitto] di vestiti per li comedianti et comedii fatti dalli padri studenti, giovani e Travaglino con suoi compagni nel Carnovale prossimo passato per mano del padre fra Paolo procuratore et per il gioco di Pupi».[45]

Queste rappresentazioni erano spesso affiancate da eventi ludici, spettacoli dei pupi e soprattutto esecuzioni musicali (*trattenimenti*), che avevano luogo durante le sere del Carnevale, ad opera di musicisti professionisti chiamati dall'esterno. Non è chiaro il rapporto che intercorreva fra questi trattenimenti e gli spettacoli drammatici: è probabile che alcuni degli interventi musicali fossero inseriti all'interno delle rappresentazioni teatrali, molto probabilmente negli *intermedi*, come era consuetudine a Palermo sin dalla seconda metà del Cinquecento.

Alcuni pagamenti del febbraio 1634 sembrano confermare questa ipotesi. Non solo, sempre per questa stessa occasione si registrano numerose spese «per loeri di panni negri per la scena», «per cusunuvru»,[46] «per un vestito di cuvello»[47] e soprattutto per «incircata di ballo che fecero li studenti domenica li 5. stanti e li 9. stanti», come pure il pagamento del giorno successivo, 13 febbraio 1634, di tarì 7 «a otto persone che fecero lo ballo delle spade e incircata la domenica della settuagesima la sera».[48] Ancora, negli anni successivi troviamo compensi a commedianti per le *squaternate* (spettacoli teatrali di argomento buffo), per *loero* di costumi di Zanni (maschera tipica della Commedia dell'Arte) e infine, il 28 febbraio del 1637 «onze cinque e tarì quattro, cioè onzi dui e tarì vintiquattro à Travaglino e compagni per la comedia, e il resto dato à diverse persone in diverse recreationi nel Carnovale, e per loere di vestiti, maschari, sonaturi, e anco per loere di tavoli, castagnoli e chiova per far la scena nel refettorio».[49]

Anche nel convento di San Francesco di Paola sono frequenti le spese per materiali di vario tipo (chiodi, legname, colori, spago, carta, etc.) che dovevano servire per costruire la scena delle commedie rappresentate durante il Carnevale, in particolare il Giovedì Grasso,[50] ma del tutto assenti sono le notizie su eventuali esecuzioni musicali a esse associate. Al contrario, nell'abbazia di San Martino delle Scale non troviamo alcun accenno sugli spettacoli teatrali allestiti *in loco* – anche se era costume dei monaci

---

[45] ASPa, CRS, *San Domenico*, vol. 572, c. 235*v*.

[46] «Specie di ragia infiammabile usata un tempo nei teatri per imitare il baleno» (*Vocabolario Siciliano* cit., I, 1977, p. 882).

[47] «Coviello, maschera napoletana» (*ivi*, p. 890).

[48] ASPa, CRS, *San Domenico*, vol. 574, c. 117*r*.

[49] *Ivi*, c. 205*v*.

[50] ASPa, CRS, *San Francesco di Paola*, vol. 481, f. 437.

benedettini recarsi fuori dall'abbazia per assistere alle *tragedie* – ma sicuramente erano previsti numerosi giochi ed esecuzioni musicali nei giorni carnevaleschi, come testimoniano diverse note di pagamento per corde e acconciature di strumenti musicali da destinare alle ricreazioni. Quest'ultime, in alcuni casi, sono esplicitamente dette «di Carnovale», in altri invece non vengono specificate, ma essendo annotate nello stesso periodo sono ragionevolmente ascrivibili alla medesima occasione.

2.2. Il Periodo dell'Avvento

2.2.1. *Il Natale: musica, musicisti, forme di finanziamento*

Rispetto a quanto visto per le celebrazioni pasquali, le notizie sugli interventi musicali per il periodo natalizio, pur essendo abbastanza numerose, sono spesso di natura indefinita e anche nei volumi solitamente più prodighi di dettagli musicali di rado forniscono particolari sulle modalità performative e sui musicisti coinvolti. Una spiegazione si può forse individuare nella diffusione di pratiche e repertori di derivazione popolare, presenti in quasi tutte le festività liturgiche più importanti, ma in particolar modo durante il Natale. Infatti, più che in altre occasioni, nel periodo dell'Avvento era previsto il coinvolgimento di musicisti specializzati nell'esecuzione di brani di tradizione orale: ninne-nanne, pastorali e soprattutto le novene del Natale.[51] In un'epoca in cui la distinzione fra colto e popolare non era ancora marcata, le due tipologie di commento sonoro coesistevano pacificamente ed erano anzi incoraggiate dalle istituzioni, allo scopo di soddisfare le aspettative dei fedeli. Si può, dunque, supporre che nelle feste religiose le manifestazioni musicali di natura semi-culta, pur essendo ufficialmente avversate, si affiancassero con regolarità agli interventi dei musicisti di derivazione colta.[52]

A Palermo gli impegni musicali connessi alla sfera popolare, nonché alla solennizzazione dei principali eventi del calendario liturgico, erano

---

[51] Sulle novene del Natale cfr. il contributo di Girolamo Garofalo, *Le novene del Natale*, «Nuove Effemeridi», XL, 1997, pp. 25-41.

[52] A tale proposito una testimonianza significativa si ha nel 1569, all'interno delle celebrazioni natalizie organizzate in cattedrale, quando il canonico don Girolamo «per muovere l'affetto di quella numerosissima gente verso il santo bambino [...] vi introduceva suoni e canti boscarecci, e pastori ch'il nato Redentore andavano ad adorare» e ad un certo punto lo stesso canonico compariva vestito da bifolco «conducendosi per la mano un matto, chiamato per la città Filippone e fece con questo de' salti e balli» (Michele Frazzetta, *Vita, virtù e miracoli del ven. servo di Dio Don Girolamo di Palermo canonico della cattedrale della città di Palermo*, Palermo, presso Pietro Isola, 1681, p. 157; cit. in Giovanni Isgrò, *Teatro del '500 a Palermo*, Palermo, Flaccovio, 1983, pp. 84-85).

espletati dai musicisti *orbi*, suonatori professionisti che operavano al chiuso degli edifici, ma soprattutto per le strade della città, commentando con le loro musiche e i loro strumenti (per lo più ad arco, come *ribechini* e violini) le più significative occasioni cittadine. Anche il fatto che verso la metà del Seicento gli *orbi* si riunissero in una apposita congregazione intitolata all'Immacolata e istituita su iniziativa dei padri gesuiti è sintomo del forte legame con la Chiesa e dello sforzo degli ordini religiosi di controllare forme devozionali di provenienza non ecclesiastica.[53]

Abbiamo già visto come i libri-giornale del fondo Consolazione di Santa Maria del Bosco certificassero la presenza di musicisti *orbi* sia durante il Carnevale che per la Settimana Santa. Queste stesse indicazioni le ritroviamo per il primo gennaio[54] e per la novena del Natale, anche se in questo caso – come negli altri esempi di indicazioni musicali per il periodo natalizio – l'utilizzo del termine *novena* si riferisce all'occasione religiosa e non alle musiche che a essa erano associate.[55] Per quanto riguarda la notte del 24 dicembre, le spese relative al trasporto di strumenti a tasto (in particolare del clavicembalo) alludono più verisimilmente all'esecuzione di brani di tradizione colta. Il 28 dicembre 1625, ad esempio, venivano spesi 11 tarì per l'acquisto di due capretti da destinare ai «quattro musici che cantorno la notte di natale et alla messa di terza à desinare»,[56] musici che intervenivano anche per le funzioni del Capodanno.

---

[53] Una congregazione dell'Immacolata Concezione dei Ciechi esisteva già nel 1631 nella chiesa di Santa Rosalia, come testimoniano i *Memoriali della Visita* dell'Archivio Storico Diocesano, segnalati da Francesco Lo Piccolo, *Le Confraternite dell'Arcidiocesi di Palermo. Il tempo passato. La città*, in *Le Confraternite dell'Arcidiocesi* cit., p. 311. Su questa confraternita in relazione agli aspetti musicali è incentrato lo studio di Sergio Bonanzinga, *Tradizioni musicali per l'Immacolata in Sicilia*, in *La Sicilia e l'Immacolata. Non solo 150 anni*, Atti del Convegno di Studio (Palermo, 1-4 dicembre 2004), a cura di Diego Ciccarelli e Maria Rosa Valenza, Palermo, Biblioteca Francescana – Officina di Studi Medievali, 2006, pp. 69-154. Secondo l'autore «il sodalizio pare esclusivamente impegnato a garantire assistenza ai ciechi poveri […]. Qualche forma di pratica musicale a scopo devozionale poteva essere comunque prevista tra gli "obblighi" dei confrati, anche se in assenza dei capitoli originali della Congregazione non se ne può avere certezza» (*ivi*, p. 72). Più numerose, invece, le testimonianze sulla congregazione presso i gesuiti: «nello statuto che regolava la loro attività si faceva divieto di suonare nei postriboli e di eseguire musiche profane, laddove era contemplato esclusivamente l'assolvimento di pie devozioni come l'andar suonando e cantando nella città storie sacre, non prima, tuttavia, che i testi fossero stati sottoposti alla revisione dei gesuiti o da altri ecclesiastici, come attestano anche i quaderni manoscritti posseduti dai cantastorie ciechi dove compare il nome di qualche "padre"» (Elsa Guggino, *I triunfi degli orbi*, «Nuove Effemeridi», XL, 1997, p. 50).

[54] ASPa, CRS, *Convento della Consolazione di Santa Maria del Bosco*, vol. 68, f. 153.

[55] Il pagamento era sempre elargito per elemosina, come leggiamo il 25 dicembre 1624: «Dati d'amorevolezza tarì tre ad Antonio cieco per haver sonato alla chiesa questa Novena […]» (*ivi*, f. 150).

[56] *Ivi*, f. 253.

Le precedenti informazioni costituiscono fino a questo momento l'unica attestazione sugli interventi degli *orbi* durante le feste liturgiche. Nelle altre istituzioni l'indicazione di interventi musicali per il periodo dell'Avvento è talmente generica da non consentire di distinguervi eventuali contributi degli *orbi*. Inoltre, sembrerebbe che le presenze musicali più significative, almeno in questi anni, siano in prevalenza circoscritte ai cenobi maschili. Nei monasteri femminili i riferimenti sono, infatti, meno numerosi e riguardano quasi sempre spese generiche per messe cantate. Soltanto nel monastero della Martorana e in quello delle Vergini troviamo indicazioni esplicite sulla presenza della «musica». Nel primo l'esecuzione di due messe cantate con musica, rispettivamente per la notte di Natale e per la Circoncisione, era stata istituita per legato testamentario da Suor Domitilla Galletti, come esplicitato in un documento non datato, ma presumibilmente della prima metà del XVII secolo.[57] Nel monastero delle Vergini la presenza di musicisti è invece testimoniata per la prima volta in una nota del 30 dicembre 1647, che riporta pagamenti per «allugatura di lignami per li barchetti delli musici», in occasione della «messa cantata la nutti di Natali».[58] Altre sono negli anni le notizie sul canto dell'ufficio del Natale, come quella del 24 dicembre 1649 che riferisce di una spesa di «tarì 24. per far cantare l'offitio»[59] e ancora nel dicembre 1652 «per la festa dell'officio della Natività del Signore [...] tarì 24 per la musica in detta messa cantata e per li assistenti».[60]

Per quanto riguarda le istituzioni maschili, nel caso della chiesa di Sant'Ignazio all'Olivella si possono formulare le medesime considerazioni già espresse in relazione agli interventi musicali per la Quaresima. Infatti, l'unico esplicito riferimento alla presenza della musica per Natale si trova il 31 dicembre 1640 e quantifica una spesa di onze 1. 17 da destinare alla «musica straordinaria per la notti di Natale».[61] Si tratta dunque, ancora una volta, di un pagamento straordinario che si aggiungeva ai salari ordinari, nel caso specifico 5 onze e 5 tarì corrisposti ai musicisti stabili in quel mese di dicembre.

---

[57] «Per lo legato lasciato da Soro Domitilla Galletti onze 8. di rendita olim dovuti da D. Vincenzo Galletti per spendersi per la celebratione di due messe cantate da celebrarsi una nella notte della Natività del Signore et altra nel giorno della Circumcisione con parare le colonne, musica, assistenti, iaconi, incenzeri e cera, quali onze 8. per haversi ricattato col capitale se ne comprò onze 4. tarì 26. 13. di rendita sopra la città e per la medesima somma si fa detto legato» (ASPa, CRS, *Monastero della Martorana*, b. 918, carte sciolte).

[58] ASPa, CRS, *Monastero delle Vergini*, vol. 265, c. 22v.

[59] *Ivi*, c. 124r.

[60] ASPa, CRS, *Monastero delle Vergini*, vol. 266, c. 72r.

[61] ASPa, CRS, *Congregazione di San Filippo Neri all'Olivella*, vol. 159, c. 22r.

Nel convento di Sant'Anna o Santa Maria la Misericordia si registra un compenso del dicembre 1653 di onze 1. 6 «à tre musici secolari per la notte di Natale» e sia in quell'anno che nel successivo le fonti riportano una somma fissa di 15 tarì dati all'organista, come regalo per i servizi straordinari del Natale.[62] Inoltre, sempre nel dicembre del 1654, vengono pagati 8 tarì «per un violino per sonare la notte di Natali»,[63] unico esempio in cui i libri contabili dell'istituzione riportano con esattezza la tipologia del musicista che veniva coinvolto in una determinata occasione festiva.

Nell'abbazia di San Martino delle Scale, a esclusione di un pagamento del dicembre 1531 all'organista per la festa del Natale, non abbiamo altri accenni per tutto il XVI secolo e la prima metà del XVII. Soltanto un riferimento del dicembre 1620 per il trasporto del cembalo[64] con ogni probabilità va messo in relazione a questo tipo di occasione, anche se non possiamo stabilirlo con certezza. Ai festeggiamenti per il Capodanno è invece esplicitamente connessa la spesa del gennaio 1618, ovvero «alle trombette delle galere che vennero à dare il buon capo d'anno alla grangia».[65]

Differente la situazione nel convento di San Domenico, almeno relativamente alla prima metà del Seicento. Come per la festa del titolo, anche per il Natale le voci di spesa appaiono piuttosto generiche lungo tutto il Cinquecento e di fatto solo nel XVII secolo possiamo accertare la presenza della componente sonora, in particolare proprio a partire dall'anno 1600, quando vengono pagati 17 tarì a un certo Battista, maestro d'ascia, «per far il talamo la vigilia di Natali per li musici» e nel marzo del 1601 onze 2. 12 «a complimento alli musici delli novi giorni de Natali».[66]

Indicazioni del genere si susseguono negli anni successivi, confermando la presenza di interventi musicali sia per la novena che per la vigilia e giorno di Natale. In base alla consuetudine, possiamo estendere i dati ottenuti anche agli anni precedenti, considerando che anche in questo caso il finanziamento derivava in gran parte dal monte delle elemosine messe a disposizione dai fedeli. Nel dicembre 1602, ad esempio, si specifica lo stanziamento di una somma di onze 1. 28 ricevuta «per mano del padre sacristano maggiori da diversi devoti per la musica della notte di Natali» e ancora onze 2 elargite da «un'altra devota per la musica della notte di Natali

---

[62] ASPa, CRS, *Santa Maria la Misericordia*, vol. 171, c. 6v.

[63] *Ivi*, c. 55v.

[64] ASPa, CRS, *San Martino delle Scale – fondo II*, b. 1138: *Vacchetta 1620-1621*, c. 18r.

[65] ASPa, CRS, *San Martino delle Scale – fondo II*, b. 1138: *Vacchetta 1617-1618*, c. 19r.

[66] ASPa, CRS, *San Domenico*, vol. 570, cc. 117v, 120v. Sia questa che la precedente nota di spesa sono datate al 1601, ma si riferiscono al Natale dell'anno precedente.

per mano di Fra Vincenzo converso sacristano minori».[67] Fra l'altro è pure probabile che già in questi anni contribuissero al finanziamento i membri della Confraternita del Rosario, rettori dell'omonima cappella della chiesa, come testimonia un'annotazione del gennaio 1649 riferita alla musica della novena dell'anno precedente.[68]

Come già visto per la Quaresima, anche nel caso del Natale erano previste musiche composte appositamente per l'occasione e due spese, rispettivamente del 1601 per la compieta e del 1635 per i responsori,[69] ce lo confermano. In particolare nel 1601 troviamo pagamenti ai musici «che cantorno li <notti> di Natali con la festa» e per il trasporto del cembalo.[70] Simili le informazioni degli anni successivi, spesso corredate dai nomi dei musicisti coinvolti, situazione che si ripete con regolarità sino a metà Seicento. A partire dal 1612 compaiono anche notizie più specifiche sulle 'presenze' strumentali, relative a interventi di manutenzione degli strumenti e al loro trasporto in convento. Peraltro, avvicinandoci a metà secolo, i volumi contabili riferiscono con maggiore accuratezza dei momenti della celebrazione che richiedevano la presenza della musica, vale a dire l'offertorio nella notte della vigilia, la messa cantata il giorno di Natale e la compieta durante la novena.

2.2.2. Epifania e Circoncisione

Tutte le considerazioni finora esposte possono essere estese alla cornice musicale che i domenicani prevedevano per la solennizzazione dell'Epifania. Proprio il fatto che il viceré presenziasse alla celebrazione, in particolare al mattutino, spiegherebbe il gran numero di notizie musicali che è possibile reperire per questa festività.[71] Non a caso, sul piano economico le spese più sostanziose erano riservate alla musica per il mattutino della sera della vigilia rispetto a quelle per la messa cantata del giorno successivo.[72]

---

[67] ASPa, CRS, *San Domenico*, vol. 477, c. 156v.

[68] ASPa, CRS, *San Domenico*, vol. 579, c. 26r.

[69] «Al padre Cantore tarì dui per tanta carta rigata che ha da servire per li compieti di Natali» (ASPa, CRS, *San Domenico*, vol. 570, c. 139v); «Dedi tarì quattro per carta rigata per componere li responsi del Natale» (ASPa, CRS, *San Domenico*, vol. 574, c. 161r).

[70] ASPa, CRS, *San Domenico*, vol. 570, c. 141r.

[71] I documenti del fondo riportano di frequente spese destinate all'allestimento del talamo che doveva accogliere il viceré. Gli interventi musicali per quest'occasione erano anche spiegati dall'esistenza nella chiesa di un dipinto della metà del Cinquecento raffigurante l'Epifania, attribuito a mano fiamminga ed esposto in uno degli altari a fianco del cappellone (cfr. A. MONGITORE, *Storia delle chiese di Palermo. I conventi* cit., I, pp. 165-166).

[72] Nel gennaio del 1623, ad esempio, la cifra destinata alla musica dell'Epifania equivaleva a onze 7 e tarì 12, di cui «unzi cinque per il Matutino et unzi dui e tarì dudici per la messa la matina» (ASPa, CRS, *San Domenico*, vol. 571, c. 226v).

Troviamo poi le stesse indicazioni già annotate per la musica del Natale: acquisto di carta rigata per comporre i responsori,[73] informazioni sul trasporto degli strumenti, dati dettagliati su organici e pratiche esecutive. Rispetto al Natale si registra però l'intervento abituale dei *piffari* del Senato, almeno a partire dal 1615,[74] giustificati dal carattere fastoso dell'evento, oltre che dalla presenza del viceré. Alcune forme di celebrazione risultano più dettagliate, come nel 1646, «per portatura e riportatura del pulpito di San Giacomo che servì per cantare l'evangelio del qui fuit innanzi il vicerrè».[75]

La puntualità nell'indicazione delle spese si verificava anche quando la musica non veniva eseguita: nel 1647, infatti, troviamo il consueto pagamento «al Padre Predicator frat'Andrea per li bastasi che portorno e riportorno li travi che doveano servire nella chiesa per fare li talami o palchi della musica […] nella festa della Epifania», pur specificando che in quell'anno «si deliberò di non farsi», forse a causa di una pestilenza che si era diffusa nel convento.[76] Che le presenze musicali a San Domenico per l'Epifania fossero comunque rilevanti, sia sul piano qualitativo che su quello quantitativo, ci viene suggerito da diversi indizi, in particolare dalla spesa del gennaio 1623 di onze 7 e tarì 12 a Vincenzo D'Elia per la musica dell'Epifania «cioè unzi cinque per il Matutino et unzi dui e tarì dudici per la messa la matina, et li musici furono di numero quindici, inclusi in detto numero li quattro eunuchi di sua altezza».[77] L'indicazione risulta interessante per il riferimento ai cantori eunuchi del viceré (due dei quali già attestati per Natale 1622), unico caso finora riscontrato nei volumi contabili delle chiese palermitane.[78]

L'importanza musicale conferita all'Epifania costituisce una particolarità della chiesa di San Domenico. In altre istituzioni, per lo più femminili, troviamo esclusivamente indicazioni su messe cantate, come ad esempio a Santa Maria della Pietà, Santa Maria di Monte Oliveto e nel monastero del-

---

[73] «[2 gennaio 1634] Dedi tarì uno per carta arrigata per copiare un responsorio a tre cori per il matutino» (ASPa, CRS, *San Domenico*, vol. 574, c. 114r); «[2 gennaio 1635] Dedi tarì quattro per carta rigata per scrivere li responsi della Epifania» (*ivi*, c. 140r).

[74] ASPa, CRS, *San Domenico*, vol. 571, c. 31v. Che fossero del Senato ci viene detto a partire dal 1624, quando si paga «un unza alli pifari della Città» (ASPa, CRS, *San Domenico*, vol. 572, c. 9v).

[75] ASPa, CRS, *San Domenico*, vol. 578, c. 109r.

[76] *Ivi*, c. 161r. Nello stesso volume troviamo una ricetta per rimedi «contro il male detto maledetto» (*ivi*, c. 152v).

[77] ASPa, CRS, *San Domenico*, vol. 571, c. 226v.

[78] La partecipazione di musici eunuchi alle funzioni religiose palermitane doveva essere ben più frequente di quanto ci dicono i documenti, considerando l'atteggiamento ambivalente della Chiesa nei confronti di questa pratica, che il gusto per gli effetti meravigliosi, insieme al tentativo di arginare la riforma e al divieto delle donne di esibirsi nelle chiese e nei teatri, avevano fatto emergere e dilagare.

le Vergini.[79] Lo stesso discorso va fatto per la festa della Circoncisione o del Santissimo Nome di Gesù. Si è già parlato della messa cantata con musica che nel monastero della Martorana veniva eseguita per questa occasione, e anche nel monastero di Santa Maria della Pietà si attesta l'esecuzione di una messa cantata per il 1° gennaio.[80] Questa occasione veniva comunque celebrata con solennità anche in altre istituzioni, almeno a quanto ci attesta il *Giornale Sacro* di Castellucci, che riferisce del convento di Santa Cita, di Casa Professa (probabilmente per l'intervento del viceré) e del convento di San Francesco di Paola.[81]

Tuttavia, è ancora nella documentazione di San Domenico che troviamo le informazioni più significative. A partire dal 1639 i libri di conto cominciano a parlare di interventi musicali per la festa della Circoncisione, promossi dalla Compagnia del Santissimo Nome di Gesù.[82] Dagli *Annali* di Olivier sappiamo che la Compagnia soleva officiare nella cappella del Crocifisso[83] e che nel 1581 le era stato concesso l'uso della cappella di Sant'Orsola, esistente a lato dell'antica chiesa, a condizione che i confrati ogni anno pagassero «onze sei di rendita per celebrarsi con maggior pompa nella nostra chiesa la sollennità del primo di gennaro, in cui si celebra la festa della Circoncisione del Signore, e questa farsi nella cappella del SS. Crocifisso».[84]

Già dunque prima del 1581 i domenicani erano soliti celebrare con solennità la festa della Circoncisione, ma probabilmente soltanto a partire da quella data la celebrazione cominciò ad arricchirsi di contributi musicali di rilievo, quali vengono testimoniati dai volumi amministrativi di metà

---

[79] Nel caso di Santa Maria della Pietà si trattava di un legato istituito da suor Illuminata Agliata, come confermato nel 1625 (ASPa, CRS, *Santa Maria della Pietà*, vol. 266, c. 46v).

[80] ASPa, CRS, *Santa Maria della Pietà*, vol. 273, c. 62v.

[81] Nel caso di San Francesco di Paola il riferimento può essere anche giustificato dalla presenza in chiesa di un dipinto attribuito a Gaspare Bazzano o "lo Zoppo di Ganci" (oggi conservato presso la Galleria Regionale di Palazzo Abatellis) e raffigurante la *Circoncisione*, di un certo interesse anche per la rappresentazione di angeli musicanti, colti nell'atto di suonare diversi strumenti, fra cui una chitarra, un liuto e una viola da braccio.

[82] Tra la fine del XVI e gli inizi del XVII secolo furono istituite a Palermo ben otto compagnie dedicate al Nome di Gesù. Fra queste, appunto, la Compagnia del Nome di Gesù fondata nel 1570 dal Rettore del convento di San Domenico Padre Marco Antonio Vitale. Cfr. SIMONETTA LA BARBERA – ANGELA MAZZÈ, *Regesto delle Compagnie a Palermo nei secoli XVI e XVII*, in *L'ultimo Caravaggio e la cultura artistica a Napoli, in Sicilia e a Malta*, Atti del Convegno Internazionale di Studi (Siracusa-Malta, aprile 1985), a cura di Marizio Calvesi, Siracusa, Ediprint, 1987, p. 262.

[83] «In quest'istesso anno 1574, a petizione della religione, il papa Gregorio XIII concesse indulgenza per tutti coloro che in giorno di venerdì cantassero il Responsorio per tuam Crucem all'altare del SS. Nome di Dio, cioè del Crocifisso […]» (LORENZO OLIVIER, *Annali del Real Convento di S. Domenico di Palermo*, ed. moderna a cura di Maurizio Randazzo, Palermo, Provincia Regionale di Palermo – Biblioteca Regionale dei Domenicani, 2006, p. 206).

[84] *Ivi*, pp. 210-211.

Seicento. Quest'ultimi, però, segnalano esclusivamente le spese «di aiuto», quelle cioè che si aggiungevano agli stanziamenti ordinari destinati alla festa. Ciò spiegherebbe il limitato ambito cronologico delle notizie relative, che riportano la somma fissa di 3 onze «per aggiuto della festa della Circoncisione, cossì per musica come per l'apparato, fatti in detto giorno».[85] A parte, invece, venivano registrati i pagamenti per la musica della processione del Santissimo Nome di Gesù, che si svolgeva nello stesso giorno e sulla quale si tornerà nel capitolo successivo.

2.3. «Palermo divoto di Maria Vergine»

Il titolo di questo paragrafo è preso in prestito da un'opera a stampa di Antonino Mongitore, pubblicata in due tomi nel 1719 e 1720.[86] In questo lavoro l'autore analizza le diverse forme di devozione che i palermitani erano soliti tributare alla Vergine, offrendoci uno spaccato della situazione nella prima metà del XVIII secolo e all'occasione ricostruendo la storia delle principali manifestazioni votive. Il quadro che se ne ricava risulta ricco e variegato, confermando in effetti quel che recita il titolo dell'opera. Non dobbiamo, però, dimenticare che proprio in quegli anni il culto mariano raggiunge a Palermo un momento culminante, quanto a numero e varietà delle manifestazioni. Molte di esse avevano alle spalle una lunga tradizione, spesso riconducibile al primo Medioevo. Già il fatto che la principale istituzione religiosa palermitana, la cattedrale, fosse intitolata all'Assunta ne è prova significativa. Tuttavia, è pur vero che alcune tipologie di devozione mariana, per quanto diffuse e praticate da lungo tempo, furono ufficialmente istituzionalizzate in epoche più tarde. A tale proposito il caso più interessante è quello legato al culto dell'Immacolata Concezione, che nel quadro delle festività cittadine riveste un'importanza fondamentale.

2.3.1. Il culto dell'Immacolata Concezione

A Palermo l'Immacolata Concezione era venerata fin da tempi antichissimi,[87] come testimoniano i Capitoli approvati nel 1425 dal viceré Ni-

---

[85] ASPa, CRS, *San Domenico*, vol. 579, c. 26v. Questa indicazione, datata 9 gennaio 1649, si ripete nel 1650 e nel 1651 (*ivi*, cc. 69r, 114v).

[86] ANTONINO MONGITORE, *Palermo divoto di Maria Vergine e Maria Vergine protettrice di Palermo*, voll. 2, Palermo, Stamperia di Gaspare Bayona, 1719-1720.

[87] Sulla diffusione del culto dell'Immacolata in Sicilia, in particolare a Palermo, cfr. FILIPPO ROTOLO, *La Sicilia nella luce dell'Immacolata. Contributo dei Frati Minori Conventuali*, Palermo,

colò Speciale – tra le feste di precetto vi compare «li antiqui festivitati di la santissima Virgini Maria, videlicet, la sua Conceptioni»[88] – e l'inclusione nel *Breviarium* (1452) di Simone Bologna dell'ufficio che si soleva cantare durante la sua festa.[89] Fra Cinque e Seicento le celebrazioni connesse a tale occasione si collocano nella sfera di controllo dell'ordine francescano, e in particolare dei frati minori conventuali.[90] Inoltre, proprio alla fine del XVI secolo cominciano a sorgere le prime confraternite dedicate all'Immacolata, a concreta testimonianza del fervore devozionale dei palermitani.[91]

Il convento di San Francesco d'Assisi rivestiva un ruolo primario nell'organizzazione della festività. Da un punto di vista musicale è infatti nei libri contabili di quest'istituzione che troviamo l'unica indicazione anteriore al XVII secolo, nello specifico 2 tarì e 6 grana pagati nel 1523 «per una missa cantata de concepcione per manu di frati Andria».[92] Come è noto, questo elemento va messo in relazione alla presenza nella chiesa di un'importante cappella senatoria, intitolata all'Immacolata nel 1441.[93] Nel corso degli anni, i festeggiamenti per l'Immacolata arrivarono ad acquisire maggiore importanza e rilievo, imponendosi fra le più importanti occasioni cittadine.[94] Momento culminante di tale processo fu il riconoscimento del dogma

---

s.n., 1954 e Francesco Lo Piccolo, *Veicoli di diffusione del culto e consumo della devozione all'Immacolata nel Palermitano (secoli XVI-XVIII)*, in *La Sicilia e l'Immacolata* cit., pp. 279-290.

[88] A. Mongitore, *Palermo divoto di Maria Vergine* cit., I, pp. 61-62. L'autore fa riferimento agli Atti del Senato del 1425-1426, oggi conservati all'Archivio Storico del Comune di Palermo.

[89] *Ivi*, p. 63. Sul *Breviario*, oggi custodito nella cattedrale, cfr. Angela Daneu Lattanzi, *La miniatura*, in *La cultura in Sicilia nel Quattrocento*, Catalogo della mostra (Messina, Salone del Comune, 20 febbraio-7 marzo 1982), a cura di Giacomo Ferraù, Roma, De Luca, 1982, pp. 133-136; Maria Concetta Di Natale, *Un codice francescano del Quattrocento e la miniatura in Sicilia*, «Quaderni dell'Archivio Fotografico delle Arti Minori in Sicilia», I, 1985, pp. 97-117.

[90] Su questo argomento si vedano i contributi di Diego Ciccarelli, *Cavalieri dell'Immacolata*, in *Il Libro del Giuramento dell'Immacolata. Memorie di un rito urbano (1795-1912)*, a cura di Eliana Calandra, Palermo, Comune di Palermo, 1996, pp. 23-28 e di Filippo Rotolo, *L'Immacolata Concezione di Maria Madre di Gesù*, in *Bella come la luna, pura come il sole. L'Immacolata nell'arte in Sicilia*, a cura di Maria Concetta Di Natale e Maurizio Vitella, Palermo, Provincia Religiosa di Sicilia dei Frati Minori Conventuali "Ss. Agata e Lucia", 2004, pp. 17-29, in particolare il paragrafo «L'Immacolata Concezione e l'Ordine dei Frati Minori Conventuali», pp. 23-29.

[91] Cfr. Rita Di Natale, *Le Confraternite dell'Arcidiocesi di Palermo dedicate a Maria SS. Immacolata*, in *Bella come la luna, pura come il sole* cit., pp. 113-120.

[92] ASPa, CRS, *San Francesco d'Assisi*, vol. 294, c. 57v.

[93] A proposito della cappella cfr. Filippo Rotolo, *La cappella dell'Immacolata nella Basilica di S. Francesco a Palermo: culto e arte*, Palermo, Basilica di S. Francesco d'Assisi, 1998; *L'Immacolata e il rito delle cento onze. Fonti storico-documentarie*, a cura di Eliana Calandra, Roma-Palermo, Edizioni associate, 1996.

[94] «Il 25 novembre del 1614 venne ordinato che si celebrasse la festa dell'Immacolata nelle chiese dedicate a S. Francesco. [...] Con il decreto del 30 maggio del 1622 del Tribunale dell'Inquisizione venne proibito di negare o di avversare, sia in pubblico che in privato le verità

da parte del Senato, di cui abbiamo notizia da un *Atto obligatorio* stampato nel 1655 (Fig. 2).[95]

Nella parte iniziale il documento ripercorre la storia del culto a Palermo, chiarendo le ragioni del suo progressivo affermarsi in ambito cittadino e confermando la longevità della «singolar divotione e religiosissimo affetto fin da tempi de' quali non v'ha memoria».[96] Le righe che più ci interessano sono quelle che si incentrano su «le allegrezze, acclamationi, e gare, che publica, e privatamente in ogni tempo, & occasione, e precisamente nella di lei festiva solennità si veggono fare ogn'anno da ogni sorte di persone, huomini, e donne, grandi, e piccioli, nobili, e plebei». Le autorità senatorie, a imitazione dei predecessori, avevano infatti incentivato il culto verso l'Immacolata, in riconoscimento delle grazie ricevute durante epidemie e guerre, assecondando le inclinazioni sia del sovrano che del viceré:

[Il Senato] inanimito primieramente dal sincerissimo affetto, & esemplarissimo Zelo, che la Maestà Catolica del Rè nostro Signore [...] hà mostrato, e mostra verso questo Sacrosanto mistero, fino ad haver giurato sotto la Real parola di volerlo mantenere, e propugnare non solo col potere di tutti i suoi Regni, che debbano solennizare ogn'anno à gloria della Immacolata Signora un Novenario, cominciando con uniforme tenore dalla Domenica in Albis fin al Lunedì della Domenica seconda doppo Pasqua, come s'osserva puntualmente in ogn'una di loro, & inviolabilmente in questa nostra Prima Metropolitana colla assistenza del Senato, con fausto, e solennità straordinaria, con Messa solenne ogni matina, con sermoni ogni sera, e con processione nel primo giorno, quando si espone, e nell'ultimo quando si leva il Santissimo Sacramento, porgendosi dal numeroso popolo, che vi concorre fervorose preghiere [...]; Secondo dal vivo, & efficacissimo esempio dell'Eccellentissimo Signor D. Rodorigo de Mendoza, Sandoval, della Vega, e Luna, Duca dell'Infantado Viceré, e Capitan Generale per Sua Maestà governante questo Regno, il quale così per propria, come per hereditaria osservanza del suo nobilissimo casato, che fù de primi à ricevere, e promuovere nelle Spagne questa divotione [...] con maestevol pompa, e regia splendidezza in questa Città, e dovunque si è trovato, è stato solito solennizare ogn'anno per nove giorni continovi la festa della Immacolata Concettione.[97]

---

dell'Immacolata Concezione di Maria, e dichiarava apertamente che con la festa dell'8 dicembre la Chiesa universale celebrava non la santificazione di Maria, come sostenevano i Domenicani, ma l'Immacolata Concezione» (F. ROTOLO, *L'Immacolata Concezione* cit., p. 28).

[95] *Atto obligatorio fatto dal Senato di questa felice città di Palermo e confirmato da sua eccellenza e dal Tribunale del Reale Patrimonio in maggior ossequio e veneratione della Santissima Vergine Madre di Dio Maria Signora nostra sotto titolo della sua Immaculata Concettione* [Palermo, 1655]: ASPa, *Miscellanea Archivistica – Serie II*, vol. 303.

[96] *Ivi*, f. 1.

[97] *Ivi*, ff. 2-3.

Partendo da tali presupposti, il Senato confermava e ratificava il voto solenne pronunciato il 15 agosto 1624, stabilendo una continuità ideale (o meglio un passaggio di consegna) fra la festa dell'Assunta e quella dell'Immacolata. In quell'occasione l'arcivescovo di Palermo, Giannettino Doria, aveva pubblicamente riconosciuto la verità dell'Immacolata Concezione, stabilendo al contempo «li impegni di celebrarne ogn'anno con solenne pompa la festa, e con digiuno precettivo la di lei vigilia».[98] Il voto – indotto dall'epidemia di peste che affliggeva Palermo – era stato confermato dai membri del clero l'8 settembre dello stesso anno (giorno in cui si festeggiava la Natività della Vergine)[99] dopo che il 27 luglio il Senato si era impegnato a celebrare a proprie spese la festa che si teneva nella chiesa di San Francesco. Infine, il 16 novembre l'Immacolata era stata eletta principale protettrice della città, con l'assegnazione di 250 scudi annuali alla cappella della Concezione, destinati all'acquisto di ornamenti d'oro e d'argento (tappezzerie, statue, reliquiari), oltre che al suo abbellimento con marmi, diaspri e pietre mischie.

Attraverso l'*Atto obligatorio* si ordinava che la festa venisse solennizzata con maggior pompa, splendore e decoro dei tempi passati, stabilendo allo stesso tempo una serie di obblighi:

Primieramente che il Senato sia tenuto ad intervenire, & assistere ogn'anno in forma di Città con le toghe, col solito accompagnamento de' suoi Ministri, & Vfficiali alla celebratione del primo Vespro, e della Messa solenne da cantarsi il giorno festivo della Concettione, nella detta Chiesa del Venerabile Convento di S. Francesco, e portar seco li sopracennati scudi 250. di limosina, li quali colla cerimonia consueta (nel voto espressata) e co' dovuti termini di riverente ossequio depositerà il Pretore su l'Altare di Nostra Signora della sudetta Cappella peculiare del Senato.

Secondo. Sia pur in obligo di supplicare S. E. perché almeno nella Messa solenne vi intervenga col sacro Consiglio, e che detta Messa si canti alla Pontificale dall'Arcivescovo nostro Prelato.[100]

---

[98] *Ivi*, f. 4. Di questa cerimonia abbiamo una descrizione del canonico La Rosa, che documenta il canto della messa da parte dell'arcivescovo, il canto del vangelo dal canonico diacono e tutto il rituale durante la messa solenne (cfr. *Alcune cose degne di memoria notate dal rev.mo dottor D. Gio. Battista la Rosa, decano, canonico e tesoriero della chiesa cattedrale di Palermo. 1330-1632*, in *Biblioteca storica e letteraria di Sicilia* cit., II, p. 219).

[99] Scrive ancora La Rosa: «et incominciò la messa sollenne, cantata dal quarto canonico millenario. E prima che s'intonasse la *Gloria*, si lesse ad alta voce il giuramento [...] per la Concezione santissima di Nostra Signora Maria sempre vergine. E detto giuramento lo lesse il canonico diacono, che dovea cantare l'evangelio. [...] E finita questa funzione, si cantò la *Gloria* e si celebrò la messa» (*Memorie varie cavate da un libro ms. del can. D. Gio. Battista la Rosa e Spatafora, 1282-1627*, in *Biblioteca storica e letteraria di Sicilia* cit., II, p. 271).

[100] *Atto obligatorio* cit., ff. 5-6.

L'atto prosegue nell'enumerare altri obblighi relativi alla processione della sera della festa e alla solennizzazione dei 12 sabati che la precedevano,[101] occasioni sulle quali si tornerà più avanti. Erano queste le celebrazioni che i frati di San Francesco dedicavano alla Vergine *sine macula*, alle quali si aggiungeva la festa dello Stellario, celebrata solennemente dai francescani l'ultima domenica di agosto, come ci informa Mongitore. È lui a riferirci della straordinaria devozione che i palermitani tributavano ai 12 privilegi dell'Immacolata, tale da suscitare la reazione dell'Inquisizione, che tramite decreto del 1640 (poi ribadito nel 1645) arrivò a proibire la celebrazione della festa e ingiungere lo scioglimento di ogni confraternita e congregazione intitolata allo Stellario o comunque dedita alla sua celebrazione.[102]

D'altronde quale fosse lo sfarzo celebrativo che si associava a tale occasione ci viene confermato dalla descrizione del 1644 di Giovan Battista Cristadoro,[103] già nota agli studiosi per l'interesse musicale che essa riveste.[104] Cristadoro fornisce numerosi dettagli sui primi vespri della vigilia, quando nella basilica di San Francesco vennero allestiti 12 palchi contenenti altrettanti cori di musicisti (strumentisti e cantori) e disposti al centro della chie-

---

[101] «Particolare importanza per la conoscenza dell'incidenza dei Frati Minori Conventuali nella diffusione del culto all'Immacolata, hanno le pie pratiche suscitate nelle loro chiese per onorare il privilegio di Maria. Ricordiamo a tale scopo la celebrazione dei sabati. Sappiamo che tale devozione fioriva già nell'VIII sec., ma dal 1483 in poi in tutte le chiese francescane se non prima, si cominciarono a celebrare i sabati in onore dell'Immacolata. Nella Basilica di S. Francesco di Palermo tutti i sabati dell'anno si teneva una funzione eucaristica, nell'ultimo sabato del mese si teneva in più una processione nell'ambito del convento, ma i 12 sabati prima dell'8 dicembre assumevano, e ancora oggi assumono, un tono solenne, sì da indurre a fare a gara a prenotarsi per la loro celebrazione» (F. ROTOLO, *L'Immacolata Concezione* cit., p. 28). Alla celebrazione dei sabati era connesso un non indifferente impegno musicale, come testimoniano i libretti di dialoghi e oratori di cui abbiamo notizia (cfr. MARIA ANTONELLA BALSANO, *Composizioni musicali per i Sabati dell'Immacolata*, in *La Sicilia e l'Immacolata* cit., pp. 41-48).

[102] «La Città di Palermo strettamente impegnata nella divozione dell'Immacolata Concezione di Maria Vergine con non minore affetto, che pompa celebra ogn'anno la sua solennità. […] Altra se ne celebrava con gran pompa sotto titolo dello Stellario, in memoria de' dodici privilegi, da' quali fu la Vergine Signora arricchita nella sua purissima Concezione». Questa e altre testimonianze di Mongitore sulla festa dello Stellario sono riportate in GIUSEPPE COLLISANI – DANIELE FICOLA, *Il "Festevole Trionfo"*, saggio incluso nel booklet allegato all'incisione in CD dell'opera (*Vespro per lo Stellario della Beata Vergine*, dir. Gabriel Garrido, K617, Palermo, 1994, p. 35). Sulla festa dello Stellario si veda anche il contributo di PAOLO EMILIO CARAPEZZA, *Lo Stellario: una festa per l'Europa*, in *La Sicilia e l'Immacolata* cit., pp. 161-167.

[103] GIOVAN BATTISTA CRISTADORO, *Il Festevole Trionfo per la Coronazione dell'Immacolata Reina co'l Diadema delle dodeci stelle Ombreggianti li dodeci Privilegi rimembrati nella Corona del Santissimo Stellario, celebrato nell'ultima domenica 28 d'agosto 1644 nella chiesa dei Padri Minori Conventuali di Palermo* […], Palermo, Alfonso dell'Isola, 1644.

[104] Si veda DANIELE FICOLA, *Il Festevole Trionfo per la Coronazione dell'Immacolata Reina*, in *Musica sacra in Sicilia* cit., pp. 237-248; BONAVENTURA RUBINO, *Vespro dello Stellario con sinfonie e altri salmi (1655)*, Firenze, Olschki, 1996.

sa, da cui provenivano i canti «di armoniose Sinfonie adorni»,[105] per l'occasione composti dal maestro di cappella della cattedrale, il francescano Bonaventura Rubino. Meno dettagliate le notizie sugli interventi musicali nel giorno della festa, anche se sappiamo della presenza di numerosi organi (quelli grandi «collocati dall'una, e dall'altra parte del tempio» mentre i piccoli «né i palchi accomodati»); delle composizioni intonate dai «Concertati Cantori»[106] durante la messa, con l'intervento di putti o fanciulli; delle musiche strumentali che furono eseguite dopo il Vangelo e la predica; della celebrazione vesperale, durante la quale si ripeterono le stesse «melodiche musicali rappresentazioni» del giorno precedente.

Altrettanto degne di interesse sono le cronache relative ai festeggiamenti del 1655 e del 1656,[107] in particolare la prima, nella misura in cui va messa in relazione ai provvedimenti cittadini di cui l'*Atto* costituisce una diretta espressione. Infatti, per quell'occasione giunsero in chiesa il viceré e le principali autorità civili, e «si diè principio alla solenne messa, cantata soavissimamente a otto chori di sceltissimi musici, così della Cappella Reale di Palazzo, come della Cappella del Senato con sinfonie di varii stromenti; sì che furono i cantanti da cinquanta, e più persone».[108] E ancora, l'anno successivo, «da otto chori d'eccellentissimi musici della Real Cappella, e del Senato compartiti in due gran palchi, ornati di finissimi drappi, s'intonò con soavissima armonia la messa».[109]

Queste indicazioni riflettono ciò che parallelamente va affermandosi in campo iconografico, confermando quanto afferma Vincenzo Abbate su «la gloria di Maria come emblema del trionfo barocco».[110] Alla luce di quanto detto, non stupisce che le notizie reperite nel fondo *Corporazioni religiose soppresse* su interventi cantati e musicali per la Concezione siano abbastanza poche, considerando il controllo dei frati di San Francesco d'Assisi, e che tali notizie risalgano nella maggior parte dei casi al XVII secolo.[111]

---

[105] G.B. Cristadoro, *Il Festevole Trionfo* cit., p. 28.

[106] *Ivi*, p. 32.

[107] *Divote dimostranze fatte dal Senato della felice città di Palermo in maggior ossequio e veneratione della Santissima Vergine Madre di Dio Maria Signora nostra sotto titolo della sua Immaculata Concettione*, Palermo, Nicolò Bua, 1657.

[108] *Ivi*, p. 28.

[109] *Ivi*, p. 42. Entrambe queste descrizioni sono citate da U. D'Arpa, *Notizie e documenti sull'unione dei musici* cit., p. 24.

[110] Vincenzo Abbate, *"Ad aliquid sanctum significandum"*. *Immagine della* Purissima Reina *tra Cinque e Seicento*, in *Bella come la luna, pura come il sole* cit., p. 39.

[111] Relativamente al Seicento, una delle notizie più antiche si trova nel convento di San Francesco di Paola e riguarda la donazione di 30 onze da Giovanni Gregorio Isola per l'esecuzione «d'una messa la settimana della concettione della beata Virgine Maria, da celebrarsi nel

Al gruppo delle eccezioni appartengono le informazioni dei volumi di San Domenico, che riferiscono dell'esecuzione di numerose messe cantate per festività mariane, fra cui anche l'Immacolata Concezione, celebrata a Santa Caterina nel periodo compreso fra il 1553 e il 1596.

2.3.2. Altre festività mariane

Oltre all'Immacolata numerose altre festività mariane erano oggetto di devozione da parte delle istituzioni ecclesiastiche palermitane, specialmente da quelle femminili. Un numero significativo di notizie si trova nel monastero della Martorana. L'occasione più importante era la festa dell'Assunta, celebrata con il regolare intervento della musica, sia per i vespri che per la messa.[112] L'esecuzione di messe cantate era comunque prevista anche per la solennizzazione della Purificazione (o *Candelora*), per la Natività della Vergine e per l'Annunziata.[113] Pure a Santa Maria della Pietà i riferimenti documentari parlano di messe cantate, spesso finanziate da privati, eseguite per la Natività di Maria, per l'Assunzione e per la Purificazione.[114] In un caso, inoltre, è chiaramente specificato che l'impegno canoro veniva svolto dalle monache stesse, ovvero l'8 settembre 1654, quando vengono spesi 15 tarì «per una messa cantata di monache alla Madonna per la festa della sua Natività per sodisfare lo lassito della quondam madre soro Antonia Maria Statella».[115]

Nel monastero delle Vergini, invece, si esplicita la presenza della musica vera e propria, nello specifico per la festa della Santissima Annunziata,

---

giorno del Sabbato» e inoltre «d'una messa sollenni nel giorno della festività della concettione, ò vero infra l'ottava d'essa, a sua intentione et da poi morte per l'anima d'esso di Isola» (ASPa, CRS, *San Francesco di Paola*, vol. 479, f. 222). Nei libri giornale di Santa Maria della Pietà riscontriamo, invece, tre riferimenti che riportano il pagamento di 15 tarì per una messa cantata il giorno della Madonna, specificando la natura del finanziamento, vale a dire il legato testamentario di Suor Maria d'Amari (ASPa, CRS, *Santa Maria della Pietà*, vol. 273, cc. 62v, 65r; vol. 275, c. 39r). Anche nel monastero della Martorana la messa cantata per l'Immacolata era pagata tramite legato, in questo caso di Suor Ninfa Maria Scirotta, giustificato dalla presenza in refettorio di una «imagine di nostra Signora la Concettione», davanti alla quale doveva ardere una lampada alimentata dall'olio acquistato con metà della somma lasciata (ASPa, CRS, *Monastero della Martorana*, b. 918, carte sciolte).

[112] ASPa, CRS, *Monastero della Martorana*, b. 918, carte sciolte.

[113] ASPa, CRS, *Monastero della Martorana*, vol. 802, cc. 207v, 375r; vol. 803, cc. 230r, 407r, 408r; vol. 804, c. 142v.

[114] ASPa, CRS, *Santa Maria della Pietà*, vol. 275, c. 39r.

[115] *Ibid.* Anche nel monastero benedettino di Santa Rosalia l'esecuzione delle messe cantate per le festività mariane era regolata da un finanziamento legatario. Torna, infatti, il riferimento alla donazione di Aleramo Del Carretto, che fra le obbligazioni prevedeva «celebrare missam cantatam cum diacono et subdiacono in omnibus festivitatibus Deiparæ Virginis Mariæ» (ASPa, CRS, *Santa Rosalia*, b. 40, c. 3r).

a partire dal 1647. La prima annotazione non precisa l'entità della spesa, visto che includeva nella cifra di onze 4 anche il pagamento per la musica della festa di San Benedetto, ma già grazie alla successiva indicazione sappiamo che la somma stanziata per la musica nel 1650 equivaleva a 1 onza e 18 tarì.[116] Per la Purificazione, inoltre, era prevista l'esecuzione di una messa cantata, attestata soltanto nel 1652,[117] anche se tale tradizione risaliva a quasi un secolo prima, per esattezza al 1558, come testimonia un documento notarile.[118]

Sul versante delle istituzioni maschili, segnaliamo Sant'Ignazio all'Olivella e un documento conservato nel fondo del monastero di Santa Rosalia, vale a dire la copia del testamento di Don Porzio Valguarnera del 12 febbraio 1655, in cui si stabiliva la celebrazione di tre messe cantate con musica, rispettivamente per la festa dell'Annunciazione, per la Visitazione e per la Presentazione della Vergine, da eseguire nella chiesa dei padri oratoriani.[119] Altre informazioni ce le forniscono i libri di conto di San Martino delle Scale relativamente alla festa dell'Assunzione[120] e il convento di Santa Maria la Misericordia, con pagamenti relativi alla musica per la Natività.[121]

Per quanto riguarda il convento di San Domenico, abbiamo notizia di due messe cantate per l'Assunta, una istituita il 18 maggio 1551 dalla donazione di Aloisia de Fesi e l'altra da Elisabetta La Torre il 7 maggio 1562, a patto che in questa occasione – come anche per la festa di San Giovanni Battista del 24 giugno e per la Presentazione della Madonna il 21 novembre – oltre alla messa cantata «in dette tre feste abia a dirsi la sera Matutino cantato con le porte aperte».[122] Espliciti interventi musicali sono inoltre certificati per la festa dell'Annunciata, come leggiamo il 6 aprile 1623, quando viene annotato il pagamento di onze 1. 14 a un numero imprecisato di musici per cantare la messa e il secondo vespro.[123]

Tutte queste notizie si aggiungono a quelle relative alle altre devozioni diffuse nel contesto cittadino: dalla Madonna dell'Itria (venerata con musi-

---

[116] ASPa, CRS, *Monastero delle Vergini*, vol. 265, cc. 28r, 137r.

[117] ASPa, CRS, *Monastero delle Vergini*, vol. 266, c. 49r.

[118] Si tratta del testamento di Sebastiano Degenti (10 agosto 1558) con cui lasciava ad Aurelia di Lentini, sua consanguinea e monaca del monastero delle Vergini, 15 tarì annuali «ad opus celebrationis festi purificationis beate Virginis in ecclesia dicti monasterii» (ASPa, *Notai defunti – Stanza I*, vol. 5065, c. 634r).

[119] ASPa, CRS, *Santa Rosalia*, b. 41, c. 65v.

[120] «[Agosto 1583] All'organista per la festa della nostra Signora» (ASPa, CRS, *San Martino delle Scale – fondo II*, b. 1135: *Libro di spese minute 1583*, c. 84r).

[121] ASPa, CRS, *Santa Maria la Misericordia*, vol. 171, cc. 42r, 90r.

[122] ASPa, CRS, *San Domenico*, vol. 465, ff. 80, 107.

[123] ASPa, CRS, *San Domenico*, vol. 571, c. 236v.

ca non soltanto nella chiesa eponima, ma anche nel monastero della Marto-rana) alla Madonna della Raccomandata, dalla Madonna della Vittoria alla Madonna della Catena,[124] dalla Madonna del Monserrato alla Madonna del Rosario. Ma in quest'ultimi casi la presenza di cappelle e immagini com-porta un ulteriore ordine di riflessioni che va a sfociare nel vasto campo delle feste legate al culto di immagini o alla presenza di cappelle.

2.4. LE FESTE PECULIARI: DEVOZIONI CITTADINE, IMMAGINI, CAPPELLE

Il discorso sulle feste religiose celebrate a Palermo fra Cinque e Sei-cento è stato suddiviso in categorie distinte a seconda dell'occasione cele-brativa, operazione consentita dalla separazione di contesti e periodi. In quest'ultimo paragrafo si affronterà, invece, una categoria di tipo trasver-sale, che va a lambire le tipologie festive precedentemente affrontate. Ciò vale in modo particolare per le festività mariane, non soltanto quelle legate agli episodi della vita della Vergine, ma soprattutto quelle che si ponevano in stretta relazione alle iconografie diffuse in ambito siciliano e che vanno calate nello specifico delle numerose cappelle e delle immagini oggetto di venerazione nelle chiese palermitane.

In chiusura del precedente paragrafo si è accennato alla devozione della Madonna del Rosario, specialmente promossa dai domenicani, sia a Paler-mo che nel resto dell'isola.[125] Ricordiamo che nella chiesa di San Domenico esisteva una Confraternita intitolata al Rosario, fondata nel 1537,[126] e una cappella sotto il medesimo titolo. Fra l'altro, sempre da Olivier e dalla sto-riografia erudita sappiamo che nel 1540 il convento aveva acquisito un di-pinto di Vincenzo degli Azani da Pavia raffigurante la Madonna circondata dai quindici misteri del Rosario «che oggi giorno nella sua cappella esposto alla pubblica venerazione de' fedeli si vede».[127] Erano pertanto molteplici gli elementi che confermavano la particolare venerazione dei padri di San Do-menico alla Vergine del Rosario: l'attività di promozione svolta dall'ordine,

---

[124] Musiche dedicate alla Madonna della Catena erano promosse durante i sabati della Quaresima dai teatini, che proprio nella chiesa di Santa Maria della Catena avevano avuto la prima sede. La festa della Madonna della Catena, celebrata la prima domenica dopo il 15 agosto a memoria del miracolo avvenuto nel 1396 (cfr. A. MONGITORE, *Palermo divoto di Maria Vergine* cit., I, p. 305 sgg.), veniva regolarmente solennizzata con musica.

[125] Secondo la tradizione, proprio a San Domenico nel 1208 la Vergine Maria aveva dona-to il Rosario, raccomandandogli al contempo di diffonderne la devozione.

[126] A tale proposito si veda la scheda *La Confraternita della Cappella di Maria SS. del Rosario di S. Domenico* di ROSSELLA SINAGRA, in *Le Confraternite dell'Arcidiocesi* cit., pp. 72-73.

[127] L. OLIVIER, *Annali del Real Convento di S. Domenico* cit., p. 188.

l'esistenza della Confraternita, la presenza di una cappella sotto il titolo del Rosario, la pubblica devozione verso il quadro di Vincenzo da Pavia.

Alla luce di quanto detto, non stupisce l'impegno musicale che i domenicani profondevano nella celebrazione delle festività connesse a tale culto. Sappiamo che la festa vera propria veniva celebrata la prima domenica di ottobre e che il giorno della vigilia era prevista l'esecuzione con musica delle Litanie dedicate alla Madonna.[128] Di messe cantate del Rosario abbiamo notizia già a partire dal XVI secolo, ma riguardo agli interventi musicali straordinari solo nel settembre 1617 un riferimento specifica il pagamento di 5 tarì e 10 grana «per una seggetta per portare e ritornare al maestro di cappella da palazzo per la musica nel giorno del Rosario».[129] Che in questo periodo i domenicani esercitassero un monopolio sulla festività ci viene confermato dall'assenza di notizie musicali nelle altre istituzioni della città, ad eccezione del monastero (anch'esso domenicano) di Santa Maria della Pietà, dove si attestano sia pagamenti per messe cantate che per musicisti,[130] sino almeno alla metà del Seicento.

La devozione verso la Madonna della Perla (o dell'Udienza) era invece coltivata nel monastero di Santa Maria del Cancelliere. Secondo quanto ci attesta la tradizione, nel 1171 Matteo Ajello, Gran Cancelliere dei re normanni, aveva fondato il monastero di Santa Maria de Latinis (detto appunto «del Cancelliere») donandogli contestualmente la tavola della Madonna dell'Imperlata (dal nome delle perle che ne ornavano corona e manto per ex-voto), oggi conservata al Museo Diocesano di Palermo. L'immagine divenne ben presto oggetto di culto da parte dei palermitani e delle monache benedettine che la custodirono fino alla seconda guerra mondiale, quando il monastero e la chiesa annessa vennero distrutti dai bombardamenti.[131]

La festa della Madonna della Perla – che nei documenti amministrativi è spesso denominata *della Perna* – veniva celebrata la seconda domenica dopo Pasqua, come ci informa il Castellucci.[132] Le fonti archivistiche del Seicento documentano interventi musicali a partire dal 1626,[133] con un pa-

---

[128] Ad esempio il 19 ottobre 1601 si pagavano 10 tarì «alli musici per cantari la vigilia del Rosario la litania della madonna» (ASPa, CRS, *San Domenico*, vol. 570, c. 134v).

[129] ASPa, CRS, *San Domenico*, vol. 571, c. 23r.

[130] ASPa, CRS, *Santa Maria della Pietà*, vol. 270, c. 104v; vol. 271, c. 110r.

[131] Sul dipinto e sulla sua storia cfr. Maria Concetta Di Natale, *Il Museo Diocesano di Palermo*, Palermo, Flaccovio, 2006. L'immagine era conservata nella terza cappella del lato destro, dove venivano celebrate tre messe al giorno per legato di Ottavio d'Afflitto ai rettori dell'Ospedale di San Bartolomeo, negli atti di Girolamo Bertolino del 27 luglio 1634.

[132] Cfr. G.B. Castellucci, *Giornale Sacro Palermitano* cit., p. 212.

[133] ASPa, CRS, *Santa Maria del Cancelliere*, vol. 533, c. 206a; vol. 541, c. 243a.

gamento medio di 4-5 onze per la sola musica, all'interno di una spesa che si attestava sulle 24 onze, destinate soprattutto all'affitto dei paramenti.[134] La perdita di diversi volumi non ci consente di monitorare la situazione musicale negli anni successivi. Tuttavia, sappiamo che all'inizio del Cinquecento la devozione cittadina dovette accrescere notevolmente alla luce di un episodio di cui parlano gli storici locali: infatti, nel 1512 una donna arrivò a trafugare una perla dal dipinto, ma una volta tornata a casa non poté aprire la mano in cui la teneva finché, pentita per l'atto, non decise di restituirla alla chiesa.[135]

Altri erano i titoli mariani venerati a Palermo in quegli anni, ma la dispersione di molti libri contabili del XVI e XVII secolo non permette di accertare la presenza della musica per le feste relative. Abbiamo, tuttavia, numerose notizie di esecuzioni musicali per altre devozioni, indirizzate a santi e a sante della tradizione cattolica, festeggiati con maggiore o minore solennità nelle chiese di Palermo. Nella maggior parte dei casi il reperimento di informazioni musicali è giustificato dalla presenza di una particolare immagine, di una statua, di un altare o di una cappella intitolati al santo o all'evento oggetto della celebrazione.

Non è superfluo ricordare che un'operazione di mappatura degli altari e delle cappelle nelle chiese palermitane, per quanto necessaria, comporta numerosi problemi e difficoltà. Quasi tutte le chiese subivano negli anni sostanziali modifiche, che coinvolgevano la collocazione delle cappelle e talvolta il cambio del titolo. Il compito è reso ancor più difficile nel caso di ricostruzioni, di edifici distrutti, o di istituzioni che presentano una tradizione bibliografica poco corposa o accurata. Di conseguenza, nel caso di occasioni solennizzate con musica senza apparente motivazione, non possiamo sempre stabilire se in passato fosse esistita una cappella, un'immagine, un altare, o se è necessario ipotizzare l'intervento di un finanziamento privato. Fra l'altro, ribaltando i termini del discorso, è lecito chiedersi se gli interventi musicali fossero motivati dalle cappelle o se viceversa fosse la consuetudine devozionale – e dunque anche l'intervento del canto e della musica – a richiedere l'intitolazione di altari o la committenza di specifiche opere d'arte.

Quali che siano le risposte a questa serie di interrogativi, nella maggior parte dei casi è comunque possibile stabilire connessioni più o meno precise con aspetti relativi alla storia dell'ordine, all'istituzione, alla struttura dell'edificio, alle congregazioni religiose, al rapporto con il territorio, non-

---

[134] «A 30 d'Aprile [1648] onze 25. Per detta [madre abbadessa] cioè per la settimana santa onze 4. 21. e per la festa di nostra Signora della Perna onze 20. 16. per musica lohero di paramenti et altri […]» (ASPa, CRS, *Santa Maria del Cancelliere*, vol. 540, c. 235*b*).

[135] Cfr. A. MONGITORE, *Palermo divoto di Maria Vergine* cit., I, pp. 337-339.

ché al vasto ambito della produzione figurativa. In questo campo rientrano anche quelle festività che, pur non appartenendo alla sfera delle peculiarità istituzionali, possono annoverarsi fra le peculiarità cittadine, in quanto dedicate ai santi patroni e protettori di Palermo – *in primis* le sante protettrici, Sant'Oliva, Santa Cristina, Santa Ninfa, Sant'Agata e Santa Rosalia – o che godevano di particolare venerazione da parte dei palermitani.

A tale proposito uno dei casi più significativi riguarda la festa di Santa Lucia, celebrata solennemente il 13 dicembre in tutta la Sicilia, e in modo particolare a Palermo. Nei volumi contabili del XVI e XVII secolo non mancano le notizie su canto e musica da eseguire per questa occasione, come ad esempio nel convento di San Domenico o nel monastero di Santa Maria del Cancelliere.[136] Ma il maggior numero di informazioni si trova nel monastero di Santa Maria di Valverde. Nella chiesa esisteva, infatti, una statua di fattura quattrocentesca, oggetto di culto speciale, che attirava folle di fedeli. La statua era collocata all'interno di un'apposita cappella che nel '600 sarebbe stata riccamente decorata in un trionfo di marmi mischi e stucchi da Mariano Smiriglio, architetto del Senato palermitano. Peraltro, come per il monastero del Cancelliere, anche nel caso di Santa Maria di Valverde si può riscontrare l'esistenza di un doppio titolo, la cui presenza va messa in relazione alla denominazione originaria dell'antica chiesa.[137] Non stupisce, dunque, che fin dalla metà del XVI secolo le fonti attestino pagamenti continuativi per la musica da eseguire durante la ricorrenza del 13 dicembre, annotati nella sezione relativa alle decorazioni e finanziati tramite le elemosine elargite dai fedeli presenti alla celebrazione (Fig. 3).[138]

Nel convento di San Domenico molte delle spese per canto o musica vanno ricollegate alla presenza di cappelle e altari. È il caso della messa cantata per la Madonna della Catena, attestata nel 1554 e probabilmente

---

[136] ASPa, CRS, *San Domenico*, vol. 472, c. 10v. Nel monastero del Cancelliere gli interventi musicali per la festa di Santa Lucia risalgono alla metà del XVII secolo e sul piano economico risultano rilevanti quanto quelli testimoniati per la festa principale dell'istituzione. La cifra stanziata equivaleva sempre a 6 onze, fissità spiegata dai rapporti continuativi con i medesimi musicisti (ASPa, CRS, *Santa Maria del Cancelliere*, vol. 539, c. 226b; vol. 540, cc. 235b, 308a).

[137] L'esistenza del doppio titolo si riscontra in diverse fonti di Sei e Settecento, come la *Regola delle monache di Nostra Signora del Carmine* del 1615, ristampata nel 1779 per ordine di Maria Emanuela Ciafaglione «abbadessa del venerabile monastero di S. Maria di Valverde di detta città, chiamato di S. Lucia» (cfr. *Regola delle monache di Nostra Signora del Carmine con alcune costituzioni approvate da molti sommi pontefici, stampate per ordine del reverendiss. ed eminentiss. sig. card. Doria arcivescovo di Palermo nell'anno 1615*, Palermo, Stefano Amato, 1779) o gli *Annali della città di Messina* del 1756, dove si riferisce del monastero di «Santa Maria di Valverde di Palermo, oggi detto Santa Lucia» (cfr. CAIO DOMENICO GALLO, *Annali della città di Messina capitale del Regno di Sicilia dal giorno di sua fondazione sino a tempi presenti*, I, Messina, Francesco Gaipa, 1756, p. 108).

[138] ASPa, CRS, *Santa Maria di Valverde*, vol. 235, cc. 18r, 20r, 26r; vol. 236, c. 137r.

eseguita all'interno dell'omonima cappella, la quarta del lato sinistro, che accoglieva il dipinto della Madonna della Catena.[139] Inoltre, il 27 marzo 1636 Sebastiano La Farina assegnava al convento 24 onze annuali per una messa di requiem (da eseguire quotidianamente nella cappella di Santa Barbara esistente nel chiostro), per una messa cantata e anche «per farsi la festa in detta cappella nel giorno di Santa Barbara per il che il convento hà sempre usato di cantar in detta cappella prima, primo, e secondo vespre, e la messa cantata nel giorno di Santa Barbara».[140]

Nella chiesa esisteva pure una cappella intitolata alla Madonna del Monserrato e appartenente alla nazione dei Catalani.[141] I volumi contabili non attestano la presenza di musiche per la relativa celebrazione, limitandosi a segnalare la spesa di 1 onza per la generica «festa di la cappella di Monserrato».[142] Essi, comunque, confermano il finanziamento da parte della nazione, che pagava la cifra direttamente al padre cantore. Tuttavia, un altro documento dimostra come tale somma fosse destinata con ogni probabilità alla componente musicale. Si tratta di un atto notarile del 1557 in cui il musicista fiammingo Nicola Flochet (o Floquet), già assoldato dal convento, veniva stipendiato ulteriormente dalla nazione dei Catalani «pro cappella ipsius magnifice nationis existente in ecclesia conventus predicti et sancte Eulalie Panormi». Sul margine sinistro del foglio si specifica che la spesa consisteva in «uncias duas pro salario cappelle s. Eulalie et unciam unam pro festo s. Marie Montis Serrati cappelle dicti conventus».[143]

Molte altre erano nel convento le occasioni peculiari che prevedevano esecuzioni di musica, così come accadeva nelle rimanenti chiese cittadine, producendo una straordinaria quantità di eventi che si presentavano come distintivi di un ordine o di una singola istituzione.[144] Fra le ricorrenze più

---

[139] ASPa, CRS, San Domenico, vol. 471, c. 21v. L'opera è citata da Di Marzo e attribuita a Gabriele Volpe, anch'egli domenicano (cfr. GIOACCHINO DI MARZO, La Pittura a Palermo nel Rinascimento. Storia e documenti, Palermo, Alberto Reber, 1899, pp. 297-298).

[140] ASPa, CRS, San Domenico, vol. 465, f. 189. Nel 1568, nella cappella di Santa Barbara, patrona degli studi del convento, era stata fondata l'Accademia degli Accesi, come attestano Mongitore (A. MONGITORE, Storia delle chiese di Palermo. I conventi cit., I, p. 189) e Olivier (L. OLIVIER, Annali del Real Convento di S. Domenico cit., p. 201).

[141] Ivi, p. 176.

[142] ASPa, CRS, San Domenico, vol. 471, c. 37r.

[143] ASPa, Notai defunti – Stanza I, vol. 5065, c. 18r. Su Floquet cfr. infra, capitolo VI.

[144] Nel convento di San Domenico ricordiamo le feste di San Tommaso, di San Pietro Martire, di San Giuseppe, di San Raimondo di Peñafort, di Santa Caterina. Per quanto riguarda le istituzioni maschili, si segnalano Sant'Anna presso la chiesa degli oratoriani e Santa Rosalia nel convento di Santa Maria la Misericordia. Relativamente alle istituzioni femminili abbiamo notizie musicali per San Girolamo (presso il monastero delle Vergini), la festa dei Diecimila Martiri (Badia Nuova), Santa Maria Maddalena (monastero della Martorana), San Michele Ar-

in vista nel panorama locale un posto a sé occupavano i festeggiamenti per la natività di San Giovanni Battista, celebrata il 24 giugno. Il santo era onorato con grande solennità in molti paesi della Sicilia e sin dai tempi più antichi. È ancora Pitrè a fornirci notizie su tale occasione, riferendosi alle cerimonie che si svolgevano nell'antico convento di San Giovanni di Baida. A partire dalle testimonianze di altri autori, Pitrè sottolinea la consuetudine che il popolo palermitano aveva di recarsi al convento sin dalla vigilia del 23 giugno, eseguendo canti, suoni e balli per lo più osteggiati dalle autorità ecclesiastiche.[145] Proprio nel giorno di San Giovanni avevano inizio gli intrattenimenti musicali alla Marina, promossi dal Senato palermitano a partire dal 1591. Pitrè trascrive il documento, già pubblicato da Flandina nella nuova serie dell'*Archivio Storico Siciliano*:

> L'a. 1591, il Senato e i Giurati di Palermo, "attendentes ad decoracionem ornamentum et nobilitatem ipsius urbis [...] ordinaverunt et ordinant quod musici urbis preditte quotidie et in quolibet sero, exceptis diebus veneris, per spacium convenientem benevisam ipsis dominis officialibus, habeant et debeant sonare cum eorum strumentis musicalibus in strata Columna pro leticia et consolacione civium et habitatorum qui per dittam stratam deambulant".[146]

Tale fervore devozionale trova riflesso nei libri contabili della Consolazione di Santa Maria del Bosco. Qui si attestano interventi musicali a partire dal 1621, quando venivano assoldati suonatori di tamburi, in particolare 'zingari', per far musica nel giorno della festa.[147] Un simile riferimento si trova ancora nel 1622, ma già in quell'anno si aggiunge il pagamento di 24 tarì «à due musici che vennero da Bisacquino [...] per cantare la vigilia et giorno della festa».[148] Più sostanziosa la cifra dell'anno successivo, onze 1 e tarì 10, sempre elargite ai musici per il vespro e la messa, oltre alla spesa per il trasporto dell'organo. Le fonti non danno informazioni sull'organico o sui cantori impiegati, ma che fossero numerosi ci viene suggerito dai riferimenti alle pietanze che i frati dispensavano ai musici: ben 37 uova (16

---

cangelo e San Francesco di Paola (monastero dell'Origlione). Per ulteriori dettagli si rimanda alla rispettive festività nella Tavola 2 in appendice.

[145] Cfr. GIUSEPPE PITRÈ, *Spettacoli e feste popolari siciliane*, Palermo, Pedone Lauriel, 1881 («Biblioteca delle tradizioni popolari siciliane», XII), p. 288 sgg.

[146] *Ivi*, p. 312.

[147] ASPa, CRS, *Convento della Consolazione di Santa Maria del Bosco*, vol. 68, c. 14r.

[148] *Ivi*, c. 29r. Oltre che da Bisacquino, i musicisti ingaggiati per le celebrazioni provenivano anche da Bivona, come testimoniato da due pagamenti del novembre 1622 elargiti a un 'figliolo' che fece il canto e a un musico che fece il basso in occasione della festa di San Leonardo (*ivi*, c. 36r).

la mattina e 21 la sera) con minestre nel 1625 e 6 rotuli di carne di *genco* (manzo) nel 1626 per i suonatori della sera.[149]

Quanto detto non esclude che anche per le occasioni sopra esposte fossero previsti interventi di altra natura, che rientravano nell'ambito della committenza privata e delle tipologie di finanziamento esterno. In ogni caso gli esempi finora presentati confermano come la conoscenza della storia delle istituzioni palermitane, e delle loro caratteristiche artistico-architettoniche, sia imprescindibile per lo studio delle attività musicali che in esse venivano prodotte, nell'ottica della promozione di celebrazioni specifiche della fisionomia dell'ordine, della comunità religiosa, della confraternita o congregazione che vi operavano.

---

[149] *Ivi*, ff. 198, 296.

Capitolo terzo

MUSICA URBANA. CERIMONIE ALL'APERTO FRA CINQUE E SEICENTO

3.1. Musica, cerimonia e spazio urbano

Parlando nei precedenti capitoli di liturgia e occasioni festive, inevitabilmente si è centrato il *focus* sulle celebrazioni svolte al chiuso negli edifici, nonché sulle attività musicali che a tali eventi erano associate. Infatti, è in relazione a queste tipologie che i libri contabili delle istituzioni ecclesiastiche forniscono il maggior numero di informazioni. Le esecuzioni non avvenivano, però, soltanto in luoghi chiusi. Altrettanto numerose erano le occasioni di musica che si svolgevano all'aperto, sempre più spettacolari man mano che ci avviciniamo all'epoca barocca. Analogamente a quanto avveniva fra le mura degli edifici, protagonisti delle esibizioni *en plein air* erano cantori e sonatori di varia fama, responsabili di eventi attestati in gran numero da cronache, relazioni o da altre fonti documentarie.[1]

In una politica di accentramento e insieme di concessione di margini di spazio alle realtà locali, il governo spagnolo si era mostrato condiscendente verso le forme di spettacolo che potevano contribuire al consolidamento del consenso popolare. In particolare le iniziative ufficiali promosse all'aperto dagli ordini religiosi erano considerate assai utili a rafforzare il sentimento fideistico, in conformità ai dettami controriformistici che il governo spagnolo aveva fatto propri. Il discorso effettuato sulle feste religiose e sul rapporto di collaborazione fra potere monarchico e potere ecclesiastico valeva, dunque, anche per il vasto ambito delle cerimonie *en plein air*, che nel XVI e XVII secolo si svolgevano pressoché senza sosta nella città di Palermo.

Diversamente dalle cerimonie 'al chiuso', nel caso delle cerimonie all'aperto la natura dell'oggetto di analisi, le modalità di fruizione messe in atto

---

[1] Le considerazioni qui esposte si trovano ampliate e approfondite in Ilaria Grippaudo, *Musica Urbana. Musica e cerimonie all'aperto nella Palermo di Cinque e Seicento*, in *Studi sulla musica dell'età barocca*, a cura di Giorgio Monari, Lucca, LIM, 2012, pp. 77-134.

e il contesto di svolgimento necessitano di differenti tipologie di approccio. In particolare una prospettiva che tenga conto del rapporto fra musica e spazio urbano può senz'altro servire a una ricostruzione del fenomeno musicale nella sua globalità, mostrando come la presenza di interventi sonori nelle cerimonie *en plein air* – oltre a fungere da segnale, ovvero da richiamo dell'attenzione – costituisse un ulteriore elemento per delimitare lo spazio territoriale, contribuendo al consolidamento del prestigio dell'istituzione di turno.

In tal senso l'adozione dei modelli della cosiddetta *Urban Musicology* si rivela particolarmente utile, sia nel campo delle cerimonie ufficiali sia in chiave antropologico-sociale, per una ricognizione dei musicisti e delle cappelle operanti in ambito cittadino (argomento che verrà affrontato nei successivi capitoli). La novità principale non sta, dunque, nella contestualizzazione delle attività musicali, ma soprattutto nell'analisi del modo in cui spazio cittadino e suono potevano influenzarsi reciprocamente. È infatti grazie a un approccio di tipo urbanistico che è possibile analizzare le molteplici potenzialità che la musica ha di permeare un determinato ambiente, finalità spesso disattesa dai tradizionali studi musicologici incentrati sulla 'grande opera' o sul 'grande compositore'.[2]

Per quanto riguarda la città di Palermo, alcuni studiosi si sono avvalsi di questa prospettiva, occupandosi prevalentemente della seconda metà del Seicento fino a tutto il XVIII secolo.[3] Sin dal Medioevo è tuttavia possibile documentare diverse testimonianze sulla fisionomia sonora della città, ad esempio analizzando il contenuto degli *Acta Curie*.[4] Dalla lettura di questi documenti emerge, infatti, l'idea di uno spazio urbano di continuo attraversato dai gridi dei banditori e da trombettieri e tamburini che reclamizzavano i principali eventi della vita cittadina. Già dunque in questo periodo il *soundscape* palermitano si dimostrava estremamente ricco e articolato,

---

[2] Questi aspetti risultano già ben presenti e discussi nell'articolo che da più parti è considerato il manifesto della *Urban Musicology* (Tim Carter, *The Sound of Silence: Models for an Urban Musicology*, «Urban History», XXIX/1, 2002, pp. 8-18). A partire da quel momento, negli ultimi vent'anni si è assistito a un proliferare di studi dedicati al *soundscape* dei secoli passati, fra cui di recente *Hearing the City in Early Modern Europe*, Atti del convegno internazionale, a cura di Tess Knighton e Ascensión Mazuela-Anguita, Turnhout, Brepols, 2018.

[3] Si veda G. Collisani, *Occasioni di musica nella Palermo barocca* cit., pp. 37-73; A. Tedesco, *La ciudad como teatro* cit., pp. 219-242; Ead., *Shaping the Urban Soundscape in Palermo*, in *Hearing the City in Early Modern Europe* cit., pp. 165-176.

[4] Custoditi nell'Archivio Storico Comunale di Palermo, gli *Acta Curie Felicis Urbis Panormi* includono la documentazione prodotta nei secoli dalle autorità municipali palermitane. Dal 1982 fino a oggi la nuova serie degli *Acta Curie* ha pubblicato i documenti datati tra la fine del XIII e i primi anni del XV secolo.

poiché vari e numerosi erano i suoni/rumori di cui i cittadini avevano esperienza quotidiana: voci, strumenti, suoni di campane, ma anche elementi di altro tipo, come grida e spari, che contrappuntavano il ritmo vitale e lavorativo del contesto cittadino.[5]

È comunque a partire dal Cinquecento che si moltiplicano le notizie sulle presenze musicali nelle cerimonie cittadine, grazie soprattutto al filone della cronachistica locale e al maggior numero di documenti d'archivio che ci rimangono. Tuttavia, per capire in che modo spazio cittadino ed eventi musicali potevano condizionarsi a vicenda, ancor prima delle fonti d'archivio è necessario considerare le trasformazioni che l'assetto urbano subisce in questi anni.[6] Infatti, fra XVI e XVII secolo Palermo attraversa un'importante fase, con modifiche architettoniche e spaziali che cambiano in modo sostanziale l'aspetto della città.[7] In primo luogo gli interventi di rettificazione e prolungamento di via Toledo o il 'Cassaro' (l'asse viario fondamentale, corrispondente all'attuale corso Vittorio Emanuele), effettuati fra il 1567 e il 1581, che offriranno lo scenario ideale per il dispiegarsi di cortei e processioni. Negli stessi anni vengono progettate Porta Felice e Porta Nuova, edificate alle due estremità del Cassaro e concepite sul mo-

---

[5] Validi esempi di analisi del *soundscape* di un contesto urbano li troviamo in Reinhard Strohm, *Music in Late Medieval Bruges*, Oxford, Oxford University Press, 1985 (in particolare nel primo capitolo, «Townscape – soundscape», pp. 1-9); Clive Burgess – Andrew Wathey, *Mapping the Soundscape: Church Music in English Towns, 1450-1550*, «Early Music History», XIX, 2000, pp. 1-46; Miguel Ángel Marín, *Sound and urban life in a small Spanish town during the ancien régime*, «Urban History», XXIX/1, 2002, pp. 48-59; John Griffiths, *Hidalgo, merchant, poet, priest: the vihuela in the urban soundscape*, «Early Music», XXXVII/3, 2009, pp. 355-365; Geoffrey Baker, *Imposing Harmony: Music and Society in Colonial Cuzco*, Durham, Duke University Press, 2010; Maria Rosa De Luca, *Musica e cultura urbana nel Settecento a Catania*, Firenze, Olschki, 2012. Per una prospettiva generale cfr. anche Pierre Gutton, *Bruits et sons dans notre histoire. Essai sur la reconstitution du paysage sonore*, Paris, Presses Universitaires de France, 2000 e i saggi inclusi in *Música y cultura urbana en la Edad Moderna* cit.; *Hearing the City* cit.; *Music and Musicians in Renaissance Cities and Towns*, a cura di Fiona Kisby, Oxford, Oxford University Press, 2001.

[6] Il riferimento principale va sempre a Strohm, per il quale la conformazione dello spazio cittadino ha l'effetto di tracciare simbolicamente le interazioni politiche e sociali che sottendono alle pratiche musicali di un contesto urbano. Per un'analisi delle trasformazioni dello spazio cittadino e delle caratteristiche di un territorio in rapporto alla componente sonora, oltre ai contributi citati nella nota precedente, cfr. Miguel Ángel Marín, *Music on the Margin: Urban Musical Life in Eighteenth-Century Jaca (Spain)*, Kassel, Reichenberger, 2002, pp. 19-57; Iain Fenlon, *Magnificence as Civic Image: Music and Ceremonial Space in Early Modern Venice*, in *Music and Musicians in Renaissance Cities and Towns* cit., pp. 28-44.

[7] Cfr. Rosario La Duca, *Cartografia della città di Palermo dalle origini al 1860*, Palermo, ed. Banco di Sicilia, 1962; Giuseppe Bellafiore, *La Maniera italiana in Sicilia. Profilo dell'urbanistica e dell'architettura*, Firenze, Le Monnier, 1963; Marcello Fagiolo – Maria Luisa Madonna, *Il teatro del sole. La rifondazione di Palermo nel Cinquecento e l'idea della città barocca*, Roma, Officina, 1981; *L'urbanistica del Cinquecento in Sicilia*, Atti del convegno di studi (Roma, 30-31 ottobre 1997), a cura di Aldo Casamento e Enrico Guidoni, Roma, Edizioni Kappa, 1999.

dello degli archi effimeri, ma stabilmente integrate nel contesto urbano e talvolta sede di esibizioni musicali.[8]

Nel 1600 il nuovo asse viario, via Maqueda, viene tagliato orizzontalmente al centro della città e otto anni più tardi il punto di incrocio fra le due vie principali (via Maqueda e via Toledo) è trasformato in piazza Villena, successivamente decorata con le quattro facciate comunemente note come 'Quattro Canti' o 'Teatro del sole'. Fu questa la più importante conquista verso un'organizzazione barocca del contesto urbano, che vedeva i monumenti come punti centrali per tagli ottici inediti, fortemente connessi agli altri elementi: piazze, chiese, strade, fontane, ponti e statue, uniti insieme da una concezione scenografica che tendeva a trasformare gli elementi architettonici in quinte teatrali.

Il complesso di queste notizie ci aiuta a chiarire la relazione fra musica e spazio in rapporto all'attività della Chiesa, e in particolare degli ordini religiosi, qui oggetto della nostra attenzione. In tale contesto il legame può essere affrontato secondo almeno tre prospettive fondamentali.[9] La prima riguarda la moltiplicazione dei punti di offerta musicale. La permeazione sonora del territorio si manifestava innanzitutto con l'aumento delle occasioni di musica in sempre più luoghi della città: non v'era chiesa o convento in cui non risuonasse qualche forma di musica, dal canto gregoriano alla polifonia accompagnata. Inoltre è proprio nel XVII secolo che gli organici musicali dei principali ordini religiosi si sviluppano e trovano legittimazione istituzionale, trasformandosi in alcuni casi in vere e proprie cappelle musicali.[10]

Il moltiplicarsi dei punti sonori riguardava lo spazio urbano nel suo complesso come anche i singoli edifici. Lo sviluppo dello stile policorale, già presente nella seconda metà del XVI secolo, è prova eloquente del gusto per lo stupore, per la magnificenza e per gli effetti stereofonici. Col passare

---

[8] Sul loggiato di Porta Nuova spesso si esibivano i *piffari* del Senato, in particolare il giorno di San Marco, quando la popolazione palermitana soleva andare a Monreale per i festeggiamenti annuali legati alla consacrazione del duomo. Di tutto questo ci dà notizia ANTONINO MONGITORE, *Le porte della città di Palermo al presente esistenti descritte da Lipario Triziano*, in GAETANO GIARDINA, *Le antiche porte della città di Palermo*, Palermo, Gramignani, 1732, p. 80.

[9] Per una panoramica su questi aspetti, rimandiamo ai contributi pubblicati in *Spazi sonori della musica*, a cura di Giovanni Giuriati e Laura Tedeschini Lalli, Palermo, L'Epos, 2010 (in particolare FRANCESCO GIANNATTASIO, *Suono e spazio: alcune osservazioni introduttive*, pp. 25-32). Segnaliamo anche gli atti del 'XV European Seminar in Ethnomusicology' (ESEM), pubblicati nel Cd-rom allegato a «EM. Rivista degli Archivi di Etnomusicologia», I/2003.

[10] In epoca barocca, l'incremento del numero di istituzioni musicali e in genere dei luoghi deputati all'esecuzione della musica coinvolge le più importanti città italiane. In relazione alla distribuzione territoriale, un caso interessante e vicino a Palermo è costituito da Napoli, come leggiamo in DINKO FABRIS, *Music in Seventeenth-Century Naples. Francesco Provenzale (1625-1704)*, Aldershot, Ashgate, 2007, soprattutto nelle pp. 15-30.

degli anni, il numero dei cori aumentò notevolmente, tanto da raggiungere decine di gruppi di suonatori e cantanti, come spesso testimoniano resoconti successivi.[11] Alla magnificenza sonora si accompagnava un eguale sfarzo nella cura dell'aspetto visivo: dalla preparazione dei palchi (spesso oggetto di speciale attenzione artistica) all'allestimento delle decorazioni, in particolare degli apparati effimeri che costituivano il fulcro della festa barocca e la cornice ideale delle esecuzioni musicali.

Questa consuetudine sposta l'attenzione su un'altra possibile connessione fra musica e spazio: infatti la concezione barocca dell'ambiente urbano come riflesso di un ordine gerarchico precostituito ebbe come conseguenza diretta quella di incrementare, quasi forzare, lo spazio cittadino in senso verticale. Quest'idea è evidente negli edifici che ci rimangono, ma può anche essere messa in relazione agli apparati effimeri di cui abbiamo soltanto descrizioni, più raramente disegni e incisioni, davvero pochi se comparati al numero che ne venne prodotto sin dal Rinascimento. Anche la musica veniva sopraelevata, posizionando cantori e strumentisti nella parte più alta degli apparati, in carri allegorici o in speciali palchi detti anche *catafalchi* o *letterini*, appositamente costruiti per varie occasioni, sia civili che religiose.

Vi è un terzo modo di considerare il legame fra musica e spazio: il percorso orizzontale. In questo ambito rientra la maggior parte delle cerimonie palermitane, dalle entrate trionfali ai bandi, dalle cavalcate ai cortei. Ma era la processione a costituire la forma principale di attraversamento dello spazio in senso orizzontale. La musica, infatti, svolgeva una funzione importante nelle processioni religiose e diverse attestazioni di questo tipo possono essere rintracciate, nel XVI secolo o anche prima. Perché tutto il popolo venisse coinvolto e assistesse al dispiegamento del prestigio dell'istituzione di turno, gli ordini religiosi promuovevano frequentemente cerimonie di natura diversa, diremmo 'mobili' per distinguerle dalle modalità 'statiche' di fruizione messe in atto in altre celebrazioni pubbliche.[12]

---

[11] Sulla policoralità a Palermo cfr. R. PAGANO, *La vita musicale a Palermo* cit., pp. 459-464; U. D'ARPA, *Notizie e documenti sull'unione dei musici* cit., pp. 19-36; G. COLLISANI, *Occasioni di musica nella Palermo barocca* cit., pp. 37-73; A. TEDESCO, *Il Teatro Santa Cecilia* cit., pp. 21-36; EAD., *Alcune note su oratori e dialoghi* cit., pp. 203-256.

[12] Nell'ambito degli studi musicologici il tema del percorso orizzontale e della sua relazione con la cornice sonora attende ancora di essere trattato in modo organico. Diversa la situazione per l'etnomusicologia, come si può leggere ad esempio nel contributo di GIOVANNI GIURIATI, *Percorrere la musica. Percorsi sonori processionali di musicisti e ascoltatori in uno spazio musicale*, in *Spazi sonori della musica* cit., pp. 173-208.

3.2. Interventi musicali nelle processioni secondo le cronache di Cinque e Seicento

Per monitorare le presenze musicali nelle processioni palermitane fra Cinque e Seicento un supporto prezioso ci viene offerto dalle testimonianze di storici e cronachisti, sia coevi che posteriori. Molte di queste sono tramandate dai manoscritti della Biblioteca Comunale di Palermo, alcune delle quali raccolte e trascritte nella seconda metà del XIX secolo da Gioacchino Di Marzo, nei volumi della sua *Biblioteca storica e letteraria di Sicilia*. Da una lettura anche solo superficiale di questi diari è possibile accertare il ruolo che la musica ricopriva nelle cerimonie processionali, esprimendosi in forme più o meno semplici e standardizzate, ma comunque degne di attenzione.

La presenza di cantori e strumentisti all'interno delle processioni era una componente irrinunciabile dei riti processionali, arrivando per prima alle orecchie dei cittadini e di fatto precedendo tutti agli altri elementi della cerimonia. Ne discendono la funzione segnaletica delle musiche processionali e al contempo quella in un certo senso 'pubblicitaria', ovvero di promozione dell'evento (che va ricercato nello scopo immediato della celebrazione, come ad esempio una festa religiosa o la richiesta di liberazione da una calamità), nonché del prestigio delle istituzioni che lo avevano organizzato. Quest'ultime cercavano, dunque, di pianificare con la massima attenzione gli apporti musicali, in modo tale da soddisfare l'orizzonte di aspettativa degli ascoltatori.

Alla luce degli intenti di sponsorizzazione dell'evento e manifestazione del potere possono essere anche spiegate la presenza di tipologie fisse di strumenti musicali, attestate sia all'interno delle cerimonie civili sia in quelle religiose. Nella maggior parte dei casi si trattava di strumenti a fiato (come *piffari* e trombette) e a percussione (soprattutto tamburi) ai quali, come vedremo, potevano aggiungersi altre tipologie, a seconda dell'evento e del tipo di celebrazione. Il timbro imponente di questi strumenti si dimostrava particolarmente funzionale agli scopi precedentemente esposti, poiché era in grado di sovrastare gli altri elementi del *soundscape* urbano, imponendosi così all'attenzione dei cittadini.

Nelle descrizioni delle processioni i riferimenti alla musica risultano numerosi, ma vaghi e poco indicativi, fatta eccezione per pochi casi. Spesso, infatti, i cronisti si limitavano a segnalare la presenza della *musica*, senza specificare cosa di preciso si intendesse con quel termine. Tuttavia, dal confronto con altre fonti si può constatare come gli interventi sonori fossero ben più significativi di quanto le indicazioni dei cronisti lasciassero intendere. Un esempio lo troviamo nel 1593, in occasione dell'arrivo delle reliquie di Santa

Ninfa, accolte con grandi tributi dal popolo palermitano. Per l'evento venne allestita una sontuosa processione delle *casse* (reliquiari) di Santa Ninfa e Santa Cristina, con dispiego di apparati. Circa la musica, i commentatori si limitano a menzionare il carro del Senato «menato da due leofanti dello naturale, che pariano vivi; e dentro detti leofanti ci erano più di 100 persone, che lo tiravano senza compariri; ed in capo vi era la musica».[13]

Per avere qualche informazione più specifica sulla natura di quella 'musica' è necessario rivolgersi ad altre fonti, in particolare a un resoconto a firma di Gaspare di Regio.[14] Grazie a questo breve opuscolo apprendiamo che nel carro senatoriale erano presenti 48 musicisti, presumibilmente affiliati alla cappella musicale dell'istituzione, e che non si trattava soltanto di cantanti, ma anche di suonatori di strumenti a fiato, di liuto e di viola d'arco. La penna di Gaspare di Regio ci fornisce ulteriori indicazioni sui momenti musicali che caratterizzarono questo grandioso 'trionfo sacro', ponendolo fra le occasioni cerimoniali più importanti di fine secolo. Peraltro sembrerebbe che gli interventi sonori rispondessero a un unico disegno concettuale, come è possibile ipotizzare dalla presenza di un supervisore di tutte le cappelle musicali, Mario Cangialosi, definito «il più eccellente uomo di toccare un leuto che abbia l'Europa».[15]

La laconicità dei diari palermitani non deve comunque stupire, se si considera la loro funzione di semplici registri giornalieri, destinati a fornire un quadro generale dei più importanti eventi cittadini. L'accenno generico alla musica si riscontra in molti casi, come il 25 novembre 1606, quando la reliquia di San Domenico venne riportata nell'omonimo convento dopo che per suo tramite era stata miracolata una monaca del monastero della Concezione, in una solenne processione alla quale partecipò «tutto il clero della madre chiesa; con musica e trombette per lo Cassaro».[16] O ancora l'11 maggio 1609, per l'entrata del cardinale Giannettino Doria e la sua nomina

---

[13] *Diario della città di Palermo da' manoscritti di Filippo Paruta e di Niccolò Palmerino. 1500-1613*, in *Biblioteca storica e letteraria di Sicilia* cit., I, p. 134.

[14] GASPARE DI REGIO, *Breve ragguaglio della trionfal solennità fatta in Palermo l'anno M.D.XC. III. nel ricevimento del capo di S. Ninfa vergine e martire palermitana, donato a questa città da papa Clemente VIII*, Palermo, Giovanni Antonio de Franceschi, 1593. Sulle musiche eseguite per l'occasione si rimanda a ILARIA GRIPPAUDO, *Music, Religious Communities, and the Urban Dimension: Sound Experiences in Palermo in the Sixteenth and Seventeenth Centuries*, in *Hearing the City* cit., pp. 309-326.

[15] VINCENZO DI GIOVANNI, *Palermo restaurato*, a cura di Mario Giorgianni, Palermo, Sellerio, 1989, p. 228. La maestria del liutista era celebrata a tal punto da essere considerato «miracolo veramente di tal professione», come seppe dimostrare sia a Roma che in Spagna, al seguito del viceré Marcantonio Colonna.

[16] *Notizie di successi varî nella città di Palermo, ricavate da diversi manoscritti da Vincenzo Auria. 1516-1612*, in *Biblioteca storica e letteraria di Sicilia* cit., I, pp. 222-223.

ad arcivescovo nella chiesa di San Nicolò alla Kalsa, da dove partì la processione «con suoi tamburi; innanzi li frati e confaloni, appresso i conventi con le croci, la maggior parte parati, e il clero; e dopo detto arcivescovo a cavallo [...]. E innanzi andava la musica e due creati del detto cardinale a cavallo».[17]

In altri casi le indicazioni musicali, per quanto generiche, forniscono notizie sugli esecutori. Ad esempio la scomunica indetta pubblicamente il 13 agosto 1606 dall'arcivescovo Aedo contro coloro che presumibilmente avevano occultato le reliquie di Sant'Oliva (in particolare contro i gesuiti, accusati del crimine dai francescani) fu promulgata da un sacerdote a cavallo «con la sarpellizza e con la stola nigra in collo, con altri quattro iaconi ancora a cavallo con le sue serpellizze; et ogn'uno di quelli portava in mano accesa una torcia negra, et altri iaconi che andavano sonando».[18] Non dunque musici professionisti, ma membri del clero palermitano, nello specifico «chierici assistenti alle funzioni sacre»,[19] come chiarisce in nota lo stesso Di Marzo.

Altrettanto significativa è la testimonianza del 30 marzo 1607, relativa a una processione organizzata dal convento di San Francesco d'Assisi, fra le tante effettuate in quel periodo contro la siccità, con 'bellissima' musica e l'esecuzione cantata del *Parce nobis Domine*, tipica formula di invocazione eseguita durante le litanie:

Venerdì, a 30 detto, ad uri dui di notti. Uscèro li padri di san Francisco la Asisa con una bellissima processioni. Quali processioni uscìo del suo convento et andao nella matri ecclesia; e detta processioni fu di questo modo. Andava innanti uno di loro patri con una cruci con li misterii della passioni di Cristo; dapoi venìa la Compagnia della Concepzioni e la Compagnia di san Laurenzo con li soi torci allumati; dipoi venivano tutti li loro patri con li soi candili in mano allumati, e tutti quanti li soi tirziarii; ultimamenti venivano diversi gentilomini e mercanti con li soi intorci in mano allumati, allo numero 100, e tanti personi; e ultimamenti venìa la vara del serafino san Francisco, con una bellissima musica attorno, con il suo baldacchino, cantando tutti: *Parce nobis Domine*. Dapoi si ni calao Cassaro Cassaro, andando tutti fratri scalsi. E detta processioni si fici per la pioggia.[20]

Il riferimento al *Parce nobis Domine* ci spinge anche a considerare la questione dei repertori. Solitamente i canti citati dalle cronache palermitane si suddividevano in due tipologie, a seconda dell'avvenimento: per occasioni

---

[17] *Diario della città di Palermo* cit., pp. 154-155.

[18] *Notizie di successi varî* cit., p. 220. Sul presunto trafugamento del corpo di Sant'Oliva cfr. GIOVANNA FIUME, *Il Santo Moro. I processi di canonizzazione di Benedetto da Palermo (1594-1807)*, Milano, Franco Angeli, 2002, p. 149.

[19] *Notizie di successi varî* cit., p. 220.

[20] *Aggiunte al Diario di Filippo Paruta e di Niccolò Palmerino, da un manoscritto miscellaneo segn. Qq C 48. 1606-1628*, in *Biblioteca storica e letteraria di Sicilia* cit., II, pp. 6-7.

festose o avvenimenti solenni veniva cantato il *Te Deum Laudamus* quale atto di omaggio e gratitudine verso il Signore, e in senso traslato verso la personalità alla quale si rivolgeva la celebrazione.[21] Viceversa, nelle situazioni di necessità causate da calamità e pestilenze, si organizzava una processione in onore delle sante protettrici della città, durante la quale veniva eseguita l'antifona processionale *Peccavimus Domine* o, nel caso di richiesta di pioggia, il *Domine da nobis pluviam*.[22] Tuttavia, assai più spesso le fonti riferiscono genericamente dell'esecuzione delle litanie, sia nel corso delle processioni[23] sia successivamente, all'interno delle chiese, quasi sempre in onore della Vergine per chiederne l'intercessione contro la siccità.

---

[21] Fra la metà del XVI secolo e i primi anni del XVII le descrizioni dei cronisti assai di frequente segnalano la presenza del *Te Deum* nelle cerimonie palermitane, sia in relazione alle processioni che per altro tipo di occasioni, in particolare per la costruzione di nuove chiese o monumenti, per nascite illustri, per la cessazione di eventi calamitosi, per guarigioni, per incoronazioni, per vittorie militari. A quest'ultimo proposito si segnala la testimonianza citata in U. D'ARPA (*Notizie e documenti sull'unione dei musici* cit., p. 31) e tratta da GIACINTO MARIA FORTUNIO, *Gli applausi di Palermo alla maestà cattolica di Filippo quarto il Grande e le feste celebrate in essa città negli anni 1652 e 1653 per le vittorie di Barcellona, Casale e Duncherche [...]*, Palermo, Nicolò Bua, 1655. La celebrazione del 9 novembre 1652 si svolse nella chiesa della Santissima Trinità (o Magione) e lì «si ritrovò l'Illustrissimo Signore F. Don Martino di Leone, e Cardenas, Arcivescovo in habito Pontificale, ed havendo smontato S. E. colla Nobiltà, intonò il *Te Deum*, che fu eseguito da scelti musici soavemente cantando» (p. 7). Anche per le celebrazioni del 27 e 28 novembre, nella chiesa di Sant'Ignazio all'Olivella, la stessa fonte descrive l'esecuzione del *Te Deum laudamus* «seguitando a cantarlo quattro Chori di sceltissimi Musici» e ancora «finito di cantarsi il *Te Deum*, s'intonò il Vespro, e si cantò intramezzando a' salmi mottetti latini composti appunto per queste Vittorie» (pp. 32-33). La descrizione prosegue parlando della musica per la messa cantata, accompagnata dagli esecutori del viceré, «e fu sì ben accordata, e soave, particolarmente per li mottetti, ch'erano composti di parole allegre, e veramente trionfali, che ne restò ciascuno con grandissima sodisfazione» (*ibid.*).

[22] Il *Peccavimus Domine* viene attestato in due occasioni: il 25 settembre 1600, quando «dalla palatina ecclesia nesciò una devotissima processioni, dove erano tutti li conventi, et monsignore con il ligno della ss. Croce, cantando *Peccavimus Domine*. E questo per lo gran scilocco, e si desiava l'acqua», e per la peste del dicembre 1601, quando «ad ura una di notti per la città si conducèro li casci delle gloriose santi virgini di Dio s. Cristina et s. Ninfa, cantando *Peccavimus Domine*» (*Memorie diverse di notar Baldassare Zamparrone palermitano. 1528-1603*, in *Biblioteca storica e letteraria di Sicilia* cit., I, pp. 244, 247). Più tardiva l'attestazione del *Domine da nobis pluviam*: il 29 marzo 1607 i frati della Misericordia fecero una processione «cantando tutti: *Domine da nobis pluviam*. Et nel fini di detta processioni portavano una vara, sopra della quali vi era una 'magine di Ecce Homo con multi candili attornu allumati. Quali processioni si fici per la pioggia» (*Aggiunte al Diario di Filippo Paruta e di Niccolò Palmerino* cit., p. 5).

[23] Il canto delle litanie era previsto in numerose occasioni, come ad esempio per i giubilei. Alcuni esempi vengono offerti dai bandi contenuti nel fondo documentario di San Martino delle Scale, fra cui quello indetto il 20 luglio 1606 dall'arcivescovo Aedo, che ordinava la processione generale di tutto il clero secolare e regolare della città, raccomandando «che non manchino di intervenirvi con abiti decenti, e con spirito di umiltà sotto le Croci loro, sforzandosi di eccitare con il buono essempio loro tutto il popolo, cantando per tutto il corso della processione devotamente le Litanie: che a questo effetto si sono fatte stampare» (ASPa, CRS, *San Martino delle Scale – fondo II*, b. 1612: *Giubilei diversi*).

La magnificenza sonora delle cerimonie pubbliche, soprattutto quelle di ringraziamento, era ovviamente proporzionale all'evento che veniva celebrato. Fra gli episodi più rilevanti rientra la vittoria di Capo Corvo delle galee siciliane contro i turchi, ottenuta il 29 agosto 1613. Oltre alla descrizione della battaglia, la relazione riportata da Di Marzo narra della processione organizzata a Palermo al ritorno della flotta, alla quale parteciparono i membri del clero, le parrocchie e i rappresentanti di tutti i conventi della città:

> Rabbonacciato il tempo, ebbe luogo una processione solenne, nella quale precedevano tutti i conventi e seguivano le parrocchie e la madre chiesa con le casse di santa Cristina e di santa Ninfa, e monsignor cardinale vestito in pontificale sotto il baldacchino, con musica, trombe, pifferi e nacchere. Succedevan le musiche delle galee e i Cristiani liberati dal servaggio, ciascuno con un ramo di olivo in mano. Appresso venivano i Turchi con costume e nacchere alla turca. Suonava dall'uno e dall'altro lato la fanteria intervenuta alla spedizione, e seguiva il duca d'Ossuna con alla destra D. Ottavio come trionfante, e alla sinistra il pretore della città, tenendogli dietro la cavalcata di tutti i principi e signori e di quanti ebber cavalli.[24]

Erano, dunque, di quattro tipi gli apporti musicali presenti nel corteo: la musica della città (non sappiamo se di esclusiva pertinenza del Senato o se anche eseguita dai membri delle cappelle delle istituzioni ecclesiastiche), la musica delle galee (probabilmente membri dell'equipaggio), la musica 'alla turca' dei prigionieri e la musica della fanteria. Non sappiamo quale fosse il rapporto fra questi piani sonori, né tanto meno i repertori eseguiti.

Abbastanza accurata è invece la descrizione di alcune cerimonie legate alla peste del 1624, in particolare il resoconto di Giovanni Francesco Auria che fu testimone oculare delle celebrazioni organizzate dalle autorità cittadine. Alle processioni partecipavano i membri delle congregazioni e delle compagnie, in particolare il 13 gennaio, quando sfilò la compagnia dell'Assunzione di Maria della quale faceva parte lo stesso Auria. Il racconto che segue è uno dei pochi a fornire indicazioni sui canti e sulle modalità esecutive:

> Et alli 13 di detto la sera ci andò in processione la mia compagnia di l'Assumptione della Madonna, dove vi fui ancora io con il mio sacco et con la mia torcia, et fui uno delli canturi che cantavamo l'inno in lode della Beata Vergine: *Stella cœli extirpavit, / Quæ lactavit Christum dominum, / Mortem pestis, quam plantavit / Primus parens hominum*. Et il coro respondia: *Sancta Maria mater Dei in cœlum assumpta, ora pro nobis*. E dopo di capo l'altro cantore: *Ipsa stella nunc dignetur / Sydera compescere, / Quorum bella plebem cædunt / Diræ mortis ulcere. O piissima stella maris, a*

---

[24] *Relazione della vittoria delle galee di Sicilia sotto il comando di Ottavio d'Aragona, nel 1613, tradotta dall'originale spagnolo esistente nella Biblioteca Comunale a fog. 188-91 del manoscritto miscellaneo segn. Qq E 5*, in *Biblioteca storica e letteraria di Sicilia* cit., II, pp. 91-92.

peste subcurre nobis; audi nos Domina, nam filius tuus nihil negando te honorat. Salva nos, Iesu; a peste libera hanc urbem. Peccatores te rogamus, pro quibus Virgo semper orat. Finito questo inno, si disse l'orazione *Deus misericordiæ* etc. Dopo si disse il *Miserere mei Deus*, con le facci in terra innanzi il Crocifisso. Ultimamente uno delli nostri fratelli sacerdote disse: *O bone Iesu* etc. Et finito questo, ndi andâmo alla Compagnia. La istessa notte delli 13 di detto si mise il santissimo Crucifisso nella sua cappella, dove solìa stare.[25]

Dalla penna di Giovan Battista La Rosa veniamo a conoscenza di alcuni dei festeggiamenti che furono organizzati in occasione della fine della peste. Il 3 settembre 1625 si allestirono diverse luminarie per tutta la città, 'sparatine' di mascoli e giochi di fuoco sul piano della cattedrale, dove l'arcivescovo, intonato il *Te Deum laudamus*, celebrò il vespro solenne. Anche il giorno successivo fu interamente dedicato ai festeggiamenti, con il canto della messa, la processione della cassa di Santa Rosalia e altre luminarie.[26]

Probabilmente è in relazione al particolare momento di esultanza che va spiegata la magnificenza delle cerimonie religiose del 1625, con notizie su interventi cantati che vengono fornite dallo stesso commentatore.[27] Poco più di vent'anni dopo la città attraversò un altro momento di difficoltà, quando nel 1647 si scatenò una terribile carestia che colpì l'intera isola, insieme a epidemie e pestilenze varie. Per allontanarne gli effetti nefasti, a Palermo si organizzarono numerose processioni, quasi sempre a carattere penitenziale. Fra le congregazioni coinvolte vi erano anche i padri delle Scuole Pie, che l'8 maggio sfilarono «scalzi, con funi al collo e corone di spine in testa, e lumi alle mani», portando «il lor devotissimo Crocefisso con la Beata Vergine vestita di negro ammanto, che portava un mazzetto di spiche secche alla mano, mostrandole al suo figliuolo; vicino di cui veniva un coro di musici, i quali cantavano versetti di devozione spirituale».[28]

---

[25] *Successi nel tempo della peste in Palermo nell'anno 1624, scritti dal dottor Gio. Francesco Auria palermitano*, in *Biblioteca storica e letteraria di Sicilia* cit., II, pp. 108-109.

[26] *Alcune cose degne di memoria* cit., p. 226.

[27] Il 18 maggio 1625, giorno di Pentecoste, la messa fu cantata dal coadiutore dell'arcidiacono in presenza dell'arcivescovo Doria, intervenuto in qualità di presidente; la seconda domenica di settembre, tradizionalmente dedicata alla solennizzazione di Santa Ninfa, «si cantò la messa al solito, alla quale assistè detto monsignore come arcivescovo»; il giorno dell'Immacolata, dopo la processione sino alla chiesa di San Francesco, la messa venne cantata dal priore del convento; durante la vigilia di Natale il vespro solenne fu cantato dall'arcivescovo cardinale – «come dispone il cerimoniale, *in crastinum non cantaturus*» – il mattutino dal primo canonico millenario e la messa del 25 dicembre dal coadiutore dell'arcidiacono (*ivi*, pp. 272-273).

[28] *Diario delle cose occorse nella città di Palermo e nel regno di Sicilia dal 19 agosto 1631 al 16 dicembre 1652, composto dal dottor D. Vincenzo Auria palermitano, dai manoscritti della Biblioteca Comunale a' segni Qq C 64 a e Qq A 6, 7 e 8*, in *Biblioteca storica e letteraria di Sicilia* cit., III, p. 47.

Se si considera che l'insieme delle notizie riportate dai cronachisti riguarda in prevalenza gli eventi più importanti, possiamo prefigurarci un quadro ancora più ricco e variegato degli interventi musicali nelle processioni palermitane fra Cinque e Seicento. Già però da queste informazioni è possibile cogliere il carattere ricorrente di queste cerimonie e il coinvolgimento ad ampio raggio che esse comportavano. La componente ordinaria risulta ancora più evidente dalla lettura dei documenti d'archivio, in grado di offrirci un'idea delle processioni direttamente connesse alle istituzioni ecclesiastiche e spesso finanziate da legati o donazioni di privati cittadini.

3.3. MUSICHE PROCESSIONALI ATTRAVERSO LE FONTI ARCHIVISTICHE

Per molte delle processioni organizzate dagli ordini religiosi le fonti archivistiche indicano la presenza della musica, sia canora che strumentale, conformemente a quanto riportato nei diari del XVI e XVII secolo. Se però le cronache riportavano le notizie sulle processioni che avvenivano per le strade della città, nel caso dei documenti d'archivio la situazione appare più articolata. Accostandoci a questo tipo di fonti, è dunque opportuno operare una distinzione fra due categorie: da un lato le processioni che avevano luogo al chiuso, dall'altro quelle che si svolgevano all'aperto.[29]

Alla categoria delle cerimonie al chiuso appartenevano quasi sicuramente le processioni organizzate periodicamente dalla Compagnia del Sagratissimo Corpo di Cristo nella chiesa del Santissimo Salvatore. Le notizie relative occupano la seconda metà del Cinquecento, precisamente il periodo compreso fra il 1568 e il 1571, e riguardano una serie di pagamenti a cantori per eseguire le litanie nel corso della processione.[30] Che i documenti facciano soltanto riferimento a interventi cantati e non alla presenza di strumenti, o genericamente alla *musica* (come spesso avviene nei libri contabili delle altre istituzioni), è una possibile prova dello svolgimento al chiuso di queste cerimonie, visto che nel caso delle celebrazioni *en plein air* la presenza di tamburi, *piffari* e trombette era quasi d'obbligo, in quanto richiesta dalle caratteristiche dello spazio cittadino.

Al chiuso si svolgeva anche la processione che le monache della Martorana organizzavano il 24 luglio per commemorare il rinvenimento di un'antica immagine raffigurante la Vergine con il Bambino. Anche in quel

---

[29] Sulla distinzione cfr. GAETANO MORONI, *Dizionario di erudizione storico-ecclesiastica da S. Pietro sino ai nostri giorni*, LV, Venezia, Tipografia Emiliana, 1852, p. 256.

[30] Cfr. ASPa, CRS, *Santissimo Salvatore*, vol. 690, cc. 177v, 240v, 262v, 263v, 269r.

caso si cantavano le litanie, come viene confermato da un documento che narra del ritrovamento, avvenuto nel 1655:

L'anno 1655 viij.a Indizione à 24 di Luglio, essendo abbadessa la Reverenda madre suoro Arcangela Maria Gioffrino, dovendosi (per causa di metter un quatro) cavar il muro, sopra la grada nella cappella di San Simone, si vide che il chiodo, andava dentro, e cavandosi, più, si vide che il muro era vacante, e tornandosi à cavar più si scoprì una imagine della Madonna, con il bambino in braccio, e la faccia della Madonna in alcune parti guastata, come fossero stati colpi di scarpello, e nella spalla destra del bambino vi è una gaffa di ferro che tiene la balata di marmo di fuori della chiesa, dalla quale si scorge l'antichità dell'imagine, che dovea esser fatta innanzi che si facesse la chiesa della miraglia, qual si crede che s'habbia fatto anni 400 innanzi, che si ritrovasse detta imagine; e cossì avendosi discoperto dell'intutto, con molto contento della reverenda madre abbadessa e di tutte le reverende monache, se li cantò con molta devotione processionalmente una litania, qual si và continuando ogn'anno in detto giorno, et avendosi dopo accommodato l'imagine santissima con pittura in tutte quelle macchie che vi erano, per devotione di alcune monache, e per abbellire il logo, se li dipinsero l'imagine del venerabile Padre S. Benedetto nostro patriarcha e della gloriosa santa Caterina vergine e martire.[31]

Interessante è anche il caso delle Rogazioni, processioni penitenziali di origine profana, tradizionalmente effettuate in contesti rurali per propiziare il raccolto, che si svolgevano nei tre giorni antecedenti alla festa dell'Ascensione.[32] Pagamenti per la musica delle Rogazioni vengono attestati sia nel monastero del Santissimo Salvatore che nel monastero della Martorana.[33] Non è chiaro se nel monastero benedettino le celebrazioni si svolgessero all'aperto, dal momento che nel corso degli anni si registra un pagamento fisso di 24 tarì da destinare alla *musica* delle Rogazioni. In un'occasione si parla pure di *intermedii*,[34] da intendere probabilmente nel senso di intermezzi o trattenimenti musicali.

Come abbiamo già visto, anche per la processione dell'Immacolata Concezione erano previsti interventi musicali, per lo più finanziati dall'or-

---

[31] ASPa, CRS, *Monastero della Martorana*, vol. 936, carte sciolte.

[32] Sulle *Rogazioni* o *litanie minori* cfr. G. MORONI, *Dizionario di erudizione storico-ecclesiastica* cit., XXXIX, 1846, pp. 16-20.

[33] Nel libro-giornale relativo agli anni 1602-1603 si registra un pagamento di tarì 2 all'organista per i suoi servizi «per le rogattione» (ASPa, CRS, *Santissimo Salvatore*, vol. 778, c. 63*b*).

[34] Cfr. ASPa, CRS, *Monastero della Martorana*, vol. 802, c. 376*r*. L'utilizzo del termine ritorna nei libri dell'istituzione, in relazione alla festa di San Simone (ASPa, CRS, *Monastero della Martorana*, vol. 803, c. 231*r*) e alle Quarantore (ASPa, CRS, *Monastero della Martorana*, vol. 804, c. 226*r*).

dine francescano. La processione doveva svolgersi la sera della festa e prevedeva un gran numero di torce e luminarie, come specifica il già citato *Atto obligatorio* del 1655 (Fig. 2). Quest'ultimo, oltre a parlare dell'articolazione del rituale, delle personalità coinvolte e della presenza dei tamburi, riporta in dettaglio i due percorsi della processione: il primo partiva dalla chiesa di San Francesco, attraversava Piazza Pretoria, sino ad arrivare al Cassaro e da lì alla Casa Professa dei gesuiti; il secondo era simile al primo, ma richiedeva una deviazione più lunga, attraverso il quartiere della Loggia, in direzione della chiesa di San Rocco.[35] La diversificazione dei percorsi si ricollega a quanto detto sul tentativo degli ordini religiosi di impossessarsi metaforicamente del territorio urbano. Anche in questo caso la musica doveva svolgere un ruolo determinante. Infatti, secondo Cristadoro, lungo tutta la processione si poteva ascoltare il suono «di strepitosi tamburi, guerriere ma pacifiche trombe, e dolcissime sinfonie»,[36] oltre ai mottetti concertati eseguiti nella chiesa dei gesuiti.[37]

Pure durante i 12 sabati che precedevano la festa i frati organizzavano una «processione privatamente ordinata per la Chiesa (accompagnata però da molti devoti Cavalieri, ogn'uno colla sua torcia)»[38] dopo aver esposto il Santissimo Sacramento con apparato, luminarie e musica nella cappella della Concezione. Da Mongitore veniamo a sapere che nel primo di questi sabati si era soliti eseguire un dialogo in musica dopo il sermone, ma si tratta di una testimonianza successiva, che soltanto con riserva possiamo estendere anche alla metà del XVII secolo.[39]

Fra gli ordini monastici più attivi nell'organizzazione delle processioni vi era senz'altro quello domenicano. Nei volumi contabili uno dei primi riferimenti risale al novembre 1606 e riguarda l'episodio del risanamento di Maria Aloisa Lanza, figlia del principe di Trabia. Il fatto è narrato con dovizia di particolari da padre Olivier che però, a differenza di quanto attestato

---

[35] *Atto obligatorio* cit., ff. 5-6.

[36] G.B. Cristadoro, *Il Festevole Trionfo* cit., p. 35.

[37] *Ivi*, p. 38. Probabilmente vanno messe in relazione alla processione dell'Immacolata anche le composizioni musicali in lingua spagnola contenute in un testo a stampa della Biblioteca Comunale di Palermo, *Letras que se cantan en la Capilla Real De Palermo, en la Fiesta, y Octava que celebra en ella, à la limpia Concecion de nuestra Señora, el Excelentissimo Señor Duque del Infantado, Conde de Lerma, Vi Rey, y Capitan General en este Reyno de Sicilia* [Palermo, Nicolò Bua, 1652]: BCP, CXXXVI D 33, n° 2. Secondo Anna Tedesco questi brani vennero intonati nelle diverse tappe di una processione, in particolare un *romance* sulla Passione di Cristo, forse legato al momento in cui il Santissimo dopo la processione veniva riposto dentro il tabernacolo (A. Tedesco, *Alcune note su oratori e dialoghi* cit., p. 230).

[38] *Atto obligatorio* cit., f. 7.

[39] Cfr. A. Mongitore, *Storia delle chiese di Palermo. I conventi* cit., I, p. 278.

sia da Auria che dalla nota d'esito del 27 novembre, non parla del monastero della Concezione, bensì di Santa Caterina. In ogni modo, Olivier non manca di riportare alcuni dettagli di natura musicale, descrivendo l'esultanza delle monache in seguito al miracolo – quando la reliquia venne portata «al coro processionalmente e si cantò da quella Communità il *Te Deum laudamus* in rendimento di grazie della ricuperata salute» – e il ritorno della reliquia nella processione organizzata congiuntamente da San Domenico e Santa Cita «a suono di trombe, ed a strepiti di tamburri».[40]

Dal canto suo, la nota di spesa del 1606 riporta il pagamento di «onze tri e tarì sei alli cantanti, alli pifari et alli trombetti, quali vennero con la processione quando pigliammo la grande reliquia del Padre S. Domenico dalla batia della Concettione è la portammo in convento».[41] La nota quantifica la somma stanziata per la musica di quell'occasione e specifica gli strumenti coinvolti, confermando come Auria la presenza delle trombe e l'assenza dei tamburi, ma aggiungendo l'indicazione dei cantori e dei *piffari*.

Inoltre, avvicinandoci verso la metà del XVII secolo, cominciano a essere registrate le informazioni sulle musiche per la processione del Santissimo Nome di Gesù, alle quali abbiamo già accennato. Il corteo si sviluppava per le vie della città, come confermato nel 1644,[42] e prevedeva l'allestimento di una 'vara' (il fercolo o supporto in legno per il trasporto delle statue) accompagnata da cantori e da diversi strumenti musicali, fra cui immancabili i *piffari*, le trombe e i tamburi. Rispetto alle annotazioni relative alle altre cerimonie processionali, nel caso di questa solennità è possibile riscontrare una maggiore accuratezza nell'indicazione degli interventi musicali, sia in senso quantitativo (numero di esecutori) sia in senso qualitativo (tipologia degli strumenti).

A tale proposito, le prime indicazioni risalgono all'8 gennaio 1639 e includono due pagamenti per la stessa occasione: il primo consiste in onze 2 e tarì 10 «per otto voci con un trombone e una cornetta per la musica della processione del Santissimo nome di Giesù nel primo dell'anno». Il secondo riporta «onza una tarì dui cioè tarì sedici per quattro pifari e tarì sedici per cinque trombette per la medesma processione».[43] Identiche le presenze dell'anno successivo, anche se le notizie sembrano differire leggermente

---

[40] L. OLIVIER, *Annali del Real Convento di S. Domenico* cit., p. 224. Per l'occasione, nel monastero di Santa Caterina si celebrò una sontuosa messa con musica, come attesta SILVESTRO FRANGIPANE, *Raccolta de' miracoli fatti per l'intercessione di San Domenico*, Messina-Firenze, Zanobi Pignoni, 1622, p. 230.

[41] ASPa, CRS, *San Domenico*, vol. 570, c. 248v.

[42] ASPa, CRS, *San Domenico*, vol. 578, c. 16v.

[43] ASPa, CRS, *San Domenico*, vol. 576, c. 47v.

sul piano economico: 15 tarì per 5 trombette, tarì 20 per 4 piffari e onze 1. 10 per 8 voci e 2 strumenti. Un'annotazione del medesimo anno ci informa che anche le spese per questa festività erano effettuate per mano del padre organista, come visto in altre occasioni del convento.[44]

Altro esempio di processione legata a un'immagine, come nel caso della Martorana, è quella che viene documentata il 20 gennaio 1652, sempre nei volumi di San Domenico, dove si attesta il pagamento di «tarì due alli tamborinari quando si fece la translatione del quadro del Nostro S. Padre nella cappella di S. Giacinto».[45] Applicando lo stesso ragionamento delle processioni al chiuso, ma in senso inverso, possiamo ipotizzare che in molti casi la presenza dei tamburi alluda a celebrazioni all'aperto: infatti il timbro poderoso di questi strumenti – spesso associato allo 'strepito' nelle descrizioni dei commentatori – ben poco si adattava all'ambito ristretto di spazi chiusi, quali erano quelli (per quanto vasti ed imponenti) degli edifici religiosi.

Una delle processioni più importanti fra quelle celebrate a San Domenico era poi quella legata alla festa del Santissimo Rosario, di cui forniscono alcune notizie gli *Annali* di padre Olivier. In particolare riportiamo l'annotazione relativa al 1572:

> In quest'anno 1572 per opera del p.m.f. Mariano Lo Vecchio, figlio di questo convento di S. Domenico di Palermo, principiò a chiudersi l'annua solenne festa del SS. Rosario con una pubblica e solenne processione, giacchè la surriferita festa era stata determinata celebrarsi dal sommo pontefice Pio V, due anni prima per la celebre vittoria ottenuta da' cristiani contro i Turchi nel golfo di Lepanto in giorno di domenica prima d'ottobre. Per quell'uno o due anni facevasi la processione portandosi in giro per la chiesa l'immagine di Maria SS. del Rosario. In quest'anno dunque 1572, volendo aumentare la sollennità, pensò farsi la su accennata processione col condurre per le pubbliche strade l'immagine sudetta e per accrescere il fasto di questa prima condotta, per opera del surriferito p.m. Lo Vecchio, intervennero alla processione il signor viceré, l'arcivescovo di Palermo, il Capitolo e Clero della Catedrale, tutt'i Regolari, tutta la nobiltà, e una inesplicabile quantità di popolo.[46]

Questa testimonianza di Olivier si rivela significativa, poiché dimostra che talvolta il luogo di una processione poteva subire dei cambiamenti, come appunto per la processione del Santissimo Rosario, inizialmente organizzata in chiesa e successivamente per le strade della città, con impo-

---

[44] *Ivi*, cc. 92r, 96v.

[45] ASPa, CRS, *San Domenico*, vol. 579, c. 145v.

[46] L. OLIVIER, *Annali del Real Convento di S. Domenico* cit., p. 204.

nente partecipazione della popolazione. Era quest'ultimo aspetto a decretare la maggiore solennità della cerimonia, come peraltro si può dedurre da una successiva testimonianza relativa alla controversia fra i conventi di Santa Cita e San Domenico per il diritto di celebrazione della processione che, cadendo nello stesso giorno, procurava inevitabilmente «la divisione del concorso de' fedeli».[47]

Riguardo agli interventi musicali per la processione del Rosario in periodi precedenti al XVII secolo è di fondamentale importanza un documento notarile del 1551, piuttosto dettagliato nella descrizione delle fasi del rito come dell'intervento della musica e del suo rapporto con la cerimonia. Si tratta della *donatio irrevocabilis* di Aloisia lo Fesi, monaca del terzo ordine di San Francesco, a favore della Confraternita del Santissimo Rosario aggregata al convento di San Domenico.[48] Con questo atto Aloisia lasciava alla Confraternita una rendita annuale di 50 onze, di cui 30 destinate al 'maritaggio' di fanciulle vergini e le rimanenti 20 per la solennizzazione con processione della festa della Madonna del Rosario alla quale era intitolata la congregazione.

Della donazione parla anche Olivier, ma senza fare riferimento alla processione. Viceversa, il documento originale fornisce dettagli sulla cerimonia, elencando i partecipanti alla celebrazione e addentrandosi nella descrizione del percorso processionale. Innanzitutto la disposizione dei partecipanti, che in questo come in altri casi rispondeva a precise ragioni gerarchiche. Partendo dalla cattedrale, il corteo si muoveva poi lungo l'arteria principale del Cassaro, scendendo verso la Loggia e la Boccheria (o Vucciria), passando dal quartiere dell'Argenteria e da lì arrivando alla chiesa di San Domenico «cantando per la via via [*sic*] devotamenti come conveni lo clero eum di la mayuri ecclesia preditta la letania di la Madonna et himni et cantichi a loro benvisti».[49]

Proseguendo nella lettura della donazione, ritroviamo gli ingredienti tipici del cerimoniale palermitano, nella sinestesica combinazione di stimoli visivi, uditivi e gustativi: il tripudio luminoso delle candele, distribuite in grande quantità da due confrati della congregazione; le reliquie della cattedrale, trasportate «cum suo condecenti et honorato apparato»; i canti,

---

[47] *Ivi*, p. 241. Per dirimere la questione, i rispettivi priori dei due conventi avevano deciso di alternarsi annualmente nella organizzazione della processione; tuttavia, nel 1644, il priore di Santa Cita aveva negato al priore di San Domenico il diritto di precedenza, da cui nacque la controversia fra le due istituzioni.

[48] L'atto venne rogitato presso il notaio Nicolò Castruccio il 18 maggio 1551 (ASPa, *Notai defunti – Stanza I*, vol. 5062, c. 424v).

[49] *Ibid.*

eseguiti nel coro di San Domenico dal clero e dagli ordini mendicanti in modo devoto e con reverenza e pause, cantando «lo hymno Ave Maris Stella, etc. cum lo versetto Post partum etc. et la oratione Gratiam tuam etc»; il cibo, ovvero «pani di mayorca fatto di quella matina seu in la precedenti notti lo quali pani sia fatto cum grano bello et blanco et cum giurgiulena et chimino dulchi», da distribuire subito dopo il canto delle laudi ai partecipanti e, nel caso ne fosse avanzato, alla vergine maritanda e ai ministri che avessero contribuito alla preparazione della processione o all'allestimento dell'apparato nella cappella.[50]

Ai fini del nostro discorso appare di interesse il riferimento a «trumbetti soni et instrumenti benvisti a li signori recturi» che dovevano precedere lo stendardo della Confraternita e, arrivati a San Domenico, fermarsi davanti al portone, sulla sommità della scalinata, «et sonari senza pausa ma interpellamenti videlicet primo uno instrumento et poi l'altro insino a omnino che tutti ditti processionanti siano congregati in lo choro di ditta ecclesia di sancto Domenico».[51] A questi suonatori, così come ad altri personaggi adibiti a diverse mansioni,[52] si doveva elargire un compenso adeguato a «satisfari li loro fatighi benvisti a li ditti signori recturi […] et tutta questa spisa si hagia di fari supra li frutti di ditti unzi vinti», destinando quello che sarebbe rimasto alla rendita per il maritaggio della vergine «iuxta la forma di la presenti donazione».[53]

La presenza di un finanziamento privato potrebbe spiegare l'assenza di notizie sulla musica per il Santissimo Rosario nei libri contabili fra Cinque e Seicento, fatta eccezione per un unico riferimento che comunque conferma la particolare solennità e magnificenza (anche sonora) della celebrazione. Il pagamento è datato 10 ottobre 1648 e consiste nello stanziamento della cifra complessiva di 4 onze e tarì 24 di cui «unzi tre e tarì diecidotto à Diego Spagnolo per tre chori di musica che accompagnaro li tre vari nella processione del Rosario».[54] L'indicazione conferma la presenza di svariati cori di musicisti per la solennizzazione delle processioni più importanti fra

---

[50] Ivi, c. 425r.

[51] Ibid.

[52] Li 'malingleri' della cattedrale che dovevano sparare 10 *mascoli* e suonare tutte le campane della chiesa per tre volte (a mezzogiorno della vigilia, la sera all'una e in corrispondenza della partenza della processione il giorno della solennizzazione); una persona adibita a suonare l'orologio della chiesa di Sant'Antonio all'ora del *pater noster* finché tutta la processione non fosse entrata nella chiesa di San Domenico; due o tre sollecitatori incaricati a supervisionare le fasi della cerimonia; infine i due confrati della congregazione che dovevano distribuire le elemosine, il pane e le candele.

[53] ASPa, *Notai defunti – Stanza I*, vol. 5062, c. 426r.

[54] ASPa, CRS, *San Domenico*, vol. 579, c. 15r.

quelle organizzate annualmente in ambito cittadino, soprattutto a partire da metà Seicento, come ad esempio si vedrà per il festino di Santa Rosalia.

In chiusura accenniamo a un'ultima tipologia di 'processione', al centro della quale non si trovava né un'immagine, né una vara, né una reliquia, ma uno dei cibi più importanti nell'orizzonte materiale e insieme simbolico del popolo siciliano: il tonno. Piuttosto note sono le pratiche sonore che accompagnavano i gesti rituali legati alle fasi della pesca nelle tonnare, approfondite nell'ambito dell'etnomusicologia da studiosi quali Alberto Favara, Elsa Guggino, Ignazio Macchiarella e Sergio Bonanzinga.[55] Da Favara veniamo a conoscenza di un singolare uso legato al trasporto del tonno dal porto alle pescherie che egli documenta a Palermo agli inizi del XX secolo e che oggi sembra essere del tutto scomparso:

> Il tonno veniva adornato con grandi mazzi di garofani, quindi, imbracato con corde, veniva trasportato a spalla da due uomini. Ma il personaggio essenziale della funzione era il *tammurinaru*, perché egli col ritmo regolava e facilitava la marcia, trasformandola in un rito. Al momento giusto i portatori avvisavano il Cacicia: «*Vossa sona, zu' Peppi!*». Mentre quelli sollevano il tonno, il *tammurinu* attacca un giambo, come una scossa, uno sforzo iniziale per passare dalla immobilità al movimento; fa seguire quindi una serie di spondei vivaci, con i movimenti preparatori per segnare il tempo della marcia, e infine la marcia anapestica, vivace, a passi brevi sotto il grave peso [...]. Se cessa questa funzione alleggeritrice del ritmo, la marcia diventa difficile. «*Chiddi chi portanu u tunnu senza tammurinu, 'un ponnu caminari. Senza tammurini ci aggranca 'a spadda*». Tanto che, quando il padrone del tonno non vuol far la spesa del *tammurinaru*, i portatori lo pagano di tasca propria.[56]

Attraverso i libri di conto delle istituzioni ecclesiastiche troviamo attestazione di questa pratica e di come in alcuni casi fossero le stesse comunità religiose a provvedere al pagamento di uno o più suonatori che dovevano accompagnare il trasporto del tonno. Numerose spese di questo tipo vengono, infatti, testimoniate nel convento dei padri cappuccini, ma in epoca più tarda (a partire dalla metà del XVIII secolo sino a tutto il XIX secolo). Tuttavia è nel convento di San Domenico che troviamo un riferimento più

---

[55] Cfr. ALBERTO FAVARA, *Corpus di musiche popolari siciliane*, a cura di Ottavio Tiby, 2 voll., Palermo, Accademia di Scienze Lettere e Arti di Palermo, 1957; ELSA GUGGINO, *I canti della memoria*, in *La pesca del tonno in Sicilia*, a cura di Vincenzo Consolo, Palermo, Sellerio, 1986, pp. 85-111; IGNAZIO MACCHIARELLA, *Trascrizioni musicali*, in *La pesca del tonno in Sicilia* cit., pp. 112-114; S. BONANZINGA, *Forme sonore e spazio simbolico* cit., p. 65 sgg.

[56] ALBERTO FAVARA, *Il ritmo nella vita e nell'arte popolare in Sicilia*, «Rivista d'Italia», XXVI, 1923, pp. 79-99; ried. in ID., *Scritti sulla musica popolare siciliana – Con un'appendice di scritti di U. Ojetti, C. Bellaigue, E. Romagnoli e A. Della Corte*, a cura di Teresa Samonà Favara, Roma, De Santis, 1959, pp. 95-96. Il brano è riportato in S. BONANZINGA, *Forme sonore e spazio simbolico* cit., p. 70.

antico, seppure isolato, risalente al 21 maggio 1644, quando vengono pagati tarì 16 e grana 10 «à fra Giovanni Battista della cucina cioè tarì dui al tamburinaro che portò con sollennità dalla Marina in convento il tunno che diede d'elemosina à nostra Signora del Rosario Vincenzo Bonfante affittatore della Tonnara di Solantu»,[57] oltre a varie spese per la salatura e per la *surra* (parte della pancia del tonno che si consumava fresca, o salata ed essiccata) data di 'pitanza' ai padri del convento. Non è fuori luogo osservare che la dicitura 'con sollennità' accomuni il trasporto del tonno alle altre occasioni processionali, documentate all'interno del convento come nelle altre chiese palermitane.

3.4. Il Corpus Domini e il festino di Santa Rosalia

Il primato della magnificenza musicale fra le processioni organizzate a Palermo fra Cinque e Seicento spettava indubbiamente al *Corpus Domini* e al festino di Santa Rosalia.

Isgrò ha sottolineato che «la festa del *Corpus Christi* […] costituisce l'esempio più completo della spettacolarità spagnola del '500, con i suoi interminabili cortei, la moltitudine di comparse e di immagini allegoriche, i carri destinati alla rappresentazione degli *autos*».[58] In Spagna il momento culminante della celebrazione, anche sul piano strettamente musicale, era dunque costituito dagli *autos sacramentales*, rappresentazioni sacre che venivano eseguite sui carri trionfali proprio nel corso della processione. È noto che il governo spagnolo aveva promosso l'introduzione di simili forme di spettacolarità anche in Sicilia, soprattutto nella capitale del regno, dove agli *autos* di importazione spagnola dovettero sostituirsi generi musicali di produzione locale, forse proprio quei dialoghi che per molti aspetti possono essere accostati agli *autos* iberici. Un documento del 1603 dimostra, inoltre, come le autorità spagnole riservassero particolare attenzione alla solennizzazione del *Corpus Domini* a Palermo, assegnando stabilmente 10 onze alla Cappella Reale «pro musica et apparato in festo processionis generalis Smii Sacramenti».[59]

---

[57] ASPa, CRS, *San Domenico*, vol. 578, c. 32v.

[58] G. Isgrò, *Teatro del '500 a Palermo* cit., p. 14. Sulla processione del *Corpus Domini* in Spagna e sul rapporto con la musica cfr. Pilar Ramos López, *Música y autorrepresentación en las procesiones del Corpus de la España moderna*, in *Música y cultura urbana en la Edad Moderna* cit., pp. 243-254.

[59] Archivo Historico Nacionál de Madrid, *Estado*, Legajo 1858; cit. in A. Tedesco, *Alcune note su oratori e dialoghi* cit., p. 225.

Alcune notizie di un certo interesse si trovano già nelle cronache di fine Cinquecento. Facendo parte della cerimonialità ordinaria, più che alla descrizione della processione i cronisti erano interessati a episodi insoliti o a modifiche della consuetudine, come ad esempio nel 1583,[60] quando in onore del viceré Colonna si decise di far uscire il Santissimo Sacramento dalla chiesa della Catena invece che dalla Magione, o ancora nel 1596, quando il pretore della città Aleramo del Carretto «introdusse l'andare a piedi nella processione del santissimo Sacramento, chè [*sic*] prima s'andava a cavallo».[61] Dai resoconti di Paruta e Palmerino veniamo a sapere che anche il 25 giugno 1609 intervenne un cambiamento nell'usuale organizzazione della processione:

Si fece la processione del ss. Sacramento dalla madre chiesa, dove andavano sette compagnie delle parrocchie con i suoi stendardi, e appresso gli orfanelli ed altri conventi; poi il clero, e poi la musica della Città, ed appresso uno con la mazza del cardinale ed un altro con un crocifisso; poi il ss. Sacramento portato dentro una custodia da esso signor cardinale, e dietro detto sig. cardinale uno con la mitra arcivescovale. E fu la prima volta che uscì in questo modo; chè prima s'usava andarci tutte le fratrìe e conventi, ed andare il ss. Sacramento sopra la bara. E fu la prima volta che passao per la strada Macqueda, chè venne dal Capo e pigliao per detta strada, ed andao Cassaro Cassaro.[62]

Nel documentare la partecipazione di tutti i membri dei principali conventi, la testimonianza segnala un cambiamento che forse può essere posto in relazione alla sopraggiunta consuetudine delle singole istituzioni di organizzare autonomamente i festeggiamenti per l'occasione. Non a caso è soprattutto a partire dalla prima metà del Seicento che nei volumi amministrativi dei conventi troviamo indicazioni sulle spese destinate alla musica per la processione del Santissimo Sacramento. Di fatto, i commentatori qui segnalano soltanto la presenza dei musici del Senato, oltre ad alludere al nuovo percorso che doveva coprire anche l'asse viario della strada Maqueda.

Una descrizione vera e propria la troviamo il 21 giugno 1609, con il consueto riferimento agli apparati, agli altari, alla musica e ai giochi di fuoco che vennero sparati in un tripudio di luminarie:

Si conducio il santissimo Sacramento di Sancto Petro lu Palazzu, dove ci fôro li soi autari conzati in detto piano del Palazzo, con bellissimi apparati intorno.

---

[60] *Diario della città di Palermo* cit., p. 102.
[61] *Memorie varie cavate da un libro ms. del can. D. Gio. Battista La Rosa e Spatafora* cit., p. 262.
[62] *Diario della città di Palermo* cit., p. 159.

La processioni fu in questo modo. Primo andavano tutti li conventi, et appresso il clero, et poi diversi signuri spagnoli con la sua torcia in mano, et appresso la nazioni Catalana; e poi veniva la musica, e poi il Santissimo portato dal cardinal D'Oria nostro arcipiscopo, et appresso tutto il Consiglio et il vicerè. E ci fôro dui bellissimi artificii di foco; tutti con li intorci allumati.[63]

Tutto questo trova riflesso nella documentazione di monasteri e conventi, spesso supportata da altre fonti, come ad esempio il solito *Giornale Sacro* di Castellucci, che riferisce dell'esposizione del Santissimo Sacramento con musica e sermone presso la chiesa di Sant'Ignazio all'Olivella lungo tutta l'ottava del Corpus Domini.[64] Tuttavia, se si eccettua questa indicazione e il caso dei conventi di San Francesco di Paola e San Domenico, è soprattutto in istituzioni femminili che è possibile documentare la presenza di interventi musicali destinati alla celebrazione di questa festività.

Fra i monasteri spicca il caso di Santa Maria delle Vergini, dove la musica viene attestata a partire dal 1648, rientrando nella spesa complessiva di onze 3 tarì 18 e grana 10 per alcune occorrenze per la festa del Santissimo Sacramento. Due anni dopo tale cifra verrà quantificata in un'onza e otto tarì, rimandando al libretto della madre badessa per ulteriori dettagli. Soltanto a partire dal 1651 si fa esplicito riferimento alla processione dell'ottava, ma non è chiaro se le spese musicali registrate in quell'occasione si riferiscano alla cerimonia all'aperto o alla celebrazione che avveniva in chiesa.[65]

In molte altre istituzioni femminili è possibile documentare pagamenti regolari per la musica del Santissimo Sacramento, anche se abbastanza generici, come ad esempio a Santa Maria di Monte Oliveto.[66] Nel monastero di Santa Maria della Pietà la situazione non appare granché diversa,[67] ma in alcuni casi si precisa la destinazione degli interventi musicali, se previsti per la processione, per l'ottava in monastero, per la messa cantata nel giorno della festa o per entrambe (festa e ottava). Proprio in relazione alle celebrazioni dell'ottava i documenti forniscono notizie più dettagliate sui musicisti coinvolti e sugli strumenti suonati, in particolare gli immancabili strumenti a fiato o *piffari*.[68]

Stessa cosa avviene nel monastero di Santa Maria del Cancelliere, dove le notizie sulla musica del Santissimo Sacramento compaiono già per la

---

[63] *Aggiunte al Diario di Filippo Paruta e di Niccolò Palmerino* cit., p. 51.

[64] G.B. CASTELLUCCI, *Giornale Sacro Palermitano* cit., pp. 219-220.

[65] ASPa, CRS, *Monastero delle Vergini*, vol. 265, c. 52r; vol. 266, cc. 1r, 60r.

[66] ASPa, CRS, *Santa Maria di Monte Oliveto*, vol. 57, c. 193r.

[67] ASPa, CRS, *Santa Maria della Pietà*, vol. 264, c. 107r; vol. 266, c. 20v.

[68] ASPa, CRS, *Santa Maria della Pietà*, vol. 271, c. 13v; vol. 275, c. 88r.

prima volta nella sezione delle *Spese di festi per soddisfattioni di legati*, il 31 agosto 1623, precisando lo stanziamento di onze 3 e tarì 12 «per la musica della festa del Santissimo Sacramento per sodisfattione di legati cioè onza 1. dalla quondam Benedetta Scacciaferro onze 1. dalla quondam Fortunia Raiula onze 1. dalla quondam Giulia Pezinga e tarì 12. dalla quondam Oliva Crispo».[69] Negli anni successivi reperiamo informazioni sull'impegno musicale richiesto durante l'ottava, mentre solo il 30 giugno 1649 viene indicata la spesa per la musica della processione, ovvero «onze 6. 5. [...] per la musica del giorno che si conducio il Santissimo»,[70] una cifra significativa se paragonata alla media di altre occasioni.

Anche nel monastero della Martorana una parte della musica per il *Corpus Domini* era finanziata da legato privato, nello specifico onze 2 destinate da Suor Maria Domenica dell'Abbita «per una messa cantata in musica in un giorno infra l'ottava del Santissimo».[71] Il finanziamento si aggiungeva alle altre spese per la musica dell'ottava, nello specifico per la messa cantata della festa, per il trasporto del cembalo e per la musica del *conducere*.[72] Le voci di spesa per quest'ultima occasione riportano sempre onze 2 e tarì 24, dal 1638 fino al 1642, e si attestano il terzo giorno successivo alla festa.

Nel monastero del Santissimo Salvatore le notizie per la festa del Santissimo Sacramento coprono un periodo abbastanza consistente, che va dal 1529 al 1602. Le indicazioni riguardano compensi a cantori e organista «per lu officio di la octava di lu Corpu di Cristo»[73] nel giugno 1529; il 26 maggio 1578 il copista riporta il pagamento di onze 3 «per tanti spisi fatti per la musica et altri cosi per la festa di la ottava di lo Santissimo Sacramento»;[74] e ancora nel 1602 si segnala la retribuzione di tarì 7 all'organista per i suoi servizi nell'ottava del Santissimo Sacramento.[75] Nessuna indicazione, invece, sull'organizzazione della processione e sulla presenza al suo interno di eventuali interventi musicali.

Relativamente alle istituzioni maschili, alcune informazioni possiamo trovarle presso il convento di San Francesco di Paola. Qui la cerimonia veniva organizzata all'interno della chiesa, come sembrerebbe dall'indicazione del 1628, quando si annotano le spese «per la festa che si fece per la pro-

---

[69] ASPa, CRS, *Santa Maria del Cancelliere*, vol. 532, c. 330a.

[70] ASPa, CRS, *Santa Maria del Cancelliere*, vol. 541, c. 243a.

[71] ASPa, CRS, *Monastero della Martorana*, vol. 918, carte sciolte.

[72] ASPa, CRS, *Monastero della Martorana*, vol. 802, cc. 206v, 207r.

[73] ASPa, CRS, *Santissimo Salvatore*, vol. 687, c. 120r.

[74] ASPa, CRS, *Santissimo Salvatore*, vol. 777, c. 14r.

[75] ASPa, CRS, *Santissimo Salvatore*, vol. 778, c. 65b.

cessione del Santissimo Sacramento nella nostra chiesa».[76] Era in questa istituzione che la celebrazione si arricchiva di una vera e propria rappresentazione scenica, come testimoniano le relative annotazioni che, oltre alle spese per i musicisti, riportano pagamenti «a dui homini per calare l'angelo», «a quello che fece l'angelo per calare et recitare», «al pitturi che rifeci la prospettiva», entrando nel dettaglio della relazione fra esecuzioni musicali e azione scenica, allorché registrano il compenso «à dui sonaturi per sonari la seconda volta che si fece la calata dell'angeli».[77]

Che la processione del *Corpus Domini* fosse occasione di coinvolgimento totale degli ordini religiosi, e allo stesso tempo motivo di scontro fra interessi contrastanti, ci viene ancora confermato dalla penna di padre Olivier, in relazione a un episodio del 1567:

> In questo istesso anno 1567 venne in capo al p. abbate dello Spasimo, in unione de' suoi religiosi del Monte Oliveto, intervenire alla processione del Corpus Christi, perlocchè pretendeva levare il luogo a tutt'i regolari che intervenivano alla processione sudetta. Parve a tutte le Communità religiose, solite a processionare nella surriferita sollennità, cosa troppo dura che i monaci del Monte Oliveto col suo abbate, li quali giamai erano intervenuti alla processione sudetta, in loro svegliandosi un spirito di divozione, avessero l'ambiziosa voglia di smontare di posto tutt'i regolari, perlocchè convocati assieme tutt'i rispettivi capi delle Religioni, elessero per procuratore al p.m.f. Girolamo Fazello, in quell'anno priore del nostro convento di San Domenico, acciocché come capo d'una Religione più antica facesse fronte alla vana pretesa dell'abbate dello Spasimo, ed a tutta la sua Communità. Da ciò ne seguì che 'l nostro p.m. priore Fazello avanzasse le sue istanze al vicario generale della nostra città di Palermo, nelle quali esponeva tutto il fatto, da cui ne ottenne un rescritto sotto li 23 maggio 1567, nel quale determinò il sudetto vicario generale, che qualora l'abbate dello Spasimo coll'intiera sua Communità volessero intervenire alla processione del Corpus Domini, potea farlo a suo piacere, ma però senza pregiudizio di quei regolari soliti a processionare nell'anzidetta solennità. A vista di una tal sentenza al p. abbate dello Spasimo ed alla sua Communità li passò la divota voglia d'intervenire alla surriferita processione.[78]

I domenicani godevano, comunque, di una posizione di rilievo nell'organizzazione delle celebrazioni: già nella seconda metà del XVI secolo, in virtù di due brevi pontifici emanati rispettivamente da Pio V nel 1571 e da Urbano VII nel 1592, avevano ottenuto il privilegio di uscire in processione nella domenica dell'ottava del Santissimo Sacramento. Di questo privilegio

---

[76] ASPa, CRS, *San Francesco di Paola*, vol. 443, f. 264.

[77] *Ivi*, f. 264, c. 425b.

[78] L. OLIVIER, *Annali del Real Convento di S. Domenico* cit., pp. 200-201.

i padri palermitani cominciarono ad avvalersi soltanto a partire dal 1648, per volontà del priore Tommaso Cannizzi.

Effettivamente i libri di conto di San Domenico cominciano a registrare i pagamenti per la musica della processione *infra* l'ottava a partire dal 1648, quando troviamo la spesa di «tarì vintiquattro alli trombetteri della Città et pifari che sonorno nella processione che fece il convento hoggi Domenica infra ottava del Santissimo per la città».[79] A conferma delle vicende sopra accennate, non stupisce nemmeno l'interruzione relativa all'anno 1650 e la ripresa della serie di informazioni nel 1651, con lo stesso pagamento a trombettieri e suonatori di *piffari*,[80] cosa che si ripete senza sostanziali varianti fino al 1655.

Ciò comunque non toglie che anche in precedenza fossero previsti contributi musicali alle celebrazioni del *Corpus Domini*: già nel 1616 è documentata una nota di spesa di onze 1. 24 «per la musica nell'ottava del sacramento».[81] Dovremo poi aspettare più di vent'anni (1637) per trovare altri due pagamenti, rispettivamente di tarì 15 «al padre lettore organista fra Mariano per la musica nella messa cantata nella sollennità si fece del Santissimo Sacramento» e di 7 onze e 15 tarì «al padre lettore organista per la musica nel primo vespere e missa cantata e processione del Santissimo Sacramento».[82] Quest'ultimo indica pure la presenza dei padri Inquisitori, garanzia di solennità e dell'organizzazione di contributi musicali all'altezza degli intervenuti.

★★★

Le musiche per il *festino* di Santa Rosalia, in particolare quelle eseguite nel corso della processione, sono state già oggetto di indagine di alcuni studiosi, come Collisani, D'Arpa e Tedesco.[83] Nei rispettivi contributi i precedenti autori hanno approfondito i momenti musicali più importanti della celebrazione, in particolare il *dialogo al carro*, così chiamato perché eseguito durante le soste del carro trionfale da quei musicisti (cantori e strumentisti)

---

79 ASPa, CRS, *San Domenico*, vol. 579, c. 4r.

80 *Ivi*, c. 122r.

81 ASPa, CRS, *San Domenico*, vol. 571, c. 88v.

82 ASPa, CRS, *San Domenico*, vol. 574, cc. 225r, 225v.

83 G. COLLISANI, *Occasioni di musica nella Palermo barocca* cit., pp. 37-73; U. D'ARPA, *Notizie e documenti sull'unione dei musici* cit., pp. 19-36; GIUSEPPE COLLISANI – FRANCESCA TURANO, *Santa Rosalia nella musica colta*, in *La rosa dell'Ercta, 1196-1991. Rosalia Sinibaldi: sacralità, linguaggi e rappresentazione*, a cura di Aldo Gerbino, Palermo, Dorica, 1991, pp. 285-296; A. TEDESCO, *La ciudad como teatro* cit., soprattutto le pp. 232-235.

che nel carro erano collocati. Dopo la processione, le celebrazioni si spostavano al chiuso degli edifici religiosi, per culminare nell'officio vesperale in cattedrale. Era a quel punto che veniva eseguito il *mottetto ad vesperas*, un brano musicale in forma dialogica su testo latino (più raramente in volgare) di cui rimangono alcuni libretti, messi in musica dai compositori più noti in ambito cittadino (quasi sempre il maestro di cappella della cattedrale o della Palatina).

In particolare Collisani ha passato in rassegna le principali relazioni a stampa sulla solennizzazione di Santa Rosalia, presentandoci un quadro variegato dei festeggiamenti organizzati per i tre giorni (aumentati a cinque nel Settecento) del *festino*. La maggior parte di queste relazioni è datata a partire dalla seconda metà del Seicento, anni in cui le celebrazioni assumono ufficialmente quel carattere di magnificenza e solennità che si manterrà nei secoli successivi.

Alcuni riferimenti musicali si trovano, comunque, anche nei resoconti relativi al ritrovamento delle reliquie della santa, in seguito all'epidemia di peste che nel 1624 aveva flagellato Palermo, arrivando a mietere più di 30.000 vittime su un totale di circa 130.000 abitanti. Per espiare i peccati di cui la peste veniva considerata punizione divina, per tutta la città si organizzarono processioni a carattere penitenziale. Una di queste ebbe luogo il 15 luglio, con la presenza delle reliquie di Santa Ninfa, Santa Cristina e San Rocco, protettori della città. A quella processione partecipò anche il musico della cattedrale, Pietro Garofalo, che come di consueto vi cantava le litanie dei santi. Il suo racconto, datato 30 gennaio 1625, è riportato in un manoscritto della Biblioteca Comunale di Palermo:

[…] et havendo invocate le gloriose sancte Christina, Ninpha, Oliva et Agata, mosso da una interna inspiratione senza essere avvisato da nessuno e senza sapere che sul Monte Pellegrino in quel giorno e in altri giorni passati si cercasse il corpo di santa Rosolea, disse a don Francesco Muscarella, suo compagno et cantore: "Vogliamo invocare santa Rosolea nostra panormitana?". Al che il detto di Muscarella li disse che ci pareva molto bene e che lui ancora havea questa opinione di invocarla. Et cossì ambidui, di comune consenso et accordio, l'invocorno cantando more solito: "Santa Rosolea ora pro nobis". Et per quanto esso testimonio si ricorda, non è stato solito invocare la detta sancta in altre processioni, con tutto che esso testimonio abbia fatto l'officio di cantore, a suo parere, più di vinti volti, tanto che è di firmo parere che la detta inspiratione fosse di Dio a gloria di detta Santa.[84]

---

[84] *Originale delli testimonij di Santa Rosalia. Trascrizione del manoscritto 2 Qq E 89 della Biblioteca Comunale di Palermo*, a cura di Rosalia Claudia Giordano, Palermo, Biblioteca Comunale, 1997, pp. 110, 116, 151 e 186. La testimonianza di Garofalo è riportata in G. FIUME, *Il Santo Moro* cit., p. 137.

Il passo è degno di attenzione per diversi motivi. Innanzitutto ci conferma la presenza della musica nelle processioni del XVII secolo, regolarmente attestata dalle fonti dell'epoca e dalle relazioni di storici e cronisti. In secondo luogo allude all'esistenza di un canto specifico per Santa Rosalia, di cui esisteva un culto limitato e non legato all'ambito processionale, ma probabilmente diffuso, se si considera la dicitura *more solito*. Ancora, riporta il nome di un ulteriore cantore, nello specifico Francesco Muscarella, forse identificabile con quel 'Muscarello' che nel 1649 veniva stipendiato dai gesuiti per la musica delle litanie del sabato.[85] Infine accenna all'intensa attività di Garofalo e all'ufficio di cantore che fino a quell'anno si era ritrovato a ricoprire per più di venti volte durante le processioni. Dalla medesima fonte sappiamo che a quella stessa processione parteciparono anche altri cantori, egualmente mossi da un inaspettato sentimento di devozione nei confronti di Santa Rosalia. Oltre a Francesco Muscarella, vengono citati Giuseppe Pasqua e soprattutto un Vincenzo Amato che però, per ragioni cronologiche, non possiamo identificare con il musicista nato a Ciminna nel 1629 e conosciuto dalla ricerca musicologica per la sua attività di compositore, oltre che per la valenza di esecutore e per i rapporti di parentela con Alessandro Scarlatti.[86]

Ad eccezione di questi riferimenti, dopo il rinvenimento delle reliquie e l'avvio ufficiale dei festeggiamenti, le prime significative testimonianze di natura musicale risalgono al 1630 e riguardano l'esecuzione de *La fama all'illustrissimo et eccellentissimo Signor Duca di Albuquerque*, su musiche di compositore sconosciuto:

Dall'altezza della poppa si veniva giù al fondo del Carro per alcuni scaglioni d'argento, occupati di Musici, li quali coperti di falsi drappi d'argento, per poco non pareggiavano al vedere la ricchezza de' veri. Nel ventre del carro stava l'altra musica di stromenti, e di voci [...]. Hor procedendo il Carro, e cedendo tal hora à più concertata musica il suon de' tamburi, e delle trombe, da' Musici, che dentro v'erano con esquisite voci si cantava la seguente canzone. LA FAMA / ALL'ILLUSTRISS. ET ECCELLENTISS. SIGNOR / DUCA DI ALBUQUERQUE.[87]

Con molta probabilità l'opera apparteneva al genere di quei dialoghi sacri che nel periodo precedente all'imporsi del *dialogo al carro* venivano

---

[85] ASPa, ECG, *Chiesa e Collegio Massimo dei Gesuiti – Serie A*, vol. 46, c. 171r.

[86] Su Vincenzo Amato, cfr. *infra*, capitolo IX.

[87] *Relatione delle feste fatte in Palermo per lo felicissimo nascimento del Serenissimo Principe della Spagna primogenito dell'invittissimo Re di Spagna, e di Sicilia Don Filippo III, drizzata dal fumicante academico nascoso all'Illustrissimo Senato di Palermo*, Palermo, Cirillo, 1630, p. 19 sgg. Per questa e le successive citazioni cfr. G. COLLISANI, *Occasioni di musica nella Palermo barocca* cit., pp. 53-54 e 66.

eseguiti all'aperto, presso le macchine sceniche o nelle istituzioni ecclesiastiche più prestigiose, rappresentando in musica alcuni episodi della vita di Santa Rosalia.[88] Dell'esecuzione di un'opera musicale, probabilmente un dialogo, abbiamo notizia anche nel 1649, tramite la relazione di Vincenzo Auria[89] e quella successiva di Michele Del Giudice, che per quell'anno descrive un altare a forma di piramide «à lato di cui udivasi un dolcissimo Choro di musica».[90]

Anche per l'anno 1650 rimane una relazione a firma di Nicolò Delfino, segnalata da Umberto D'Arpa in relazione alla diffusione della policoralità. In questo caso il commentatore si sofferma sull'uscita dell'arca della Santa dalla cattedrale e in particolare sul carro trionfale, che nella parte posteriore, ai piedi della statua, recava due cori di musici «che nel Concerto delle voci rappresentavano l'armonia delle di lei virtù» e nella parte anteriore, sulla prua, «varii Chori, che al suono di varii strumenti formavano mille gentilissimi intrecciamenti di spade, & in danze leggiadre intrecciavano mille rigiri».[91]

Il ragguaglio del 1652 fornisce, invece, alcuni dettagli della diffusione che il culto aveva avuto in Spagna, in particolare nella città di Madrid che organizzava le celebrazioni ufficiali non a luglio ma il 4 settembre, giorno tradizionalmente dedicato (secondo il calendario liturgico) alla commemorazione di Santa Rosalia. L'anonimo commentatore ci informa della musica per il vespro solenne della vigilia («a cinque Cori con Villanzici particolari fatti in honor della Santa: i quattro Cori eran ben fiore della Cappella Reale, et il quinto delle Signore Monache, che ne in perfezione, ne in pienezza cedevano punto agli altri»)[92] che si ripeté uguale nella messa solenne del giorno successivo.

Allo stesso anno risale la stampa del libretto de *La Rosalia Guerriera*, dialogo sacro su testo di Giovanni D'Onofrio, messo in musica da Bonaventura Rubino ed eseguito sia in quell'anno che nel 1655 nella Casa Professa dei

---

[88] G. COLLISANI, *Occasioni di musica nella Palermo barocca* cit., pp. 40-41.

[89] VINCENZO AURIA, *Ragguaglio delle feste fatte in Palermo a XIII, XIV e XV di luglio MDCXXXXIX di comandamento del Senato illustriss. li signori d. Vincenzo Landolina ill. pret. […] nell'annual memoria del ritrovamento di S. Rosalia vergine palermitana*, Palermo, Decio Cirillo, 1649.

[90] MICHELE DEL GIUDICE, *La sposa de' sacri cantici figurata nella solennità di S. Rosalia vergine palermitana, dell'anno 1699 per ordine dell'illustrissimo Senato D. Giuseppe Valguarnera […] senatori*, Palermo, Agostino Epiro, 1699, p. 50.

[91] *Relazione delle pompe di Palermo per la festa della inventione del corpo di s. Rosalia vergine palermitana alli 15. di luglio di quest'anno 1650*, Palermo, Cirilli, 1650, pp. 15-16.

[92] *Raguaglio dello stupendo miracolo fatto dalla Santa vergine Rosalia palermitana nell'esercito della catolica maestà del re nostro signore, e della solennità perciò celebrata in Madrid nel giorno della sua festa alli 4. di settembre 1652*, Palermo, Nicolò Bua, 1652, p. 16 sgg.

padri gesuiti.[93] Anche nei due anni successivi (1653 e 1654) le relazioni fanno riferimento all'esecuzione di due dialoghi sacri di cui riportano alcune parti del testo poetico. In particolare nel 1653 gli interlocutori furono Gabriele e il Fiume Oreto, impersonati da due *musici* cantori che «con armoniosa voce la lingua sciolsero in questi accenti insieme»,[94] supportati dai cori di *musica* che ripetevano i loro versi *di ripieno*. Nel 1654 l'esecuzione fu invece affidata a cantori in sembianze di Geni di quattro città (Barcellona, Vienna, Cremona e Palermo) «che comparsi tra le nuvole calavano fin dalle finestre della Sala ben quattro volte nel tempo della Processione, à cantare [...] le lodi della loro liberatrice [...] ripigliando in tanto scelti cori di eccellenti Musici, che con armoniosa voce sciolsero tutto quel dì la lingua i soavi accenti».[95]

In entrambe le celebrazioni il dialogo venne eseguito in prossimità dell'altare dei gesuiti, a conferma del coinvolgimento di quest'ultimi nell'allestimento delle relative rappresentazioni musicali. Altri altari erano allestiti durante il percorso dagli ordini religiosi, e soprattutto a piazza Villena, dove ai quattro angoli campeggiavano le grandiose macchine dei padri teatini, dei crociferi, degli oratoriani e dei francescani del terz'ordine. Lo stesso commentatore del 1654 riporta dettagli sugli interventi musicali associati all'altare dei francescani e alla vara dei cappuccini:

[L'altare dei Padri Minori Conventuali conteneva una scena] dove genuflessa vedevasi la nostra Romitella rappresentata da un Musico soprano, e tenendo nella sinistra la Croce del suo diletto sposo faceva con la destra sovente mostra dell'amoroso incendio, che le bruciava nel cuore. Poi colla melodia del canto, e soavità delle parole proponendo di menar la vita lungi dal mondo e vicina sempre mai al suo diletto, trahea da gli occhi d'ogn'uno liquefatti per tenerezza in dolcissime lagrime i cuori [...]. Acclamava poi con armoniosi concenti alla Corona Reina scelto Coro di eccellentissimi Musici [...]. Compariva dunque [...] la molto pomposa bara de' PP. Cappuccini, nella quale vedevasi la Santa, come in maestoso trono di gloria, circondata d'Angioli. [...] Ne' quattro angoli della bara snodavan

---

[93] *La Rosalia Guerriera in aiuto del Re Cattolico contro la forza di doppio mostro, pestilenza e ribellione. Dialogo composto da un padre della Compagnia di Giesù, posto in musica dal padre maestro Montecchi e cantato nella Casa Professa di Palermo della sudetta Compagnia di Giesù per comandamento del Tribunale della R. G. C. & a sue spese nell'occasione di festeggiar la caduta di Barcellona* [Palermo, Nicolò Bua, 1652]: Palermo, BCP, CXXXVI C 227, n° 6. Il libretto è citato in CLAUDIO SARTORI, *Catalogo dei libretti italiani a stampa*, V, Cuneo, Bertola & Locatelli, 1990 [= SARTORI], p. 67, n° 20140. Per la rappresentazione del 1655 cfr. U. D'ARPA, *Notizie e documenti sull'unione dei musici* cit., p. 27.

[94] GIACINTO MARIA FORTUNIO, *Gli ossequii festivi di Palermo, e le pompe fatte a XIII. XIV. e XV. luglio M DC LIII per la sua cittadina Santa Rosalia liberatrice della peste*, Palermo, N. Bua, 1653, p. 44.

[95] GIOVAN BATTISTA BISSO, *Palermo Festivo, o le feste nell'inventione di Santa Rosalia [...] fatte in Palermo l'anno M. DC LIV*, Palermo, Nicolò Bua, 1654, pp. 23-25.

la lingua al canto quattro musici, che rappresentavan le quattro stagioni dell'anno, con suo Organo.[96]

Che i francescani del terz'ordine fossero fra i più attivi nell'allestimento degli apparati ci viene confermato da successivi ragguagli, come quello del 1655, che riferisce delle musiche eseguite nella *macchina* allestita dal convento di Santa Maria la Misericordia, davanti alla facciata di Sant'Agata:

Nella facciata, nomata di S. Agata, sorgea l'altra macchina eretta dai PP. del Terz'ordine di S. Francesco, ò [...] della Misericordia, i quali e per la vaghezza dell'altare, e molto più per i gratissimi spettacoli, che intrecciarono tra la melodia d'alcuni versi trattennero con grandissimo diletto da dodici volte la gente, meritando ancora havere spettatori gli Eccellentissimi Viceré e Viceregina [...]. Onde ben tosto sotto tosello disserrandosi una nuvola, dentro un cerchio luminosissimo di raggi veniva ad apprestare il bramato soccorso alla sua patria con una spada nella destra Santa Rosalia rappresentata da un Musico [...]. Seguiva un grato concerto de' musici strumenti, ed in tanto andavano disparendo gli sconfitti serpenti [...]. Si vedevano altresì sedenti sopra alcune giocondissime collinette del Monte sei Angioli che al suono dell'Organo, che dentro la macchina si portò allegrissime canzoni cantavano.[97]

Per quanto riguarda i libri contabili delle istituzioni ecclesiastiche, pochissime sono le notizie che è stato possibile rintracciare, a fronte di un impegno musicale che invece, come abbiamo visto, era senz'altro considerevole.[98] La maggior parte delle informazioni riguarda il convento di Santa Maria la Misericordia e si riferisce proprio agli anni delle due relazioni citate. Nel 1654 la presenza della musica è infatti sottintesa dai pagamenti per «fare spingere li mantaci» e «per portare, e riportare l'organo»,[99] inclusi fra

---

[96] *Ivi*, pp. 35-36 e 41.

[97] *Il Campidoglio palermitano, traboccante di gioia, nell'anno 1655 per li trionfi di santa Rosalia* [...]. *Opera data in luce da Nicolò Delfino* [...], Palermo, Nicolò Bua, 1655, pp. 35-36 e 42-43.

[98] Poche le attestazioni su interventi cantati legati al culto di Santa Rosalia antecedenti al 1625, ad eccezione di riferimenti alle messe cantate presso il monastero della Martorana e di una messa eseguita il 4 settembre 1591 al monastero dell'Origlione (ASPa, CRS, *San Giovanni dell'Origlione*, b. 20, c. 89r). Sappiamo, però, che sin dai tempi più antichi esistevano forme di devozione liturgico-musicale dedicate alla santa. Ce lo conferma Pitrè, quando afferma che «il culto [...] de' Siciliani per Santa Rosalia rimonta al sec. XII, e tra' moltissimi documenti riferiti dal più noto de' suoi agiografi, il Cascini, si conoscevano nel sec. XVII un Breviario Gallicano, i libri del Coro del Duomo di Palermo, le Litanie ed un antico libro della Confraternita di San Michele Arcangelo» (G. PITRÈ, *Spettacoli e feste popolari siciliane* cit., p. 366). Segnaliamo l'inno gregoriano *Diva cui flores*, conservato in uno dei codici del Archivio Storico Diocesano di Palermo ed eseguito in occasione del convegno per i dieci anni dalla riapertura dell'Archivio.

[99] ASPa, CRS, *Santa Maria la Misericordia*, vol. 171, c. 35v.

le *Spese per l'altare di S. Rosolia alli quattro Cantoneri*, con diverse note relative ai personaggi, al dragone e alla presenza di uno «specchio parabolico». Nel 1655, invece, la presenza musicale è chiaramente esplicitata nella «spesa dell'altare fatto nelli quattr'angoli per la sollennità della gloriosa Santa Rosolia Patrona [...] dati alli musici unza una e tarì deci», oltre al pagamento di tarì 22 «per portari e riportari l'organo e li littiri et altri cosi».[100]

Più numerose invece le informazioni nei volumi dei gesuiti, in alcuni casi significative sul piano economico, anche se piuttosto generiche, come è possibile vedere dalla tabella nella quale sono riassunte [TAVOLA 3]. Ricordiamo, comunque, che nel caso di intervalli cronologici di una certa entità (soprattutto quello che intercorre fra la prima notizia del 1627 e la seconda del 1647) i volumi riportano ugualmente regolari pagamenti per la festa di Santa Rosalia e per l'allestimento dell'altare, annotazioni che molto probabilmente includevano anche spese destinate a interventi musicali.

TAVOLA 3:
RIFERIMENTI MUSICALI PER SANTA ROSALIA NEI VOLUMI
DI CONTO DELLA CHIESA E COLLEGIO MASSIMO DEI GESUITI (1627-1655)

DATA	SPESA	DESTINAZIONE	ANNOTAZIONI
31 lug. 1627	tt. 4	«Per acconciare l'organo della Chiesa» (ASPa, ECG, *Chiesa e Collegio Massimo dei Gesuiti – Serie A*, vol. 28, f. 386)	Spese per l'apparato, per l'acquisto dei fiori e per i *paramenti della festa di S. Rosalia di damasco e raccamo*
31 lug. 1647	oz. 2	«Per la musica dell'altare di S. Rosalia» (ASPa, ECG, *Chiesa e Collegio Massimo dei Gesuiti – Serie A*, vol. 43, c. 240v)	
30 lug. 1650	oz. 1. 18	Musica per l'altare di Santa Rosalia (ASPa, ECG, *Chiesa e Collegio Massimo dei Gesuiti – Serie A*, vol. 48, c. 23v)	Spese per l'apparato e per l'allestimento dell'altare
30 giu. 1652	oz. 1. 8	Per la musica e l'organo dell'altare di Santa Rosalia (ASPa, ECG, *Chiesa e Collegio Massimo dei Gesuiti – Serie A*, vol. 48, f. 144)	
15 lug. 1653	oz. 2	Per la musica per l'altare di Santa Rosalia (ASPa, ECG, *Chiesa e Collegio Massimo dei Gesuiti – Serie A*, vol. 48, f. 228)	
15 lug. 1653	oz. 1	«Per la musica per la messa per il Te Deum» (ASPa, ECG, *Chiesa e Collegio Massimo dei Gesuiti – Serie A*, vol. 48, f. 228)	

---

[100] *Ivi*, c. 85v.

28 sett. 1653	oz. 2	«Musica per li processioni del Santissimo e S. Rosalia» (ASPa, ECG, *Chiesa e Collegio Massimo dei Gesuiti – Serie A*, vol. 48, f. 262)	
26 lug. 1654	oz. 6	«Al fratello Spatafora per la musica per santa Rosolia» (ASPa, ECG, *Chiesa e Collegio Massimo dei Gesuiti – Serie A*, vol. 48, f. 310)	Spesa per la *calata dell'angeli*
31 lug. 1655	oz. 6. 27	Per la musica per l'altare di Santa Rosalia (ASPa, ECG, *Chiesa e Collegio Massimo dei Gesuiti – Serie A*, vol. 48, f. 371)	Pagamento al maestro d'ascia e per tavoli, travi, gaffe *per fare il mare*

PARTE SECONDA
VITA MUSICALE
NELLE ISTITUZIONI ECCLESIASTICHE: MUSICISTI, COMPOSITORI, STRUMENTI MUSICALI

Capitolo quarto

PROTAGONISTI DELLE ATTIVITÀ MUSICALI: ORGANISTI, CANTORI E MAESTRI DI MUSICA

4.1. Per un'indagine sui musicisti a Palermo fra Cinque e Seicento

Oltre a chiarire il rapporto fra attività musicali e feste religiose, lo spoglio della documentazione amministrativa prodotta da conventi e monasteri ha determinato un altro effetto di fondamentale importanza. Infatti, dalla lettura delle fonti d'archivio sono emerse decine di figure coinvolte a pieno titolo (e con varie mansioni) nella vita musicale delle istituzioni ecclesiastiche cittadine. Analizzati in questa prospettiva, i libri di conto si liberano della loro natura di registri economici, per divenire prezioso strumento per una ricognizione della presenza dei musicisti a Palermo fra Cinque e Seicento.[1]

Alcuni di questi nomi sono già noti agli addetti ai lavori in quanto membri della 'scuola di polifonisti siciliani', fiorita nell'isola fra XVI e XVII secolo. Altri musicisti vengono citati da coloro che si sono occupati della storia e della musica in Sicilia, ma le informazioni sulla loro attività sono assai scarse se non nulle. La stragrande maggioranza risulta, invece, sconosciuta alla ricerca musicologica: la trascrizione e l'analisi delle note di pagamento, dunque, non soltanto consente di conoscere i nomi di questi musicisti, ma soprattutto ci offre uno spaccato del gran numero di esecutori che operavano nelle chiese palermitane.

Per avere un quadro sinottico, diacronico e insieme sincronico, delle attività di tali musicisti e del loro rapporto con le istituzioni, appare utile riassumere le notizie finora raccolte in una tabella ordinata cronologicamente, dalle testimonianze più antiche alle più recenti [Tavola 4],[2] includendovi

---

[1] Sull'utilizzo dei documenti d'archivio per il censimento dei musicisti di un determinato territorio e la mappatura dei livelli sociali che tali musicisti occupavano cfr. T. Carter, *The sound of silence* cit., pp. 16-17; Juan José Carreras, *Música y ciudad: de la historia local a la historia cultural*, in *Música y cultura urbana en la Edad Moderna* cit., pp. 17-52.

[2] Cfr. Appendice digitale.

sia i musicisti propriamente detti sia i costruttori di strumenti. A complemento della tavola, si riserverà ai paragrafi successivi l'approfondimento di alcune di queste figure, dividendo la trattazione in base alle categorie maggiormente rappresentate: organisti, cantori, compositori, costruttori di strumenti.

4.2. ORGANISTI

In quasi tutte le istituzioni finora prese in considerazione è stato possibile accertare la presenza di almeno un organista, regolarmente stipendiato dalle comunità religiose o occasionalmente impiegato per le celebrazioni più importanti. Pur cambiando le occasioni e l'ambito istituzionale, negli stessi anni l'entità della singola retribuzione risulta abbastanza omogenea nelle diverse chiese, a differenza dello stipendio annuale, che poteva subire variazioni legate alle risorse economiche di cui frati e monache potevano disporre. Peraltro è probabile che le spese indicate rappresentassero soltanto una parte di quelle realmente percepite, alle quali dovevano aggiungersi compensi in natura e la possibilità di alloggiare in convento.[3]

Nei fondi documentari più integri, ovvero quelli che presentano libri risalenti al Quattro e Cinquecento, le spese destinate all'organista sono registrate già nella seconda metà del XV secolo, come accade a San Martino delle Scale o nel monastero del Santissimo Salvatore. Nell'abbazia benedettina l'organista documentato a partire dal 1478 era quasi sicuramente un suonatore professionista, e a confermarlo sono le indicazioni che troviamo nel corrispettivo libro-giornale. La prima, in realtà, ci dice ben poco, limitandosi a registrare la consegna di 6 tarì a frate Pietro per donarli «a frati Janni Janellu sonaturi di organi», ma subito dopo viene precisato che tale Janellu era pagato anche per svolgere attività didattica, vale a dire per insegnare a suonare al suddetto Pietro e ad altri monaci dell'istituzione.[4]

La nota non chiarisce l'entità del pagamento, ma da un foglietto allegato al volume (un *memorandum* o «pizzino», come spesso era denominato dai copisti) veniamo a sapere che effettivamente l'organista era stato chiamato in abbazia «per insignari ad sonari li organi ad alcuni frati per serviciu di lu cultu divinu», e poiché erano pochi (presumibilmente i frati, anche se non è chiaro se si riferisce ai ducati), l'abate aveva ordinato al cellerario di

---

[3] In relazione alla situazione veneziana, si veda quanto scrive E. QUARANTA, *Oltre San Marco* cit., pp. 34-35.

[4] ASPa, CRS, *San Martino delle Scale – fondo II*, b. 708: *Giornale 1478-1479*, cc. 35b, 36b.

concordare un altro prezzo. Tale prezzo veniva stimato a 6 ducati, da pagare di terzo in terzo per un periodo complessivo di tre settimane. Inoltre si ordinava che i primi 2 ducati dovessero essere elargiti immediatamente come compenso per i servizi della prima settimana, stabilendo che «cum lu primu fidatu che vegna a lu monasteru mandati li ditti duy docati».[5]

Trent'anni prima un altro «Joanni», anch'egli organista, prestava servizio nella chiesa del Santissimo Salvatore, suonando in occasione delle due feste più importanti: San Matteo e la festa del titolo. Non sappiamo se si trattava dell'organista salariato o semplicemente di un suonatore occasionale, chiamato appositamente per le suddette festività. Inoltre, a differenza di San Martino delle Scale, non possiamo stabilire se ci troviamo di fronte a un vero e proprio professionista. Quel che è certo è che le note di spesa non forniscono indicazioni sull'eventuale salario complessivo, ma soltanto sulla retribuzione per il singolo servizio (1-2 tarì), a riprova di una collaborazione continuativa ma probabilmente non integrata nelle spese ordinarie dell'istituzione.[6]

Il problema relativo all'individuazione della fisionomia professionale degli organisti riguarda tutte le altre istituzioni ecclesiastiche palermitane, estendendosi ai periodi successivi, e in particolare al XVI secolo. Tuttavia, a differenza di quanto accade per le altre categorie di esecutori, nel caso degli organisti i libri contabili si rivelano più generosi di informazioni, riportando spesso i nomi dei musicisti e il tipo di retribuzione di cui godevano. Questo elemento è facilmente spiegabile dal carattere regolare degli interventi e dal ruolo degli organisti nell'ambito della liturgia ordinaria, rispetto al contributo dei musicisti esterni che riguardavano le occasioni di maggiore solennità. Per questi motivi molti conventi e monasteri sceglievano di stipendiare regolarmente uno o più suonatori d'organo, a seconda delle risorse finanziarie e del numero di funzioni liturgiche (ordinarie e straordinarie) che dovevano assolvere.

4.2.1. *Organisti del Carmine Maggiore*

Riguardo alla presenza di organisti stabili, e soprattutto alla possibilità di identificarne i nomi, un caso abbastanza felice è rappresentato dalla documentazione del convento del Carmine Maggiore. Qui infatti, sin dalla seconda metà del Cinquecento, è possibile documentare decine di suonatori, inclusi nella sezione dedicata ai salariati dell'istituzione [TAVOLA 5].

---

[5] *Ivi*, carte sciolte.

[6] ASPa, CRS, *Santissimo Salvatore*, vol. 615, cc. 99r, 104r, 105r.

TAVOLA 5: ORGANISTI ATTIVI NEL CARMINE MAGGIORE (SECC. XVI-XVII)

DATA	NOME	RIFERIMENTI DOCUMENTARI
20 feb. 1561	Giuseppe	Tarì 16 a *misser Gioseppi organista* a compimento dei tarì 8 mensili che percepisce per suonare l'organo
22 feb. 1566-1567	Pietro	Pagamenti all'organista per suo salario
25 nov. 1568	Vincenzo Galvano	Onze 2 come pagamento per il salario dell'organo
14 set. 1572-2 gen. 1582	Antonino Moscato di Agrigento	Pagamenti per vestiario, per suonare l'organo e per servizio al noviziato (nel 1572 si specifica per *servimento ad inparari li novicii per tutto l'anno*; nel 1579 per *l'aver insignato diversi patri*)
24 set. 1574-2 ott. 1583	Andrea Lucido di Palermo	Pagamenti per vestiario, per suonare l'organo e per servizio al noviziato (nel 1574 compie un viaggio a Roma, nel 1584 a Messina)
16 dic. 1574	Raffaele [La Valle?]	Tarì 24 a mastro Raffaele *sonaturi di organo* come salario per avere accordato l'organo
9 apr. 1582-4 lug. 1582	Pietro Rignone	Pagamenti per vestiario, per salario dell'organo e per il servizio di maestro al noviziato (*maestru di novitii e di professi*)
5 ott. 1585	Giulio Rizzo	Onze 3. 15 per vestiario (*in tanto scotto nero*) e per nove mesi di suonare l'organo
4 nov. 1585-28 ott. 1593	Avertano Amodeo di Palermo	Pagamenti per vestiario, per suonare l'organo e per il servizio di maestro di novizi; il 28 aprile vengono pagati tarì 4 al padre Avertano *per le constitucione*
19 nov. 1586	Nicola di Sutera	Pagamenti per vestiario e per salario dell'organo
9 gen. 1593-23 giu. 1595	Antonio Perao di Trapani	Pagamenti per vestiario, per salario dell'organo e per aver insegnato a suonare a Girolamo di Palermo e a Nunzio di Palermo
15 ott. 1594-2 dic. 1603	Girolamo Ingrassia di Palermo	Lezioni d'organo ricevute da Avertano Amodeo; dal 1598 pagamenti vari per vestiario e per suonare l'organo
30 ott. 1595-3 ago. 1604	Feliciano La Nanna	Pagamenti vari per vestiario e per salario di suonare l'organo

8 mag. 1597-3 feb. 1603	Vincenzo di Caltabellotta	Pagamenti per salario di suonare l'organo; nel 1603 tarì 20 per affitto di una cavalcatura
21 ott. 1597	Federico Giunco di Trapani	Onze 6. 2 per vestiario, per suonare l'organo e per il servizio di maestro di novizi
10 nov. 1600-2 nov. 1601	Pompilio di Palermo	Pagamenti per vestiario e per salario dell'organo

Solitamente gli organisti si alternavano con cadenza annuale, ma non è raro registrare la presenza di più esecutori per lo stesso anno, forse anche in relazione al numero di servizi richiesti. Lo stipendio percepito per suonare l'organo equivaleva a circa 2-3 onze all'anno, ma sappiamo che gli organisti godevano anche di altre provvigioni, in particolare di stoffe per il confezionamento delle tonache, come esplicitato fra le uscite destinate al vestiario.

In questa stessa sezione troviamo pure informazioni sugli altri compiti che gli organisti dovevano assolvere, in particolare sull'attività di insegnamento. Questo genere di attività viene, infatti, documentata in relazione a diversi frati dell'istituzione: Antonino di Agrigento, pagato nel 1572 per «servimento ad inparari li novicii»; Antonino Moscato, documentato per il salario del noviziato e per «l'aver insignato diversi patri» nel 1579; Pietro Rignone, «maestru di novitii e di professi» nel 1582; Antonio Perao che nel 1594 veniva pagato per insegnare a suonare a frate Nunzio e frate Girolamo; infine Federico Giunco, retribuito nel 1597 «per suo compito vestiario, salario del organo, e salario di maestro di novitii».[7]

Soltanto per Antonio Perao abbiamo, dunque, indicazione della natura strettamente musicale dell'attività didattica di cui parlano i libri di conto, sebbene anche nel caso degli altri esecutori sia verosimile supporre che a padri e novizi essi impartissero vere e proprie lezioni d'organo. Spesso ne vengono nominati due o tre nello stesso anno, ma solo per pochi si attesta una presenza continuativa, fra cui Andrea Lucido (documentato fra il 1574 e il 1583), Avertano Amodeo di Palermo (attestato dal 1583 al 1593), Girolamo Ingrassia (attivo dal 1594 al 1603) e Feliciano La Nanna (presente in convento dal 1595 al 1603). Trattandosi di religiosi e non di laici, è probabile che questi esecutori facessero parte della comunità conventuale, soluzione certamente più adatta alle esigenze dell'istituzione.

---

[7] ASPa, CRS, *Carmine Maggiore*, vol. 252, cc. 168r, 312v, 360r; vol. 253, cc. 194v, 266r.

4.2.2. Organisti a San Martino delle Scale

Anche nell'abbazia di San Martino delle Scale, nel corso del Cinquecento, si registrano lunghi rapporti di collaborazione con un unico organista salariato che, una volta concluso il suo incarico, veniva sostituito. Tale organista doveva assolvere alle principali funzioni della liturgia e occuparsi dell'aspetto sonoro delle feste di maggior richiamo, celebrate in abbazia e nella grancia dello Spirito Santo. Soltanto di rado veniva sostituito o affiancato da altri organisti, forse chiamati dall'esterno per insegnare musica o per suonare l'organo nelle occasioni che richiedevano un maggiore impegno musicale (soprattutto Pasqua e Natale). Di tutto questo ci dà notizia la documentazione amministrativa, offrendo un buon numero di dati [Tavola 6] che in diversi casi consentono di quantificare l'entità della retribuzione salariale, nonché di distinguerla da quella elargita per il singolo servizio.

TAVOLA 6:
ORGANISTI ATTIVI A SAN MARTINO DELLE SCALE (1526-1617)

DATA	NOME	RIFERIMENTO DOCUMENTARIO
nov. 1526		Pagamento di tarì 2. 6 all'organista di Monreale
29 dic. 1531	Pietro Fresina	Pagamento di tarì 13 per suonare l'organo a San Martino per la festività di Natale
12 lug. 1535	Lentomello	Pagamento di tarì 12 per mano di D. Girolamo *ad complimento*
8 lug. 1536-25 mar. 1540	Giovanni Antonio di Ansilio	Pagamenti di diverse somme rateali *per lo salario che deve havere per lo sonare de li organi*
25 mar. 1540	Jacopo Lo Grammatirco	Pagamento di tarì 18 per avere suonato l'organo a San Martino in occasione della Pasqua
27 giu. 1554-9 nov. 1568	Giovanni Antonio di Ansilio	Pagamenti di diverse somme rateali all'organista *in conto del suo salario*
7 mar. 1569-19 ago. 1569	Francesco Lo Grammatico	Pagamenti per lezioni di musica a D. Mauro
15 mag. 1569	Mauro [Panormita o Ciaula]	I visitatori del monastero concedono a D. Mauro di suonare l'organo (*Don Mauro [...] poterit organa pulsare ad honorem et laudem Dei*)
9 giu. 1574	Giulio Guido	Pagamento di onze 4 all'organista, in conto del suo salario

18 sett. 1574-1 giu. 1575		Pagamenti vari all'organista per diverse occasioni festive, fra cui nel 1575 tarì 6 per la festa del Corpus Christi
20 sett. 1576		Tarì 12 dati di salario all'organista
30 sett. 1576-20 dic. 1577	Girolamo Catalano	Pagamenti all'organista in conto del suo salario
19 feb. 1578-28 ago. 1578	Girolamo di Sabato	Pagamenti all'organista in conto del suo salario
20 lug. 1580		Tarì 10 pagati all'organista
1580-1582		Onze 13 per salario, vitto, cavalcatura e *stromenti di letto* per l'organista del monastero
20 mar. 1582-1 nov. 1582	Antonio Candili [o Cadili]	Pagamenti al clerico Antonio Candili di Monreale che si obbliga come organista in tutte le feste del monastero al salario di 8 onze annuali
31 ago. 1583		Tarì 4 all'organista per la festa di Nostra Signora [Assunta]
gen. 1584-dic. 1584		Pagamenti diversi all'organista
24 mag. 1584	Girolamo di Sabato	Tarì 8 a Girolamo di Sabato per aver suonato l'organo nei quattro giorni della Pentecoste
25 ott. 1584-mar. 1587		Pagamenti vari all'organista
mag. 1587	[Giovanni Antonio di?] Ansilio	Tarì 8 a mastro Ansilio organista
21 mar. 1610	Giulio Oristagno	Tarì 24 a Giulio Oristagno e compagni che suonarono in monastero
22 dic. 1614	Raffaello Li Rapi	Pagamento di onza 1 e tarì 6 a mastro Raffaello Li Rapi *per lo salario dell'organo*
ott. 1617		Tarì 12 a un organista per suonare l'organo del monastero per la messa novella di D. Vitale

Per quanto riguarda il Cinquecento, la prima attestazione risale al novembre del 1526 e consiste in un pagamento di tarì 2. 6 per l'organista di Monreale, probabilmente in relazione alla solennità di San Martino.[8] Questo riferimento testimonia gli stretti rapporti con la diocesi monrealese che

---

[8] ASPa, CRS, *San Martino delle Scale – fondo II*, b. 1405: *Libro di spese minute 1523-1526*, c. 54r.

erano anche di natura musicale, come nel caso della collaborazione con gli organisti. Cinque anni più tardi, il 29 dicembre 1531, ritroviamo un pagamento di maggiore entità (13 tarì) a Pietro Fresina per suonare l'organo a San Martino in occasione delle festività natalizie.[9] Pur sembrando una prestazione di carattere occasionale, l'ammontare della spesa suggerisce che si trattasse di una rata del salario e che quindi il suddetto Fresina fosse l'organista stabile del monastero.

Quasi sicuramente era organista salariato anche quel Lentomello che viene attestato nel 1535 e al quale vengono pagati tarì 12 per mano di D. Girolamo *ad complimento*.[10] Già l'anno successivo, precisamente nel luglio 1536, cominciano a essere annotati i pagamenti rateali per il nuovo organista, Giovanni Antonio Ansilio (o Ausilio), che opererà continuativamente a San Martino per circa 35 anni, e forse anche per più tempo, visto che lo ritroviamo in una nota di spesa del 1587. Ansilio veniva pagato con rata bimestrale di 13 tarì, per un totale di onze 2 e tarì 6 annuali, elargite tramite banchi privati, come quelli di Torongi e Scirotta, e quasi sempre per mano dell'abate, del cellerario o di «Antonio Venitiano da Monte Reale».[11] Tale stipendio subirà, comunque, un sensibile aumento già a partire dalla metà del Cinquecento, arrivando sino alle 4 onze all'anno.

Un esempio di prestazione musicale straordinaria non assolta dall'organista stabile si ha nel 1540, quando vengono pagati 18 tarì a Jacopo Lo Grammatico «per havere sonato li organi in Santo Martino li festi di Pasca».[12] A partire dal 1568, invece, non abbiamo più notizie di Ansilio, per lo meno fino al maggio 1587. In questo arco di tempo, oltre all'attività organistica di Mauro Panormita e del suo maestro Francesco Lo Grammatico di cui parleremo successivamente, si susseguono quattro organisti stabili, vale a dire Giulio Guido nel 1574, Girolamo Catalano nel 1576 e 1577, Girolamo di Sabato fra il 1577 e il 1578, e Antonio Cadili (o Candili) di Monreale, ingaggiato nel 1582 con il salario di 8 onze annuali, esattamente il doppio di quello percepito trent'anni prima da Ansilio.

Dopo questa data le fonti tacciono i nomi degli altri organisti, dando maggiore risalto ai pagamenti straordinari, come quello del 1583 per la festa dell'Assunta o quello del 1584 a Girolamo di Sabato per la Pentecoste.[13]

---

9 ASPa, CRS, *San Martino delle Scale – fondo II*, vol. 721, c. 103b.

10 ASPa, CRS, *San Martino delle Scale – fondo II*, vol. 725, c. 34b.

11 ASPa, CRS, *San Martino delle Scale – fondo II*, b. 1464: *Introiti e spese 1536-1537*, c. 8v.

12 ASPa, CRS, *San Martino delle Scale – fondo II*, vol. 727, c. 83b.

13 ASPa, CRS, *San Martino delle Scale – fondo II*, b. 1135: *Libro di spese minute 1583*, c. 84r; b. 1203: *Libro di spese minute 1584-1585*, c. 2b.

Tramite i conti di introito ed esito per gli anni 1580-1585 veniamo poi a sapere che l'organista, come altri salariati del monastero, oltre allo stipendio aveva diritto al vitto, a 'stromenti di letto' e soprattutto alle 'cavalcature' che a causa dei maggiori aggravi rispetto al passato erano state ridotte, ma che comunque venivano ritenute indispensabili («senza esse non si può fare di manco»),[14] a causa della posizione decentrata del complesso monastico. L'organista di San Martino godeva, dunque, di privilegi maggiori rispetto al semplice compenso in denaro, gravando sulle casse del monastero per un totale di 13 onze annuali, almeno negli anni 1580 e 1582.

Le vacchette degli anni successivi riportano il nome di un solo organista, Raffaello Li Rapi, documentato nel 1614.[15] Tuttavia non è chiaro se il suddetto Li Rapi fosse l'organista o l'organaro dell'istituzione, visto che l'indicazione «per lo salario dell'organo» risulta ambigua. Si ripropone qui quella ricorrente incertezza che le fonti archivistiche spesso presentano in relazione al termine *organista*, indifferentemente utilizzato per designare sia il suonatore che l'organaro. Nel caso di Li Rapi a spingere verso la seconda ipotesi sta il confronto con le precedenti notizie che riportano frequenti pagamenti di onze 1. 6 a un certo Raffaele *organista* (sicuramente Raffaele La Valle) per suo salario annuale, specificando in un'occasione «per acconzari l'organo».[16]

In ogni caso resta l'assenza di indicazioni sugli organisti stabili del XVII secolo, cosa che per alcuni versi non stupisce, se consideriamo che nelle vacchette erano registrate le spese minute, in particolare quelle straordinarie, e di conseguenza il riferimento ai salariati veniva solitamente omesso. I suonatori d'organo continuano, comunque, a operare regolarmente con il supporto di uno o più aiutanti adibiti all'azionamento dei mantici – chiamati *alzamantici* o *tiramantici* – di cui le vacchette forniscono un resoconto abbastanza puntuale, registrando i pagamenti a loro elargiti (equivalenti a 1 o 2 tarì), ma senza riportare i nomi di questi indispensabili collaboratori che operavano ai margini.

4.2.3. Organisti a San Domenico

Dall'analisi dei documenti, uno dei dati che emerge è che nel convento di San Domenico l'organista svolgeva anche funzioni di carattere organizzativo, avvicinandosi alla fisionomia di un maestro di cappella [TAVOLA 7]. Questo aspetto viene suggerito a partire dal 1569 in relazione a Benedetto

---

14 ASPa, CRS, *San Martino delle Scale – fondo II*, vol. 1607, cc. 400r, 433v.
15 ASPa, CRS, *San Martino delle Scale – fondo II*, b. 998: *Cassa 1613-1615*, c. 81r.
16 ASPa, CRS, *San Martino delle Scale – fondo II*, b. 998: *Cassa 1609-1611*, c. 86r.

Seidita, organista documentato nell'istituzione sino al 1578. Oltre a suonare lo strumento, Seidita infatti si occupava delle spese musicali, come pagare l'organaro o i cantanti straordinari per la Quaresima e per la Settimana Santa, ai quali offriva anche cibo e beveraggi. Queste ragioni sono di per sé sufficienti a spiegare le numerose *provisioni* di cui l'organista godeva, in non pochi casi rilevanti anche sul piano economico.

TAVOLA 7:
ORGANISTI ATTIVI A SAN DOMENICO (SECC. XVI-XVII)

DATA	NOMI	RIFERIMENTI DOCUMENTARI
30 apr. 1520		Pagamento di grana 10 per la redazione di un contratto con l'organista
12 giu. 1520	Jacopo di Palermo	Tarì 15 come rata del salario per suonare l'organo
22 feb. 1522	Luigi di Trapani	Tarì 12. 10 come rata del salario di 7 onze per suonare l'organo
25 mag. 1554		Tarì 6 all'organista
7 sett. 1557-14 ott. 1558	Nicolaus Flochetto (fiammingo)	Atti di obbligazione fra il musicista e il convento di San Domenico
25 sett. 1569-30 mar.1578	Benedetto Seidita	Pagamenti di alcune somme a musicisti per mano di Seidita. Pagamenti a Seidita organista *per sua provisione*
10 apr. 1574		Tarì 12 per un paio di *pianelli* destinate al padre cantore e al padre organista
07 sett. 1574-16 ott. 1581	Vincenzo Durante	Elargizioni di alcune somme a musicisti per mano di Durante. Pagamenti a Durante organista *per sua provisione*, fra cui un paio di *calcette* per i suoi servizi nella Settimana Santa del 1575
31 gen. 1577-16 nov. 1580		Onze 4. 24 pagate ai musici, fra cui l'organista; onze 6 al pittore Simone per mano di diverse persone, fra cui l'organista; pagamenti per calzature per l'organista
dic. 1601-28 ott. 1620	Giulio Oristagno	Nel dicembre 1601 tarì 10 per l'affitto del cembalo per il Natale. Nell'aprile 1607 onza 1 in conto di due mesi di salario come organista. Nel 1614 pagamento di 2 onze per l'acquisto di una viola da Oristagno. Nel 1620 viene retribuito come maestro di Vincenzo di Palermo

18 ott. 1606-2 febb. 1607	Giovanni Battista Fiorenza	Pagamenti a Fiorenza organista in conto del suo salario
25 nov. 1608-25 apr. 1609	Domenico Campisi di Regalbuto	Tre pagamenti di 24 tarì al musico Antonino Il Verso per insegnare a Domenico di Regalbuto organista
27 gen. 1609-19 dic. 1615		Pagamenti per diverse necessità dell'organista (per *acconciare* un materasso, per un foglio di *carta di casso*, per 4 once di salsa); nel 1613 onze 1. 25. 10 all'organista per i musici dell'Epifania; nel 1615 pagamenti all'organista per corde di cembalo, di viole e per il trasporto di violoni e viole (Natale e Quaresima)
24 mar. 1617		Tarì 34 all'organista per suonare durante la Settimana Santa e per *librii di cantare*
06 feb. 1621-03 ago. 1623	Stefano Oristagno	Pagamenti a Stefano Oristagno per insegnare al novizio Vincenzo di Palermo. Nel 1622 e 1623 tarì 24 per suonare il cembalo nei quattro *passii* della Settimana Santa. Nel 1623 onze 8 per la musica a due cori per la festa del titolo
02 ago. 1621-20 ott. 1625	Dionisio di Palermo	Pagamenti a fra Dionisio organista per corde di diversi strumenti e *cavigli*. Tarì 14 al maestro che *conzò* la viola per mano del padre fra Dionisio organista. Pagamenti per un quinterno di carta rigata e per stoffe per il vestiario; pagamenti all'organista per *cavigli*, corde di viola e di cembalo, penne di corvo
28 ott. 1625-20 sett. 1626	Giacinto di Licudia	Tarì 24 per l'affitto della cavalcatura. Tarì 1 per *conzatura* dell'arco della viola. Tarì 8 per corde di cembalo e violone, per penne e per una chiave di violone. Onza una per affitto di mula per andare all'ordinazione e altre spese necessarie
12 dic. 1626-24 lug. 1627	[Giacinto di Licudia?]	Pagamenti al padre organista per carta rigata, corde e penne di cembalo per la novena di Natale e per la festa del titolo
14 apr. 1628		Pagamenti a diversi musici, fra cui l'organista della cattedrale, per la musica nei venerdì di Quaresima
2 ago. 1631	[Casimiro?] Scifa	Onze 6 a Scifa organista della cattedrale per la musica nella festa di San Domenico (primo e secondo vespro a due cori, messa cantata a tre cori)

7 gen. 1634		Pagamenti a diversi musici, fra cui un organista, per la musica del mattutino dell'Epifania
9 apr. 1634-28 gen. 1640	Mariano di Coniglione	Pagamenti per servizi nella Quaresima; per la musica nella messa cantata, primo vespro e processione del Santissimo Sacramento; per la musica a due cori nella festa di San Pietro (primo vespro e messa cantata); per una messa cantata in musica per la festività di Santa Ninfa; per spese fatte per la festa del SS. Nome di Gesù; per quinterni di carta rigata per la musica
4 nov. 1643	Vincenzo Marchese Matteo di Paola	Onze 2. 4 a Vincenzo Marchese e Matteo di Paola che suonarono gli organi per le Quarantore della Città (messa cantata e compieta ogni giorno, trattenimento mattina e sera)
26 dic. 1643-20 gen. 1652		Pagamenti all'organista per Natale (mattutino e messa a 5 voci e 2 violini). Nel 1644 si specifica che suonò *il spartimento nel organo* la notte di Natale
13 feb. 1644-09 apr. 1650		Pagamenti a diversi musici, fra cui l'organista, per i venerdì di Quaresima
8 mag. 1646-29 apr. 1651		Pagamenti a due organisti per le Quarantore della Città
07 ago. 1646-01 mar. 1653	Bernardo Ciofalo	Pagamenti ai musici del Natale per mano di Bernardo Ciofalo organista del convento; pagamento all'alzamantici per S. Pietro Martire; spese varie per riparazioni all'organo; tarì 4 *per regalo di corde del suo istrumento* per suonare durante i venerdì di marzo 1653
16 mar. 1652		Tarì 2. 12 al padre organista per acquisto di carta rigata per scrivere l'Altera del *passio* per la Settimana Santa

A partire dal 1579 l'incarico viene assunto da Vincenzo Durante. Quest'ultimo assolveva le medesime incombenze del predecessore, godendo al contempo dei medesimi privilegi, secondo quanto ci attesta la nota del 16 ottobre 1581, quando gli vengono pagate 2 onze «in conto di sua provisioni [...] videlicet per dudici palmi di scotto bianco unza una et per tre canni di tela bianca per gipponi et altri cosi unza una».[17] Indicazioni

---

[17] ASPa, CRS, *San Domenico*, vol. 475, c. 101v.

più precise sulla retribuzione salariale le troviamo, inoltre, per il successivo organista, Giovanni Battista Fiorenza (detto anche Florenza), attivo nei primi anni del XVII secolo e stipendiato con 12 onze all'anno, in rate mensili di 1 onza ciascuna.

Sicuramente stabile era anche il frate Dionisio al quale nel 1624 vengono elargiti 3 tarì per un quinterno di carta rigata, probabilmente destinata ad annotarvi la musica per la Settimana Santa.[18] Questo esecutore è attestato anche l'anno successivo, in particolare nell'ottobre 1625, con un pagamento «per sei canni di saiia di maiorca data al Padre fra Dionisio di Palermo organista per suo vestiario». In quello stesso anno compare anche il primo pagamento al successivo organista, Giacinto di Licudia, beneficiato di tarì 24 «per il loeri della cavalcatura».[19] Le annotazioni seguenti ci informano di altri compiti che l'organista ricopriva, in particolare occuparsi delle spese per la manutenzione degli strumenti musicali e ovviamente dell'organo.

Stesso discorso vale per Mariano di Coniglione, attestato a San Domenico dal 1634 al 1650 e adibito al pagamento della musica straordinaria per le occasioni più importanti (Corpus Domini, San Pietro, SS. Nome di Gesù, Santa Ninfa). Dopo di lui, il pagamento dei musicisti verrà effettuato per mano di Mariano Perrone – l'unico a non essere denominato esplicitamente *organista* – e da Bernardo Ciofalo. Quest'ultimo viene citato per la prima volta nel 1625, probabilmente per i suoi servizi di liutista durante il Venerdì Santo, poi ancora in una nota di spesa dello stesso anno destinata al suo liuto, e infine in modo continuativo dall'agosto 1646 fino al 1652, come organista del convento.[20]

Alle notizie finora esposte, per lo più relative a suonatori fissi, si aggiungono le informazioni su quegli organisti che venivano chiamati dall'esterno per occasioni particolari e che di frequente erano a capo di gruppi di musici, forse itineranti o più spesso affiliati ad altre istituzioni della città (soprattutto alla cappella reale e alla cattedrale). Fra questi Stefano Oristagno, pagato nel 1623 per suonare il cembalo durante i quattro *Passi* della Settimana Santa e per la musica della festa del padre titolare,[21] o ancora Matteo di Paola e Vincenzo Marchese, quest'ultimo organista della Palatina dal 1636 al 1665,[22] chiamati a suonare per le Quarantore del 1643.[23]

---

[18] ASPa, CRS, *San Domenico*, vol. 572, c. 16v.

[19] *Ivi*, cc. 79v, 80v.

[20] *Ivi*, cc. 55v, 68r.

[21] ASPa, CRS, *San Domenico*, vol. 571, cc. 237v, 244r.

[22] Cfr. O. Tiby, *La musica nella Real Cappella Palatina* cit., p. 190; Id., *I polifonisti siciliani del XVI e XVII secolo* cit., p. 44; A. Tedesco, *Il Teatro Santa Cecilia* cit., p. 51.

[23] ASPa, CRS, *San Domenico*, vol. 578, c. 9r.

4.2.4. *Organisti attivi in altre istituzioni*

Ulteriori indicazioni su organisti operanti a Palermo fra Cinque e Seicento si trovano nella documentazione delle rimanenti istituzioni religiose, sia maschili che femminili [Tavola 8].

Tavola 8:
RIFERIMENTI A ORGANISTI NELLE ISTITUZIONI
DEGLI ORDINI RELIGIOSI PALERMITANI (SECC. XVI-XVII)

ISTITUZIONE	ORGANISTI	ANNI	RIFERIMENTI DOCUMENTARI
San Francesco d'Assisi	Frate Angelo	1521	Pagamento di tarì 1. 3 a mastro Pietro per una chiave dell'organo, elargiti per mano di frate Angelo sonatore
SS. Salvatore	Nicolò d'Altavilla	1522-1534	Pagamenti diversi a Nicolò d'Altavilla per suonare l'organo nelle feste del monastero (Pasqua, Settimana Santa, Corpus Domini, Natale, SS. Salvatore)
		1602-1603	Pagamenti all'organista per Pasqua, Settimana Santa, rogazioni e ottava del Corpus Domini
Santa Maria dello Spasimo		1565	Tarì 12 all'organista
Santa Maria della Pietà		1606-1609	Pagamenti all'organista per suo salario
	Antonino Morello	1611-1614	Pagamenti ad Antonino Morello per suo salario come organista e maestro di musica del monastero
	Barnaba Bellone	1616	Onze 2. 7. 10 a Barnaba Bellone per suo salario come organista del monastero
	Michele di Bernardo	1616-1626	Pagamenti a Michele di Bernardo per suo salario come organista del monastero
	Natale Conte	1633-1637	Pagamenti a Natale Conte per suo salario come organista del monastero
	Vincenzo D'Elia	1634	Onze 4 a Vincenzo D'Elia per salario come organista

[Santa Maria della Pietà]	Giuseppe Lombardo	1634	Onze 4 a Giuseppe Lombardo per suo salario come organista del monastero
	Antonino Terrimoto	1634	Onze 4 ad Antonino Terrimoto per suo salario come organista del monastero
	Onofrio Tornatore	1637-1640	Pagamenti a Onofrio Tornatore per suo salario come organista del monastero
	Giovanni Bruno	1639-1643	Onze 4 a Giovanni Bruno per suo salario come organista del monastero
	Pietro Bascone	1643	Onze 4 a Pietro Bascone per la musica nell'ottava del Santissimo Sacramento
Santa Maria di Monte Oliveto (Badia Nuova)		1624	Tarì 10 come pagamento all'organista, probabilmente in relazione ai servizi della Settimana Santa
San Francesco di Paola	Pietro Bascone (Cascuni)	1624-1628	Tarì 4 pagati all'aiutante dell'organista; pagamenti a Bascone organista per musica e strumenti per la festa di San Francesco di Paola
Consolazione di Santa Maria del Bosco	Vincenzo Certa	1626	Onze 1. 6 pagate a Vincenzo Certa per aver suonato l'organo per le feste di San Giovanni e San Leonardo
San Giovanni dell'Origlione		1638-1640	Pagamenti all'organista per suo salario
Sant'Ignazio all'Olivella	Atanasio Bonagurio	1640-1647	Pagamenti vari ad Atanasio Bonagurio organista per suonare durante le feste nell'oratorio che si fa nella chiesa di santa Caterina all'Olivella, a ragione di 8 onze annuali. Il primo dicembre 1640 Bonagurio viene pure retribuito per aver suonato *lo zzimaro* nell'oratorio durante i giorni di festa. Nel 1643 e 1644 si specifica "per aver suonato e cantato insieme a suo figlio nell'oratorio". Dal 1646 nelle note di spesa si aggiunge il pagamento all'*alzamantici*
Santa Maria delle Vergini	Pietro Gascone (Bascone)	1647	Onze 4 a Pietro Gascone per la musica della Santissima Annunziata e di San Benedetto

Santa Maria la Misericordia		1653	Tarì 15 elargiti il 25 dicembre all'organista per regalo del Natale
		1655	Tarì 15 elargiti il 31 marzo all'organista per regalo della Pasqua
	Frate Cherubino	1655	Tarì 12 elargiti il 25 aprile per regalo della Pasqua per suonare l'organo
Chiesa e Collegio Massimo dei Gesuiti		XVII sec.	Pagamenti all'organista per suo salario

Partendo dalla testimonianza relativa al convento di San Francesco d'Assisi, dove nel 1521 è documentato il *sonatore* fra Angelo in relazione a una spesa per una chiave dell'organo,[24] il pagamento di un organista stabile viene registrato nel fondo documentario dei padri oratoriani. In questo caso l'unico libro-giornale che ci è rimasto riguarda un periodo di quasi quindici anni (dal 1640 al 1654), durante il quale risulta attivo l'organista Athanasio Bonagurio, incaricato di suonare l'organo e il cembalo in tutte le feste dell'istituzione presso l'oratorio di Santa Caterina, per lo stipendio di 8 onze annuali. Nel 1643 veniamo a sapere che Bonagurio si occupava anche della componente canora, avvalendosi della collaborazione del figlio, di cui però non viene riportato il nome.[25]

Nel convento di Santa Maria la Misericordia si registrano pagamenti occasionali elargiti *per regalo* agli organisti, come compenso per i loro servizi in occasione del Natale o durante la Pasqua. Non sappiamo se quest'ultimi fossero i suonatori fissi dell'istituzione, come forse lo era quel frate Cherubino che viene citato nel 1656 e al quale venivano pagati 12 tarì «per righaro della Pascha per sonare l'organo».[26] Quest'ultimo potrebbe essere identificato con il Cherubino terziario musico documentato a partire dal 1654 e al quale il convento dispensava regolarmente alcune occorrenze, come abiti e scarpe. Ancor meno si può dedurre dal *Libro di cibaria* di Santa Maria dello Spasimo, dove troviamo un unico pagamento di 12 tarì destinato all'organista, probabilmente per i suoi servizi durante la Pasqua.[27]

Generalmente le istituzioni che non indicano i nomi dei propri organisti sono quelle femminili, come San Giovanni dell'Origlione e Santa Maria

[24] ASPa, CRS, *San Francesco d'Assisi*, vol. 294, c. 29r.
[25] ASPa, CRS, *Congregazione di San Filippo Neri all'Olivella*, vol. 159, c. 183r.
[26] ASPa, CRS, *Santa Maria la Misericordia*, vol. 171, c. 120v.
[27] ASPa, CRS, *Santa Maria dello Spasimo*, vol. 51, c. 43r.

di Monte Oliveto. Ciò non toglie che in alcuni casi vengano riportate informazioni sull'ammontare del salario, come nel monastero dell'Origlione, dove l'organista attivo dal 1637 al 1640 percepiva uno stipendio equivalente a 4 onze e 24 tarì all'anno.[28] Probabilmente ci troviamo di fronte all'organista stabile anche nel caso del monastero della Badia Nuova, dal momento che l'unico riferimento in tal senso risale al 1624 e riguarda l'elargizione di 19 tarì all'organista, nota inserita nella sezione dedicata ai *Salari di diversi creditori*.[29]

Nel monastero del Santissimo Salvatore, fino almeno alla seconda metà del Cinquecento, si evidenzia un rapporto continuativo con un unico organista, Nicolò d'Altavilla, documentato a partire dal 1522 e stipendiato «per sonari li organi per tutti li feste»,[30] in particolare durante la Pasqua e la Settimana Santa, per la festa del titolo e per il Corpus Christi. La cifra variava a seconda dell'occasione, andando da un minimo di 6 tarì (somma pagata per il servizio della sola domenica di Pasqua) a un massimo di 15 tarì (ottava del Corpus Christi). Senza dubbio l'impegno maggiore era richiesto dalla festa del Salvatore, durante la quale l'organista era tenuto a suonare lo strumento sia per i vespri che per la messa cantata, per un compenso totale di 12 tarì.[31]

Molto più articolata la situazione a Santa Maria della Pietà. Qui, infatti, è possibile individuare numerosi pagamenti all'organista, a partire da quello del 1606 di «onze 2. 13. 6. [...] per pagarli all'organista del monasterio per suo salario di mesi due e giorni 18. [...] ad onze 10. l'anno».[32] Si tratta di uno stipendio abbastanza alto, erogato in partite di entità variabile, come testimoniato negli anni a venire. Tuttavia, è probabile che in questo caso la somma stanziata fosse legata a servizi straordinari, a maggior ragione se già in questi anni operava come organista Antonino Morello.[33] A conferma di tale ipotesi sta l'assestamento sulle 6 onze del salario annuale degli organisti successivi: Barnaba Bellone, Michele di Bernardo, Natale Conte, Giuseppe Lombardo, Antonino Terrimoto, Vincenzo D'Elia, Onofrio Tornatore, Giovanni Bruno.

Come già visto per San Martino delle Scale e San Domenico, anche nei libri contabili delle rimanenti istituzioni non mancano i riferimenti agli or-

---

[28] ASPa, CRS, *San Giovanni dell'Origlione*, vol. 156, c. 198a.

[29] ASPa, CRS, *Santa Maria di Monte Oliveto*, vol. 57, c. 140r.

[30] ASPa, CRS, *Santissimo Salvatore*, vol. 686, c. 43r.

[31] ASPa, CRS, *Santissimo Salvatore*, vol. 687, cc. 120r, 124v.

[32] ASPa, CRS, *Santa Maria della Pietà*, vol. 209, c. 92b.

[33] Morello è citato per la prima volta nel 1611 e pagato 12 onze «per suo salario come organista [...] et altri suoi travagli presosi per servigio del monasterio come musico» (ASPa, CRS, *Santa Maria della Pietà*, vol. 261, c. [319a]).

ganisti straordinari, fra cui Vincenzo Certa che a Santa Maria del Bosco viene documentato nel 1626 per aver suonato con i suoi compagni sia in occasione della festa di San Giovanni Battista sia per la festa di San Leonardo,[34] o ancora Pietro Cascuni (denominato anche 'Bascuni' o 'Gascone') che troviamo nel monastero della Pietà per il Corpus Domini,[35] nel convento di San Francesco di Paola per la festa del padre fondatore[36] e nel monastero delle Vergini per la musica dell'Annunciazione e di San Benedetto.[37]

4.3. Cantori e maestri di musica

Stando a quanto ci dicono le fonti cinquecentesche, le uniche istituzioni monastiche e conventuali in cui operavano cantori salariati erano a Palermo il convento di San Domenico, San Martino delle Scale, San Francesco d'Assisi e il Carmine Maggiore. Per quanto i documenti siano a riguardo abbastanza evasivi, possiamo supporre che la struttura di tali organici si avvicinasse nelle linee generali a quella delle cappelle di musica. Nel caso di San Domenico è inoltre probabile che molti dei 'cantori' nominati dai libri di conto fossero adibiti all'organizzazione delle attività canore dell'istituzione, come nel caso del *Cantor* della cattedrale. Una possibile conferma in tal senso ci viene dal tipo di notizie, che sin dagli inizi del secolo (la prima testimonianza risale al 1517) parlano di pagamenti effettuati *per manus cantoris* per diverse occorrenze, in particolare *pro helemosina*, probabilmente per l'esecuzione di messe cantate a suffragio di morti.

Da quanto si può dedurre dai volumi di conto, le spese di cui si occupava il padre cantore venivano annotate da lui stesso in un quaderno a parte di sua proprietà. Purtroppo di questi quaderni, che dovevano essere abbastanza numerosi, non è rimasta alcuna traccia nel fondo documentario dell'istituzione.

Come è possibile notare dalla tabella [Tavola 9], i libri amministrativi non fanno distinzione fra coloro che svolgevano funzioni organizzative e i veri e propri cantori, per cui sta al lettore operare tale distinzione, quando il tipo di riferimento consente di farlo. In ogni caso, dalle notizie raccolte risulta chiaro che i cantori dell'istituzione godevano di molte provvigioni, sia in cibo (polli, galline, carne di castrato, cacio, *cucuzzata*, torte di

---

[34] ASPa, CRS, *Convento della Consolazione di Santa Maria del Bosco*, vol. 68, ff. 296, 310.

[35] ASPa, CRS, *Santa Maria della Pietà*, vol. 271, cc. 13v, 110r.

[36] ASPa, CRS, *San Francesco di Paola*, vol. 442, ff. 57, 162; vol. 443, ff. 68, 238; vol. 481, f. 445.

[37] ASPa, CRS, *Monastero delle Vergini*, vol. 265, c. 28r.

marzapane) che in vestiario (tonache, scarpe, calze, pantofole) che in altre occorrenze (carta, sapone, medicine). In particolare, sul piano musicale appaiono interessanti i riferimenti all'acquisto di carta, che oltre ad annotare le spese e a fare la *tavola* – termine con cui forse si intendevano le tabelle, compilate al fine di regolamentare la celebrazione delle funzioni liturgiche e l'intervento del canto – probabilmente servivano anche per le musiche, come si avrà conferma in epoche più tarde.

TAVOLA 9:
CANTORI ATTIVI A SAN DOMENICO (1517-1655)

DATA	*NOME*	*RIFERIMENTO DOCUMENTARIO*
22 ott. 1517		Spesa destinata al vitto dei frati del convento effettuata per mano del procuratore, del superiore e del cantore *ut pare per suum quaternum*
2 giu. 1518		Pagamento di tarì 3. 9 per elemosina *per manus cantoris*
18 sett.-7 ott. 1518		Pagamenti per polli destinati al cantore
17 mag. 1520		Acquisto di una gallina e un rotolo di carne di castrato per il cantore
13 giu. 1520		Tarì 1. 10 per una gallina per il cantore
30 ago. 1520-5 feb. 1522	Giovanni Antonio	Diversi pagamenti per galline per frate Giovanni Antonio *cantorem.* Dal 1521 al 1522 si documentano spese per *cucuzzata* e una torta di marzapane a Giovanni Antonio *infermum*
7 nov. 1553		Tarì 3. 10 per un paio di scarpe con due suole per il cantore
2 feb. 1554		Grana 8 per un quaderno di carta per il cantore
16 apr. 1555		Elemosina dei padri confessori: *lo padre frate Laurenzo Ingrassia et cantori*
24 nov. 1555		In più si riceve 1 onza dalla nazione dei Catalani per la festa della Madonna del Monserrato del mese di settembre *et ditta unza si havi data per provisioni a lo padre cantori*
30 ott. 1568-28 ago. 1571		Pagamenti di circa 10 grana ciascuno per quinterni di carta per il cantore
22 ott. 1569-17 nov. 1570	Gregorio di Mallorca	Pagamenti per scarpe e sapone a *Gregorio di Mayorca cantore*

21 sett. 1571		Pagamento a compimento del letto nel quale dormì il padre cantore per alquanti giorni
14 ott. 1571	Nicola Toscano	Pagamento di tarì 9 per mano del sottopriore, nello specifico tarì 3 a frate Domenico di Fiorenza, tarì 3 a Raffaele Stanghetta e tarì 3 a Nicola Toscano cantore, e sono per loro *provisione*
17 nov. 1571		Tarì 6 dati per tutta la settimana a Pietro infirmario, oltre a tarì 3 ad Ottavio d'Alcamo per comprare le galline per la medicina che prese in compagnia del padre cantore
17 apr. 1573		Grana 12 per un quinterno di carta dato al cantore per fare la tavola
20 giu. 1573-17 mag. 1578	Francesco Nicoloso	Scarpe, calzette e *provisioni* al padre cantore Francesco Nicoloso. Nel marzo 1578 si registra un pagamento di 8 onze a Nicoloso per il prezzo di un sequenziario in pergamena e candelieri acquistati dal convento di Trapani
20 giu. 1573	Bongiorno	Grana 12 per un quinterno di carta per il cantore Boniorno per fare la tavola per la settimana
21 ago. 1573-6 gen. 1574		Quinterni di carta per il cantore per fare la tavola
10 apr. 1574		Tarì 12 per il cantore e l'organista per un paio di *pianelli* per uno
8 giu. 1574-3 mag. 1575	Ottaviano La Rosa	Quinterni di carta, scarpe e altre *provisioni* al padre cantore Ottaviano La Rosa
2 apr. 1575		Spesa del predicatore e dei cantori
25 lug. 1575		Grana 12 al padre cantore per un quinterno di carta
25 gen. 1576		Grana 10 per un quinterno di carta per il cantore
26 apr. 1576		Tarì 3 per un candeliere di bronzo con sua lucerna e un paio di forbici venduti al padre cantore
31 gen. 1577		Pagamento di onze 1. 18 al cantore, sottocantore e organista, probabilmente per i servizi del Natale passato

6 mag. 1577		*Loero* di lenzuola per il cantore per 20 giorni
8 mar. 1578-22 mar. 1578		Spesa per il mangiare dei cantori
28 mar. 1578		Quaterno di carta al padre cantore
22 gen. 1580		Tarì 6 al padre cantore per un paio di pantofole
3 feb. 1580-20 feb. 1580	Vincenzo Saladino	Cacio e scarpe per Vincenzo Saladino cantore
20 feb. 1580-dic. 1582	Giovanni Crisostomo di Messina	Scarpe, pantofole, tonache e *provisioni* a Giovanni Crisostomo di Messina succanturi (nel 1582 è detto cantore)
16 apr.-16 dic. 1580		Scarpe e pantofole per l'organista e il cantore per i loro servizi durante la Quaresima e il Natale
3 apr. 1581	Vincenzo Golisano	Tarì 6 al padre cantore Vincenzo di Golisano per un paio di pantofole
dic. 1601		Tarì 2 al padre cantore per carta rigata per annotarvi le compiete del Natale
23 mag. 1607	Giuseppe di Chiusa	Elemosina di onza 1 per messe del Rosario per mano del padre cantore Giuseppe di Chiusa
7 sett. 1618-19 gen. 1619	Giacinto di Dominici	Pagamenti ad Athanasio maestro di musica per insegnare a Giacinto di Dominici padre cantore
29 mar. 1653	Felice	Scarpe per il padre cantore fra Felice

Che i cantori di San Domenico fossero attivi anche al di fuori del convento è poi un dato sul quale si trovano numerosi riscontri documentari.[38] Di questi interventi, relativi a tutto il XVI secolo, le fonti tracciano un resoconto puntuale, registrando l'attività dei padri domenicani nelle istituzioni ecclesiastiche della città, ma purtroppo senza scendere nei dettagli dell'esecuzione. I libri contabili indicano il luogo nel quale si svolgeva la celebrazione, ma non sempre il tipo di occasione, sebbene quest'ultima possa essere spesso dedotta dalla data del pagamento.[39] L'attività canora svolta

---

[38] Quasi tutte le notizie provengono dai *Libri di borsaria: Introito ed esito*, consultati relativamente al XVI e alla prima metà del XVII secolo. Cfr. ASPa, CRS, *San Domenico*, voll. 468-478.

[39] Dai dati raccolti si individuano alcune costanti relative alla rete di istituzioni coinvolte. Si trattava nella maggior parte dei casi di monasteri domenicani (in particolare Santa Caterina e Santa Maria della Pietà) o di istituzioni aderenti alla regola di San Benedetto (monastero delle Vergini, Santa Maria del Cancelliere e San Giovanni dell'Origlione). A esse si aggiungevano il

al di fuori delle mura conventuali non costituiva, peraltro, una prerogativa dei padri di San Domenico. Tale usanza era pure condivisa dai frati del Carmine Maggiore – attivi nel Santissimo Salvatore in relazione ad alcune ricorrenze, come la festa di Santa Caterina, o per cantare le litanie durante le processioni[40] – e dai frati di San Francesco d'Assisi,[41] sebbene la mancanza di libri contabili cinquecenteschi non consenta di attestare quella stessa continuità che invece è possibile registrare nella documentazione di San Domenico.

Anche nei libri di conto di San Martino delle Scale troviamo riferimenti a cantori, ma nella maggior parte dei casi non è possibile stabilire se si trattava degli esecutori stabili dell'istituzione. Forse già lo era quel padre Giuliano che nel 1474 veniva pagato per cantare il vangelo nella grancia dello Spirito Santo.[42] Che nel monastero esistessero cantori salariati è comunque certo, e la conferma ci viene data il 23 aprile del 1576, quando vengono pagate 38 onze e 13 tarì «a diversi salariati ordinarii et cantori dal primo di aprile per tutto hoggi».[43] Ad eccezione di questo riferimento, non esistono prove della presenza di cantori stabili, e anche le annotazioni che si susseguono su cantori e musici erano probabilmente rivolte in gran parte a esecutori straordinari. In ogni caso, è probabile che nell'abbazia, come in altre istituzioni ecclesiastiche, i cantori stabili venissero retribuiti non in

---

monastero carmelitano di Santa Maria di Valverde, la chiesa di San Pietro Martire, Santa Chiara e la Badia Nuova (entrambi dell'ordine delle clarisse), Santa Maria di Montevergine delle francescane, il monastero basiliano del Santissimo Salvatore e il monastero delle Vergini Teatine dell'Immacolata, detto di San Giuliano. Ci troviamo quindi di fronte a monasteri femminili, ai quali da metà Cinquecento si affiancheranno l'oratorio della Compagnia di San Bartolomeo e l'oratorio della Compagnia della Madonna del Rosario, che a San Domenico era stata fondata nel 1568. In alcuni casi l'indicazione generica impedisce un'individuazione precisa per la compresenza in città di istituzioni sotto il medesimo titolo, come Sant'Agata e San Nicola. Identificabili, invece, la chiesa di Sant'Andrea Apostolo, situata nei pressi del convento, San Giovanni Decollato al Cassaro e la chiesa di Sant'Eulalia, appartenente alla nazione dei Catalani, che a San Domenico aveva il patronato della cappella di Santa Maria di Monserrato. Per quanto riguarda le occasioni, si privilegiavano le feste titolari, insieme a celebrazioni di devozione mariana e feste peculiari, soprattutto in onore di sante.

[40] Cfr. ASPa, CRS, *Santissimo Salvatore*, vol. 689, c. 151v; vol. 690, cc. 240v, 263v, 266r.

[41] Nel *Libro di cibaria* (anni 1517-1570) sono registrati pagamenti per messe cantate nel monastero di Santa Chiara (anch'esso sotto la regola di San Francesco) e a Santa Maria di Valverde. Riguardo a Santa Chiara, i riferimenti sono datati giugno 1523 e testimoniano l'esecuzione di messe cantate in onore di Sant'Antonio di Padova, della Beata Vergine e nel giorno di San Giovanni Battista (ASPa, CRS, *San Francesco d'Assisi*, vol. 294, cc. 48r, 48v). Inoltre, a San Martino delle Scale, troviamo un pagamento a frate Cornelio di San Francesco «per havere andato à S. Martino à sonare una lira nella foresteria di detto» (ASPa, CRS, *San Martino delle Scale – fondo II*, b. 1138: *Vacchetta 1618-1619*, c. 11v).

[42] ASPa, CRS, *San Martino delle Scale – fondo II*, b. 707: *Libro Maggiore 1473-1474*, c. 233r.

[43] ASPa, CRS, *San Martino delle Scale – fondo II*, vol. 756, c. 25r.

denaro ma in altre occorrenze, per cui spesso non se ne trova traccia nella documentazione ufficiale.

A dispetto della scarsità di informazioni dei libri contabili, testimonianze indirette del ruolo che il canto rivestiva nella pratica liturgica si trovano in altre fonti, fra cui le *Ordinationes speciales Capituli generalis, pro monasterio Sancti Martini*, conservate nella serie relativa delle *Corporazioni Soppresse*. In particolare, nella sezione della visita del 1587, sono presenti due lettere del 1585 relative a un monaco imprigionato a San Martino, Iacopo da Palermo, che anni prima aveva abbandonato l'ordine benedettino. La prima lettera reca la firma del monaco: si tratta di una supplica per l'alleviamento del carcere che doveva ancora scontare e che gli risultava particolarmente duro, essendo allora *vecchio, indisposto et travagliato*. Nel ricostruire la propria storia, il supplicante accenna ai motivi che lo avevano spinto a lasciare l'ordine e a fuggire da Monreale dove allora si trovava, riferendosi alla «timidità di non poter sodisfar al cantare in choro».[44]

A sostegno delle sue parole, egli chiama a testimone diverse persone, fra cui l'abate del monastero di San Martino. Nella seconda lettera, questi attesta la buona condotta del monaco e rinnova la supplica ai visitatori, soffermandosi sugli anni di permanenza a San Martino e Monreale e precisando la *timidità* alla quale il supplicante aveva soltanto fatto cenno:

Sono circa anni sèdici, chè io me ritrovava monaco di Monreale insieme con il Padre Don Martino di Palermo al presente Priore in Monreale. Occorse s'hebbe bisogno di monaci, et il Reverendo Padre Don Geronimo di Palermo, allora Abbate in Monreale hebbe ricorso dal Reverendo Padre Don Benedetto di Firenze Abbate di San Martino, et da quello hebbe duoi monaci, e fra essi fù D. Iacobo supplicante, quale essendo in San Martino gravato di esercitii manuali si contentò d'andare in Monreale. Et essendo andato llì dopo alcuni mesi per l'insufficientia sua et pusillanimità si pentì, perché non poteva sodisfar in choro, e li monaci, secolari, e donne si burlavano, et ridevano di lui. Et havendo scritto in San Martino, che voleva ritornare, e li fu denegato, intanto che ritrovandose in Monreale allhora un monaco per nome Don Bernardo de Coniglione, huomo disculo, lo indusse, per quanto ho inteso, a lasciar e partirse dalla religione e così esequirno.[45]

All'abilità canora era dunque riservata una considerazione particolare, se la sua mancanza poteva diventare motivo di scherno da parte dei fedeli (persino delle donne) e causare l'allontanamento dall'ordine. Il contenuto del documento si ricollega a un aspetto ricorrente nelle relazioni stilate in occasioni delle visite ecclesiastiche, dove si ammoniva che i servizi liturgici

---

[44] ASPa, CRS, *San Martino delle Scale – fondo II*, vol. 1467, c. 66a.

[45] *Ivi*, c. 66b.

venissero cantati con maestria e decoro, per non provocare la derisione della comunità. È dunque probabile che l'inettitudine di Iacopo da Palermo sia stata la causa degli *esercitii manuali* che gli era toccato svolgere a San Martino, della decisione di mandarlo a Monreale e del rifiuto alla sua richiesta di rientrare in monastero.

Oltre a fornire attestazione di quanto il canto fosse considerato nella vita monastica, le due lettere confermano anche il rapporto esistente fra San Martino e l'Arcivescovado di Monreale, dal quale l'abbazia si trovava a dipendere[46] e che si concretizzava nel frequente passaggio di esecutori e cantori da un'istituzione all'altra. La fama musicale di San Martino delle Scale era comunque da più parti riconosciuta, essendo legata non soltanto alla presenza in determinati anni di valenti compositori, come nel caso di Mauro Panormita, ma soprattutto alla perizia canora dei monaci.[47] Lo confermano i pregiati corali membranacei redatti dallo *scriptorium* dell'abbazia, in realtà una piccola parte dell'originario patrimonio musicale,[48] esempi mirabili di arte applicata e strumento per la ricostruzione della pratica canora nell'istituzione.[49]

A ulteriore riprova della cura che l'istituzione riservava all'aspetto musicale, nel corso del XVI secolo si registrano interventi di maestri di musica, stipendiati per periodi più o meno lunghi, allo scopo di insegnare il canto polifonico o la pratica strumentale agli esecutori interni o ai membri della

---

[46] Soltanto nel 1586 l'abbazia riuscirà a ottenere l'autonomia nella giurisdizione religiosa, ma non in quella civile, dall'Arcivescovado di Monreale. Cfr. Massimo Zaggia, *Tra Mantova e la Sicilia nel Cinquecento*, Firenze, Olschki, 2003, p. 710.

[47] A proposito di Mauro Panhormita o Ciaula, cfr. *infra*, capitolo VI. Per un approfondimento sulle attività musicali nell'abbazia si rimanda a Ilaria Grippaudo, *Music at Palermo's San Martino delle Scale during the Late Sixteenth Century*, «Mousikos Logos», II, 2015, pp. 1-17.

[48] Sul fondo librario dell'abbazia si veda Salvatore Maria Di Blasi, *Relazione della nuova libreria del gregoriano monastero di S. Martino delle Scale*, Palermo, Stamperia de' SS. Apostoli in Piazza Bologni per D. Gaetano Bentivegna, 1770, che riferisce di diversi libri con notazione musicale, fra cui raccolte di mottetti e trattati teorici. Anche nella voce della *Bibliografia Siciliana* dedicata a Mauro Ciaula si specifica che molti manoscritti di musica del compositore si conservavano nella biblioteca del monastero (Giuseppe Maria Mira, *Bibliografia siciliana, ovvero gran dizionario bibliografico delle opere edite e inedite, antiche e moderne di autori siciliani o di argomento siciliano stampate in Sicilia e fuori*, II, Palermo, Giovanni Battista Gaudiano, 1875, p. 222).

[49] I corali sono stati analizzati sul piano artistico da diversi studiosi, quali Angela Daneu Lattanzi e più recentemente Maria Concetta Di Natale. Cfr. *L'eredità di Angelo Sinisio. L'abbazia di San Martino delle Scale dal XIV al XX secolo*, catalogo della mostra (Palermo, Abbazia di San Martino delle Scale, 23 novembre 1997-13 gennaio 1998), a cura di Maria Concetta Di Natale e Fabrizio Messina Cicchetti, Palermo, Regione Siciliana – Assessorato dei Beni Culturali, Ambientali e della Pubblica Istruzione, 1997; Maria Concetta Di Natale, *Arti decorative nell'abbazia di San Martino delle Scale*, in *Lo splendore di un chiostro. Guida storico-artistica dell'Abbazia di San Martino delle Scale*, a cura di Anselmo Lipari e Fabrizio Messina Cicchetti, San Martino delle Scale, Abadir, 2002, pp. 77-96.

comunità religiosa. A San Martino delle Scale, oltre al caso di Janni Janellu, nella seconda metà del XVI secolo si segnala la presenza dell'organista Francesco Lo Grammatico che nel 1569 ritroviamo fra i salariati a insegnare lo strumento a Mauro Ciaula.[50] Presumibilmente allo stesso periodo risale anche la collaborazione con Giovanni Battista di Adamo, musico della Cappella del Senato, che come ci dice il documento relativo, purtroppo non datato, «teneva scuola» nella chiesa di San Teodoro al Cassaro.[51]

Le collaborazioni più frequenti e prestigiose si riscontrano comunque nel convento di San Domenico, a partire da Nicola Floquet, attraverso Giulio Oristagno, Antonio Il Verso, Stefano Oristagno. Su queste figure torneremo più avanti. A essi si affiancava il già citato 'Athanasio maestro di musica' (forse identificabile con l'Athanasio Bonagurio che a metà secolo operava nella veste di organista a Sant'Ignazio all'Olivella) e che sicuramente è il maestro con cui si registra il rapporto più duraturo. Per tutto il 1618 egli viene retribuito in più partite per insegnare al padre cantore Giacinto di Dominici, a un salario complessivo di 5 onze e 6 tarì.[52] Il saldo definitivo viene registrato agli inizi del 1619, ma quest'ultimo non segna la fine dei rapporti con il musicista: infatti, sia nel 1620 che nel 1621 viene nuovamente chiamato con altri esecutori per la novena e notte del Natale, quando è esplicitamente definito 'maestro di cappella', non sappiamo di quale istituzione.[53]

Altre problematiche vengono offerte dal caso del Carmine Maggiore: come abbiamo visto per gli organisti, anche le retribuzioni destinate ai cantori non consistevano soltanto in salari, ma in beni di prima necessità. Tuttavia, a differenza di quanto accadeva per i suonatori d'organo, i volumi contabili del convento carmelitano non si rivelano granché doviziosi di informazioni, riportando di rado i nomi dei propri cantori. Infatti, oltre a quel frate Cipriano di cui parla la nota di spesa del 1573,[54] sappiamo che nella seconda metà del Cinquecento nel convento erano attivi altri due cantori: Zaccaria di Francesco, pagato nel 1583 con «tarì setti et grana dieci [...] per tre mesi di cantoria a ragione di unza una l'anno», e l'anno successivo un certo padre Deodoro, al quale il convento erogava tarì 15 «per dui mesi del suo vestuario e cantoria».[55]

È assai probabile che molti altri conventi e monasteri palermitani avessero alle proprie dipendenze cantori stabili, ma come nel caso degli orga-

---

[50] ASPa, CRS, *San Martino delle Scale – fondo II*, vol. 738, c. 27v.

[51] ASPa, CRS, *San Martino delle Scale – fondo II*, b. 1405: *Spese 1520-1869*, carte sciolte.

[52] ASPa, CRS, *San Domenico*, vol. 571, cc. 134v, 135v, 138r, 141r, 142v.

[53] *Ivi*, cc. 186v, 206v.

[54] Cfr. *supra*, capitolo I.

[55] ASPa, CRS, *Carmine Maggiore*, vol. 252, c. 376r; vol. 253, c. 25r.

nisti non è facile stabilire se fossero o meno membri fissi delle istituzioni. Probabilmente lo era quel Giovanni d'Omnibene (o Ognibene), chiamato a prestare i suoi servizi canori – e in alcuni casi a suonare l'organo – per le tre feste principali del monastero del Santissimo Salvatore, vale a dire la festa del titolo, la Settimana Santa e il Natale. A sostegno di questa ipotesi sta l'attestazione di altri esecutori negli stessi anni e per le stesse occasioni, sempre diversi nel corso degli anni, a differenza di Ognibene che viene documentato per un periodo abbastanza esteso, dal 1522 al 1534.

Sicuramente cantori stabili operavano nel convento di San Francesco d'Assisi, anche se la situazione del fondo non ci consente di accertare le relative presenze fra XVI e XVII secolo. L'unica eccezione ci viene offerta dal già citato *Libro di cibaria* in relazione al cantore Jacopo Tudesco, retribuito nel 1522 con 2 onze per mano di Agostino Sanchez «per lu suo salario quando cantava in cappella».[56] Già, comunque, il numero di messe cantate che venivano eseguite, sia nel convento sia nelle altre istituzioni, è prova dell'attività di cantori stabili, e il riferimento al salario di Tudesco sembrerebbe confermarlo con maggiore vigore. Fra l'altro è possibile che la dicitura «in cappella», più che riferirsi a una delle cappelle del convento, sia da intendere in senso istituzionale, come allusione all'esistenza di una cappella di musica.

---

[56] ASPa, CRS, *San Francesco d'Assisi*, vol. 294, c. 30v.

Capitolo quinto

MUSICI PALERMITANI:
COLLABORAZIONI STRAORDINARIE
E SODALIZI FRA ESECUTORI

5.1. Musicisti 'straordinari'

5.1.1. *Collaborazioni musicali nel Cinquecento*

Discutendo dei contributi straordinari dei musicisti alle feste religiose, si è sottolineata la significatività di molti interventi, sia sul piano quantitativo che per la qualità delle presenze musicali. Tuttavia, nella maggior parte dei riferimenti, le fonti documentarie del Cinquecento non riportano i nomi degli esecutori. Esistono però alcune eccezioni, come ad esempio il monastero del Santissimo Salvatore, che già agli inizi del XVI secolo instaurava rapporti di collaborazione con musicisti che intervenivano nella festa del Salvatore, quali Antonio Lo Santo, Antonio di Polla e altri due musici: 'presti' Vincenzo nel 1524 e don Vito nel 1530.[1] In tutti i precedenti casi troviamo la dicitura *ipsum et compagni*, a testimoniare la presenza di gruppi formati da più esecutori.

Le istituzioni che costituiscono una significativa eccezione all'assenza di notizie su interventi occasionali di musicisti nel corso del XVI secolo sono Santa Maria di Valverde (in relazione alla festa di Santa Lucia), San Martino delle Scale e San Domenico. Abbiamo già parlato di tali contributi, documentati per le feste più importanti del calendario liturgico. A San Martino delle Scale, però, gli esecutori straordinari non vengono nominati per quasi tutto il secolo,[2] mentre a San Domenico riusciamo ad avere qualche informazione in più. Qui, infatti, il più antico riferimento all'impiego di musici

---

[1] ASPa, CRS, *Santissimo Salvatore*, vol. 686, cc. 45v, 127r, 157r; vol. 687, c. 124v.

[2] Le uniche due eccezioni, comunque relative agli ultimissimi anni del secolo, riguardano un certo Simone *lo musico* (ASPa, CRS, *San Martino delle Scale – fondo II*, b. 1136: *Libro di spese minute 1598-1599*, c. 58r) e Vincenzo D'Elia (ASPa, CRS, *San Martino delle Scale – fondo II*, b. 1456: *Dare e avere 1598-1602*, c. 130a), entrambi documentati nel 1599.

straordinari risale al marzo 1519, quando nel libro di borsaria viene annotato un pagamento di tarì 2. 6 «ad quosdam sonatores proregis de mandato provinsialis»,[3] probabilmente in riferimento ai musicisti del viceré.

Dobbiamo attendere poco più di quarant'anni, e precisamente il 1570, per trovare altri nomi di musicisti, sempre impiegati nell'ambito della Quaresima e della Settimana Santa, a partire da don Polito chiamato «per aiutare a cantari la quatragesima»; poi Francesco Tuciolino e Giulio di Trapani, rispettivamente «baxio a la musica» e contralto, pagati nel febbraio 1572; ancora «Nofrio lo Spagnoletto musico» impiegato «per lo servimento della settimana santa» nel 1576; infine Vincenzo Castronovo, probabilmente contralto, presente nel 1577 e nel 1578.[4] L'entità dei pagamenti, tuttavia, non rimaneva fissa: la somma erogata a un singolo cantore andava da un minimo di 6 tarì a un massimo di 1 onza e 18 tarì, e d'altro canto anche la spesa generale per la musica della Quaresima subiva ogni anno dei cambiamenti, aggirandosi per lo più intorno alle 4 onze, con aumenti notevoli nei primi anni del 1600.

Ben diversa la situazione per il XVII secolo. Già nei primi anni del Seicento si moltiplicano le informazioni sui musicisti che prestavano opera occasionale nelle chiese palermitane, anche in quelle aggregate a comunità femminili. Spicca ancora il monastero del Santissimo Salvatore, in continuità con la situazione degli anni precedenti, al quale si affiancavano la Martorana, Santa Maria della Pietà, Santa Maria del Cancelliere, Santa Maria di Valverde e Santa Chiara. Nella maggior parte di questi casi non si trattava di interventi di singoli musicisti, ma di gruppi di esecutori, dei quali non viene detta la composizione. Infatti, i documenti si limitano a nominare il musicista che ne era a capo o che li rappresentava, quasi sempre un organista (talvolta un violinista, meno frequentemente un cantore) e in diversi casi il maestro di cappella di altre istituzioni.

Quest'ultima considerazione sposta l'attenzione sulla questione dell'appartenenza istituzionale dei gruppi di esecutori, molto spesso affiliati ai tre organismi musicali più importanti della città (Senato, Cappella Palatina e Cattedrale), nonché alla presenza di forme corporative fra musici.

5.1.2. *Sodalizi fra musicisti: l'Unione dei Musici di Santa Cecilia*

Testimonianze di sodalizi artistici fra musicisti attivi a Palermo si trovano già in epoca medievale. In un documento del 13 gennaio 1378 il *magister* Giovanni Cornamusa, Simone Provinzanu e Federico Naccaratu, *tubatores* di Palermo, stipulavano una società per suonare insieme in città, fuori città

---

[3] ASPa, CRS, *San Domenico*, vol. 468, c. 72v.
[4] ASPa, CRS, *San Domenico*, vol. 472, c. 58r; vol. 473, c. 51r; vol. 474, cc. 49v, 76v, 97r.

e a mare fino a Carnevale, dividendosi in parti uguali i guadagni, col patto che se uno dei tre si fosse ammalato, gli altri due gli avrebbero dovuto dare un terzo del lucro per un mese.[5] I volumi contabili del '600 comprovano ulteriormente questa realtà, dando attestazione del gran numero di esecutori attivi a Palermo in quegli anni e di come essi fossero abituati a lavorare in équipe. Che tali forme di collaborazione andassero oltre la semplice affiliazione istituzionale ci viene poi confermato dalla nascita dell'Unione dei musici, una specifica corporazione con finalità di mutua assistenza, ufficialmente istituita nel 1679, ma già attiva nella prima metà del XVII secolo.[6]

Stando alla testimonianza di Mongitore, sembrerebbe che un'Unione di musici esistesse già nel XVI secolo e che originariamente avesse sede nell'antica chiesa di San Gregorio al Capo. Mongitore trae questa notizia dai *Lustri storiali degli Scalzi Agostiniani*, opera del padre Giovanni Bartolomeo da Santa Claudia, che testimonia l'appartenenza della chiesa a «una confraternita composta tutta dai musici della città», prima che nel 1609 l'edificio venisse concesso a Girolamo da Monteleone «per fondar in esso un convento degli Agostiniani Riformati per il novitiato».[7] La stessa indicazione la troviamo nella *Relazione del convento di S. Nicolò da Tolentino dei padri Agostiniani Scalzi della città di Palermo*, a firma del frate Simone da Erasimo, il quale, sempre parlando della fondazione del convento di San Gregorio, afferma che «[il tempio] fu posseduto per qualche tempo da una certa unione di musici».[8]

Sempre secondo Mongitore,[9] dopo avere abbandonato il convento di San Gregorio Papa, la Congregazione si trasferì nella chiesa della Madonna delle Grazie al Ponticello, «dove più volte alla settimana i confrati si riunivano per cantare le lodi alla Madonna».[10] Successivamente l'Unione riuscirà a ottenere una cappella alla Magione, e ancora a San Giuseppe dei

---

[5] ASPa, *Notai defunti – Stanza I*, vol. 129, c. 144v. Si notino i cognomi 'musicali' di due dei contraenti, Cornamusa e Naccaratu (quest'ultimo allude al tamburo naccarato, strumento di origine araba diffuso in quegli anni in Sicilia). Il documento è segnalato nella tesi di laurea di MARCELLA SANFILIPPO, *Il registro notarile n. 129 di Bartolomeo de Bonomia dell'anno indizionale 1377-1378 (cc. 102r-152v)*, Università degli Studi di Palermo, 2000-2001, p. 209. Un ringraziamento a Patrizia Sardina, dalla quale ho appreso l'esistenza e il contenuto del presente documento.

[6] Cfr. R. PAGANO, *Le origini ed il primo statuto* cit., pp. 545-563; U. D'ARPA, *Notizie e documenti sull'unione dei musici* cit., pp. 19-36; A. TEDESCO, *Il Teatro Santa Cecilia* cit.; EAD., *La ciudad como teatro* cit., p. 231; G. COLLISANI, *I musici del "primo atrio del paradiso"* cit., pp. 129-137.

[7] A. MONGITORE, *Storia delle chiese di Palermo. I conventi* cit., II, p. 50.

[8] *Ivi*, p. 69.

[9] ANTONINO MONGITORE, *Storia sacra di tutte le chiese, conventi, monasteri, ospedali ed altri luoghi pii della città di Palermo. Le confraternite, le chiese di Nazioni, di artisti e di professioni, le Unioni, le Congregazioni e le chiese particolari*, BCP, sec. XVIII, ms. Qq E 9, f. 417.

[10] F. LO PICCOLO, *Le Confraternite dell'Arcidiocesi di Palermo. Il tempo passato* cit., p. 302.

Teatini e nella chiesa di San Pietro in Vinculis dei Fatebenefratelli. Soltanto nel 1691 i membri dell'Unione sceglieranno un nuovo sito nel quartiere della Fieravecchia per la costruzione di una propria chiesa, poi inglobata nelle fabbriche del teatro di Santa Cecilia, inaugurato nel 1693 con la rappresentazione dell'*Innocenza penitente* su musiche di Ignazio Pulici.[11]

A riprova dell'esistenza a Palermo di un'Unione di musici già alla fine del XVI secolo sta, infine, la testimonianza di Giuseppe Ottavio Pitoni in relazione al *Primo libro di madrigali a 6 voci* di Giulio Oristagno, stampato a Venezia fra il 1583 e il 1586,[12] in cui il suddetto compositore risulterebbe maestro di cappella «dell'Accademia degli Uniti della città di Palermo».[13] Questa affermazione viene decisamente rifiutata da Ottavio Tiby, il quale afferma con immotivata certezza che «a Palermo non esistette mai un'Accademia degli Uniti, né era usanza delle accademie siciliane avere una propria cappella musicale»,[14] aggiungendo inoltre che, poiché gli Uniti si trovavano a Napoli, è necessario ipotizzare un impiego dell'Oristagno fuori dell'isola o un errore di indicazione del Pitoni.

Quale che sia la realtà circa la data effettiva di costituzione dell'Unione, non stupisce che molti degli esecutori documentati dai libri contabili secenteschi fossero annoverati tra le fila del sodalizio, affiliati o meno alle cappelle musicali di importanti istituzioni cittadine. Peraltro, in diversi casi tali musicisti risultano anche inclusi nel gruppo dei compositori della cosiddetta 'scuola polifonica siciliana'. Ricostruire l'attività di quest'ultimi è possibile grazie alle testimonianze degli storici locali (*in primis* di Mongitore), agli studi musicologici e alle opere a stampa che ci sono rimaste. I polifonisti siciliani rappresentano, però, la proverbiale punta dell'iceberg, la parte emersa di una realtà ben più ampia, popolata di figure sconosciute ai canali tradizionali dell'indagine storico-scientifica, delle quali i libri contabili offrono una panoramica ricca e articolata.

5.1.3. *Musicisti nel Seicento: prestazioni occasionali e presenze continuative*

Sulla base di quanto riportato nei volumi contabili, possiamo operare una distinzione fra quei musici che prestavano servizio occasionale in più istituzioni e coloro che invece risultano attivi in un solo convento o mo-

---

[11] Cfr. A. TEDESCO, *Il Teatro Santa Cecilia* cit., pp. 57-108.

[12] Cfr. LORENZO BIANCONI, *Sussidi bibliografici per i musicisti siciliani del Cinquecento*, «Rivista Italiana di Musicologia», VII, 1972, p. 31.

[13] GIUSEPPE OTTAVIO PITONI, *Notitia de' contrapuntisti e compositori di musica*; ed. moderna a cura di Cesarino Ruini, Firenze, Olschki, 1988, p. 213.

[14] O. TIBY, *I polifonisti siciliani del XVI e XVII secolo* cit., p. 67.

nastero. Per quanto riguarda quest'ultima categoria, le informazioni più indicative si trovano nelle istituzioni maschili, come il convento della Consolazione, San Martino delle Scale o San Giuseppe dei Teatini. Al contrario, nelle istituzioni femminili vengono nominati musicisti che operavano in più chiese, ad eccezione del monastero di Santa Elisabetta, dove è possibile attestare la presenza di Matteo Moretto, alias Michele Vassallo detto il Moretto, attestato nell'Unione dei Musici alla fine del XVII secolo, che allo stato attuale delle nostre conoscenze non risulta documentato altrove.[15]

Nel fondo della Consolazione di Santa Maria del Bosco il musicista più documentato è il già discusso Antonio *orvi* (*cieco*), che insieme ad altri esecutori veniva ingaggiato per suonare in occasione della Settimana Santa, le Quarantore, Santa Francesca Romana, la novena di Natale e il Carnevale. Oltre a questi, le fonti fanno riferimento a Giacinto di Lauro, pagato nel 1621 «per haver venuto più di sei mesi ad aiutare à cantare la messa le domeniche et alcune feste», e Marco di Giorgi, che nel 1623 è attestato per aiutare a cantare in tempo di capitolo due messe alla settimana.[16] In entrambi i casi è probabile che non si trattasse di musici professionisti, come invece doveva esserlo Francesco Catalano, chiamato da Bisacquino nel 1624 per la festa di Santa Francesca.[17]

Molti altri sono i nomi di musici citati nella documentazione amministrativa di San Martino delle Scale durante il Seicento, soprattutto cantanti, ma anche suonatori di strumenti. Infatti, in poco più di vent'anni risultano attivi numerosi esecutori. Innanzitutto Mario Italia, testimoniato nel 1610, quando viene pagato per un trombone portato in monastero per la solennità di San Martino (anche se ciò non vuol dire necessariamente che il suddetto Italia suonasse tale strumento), nel 1613 e nel 1616, sempre per la musica della festa del titolo, e nel 1617 per la musica della Pentecoste.[18] È probabile che in tutti questi casi Mario Italia intervenisse con altri musicisti suoi compagni, cosa che ci viene confermata soltanto nel 1616.

Fra i musicisti che partecipavano alla festa del titolo i volumi dell'abbazia citano anche esecutori affiliati ad altre cappelle, in particolare alla cattedrale e alla Palatina. Antonino Russo, ad esempio, che dal 1612 al 1621 veniva assoldato con alcuni *compagni* sia nel monastero che allo Spirito

---

[15] A Matteo Moretto nel dicembre 1646 venivano elargite 5 onze «per haver cantato esso e suoi compagni in tutte li quattro giorni delle 40 hore della città» (ASPa, CRS, *Santa Elisabetta*, vol. 118, c. [23v]). Cfr. anche A. TEDESCO, *Il Teatro Santa Cecilia* cit., pp. 246, 249-252.

[16] ASPa, CRS, *Convento della Consolazione di Santa Maria del Bosco*, vol. 68, c. 12v, f. 51.

[17] *Ivi*, f. 104.

[18] ASPa, CRS, *San Martino delle Scale – fondo II*, b. 1137: *Vacchetta 1610-1611*, c. 32r; *Vacchetta 1616-1617*, c. 37v; b. 1138: *Vacchetta 1617-1618*, c. 29r.

Santo, è citato come musico della cattedrale in un atto notarile del 1604.[19] Negli stessi anni le fonti registrano altre presenze, come quella del basso della Real Cappella Girolamo Muntiliana, pagato 1 onza per la festa di San Martino del 1610,[20] o Giovanni Battista Fiorenza, già incontrato nella documentazione di San Domenico quale organista dell'istituzione.[21] A essi occasionalmente si aggiungevano o sostituivano altri esecutori, come il tenore Ottavio d'Apa o ancora Paolo d'Aragona e Giuseppe Agattio, sui quali si tornerà più avanti.[22]

Relativamente al periodo considerato, l'assenza di libri-giornale nel fondo archivistico della chiesa di San Giuseppe dei Teatini non ci consente di monitorare le presenze musicali in un'istituzione che in questo senso doveva ricoprire una funzione fondamentale, come confermano gli studi sull'Unione di musici, alla quale i teatini avevano concesso una cappella nella propria chiesa per seppellirvi i morti, abbellirla con opere d'arte e celebrarvi le feste di San Gaetano, Sant'Andrea Avellino e Santa Cecilia con 9 voci, 2 violini, 2 organisti e il maestro di cappella.[23] Testimonianze significative sulle attività musicali presso i teatini si trovano, comunque, in alcune cronache, come quella già citata di Giacinto Maria Fortunio, relativa ai festeggiamenti per le vittorie militari di Barcellona, Casale e Dunquerque del 1652 e 1653:[24]

Nel mezzo della Chiesa v'erano due gran Palchi [...] dove poi si collocarono otto cori di musici [...].

Ventuno detto [novembre]. [...] La Musica fu così scelta, che non fu in cosa alcuna dissimile dall'altre cose, cioè degna di ammirazione. E, perché non posso su i fogli copiare quella soavità di cui l'armonia de' Cieli è un ritratto, basta per hora riferire il dialogo cantato, composto dal medesimo P. D. Girolamo Matranga, e posto in musica da Giovanni Conticini Romano [...]. Il dopo pranzo vi fu nel medesimo Tempio che ammirare di nuovo; poiché solendo l'Academia de' Musici quivi celebrar ogn'anno alla Gloria di S. Cecilia V. e M. [...] una solenne

---

[19] ASPa, *Notai defunti – Stanza I*, vol. 12625, c. 553v.

[20] ASPa, CRS, *San Martino delle Scale – fondo II*, b. 1137: *Vacchetta 1610-1611*, c. 32v.

[21] Cfr. *supra*, capitolo IV. La prima attestazione è del 1616, quando vengono pagate 6 onze «a don Giovanni Battista Fiorenza e compagni per la musica fatta in quest'anno nella grangia per la festa del Padre S. Benedetto» (ASPa, CRS, *San Martino delle Scale – fondo II*, b. 1138: *Vacchetta 1618-1619*, c. 44v).

[22] ASPa, CRS, *San Martino delle Scale – fondo II*, b. 1138: *Vacchetta 1617-1618*, c. 36v; b. 1139: *Vacchetta 1626-1627*, c. 254r.

[23] ASPa, CRS, *Casa dei PP. Teatini in San Giuseppe*, vol. 103. Riportato in U. D'ARPA, *Notizie e documenti sull'unione dei musici* cit., pp. 31-33.

[24] La cronaca è riportata da D'Arpa (*ivi*, pp. 31-32) e più recentemente ripresa da G. COLLISANI, *I musici del "primo atrio del paradiso"* cit., pp. 129-131.

festa; quest'anno fecero maggior pompa [...] onde con apparecchio di una Musica impareggiabile di otto cori vollero dar un saggio, cantando il *Te Deum*.

Ventidue detto [novembre]. E S. E. in questo giorno, mostrando quanto gradisse questa divota dimostranza di Musici, volle intervenire alla festa con tutto il Consiglio, e Magistrati, come è solito. Fu la Musica, e per la soavità delle voci, e per la sufficienza de' Cantori, e per la sollevata composizione del Maestro di Cappella, il P. M. Fasolo degna così d'ammirazione, e d'applauso, che rapiti gli animi di tutti in un'estasi di dolcezza, obliata ogn'altra cura, godeano una specie di beatitudine celeste.[25]

Numerose erano le feste celebrate con solennità dai teatini, fra cui proprio la festa dedicata alla patrona dei musicisti, come si legge in una descrizione contenuta in un diario palermitano del 1647.[26] Pur non facendo esplicito riferimento a interventi musicali, la cornice di splendore e l'intervento di personalità di rilievo (arcivescovo e senato) autorizzano a ipotizzare che la musica non potesse mancare, suggerendo una collaborazione con l'*Academia de' Musici* precedente al 1652. Peraltro, una nota di pagamento del 1657 conferma la concessione ai musici della cappella sotto il titolo di Santa Cecilia, nella quale i membri dell'Unione si raccoglievano, nonché di un luogo di sepoltura (*cimitiero*) sotto di essa. Come già nell'atto di concessione, anche qui si specifica che nella cappella originariamente era presente un quadro di San Pietro, ma che quest'ultimo era stato sostituito da un dipinto raffigurante Santa Cecilia, sicuramente lo stesso che nel 1652 i musici si erano impegnati a realizzare, allo scopo di collocarlo a ornamento della cappella:[27]

Cappella di Santa Cecilia in nostra chiesa e per essa li musici congregati deve à 31. Agosto x Indizione 1657 onze 12. sono per l'interusurio corso dal primo decembre 1653 per tutto novembre 8.a Indizione 1654. delle onze 12. pagano l'anno per capitale di onze 200. per la concessione della cappella vicino la porta magistrale della nostra chiesa di S. Giuseppe dove prima vi era il quatro di S. Pietro et al presente il quatro di Santa Cecilia concessa insieme con il cimitiero di sotto sono di campana et altri giusta la forma delle concessioni d'altre cappelle di pagarli tertiatamente con patto di poterseli sempre e quandocumque detti musici recattare in più paghe et ad ogni libiri volontà d'essi musici dummodo che detta paga non sia meno di onze 20.[28]

Un'ulteriore interessante testimonianza è infine contenuta nel volume di *Scritture diverse relative all'eredità di Trapani*. Essa consiste in una caute-

---

[25] G.M. Fortunio, *Gli applausi di Palermo* cit., pp. 13-22.

[26] *Diario delle cose occorse nella città di Palermo* cit., p. 223.

[27] Cfr. U. D'Arpa, *Notizie e documenti sull'unione dei musici* cit., pp. 29-30.

[28] ASPa, CRS, *Casa dei PP. Teatini in San Giuseppe*, vol. 819, c. 326v.

la privata stipulata da alcuni musicisti per servizi che dovevano svolgere a favore della congregazione dei padri teatini. Il documento non è datato, ma verisimilmente può essere ascritto alla metà del XVII secolo, anche perché vi compaiono i nomi di esecutori che vengono attestati da altre fonti nello stesso periodo. Com'era consuetudine nelle cautele, anche qui si fa riferimento alla stipula di contratti precedenti, in questo caso stabiliti fra i musici e l'istituzione, documenti che per il momento non è stato possibile rintracciare per l'assenza del nome del notaio.

I musici in questione appartenevano a due gruppi distinti: da un lato Francesco Stigliola, Francesco Soprano, Giuseppe Pavano, Bandino Bandini e Agatino Gabrieli; dall'altro Cristoforo Milazzo, Placido Crispo e Vincenzo Gonzales. I primi si obbligavano «ogn'uno per esso e non in solidum […] cantare di musica nella chiesa et altri lochi nominati nel contratto e nelli giorni in quello espressati per un'anno [sic] da contarsi dal primo del presente mese di Novembre per mercede e salario di onze 30. per ogn'uno, la quale mercede se li promese pagare a ragione di onze 2. 15. lo mese in fine per ogn'uno e come meglio per detto contratto».[29] Abbastanza simili le informazioni della successiva obbligazione, con maggiori dettagli sulle occasioni che richiedevano il contributo dei musicisti, vale a dire la notte di Natale, la novena e la Settimana Santa, distinguendo anche il tipo di compenso (12 tarì per il Natale, 6 tarì per la novena e la Settimana Santa, 4 tarì per gli altri giorni).

5.1.4. *Musici straordinari a San Domenico*

Ancora una volta le notizie più copiose su interventi occasionali di musici nel Seicento si trovano nel convento di San Domenico. Già a partire dai primi anni del secolo si susseguono numerosi riferimenti a musica e musicisti per la celebrazione delle feste solenni. È pur vero che nella maggior parte dei casi, in conformità con quanto avveniva nel secolo precedente, tali musicisti non vengono nominati, sebbene talvolta le fonti specifichino la loro provenienza istituzionale, vale a dire la Palatina[30] e la cattedrale. Nonostante questo, negli anni successivi i documenti d'archivio testimoniano la presenza di figure di consolidata fama e per lo più appartenenti alla schiera dei polifonisti siciliani.

A partire dagli anni '20 cominciano ad essere nominati altri esecutori, fra i quali Vincenzo Salemi e il fratello Francesco (il primo suonatore di violone,

---

[29] ASPa, CRS, *Casa dei PP. Teatini in San Giuseppe*, vol. 154, c. 10r.

[30] Ad esempio la presenza del maestro di cappella della Palatina viene documentata il 27 settembre 1613 per la musica della festa del Rosario (ASPa, CRS, *San Domenico*, vol. 571, c. 23r).

come confermato nell'aprile del 1623), entrambi attivi a partire dal gennaio 1622.[31] Accade spesso che dei musicisti vengano riportati solo i nomi e non i cognomi, cosa che ovviamente rende difficile la formulazione di ipotesi di identificazione. Ad esempio, sempre nel 1622, viene attestato un certo Diego (forse Diego Hinneri, già presente a San Martino), pagato per la musica della novena e notte di Natale[32] e forse identificabile con il musicista di nome Diego che troveremo nell'aprile 1626.[33] In questa stessa occasione viene segnalato don Giuseppe musico e per l'Epifania un altro musicista di nome Roberto, pagato onze 2 e tarì 6 insieme ad altri cinque esecutori.[34]

Avvicinandoci alla metà del secolo, compaiono i nomi di alcuni dei musici che ritroveremo nell'elenco dell'atto sottoscritto dall'Unione nel 1653. Fra questi Giuseppe Agattio (o Agatio), di professione basso, testimoniato per la prima volta nel 1626, quando viene pagato con 6 onze «per la musica a dui chori nella festa del Padre San Domenico», più 1 onza «per tratenimento nel giorno della detta festa fuora dell'hori deputati».[35] Stesse le indicazioni per la festa di San Domenico e per il Natale dell'anno successivo. Soltanto nell'aprile del 1628 viene esplicitata la professione di Agattio e il suo contributo alla solennizzazione dei venerdì di Quaresima, insieme a Pietro soprano, Leonardo contralto (forse Leonardo Cutrano) e Giovanni Battista tenore.[36] Negli anni successivi Agattio viene regolarmente attestato nelle occasioni principali dell'istituzione, come nella festa di San Pietro Martire, per l'Epifania o per il funerale del padre generale Serafino Sicco, fino almeno al 1630.

Musico della Palatina e membro dell'Unione era anche Francesco Soprano, che a San Domenico viene attestato nel 1645 e 1646 per i suoi servizi di violinista nei quattro Passi della Settimana Santa, nonché in occasione della Quaresima del 1649.[37] Oltre a comparire nella già citata cautela del fondo dei teatini, Francesco Soprano risulta attivo in altre due istituzioni: tra il 1643 e il 1645 le monache di Santa Maria del Cancelliere retribuiscono

---

[31] *Ivi*, cc. 207r, 237v.

[32] *Ivi*, c. 226r.

[33] ASPa, CRS, *San Domenico*, vol. 572, c. 102r. Un altro musico di nome Diego Spagnolo viene segnalato nel 1648 «per tre chori di musica che accompagnaro li tre vari nella processione del Rosario» (ASPa, CRS, *San Domenico*, vol. 579, c. 15r). L'indicazione 'Spagnolo' può essere intesa sia come provenienza geografica che come cognome.

[34] ASPa, CRS, *San Domenico*, vol. 572, cc. 102r, 90r.

[35] *Ivi*, c. 115r.

[36] *Ivi*, c. 196r. Su Leonardo Cutrano, contralto della Palatina fra 1655 e 1662 e membro dell'Unione dei Musici, cfr. A. TEDESCO, *Il Teatro Santa Cecilia* cit., pp. 44-47.

[37] ASPa, CRS, *San Domenico*, vol. 578, cc. 79v, 122v; vol. 579, c. 30v.

lui e altri *compagni musici* per la feste di Santa Lucia e della Madonna della Perla;[38] nel 1653, invece, lo troviamo a Sant'Ignazio all'Olivella, quando viene retribuito in diverse partite «per servitii fatti [...] di sonare di rebecchini».[39] Anche Onofrio Tornatore ritorna più volte nella documentazione di San Domenico e in varie occasioni, come San Tommaso, il periodo natalizio, San Pietro Martire e l'Epifania. Negli stessi anni lo troviamo nel monastero di Santa Maria della Pietà, come organista salariato dell'istituzione.[40]

Altro musicista aggregato all'Unione nel 1653 e attivo a San Domenico è il tenore Giuseppe D'Oddo, retribuito nel gennaio 1631 «per la musica à doi chori nella sera al matutino della Epifania».[41] Come nel caso di Agattio, anche per D'Oddo una successiva annotazione specifica sia la professione del musico che la collaborazione con altri esecutori, molti dei quali membri dell'Unione. Si tratta del pagamento del 4 novembre 1643 per la musica delle Quarantore,[42] quando, insieme a D'Oddo, vengono citati i bassi Nicola Pipitone e Don Caio (probabilmente Caio Prizzi o Pizzo, testimoniato in altre occasioni), il tenore Onofrio Tornatore, i due contralti Giuseppe Agnetta e 'Muscarella', i soprani Fardiola e Giacomino,[43] gli organisti Vincenzo Marchese e Matteo Di Paola, il liutista Girolamo Cannizzaro, due violinisti (Vincenzo Gonzales e Gaspare Gonzales), e infine Baldassarre Gonzales suonatore di viola.

5.1.5. Famiglie di musicisti

Il riferimento ai Gonzales offre l'occasione per spostare il *focus* sull'attività nelle chiese palermitane di dinastie di musicisti, spesso imparentate fra di loro. Assai variegata era l'attività di Vincenzo Gonzales, maestro di cappella del Senato e musico della Palatina, documentato sia a San Domenico che a San Giuseppe dei Teatini. In particolare il Vincenzo citato nel convento domenicano nel 1643 può essere identificato con il padre del Baldassarre Gonzales che avrà un ruolo determinante per la costruzione del primo teatro d'opera cittadino, il Teatro Santa Cecilia.[44] Per ricostruire gli intrecci

---

[38] ASPa, CRS, *Santa Maria del Cancelliere*, vol. 539, cc. 226a, 226b, 233a.

[39] ASPa, CRS, *Congregazione di San Filippo Neri all'Olivella*, vol. 159, c. 583a.

[40] ASPa, CRS, *Santa Maria della Pietà*, vol. 269, cc. 30r, 67r, 102r, 105v.

[41] ASPa, CRS, *San Domenico*, vol. 574, c. 44v.

[42] ASPa, CRS, *San Domenico*, vol. 578, c. 9r.

[43] Quest'ultimo identificabile con Giacomo Volpino, soprano della Palatina, documentato fra il 1655 e il 1664. Cfr. A. TEDESCO, *Il Teatro Santa Cecilia* cit., pp. 44-49.

[44] Su Baldassarre e Vincenzo Gonzales in relazione alla costruzione del Teatro Santa Cecilia si veda A. TEDESCO, *Il Teatro Santa Cecilia* cit., in particolare il paragrafo «Nuovi documenti: il memoriale inedito di Vincenzo Gonzales», pp. 71-79.

familiari dei Gonzales giungono in aiuto alcuni documenti, fra cui un atto notarile del gennaio 1647 nel quale Dorotea Gonzales, vedova di Vincenzo *senior*, pubblicava l'inventario del marito, dichiarando di dover riscuotere

stipendium curiæ dicto condam Vincenzo debitum et maturatum et non solutum veluti musico reali Cappellæ Sancti Petri in Sacro Regio Palatio huius urbis nec non etiam stipendium dicto condam Vincenzo debitum ab universitate huius urbis tamquam magistro cappellae et musico musicæ dictæ universitati [...].[45]

Vincenzo aveva nominato suoi eredi le figlie femmine e i due maschi, Baldassarre e Gaspare, quest'ultimo documentato come violinista della Palatina fra il 1655 e il 1681.[46] Baldassarre era invece suonatore di cornetto, sempre integrato nell'organico ordinario della Cappella Reale, sebbene i libri contabili di San Domenico, come abbiamo visto, attestassero un Baldassarre suonatore di viola.[47] Come il padre, anche Baldassarre riuscirà ad ottenere il posto di maestro di cappella del Senato, dove nelle vesti di 'instrumentario' opererà il figlio Vincenzo, violinista della Palatina e affiliato all'Unione dei Musici alla fine del XVII secolo.[48]

Baldassarre Gonzales era nipote di un altro musico della Palatina, come testimonia un documento dell'1 aprile 1650 nel quale il suddetto Baldassarre e Onofrio Matrascia si accordavano per dividersi la piazza di 'musico della Cappella Reale di San Pietro' del defunto Sigismondo Matrascia, zio del primo e padre del secondo.[49] Anche Onofrio apparteneva, dunque, a una famiglia di musicisti, nella quale possiamo annoverare diversi esecutori che condividevano il medesimo cognome.[50] Inoltre, il 16 giugno 1647, la sorella di Baldassarre, Anna Maria Gonzales, aveva sposato Cesare Nascia (o Nasca), suonatore di cornetto della Palatina e anch'egli aggregato all'Unione dei Musici come i precedenti Gonzales.[51] Lo stesso rito si consumerà anni

---

45 ASPa, *Notai defunti – Stanza V (serie II)*, vol. 4, c. 331r.

46 Cfr. A. Tedesco, *Il Teatro Santa Cecilia* cit., pp. 44-55.

47 ASPa, CRS, *Convento di San Domenico*, vol. 578, c. 9r.

48 Anche l'altro figlio di Baldassarre, Ferdinando Gonzales, era musicista. Egli, infatti, compare nella lista dei dell'Unione palermitana tra il 1680 e il 1699. Cfr. A. Tedesco, *Il Teatro Santa Cecilia* cit., pp. 245-253.

49 ASPa, *Notai defunti – Stanza V*, vol. 7, c. 567r.

50 Fra questi, Cesare Matrascia, musico del Senato nella seconda metà del XVI secolo (ASPa, *Notai defunti – Stanza I*, vol. 9428), Gaspare Matrascia, cantore e musico della cattedrale attestato nel 1604 (ASPa, *Notai defunti – Stanza I*, vol. 12625, c. 553v) e ancora Bartolomeo Matrascia, membro dell'Unione alla fine del Seicento, Oliviero Matrascia, contralto della Palatina attivo agli inizi del Settecento, e Francesco Matrascia, citato fra i musici firmatari di un documento del 1767. Sugli ultimi tre cfr. sempre A. Tedesco, *Il Teatro Santa Cecilia* cit., pp. 53, 229, 254.

51 Cfr. ASPa, *Notai defunti – Stanza V (serie II)*, vol. 4, c. 692r.

dopo, quando Anna Gonzales, figlia di Baldassarre, si unirà in matrimonio a un ulteriore esponente della famiglia Nascia, Antonino, strumentista del Senato e membro della congregazione dei musici tra 1696 e 1698.[52]

Altri rapporti di parentela fra musicisti attivi a Palermo possono essere stabiliti in virtù della coincidenza di alcuni cognomi, pur mancando in alcuni casi precise conferme documentarie a riguardo. Interessante è il caso dei Gallo, la cui presenza è documentabile attraverso le informazioni contenute nei libri di conto dei gesuiti. Della famiglia faceva parte il *sonatore* Giuseppe, nominato per la prima volta nel 1556 in relazione a un pagamento di 12 tarì sopra due case prima appartenenti a Nicolò Larcara.[53] Il pagamento viene attestato sino al 1563, mentre indicazioni successive ci dicono che a un certo punto le abitazioni erano passate all'organaro Raffaele La Valle, poi rilasciate di nuovo a Giuseppe e da lui al figlio Blasi e alla moglie di quest'ultimo, Vincenza. In seguito a ulteriori passaggi, alla fine case e bottega erano state cedute al musicista Lorenzo Lo Giudice, secondo atto di prestazione di consenso stilato il 15 dicembre 1601.[54]

A essere citato come suonatore è anche Vincenzo Gallo, nipote di Giuseppe, che il 2 aprile 1576 faceva testamento, chiedendo di essere sepolto nella chiesa di Santa Maria del Ponticello e nominando erede universale la moglie Antonella Celesti, alla quale aveva lasciato due case di sua proprietà esistenti nella contrada del Ponticello.[55] Agli stessi anni risale una serie di atti notarili nei quali Antonella e Gaspare Gallo, figlio di Vincenzo e suo procuratore, riscuotevano pagamenti a nome di Vincenzo, fra cui anche un contratto di locazione del 2 giugno 1576 dove Antonella viene già detta

---

[52] Probabilmente, come il padre e il suocero, anche Antonino Nascia era suonatore di cornetto, secondo quanto si può ipotizzare da una clausola del testamento di Baldassarre Gonzales che lasciava al genero «tutti li cornetti ed un soprano ben visto a detto di Nascia, e questo pro bono amore» (ASPa, *Notai defunti – Stanza V*, vol. 677, c. 565v). Il documento è riportato in A. TEDESCO, *Il Teatro Santa Cecilia* cit., pp. 157-160.

[53] ASPa, ECG, *Chiesa e Collegio Massimo dei Gesuiti – Serie A*, vol. 4, c. 32a.

[54] ASPa, ECG, *Chiesa e Collegio Massimo dei Gesuiti – Serie A*, vol. 19, c. 12r.

[55] ASPa, *Notai defunti – Stanza I*, vol. 8282, cc. 224r-v. Per ragioni di tipo cronologico, il Vincenzo Gallo di cui parlano i volumi dei gesuiti non può essere identificato con l'omonimo polifonista della seconda generazione della scuola siciliana (nato prima del 1561 e morto nel 1624). Maestro di cappella di San Francesco d'Assisi, come anche della cattedrale e della Palatina, l'attività compositiva del più noto Vincenzo Gallo trovò espressione in alcune raccolte di musica sacra e profana, fra cui i *Salmi del Re David* (1607), l'unica edizione a stampa che ci rimane. Nemmeno è verisimile ipotizzare che i due fossero imparentati, considerando che quest'ultimo era originario di Alcara Li Fusi e che, prima di essere documentato a Palermo, cioè a partire dal 1604, svolse la propria attività in paesi dell'entroterra siciliano, quali ad esempio Enna e Caltagirone (cfr. NICOLÒ MACCAVINO, *Musica a Caltagirone nel tardo Rinascimento: 1564-1619*, in *Musica sacra in Sicilia* cit., pp. 98-99; ROCCO LOMBARDO, *La musica ad Enna dai tempi del Mito ai primi decenni del Novecento*, Enna, Inner Wheel Club di Enna, 2000, p. 28).

moglie del *quondam* Vincenzo Gallo, forse morto a causa della peste che da più di un anno imperversava a Palermo.[56] Le abitazioni erano poi passate al fratello di Vincenzo, Francesco Gallo, e da questi (insieme ai cugini Pietro e Blasi) ancora una volta rivendute nel 1592 a Lorenzo Lo Giudice, che su di esse versava un censo di 8 tarì all'anno.[57]

Seguendo il filo dei rimandi documentari, in entrambi i casi si arriva, dunque, all'ultimo esponente di questo clan di musicisti: Lorenzo Lo Giudice, suonatore di trombone presso la Palatina, nella quale risulta attestato a partire dal 1593.[58] Lo Giudice era imparentato con i Gallo in quanto marito di Olimpia Gallo, figlia di Antonino (fratello di Giuseppe) e di Catarinella Agnello. Oltre che nella Cappella Reale tra fine Cinquecento e inizi Seicento, il musicista viene testimoniato a Casa Professa in occasione della morte nel 1624 di Antonella Gallo, moglie del Vincenzo di cui abbiamo parlato. Infatti, oltre a una serie di pagamenti effettuati a suo nome, in questi anni si registra una spesa di tarì 15 «dati da Laurenzo lu Giudici che sonò lo pifaro in tre volte [...] in conto della rendita li paga di onze quattro l'anno e sono in conto per lo interusurio della 8. indizione prossima passata».[59]

Sebbene a essere esplicitamente citati come suonatori fossero soltanto Giuseppe Gallo, Vincenzo Gallo e Lorenzo Lo Giudice, è comunque probabile che anche altri componenti della famiglia definiti 'mastri' o 'maestri' svolgessero il mestiere di musicisti. Ad esempio i fratelli e figli di Giuseppe (Agostino e Antonino da una parte, Pietro e Blasi dall'altra), i figli di Antonino (Matteo, Girolamo e Francesco), oltre a quel Baldassarre Gallo, musico del Senato e cantore della cattedrale, attivo tra la seconda metà del Cinquecento e i primi anni del secolo successivo.[60] Anche il fatto che Olimpia avesse sposato un musicista non è casuale e testimonia ulteriormente i già discussi rapporti di parentela che si instauravano fra i musici attivi a Palermo.

È pure ipotizzabile che esistessero legami familiari tra Giulio Oristagno (organista e compositore), Matteo Oristagno (organista della Palatina) e Stefano Oristagno (pure organista e maestro di musica a San Domenico). L'ipotesi che Matteo, documentato dal 1623 al 1624, fosse figlio di Giulio viene suggerita già da Ottavio Tiby, considerando l'immediata successione

---

56 ASPa, *Notai defunti – Stanza I*, vol. 8282, c. 361r.

57 ASPa, ECG, *Chiesa e Collegio Massimo dei Gesuiti – Serie A*, vol. 19, c. 12v.

58 ASPa, *Tribunale del Real Patrimonio*, vol. 2264, cc. 209r, 211r, 243r, 248r, 251r; vol. 2327, c. 260r; *Conservatoria di registro*, vol. 1330, c. 222v.

59 ASPa, ECG, *Chiesa e Collegio Massimo dei Gesuiti – Serie H*, vol. 3, f. 33.

60 ASCPa, *Atti del Comune 1585-1586*, f. 144; ASPa, *Notai defunti – Stanza I*, vol. 12625, c. 206v. Cfr. O. TIBY, *I polifonisti siciliani del XVI e XVII secolo* cit., p. 37 e G. ISGRÒ, *Teatro del '500 a Palermo* cit., p. 110.

nel medesimo ruolo, all'interno della medesima istituzione.[61] Le ricerche di Tiby risultano utili anche in relazione a Simone Li Rapi, musico del Senato, e ai suoi possibili rapporti con Gerardo Li Rapi, liutista e arciliuto della Palatina, e Raffaello Li Rapi, organista di San Martino. Dagli atti comunali del 1513-1514 veniamo, infatti, a sapere che Simone Li Rapi era originario di Noto e che con i figli e il nipote, anch'essi musici ma non nominati, aveva presentato istanza per tornare al paese di origine. Tiby specifica che «i quattro cantavano e suonavano pifferi, tromboni ed altri strumenti», aggiungendo che «il Pretore della città giudicò dannoso perdere in una volta tanti buoni esecutori» e che «la città, essendo a capo del Regno, aveva bisogno di musiche sia sacre che profane», per questo egli «trattenne i musici ed aumentò loro lo stipendio».[62]

5.1.6. Antonino Morello, maestro di musica

Un eventuale legame familiare si può forse ipotizzare anche fra Giuseppe Morello – musico assunto nel 1562 dal barone di Cefalà per «suonare nella sua casa due volte al giorno e mettere in copia madrigali e cose pertinenti ad musiche e insegnargli per due anni»[63] – e Antonino Morello, che a tutti gli effetti è da considerare la figura più poliedrica tra i musicisti finora incontra-

---

[61] O. TIBY, *I polifonisti siciliani del XVI e XVII secolo* cit., p. 189.

[62] *Ivi*, p. 36. Le notizie delle fonti d'archivio alludono ad altre possibili relazioni familiari, come quelle tra Jacopo Lo Grammatico suonatore d'organo e Francesco Lo Grammatico maestro di musica; Vincenzo D'Elia, compositore e maestro di cappella e Luigi D'Elia, organista della cattedrale; Vincenzo d'Amato, Nicola d'Amato e Luigi d'Amato, tutti e tre attivi nella cattedrale, i primi due come maestri di cappella, il terzo come cantore; Giuseppe de Taglia (o 'Italia') musico della Palatina e della cattedrale, Francesco Italia compositore e musico documentato nella cattedrale, al Santissimo Salvatore e a San Giovanni dell'Origlione e Mario Italia che collaborava con San Martino delle Scale; Francesco e Vincenzo Vilardo, entrambi appartenenti all'organico della Palatina; Francesco Soprano e Gabriele Soprano musici affiliati all'Unione nel 1653 (cfr. U. D'ARPA, *Notizie e documenti sull'unione dei musici* cit., p. 31); Giulio Rizzo organista del Carmine, Francesco Rizzo soprano e mezzosoprano, Agostino Rizzo tenore e Michele Rizzo contralto e organista, quest'ultimi documentati nella Palatina (A. TEDESCO, *Il Teatro Santa Cecilia* cit., pp. 52, 82-84; R. PAGANO, *La vita musicale a Palermo* cit., p. 458); Giuseppe e Nicola Pipitone, inclusi nella lista dell'Unione del 1653; Domenico e Antonio Granata (o Granara), pure membri della Palatina e forse imparentati con Giovanni Battista Granara, attivo come contralto presso la cattedrale e la Palatina alla fine del Seicento, affiliato all'Unione dei Musici e fra gli interpreti di alcune importanti rappresentazioni operistiche del periodo, quali il *Pompeo* di Alessandro Scarlatti, eseguito a Palermo nel 1690, e l'*Odoardo*, rappresentato a Napoli nel 1700, quando il libretto lo definisce virtuoso del duca di Uzeda (A. TEDESCO, *Il Teatro Santa Cecilia* cit., pp. 43-50).

[63] ASPa, *Notai defunti – Stanza I*, vol. 1901, c. 480r. Il documento è citato in GIOVANNI PAOLO DI STEFANO, *Strumenti musicali in Sicilia tra Rinascimento e Barocco*, in *Musica Picta. Immagini del suono in Sicilia tra Medioevo e Barocco*, Catalogo della mostra (Siracusa, chiesa di Santa Lucia alla Badia, 16 novembre 2007 – 7 gennaio 2008), a cura di Carmela Vella, Siracusa, Sovrintendenza ai Beni Culturali ed ambientali, 2007, p. 43.

ti e, insieme a Vincenzo D'Elia, colui che viene documentato nel maggior numero di istituzioni. Il primo a darne notizia è Tiby che si riferisce agli atti del Senato del 1576, in cui il suddetto Antonino Morello (spesso citato come *Maurello*) viene denominato musico effettivo della cappella dell'*universitas*.[64] Dell'incarico abbiamo conferma da un successivo atto notarile:

Eodem ij° Augusti v.e Indictionis 1577.

Nobili Antoninus Morello unus ex pifaris musicis huius urbis Panormi mihi notario cognitus coram nobis ad stipulationem mei notarii stipulantis vice nomine et pro parte universitatis huius felicis urbis Panormi et spectabilis domini Petri Speciale thesaurarii dicte urbis absentis sponte dixit habuisse a dicta universitate Panormi uncias octo per tabulam huius urbis renuncians ex cessioni etc.

Et sunt pro ultimo tertio eius salarii anni presentis v.e Indictionis quo servivit et servire debet per totum presentem mensem Augusti ad rationem unciarum 24 quolibet anno et hoc virtute mandati fatti per dominos pretorem et iuratos ditte urbis die 29. Julii proximo presentis renuncians etc. iuravit etc. unde etc.[65]

Oltre a indicare il ruolo del musicista, definito «unus ex pifaris musicis huius urbis Panormi», il documento ci informa del salario che riceveva dalla Città di Palermo, vale a dire 24 onze annuali, elargite in tre rate quadrimestrali di 8 onze ciascuna. Al salario di base (di entità abbastanza considerevole, se confrontato alla media del periodo) si aggiungevano retribuzioni straordinarie, legate a occasioni e anni particolari, come senz'altro lo era stato il 1577 per l'entrata a Palermo del viceré Colonna e per le numerose processioni di cui gli atti ci danno notizia, forse organizzate per la cessazione dell'epidemia di peste che aveva flagellato la città già a partire dal 1575.[66]

Le successive notizie che abbiamo di Morello confermano l'attività di strumentista e la notorietà raggiunta in ambito cittadino, considerando che fra il 1581 e il 1582 lo ritroviamo nell'abbazia di San Martino delle Scale per la compravendita di strumenti musicali, molto probabilmente strumenti a fiato.[67] Il 6 novembre 1592 Antonio Maurello detto *musicus* compare anche in un atto notarile relativo alla vendita di olio al mercante genovese Giovan Battista Certa,[68] ma già un documento di due anni successivo dà

---

[64] ASCPa, *Atti del Comune 1576-1577*, f. 40 (O. Tiby, *I polifonisti siciliani del XVI e XVII secolo* cit., p. 37).

[65] ASPa, *Notai defunti – Stanza I*, vol. 9428. Un sentito ringraziamento ad Antonino Palazzolo, che mi ha segnalato questo volume e gli atti che esso contiene.

[66] Cfr. Antonino Palazzolo, *Le torri di deputazione nel regno di Sicilia (1579-1813)*, Palermo, ISSPE, 2007, p. 66.

[67] ASPa, CRS, *San Martino delle Scale – fondo II*, b. 1404: *Libro di cassa 1581-1582*, cc. 7v, 8r, 33r.

[68] ASPa, *Notai defunti – Stanza I*, vol. 11577, c. 320r. Ringrazio Arturo Anzelmo per la segnalazione del presente documento.

attestazione del prestigioso incarico che in quegli anni Morello ricopriva. Si tratta di un contratto di obbligazione in cui il musicista, *magister cappelle maioris panormitane ecclesie*, si impegnava con i marammieri della cattedrale a suonare l'organo grande in numerose occasioni del calendario liturgico:

In primis in lo vesperi della vigilia della natività di Nostro Signore Jesu Christo per tutta la festività delli Inozenti.
Item il primo giorno dello anno con lo suo vespiri de la vigilia.
Item il giorno della Epifania con lo suo vespiri in la vigilia.
Item in la quaraesima tutti li venerdì dominichi et festi comandati alle compiete.
Item il sabbato santo con la Pasqua de resurrecione et li sussequenti festi.
Item il giorno di sancta Cristina di maggio et la vigilia.
Item il giorno della ascensione et la vigilia.
Item la pentecoste li dui vespiri et sussequenti festi.
Item santo Petro Apostolo et la vegilia.
Item santa Cristina di jugnetto et la vigilia.
Item l'assuncione di Maria Virgini et la vigilia.
Item tutti li santi et la vigilia.
Item sancta Nimpha di novembre et la vigilia.
Item et in tutte le supradette feste che son soliti sonare li matotini.[69]

Lo stipendio di 12 onze che i *marammieri* della cattedrale si impegnavano a elargire a Morello per i suoi servizi sarà uguale a quello che due anni dopo, nel 1596, gli verrà pagato dalle monache di Santa Maria del Cancelliere per il suo salario di maestro di musica del monastero.[70] Si tratta, fra l'altro, di una collaborazione che continuerà negli anni successivi, fino almeno al 1610, quando il nome del musicista ritorna nuovamente all'interno di una nota di pagamento di onze 5 e tarì 6, inserita nella sezione riservata alle «Spese di feste» dell'istituzione.[71] Nel 1603 lo troviamo pure nell'organico della cappella Palatina, inserito nel gruppo degli 'instrumentarii' insieme a Giulio Oristagno, Giulio de Leri e Lorenzo Lo Giudice.

Nel gennaio 1614 la presenza di Morello è certificata presso i gesuiti per la musica del funerale di Girolamo Bavera, da eseguirsi «tanto nel obito di detto quondam Geronimo Bavera, quanto nel exequio, et missa di

---

[69] ASPa, *Notai defunti*, vol. 7043. Cit. in Giuseppe Dispensa Zaccaria, *Organi e organari in Sicilia dal '400 al '900*, Palermo, Accademia Nazionale di Scienze, Lettere ed Arti di Palermo, 1988, p. 143. In quello stesso anno Morello compare come testimone del contratto stipulato tra San Martino delle Scale e Raffaele La Valle per la costruzione del nuovo organo (cfr. Giovan Battista Vaglica, *Da La Valle... a Mascioni. L'organo della Basilica Abbaziale di San Martino delle Scale*, San Martino delle Scale, Abadir, 2005, p. 47).

[70] ASPa, CRS, *Santa Maria del Cancelliere*, vol. 528, cc. 385a, 385b.

[71] ASPa, CRS, *Santa Maria del Cancelliere*, vol. 529, c. 581a.

requie ditta nella cappella di detto quondam Geronimo Bavera»,[72] per la spesa complessiva di onze 5 pagate per mano dell'erede universale, Antonia Sollima e Bavera. Sempre attraverso la documentazione del fondo gesuitico reperiamo anche alcune informazioni sull'ubicazione della dimora del musicista, in relazione al censo che il collegio aveva diritto a ricevere sopra «un tenimento di case con la botega sotto, consistente in più corpi, situato nel quartiero e strada del Cassaro, nella vanella chiamata di Don Mariano Bologna, e confinante con la casa d'Antonino Morello».[73]

Interventi occasionali di Morello alla celebrazione delle feste liturgiche sono testimoniati anche a San Domenico, per la novena e notte di Natale del 1602 e 1603,[74] ma le notizie più interessanti e regolari ci vengono fornite dai libri contabili di Santa Maria della Pietà. Abbiamo già accennato alla presenza di Morello in questa istituzione, nella veste di organista e musico, dal 1610 fino alla morte, sopraggiunta nel 1615. La nota di spesa del 31 dicembre 1613 certifica l'esborso della consistente cifra di 90 onze, equivalente al salario maturato in tre anni, sia come organista che come maestro di musica, «per haver insegnato di musica à diverse sorelle del monasterio».[75] Quest'ultima annotazione è degna di considerazione, poiché testimonia che nell'istituzione domenicana l'insegnamento della musica era tenuto in grande considerazione e che le monache svolgevano regolari attività musicali.

Della morte del musicista abbiamo conferma dall'annotazione del 20 giugno 1617, in cui vengono pagate onze 17 e tarì 13 alla Compagnia dei Negri di Sant'Orsola sotto il titolo dell'orazione della morte, quale erede universale di detto Morello, per l'estinzione dei debiti che ancora il monastero doveva pagargli a compimento del salario di musico e organista dell'istituzione.[76] Sulla scorta delle notizie fornite dai volumi del monastero della Pietà, fra le carte notarili dell'Archivio di Stato di Palermo è stato possibile rintracciare l'inventario ereditario di Morello[77] che effettivamente ne attesta la morte il 2 agosto 1615, avvenuta non a Palermo ma a Castelbuono, forse città natale del musicista. Sfortunatamente, però, l'atto non riporta l'elenco dei beni in possesso del defunto, che sicuramente sarebbe stato di un certo interesse per l'eventuale presenza di strumenti e libri di musica.

---

[72] ASPa, ECG, *Chiesa e Collegio Massimo dei Gesuiti di Palermo – Serie H*, vol. 2, c. 1b.

[73] ASPa, ECG, *Chiesa e Collegio Massimo dei Gesuiti di Palermo – Serie A*, vol. 2, f. 637.

[74] ASPa, CRS, *San Domenico*, vol. 570, cc. 166v, 187r.

[75] ASPa, CRS, *Santa Maria della Pietà*, vol. 262, c. 65r.

[76] ASPa, CRS, *Santa Maria della Pietà*, vol. 263, c. 121r.

[77] ASPa, *Notai defunti – Stanza I*, vol. 4947, c. 865r.

Capitolo sesto

COMPOSITORI SICILIANI

6.1. I compositori: da Nicolò Toscano a Paolo D'Aragona

Non pochi sono i compositori ai quali le fonti archivistiche fanno riferimento, fornendo diverse informazioni sulla loro attività.[1] Prevedibilmente si tratta degli esponenti della cosiddetta scuola polifonica siciliana, in particolare di quelli che Ottavio Tiby aveva riferito al contesto palermitano, ai quali si aggiungono due compositori che, pur non inclusi nel gruppo, operarono in quegli stessi anni e pubblicarono musica a stampa. Inoltre, in quasi tutti i casi le notizie raccolte confermano i riferimenti biografici in nostro possesso, ricostruiti alla metà del '900 da Tiby e approfonditi più recentemente da altri studiosi, sulla base di quanto riportato da storici ed eruditi sin dal Settecento. Di conseguenza le indicazioni che si ricavano dalla consultazione dei fondi documentari delle Corporazioni Soppresse si dimostrano particolarmente utili per precisare alcuni aspetti della vita di questi compositori, oltre che per chiarire i legami con le istituzioni ecclesiastiche della città.

Giova poi ricordare che l'idea stessa di 'scuola polifonica' è oggetto di dibattito sin dalla sua comparsa, sebbene risulti tuttora valida per analizzare figure e opere fra loro eterogenee. Come per tutte le etichette è, tuttavia, indispensabile riconoscerne gli eventuali limiti, di cui peraltro era consapevole il suo stesso ideatore.[2] Già il concetto di 'scuola' risulta di per sé problematico, non essendo provata l'esistenza di una filiazione diretta fra questi compositori, ad eccezione di Pietro Vinci (che ebbe come discepoli Riccardo La Monaca e Paolo Caracciolo), Antonio Il Verso (anch'egli allievo di Vinci) e Domenico Campisi (che prese lezioni da Antonio Il Verso agli

---

[1] L'attività dei polifonisti siciliani nelle istituzioni ecclesiastiche palermitane è discussa in ILARIA GRIPPAUDO, *Nuove acquisizioni sull'attività dei polifonisti siciliani nelle chiese palermitane (XVI-XVII secolo)*, «Studi musicali», n. s., V/2, 2014, pp. 357-403.

[2] Su questi aspetti cfr. O. TIBY, *I polifonisti siciliani del XVI e XVII secolo* cit., pp. 50-51.

inizi del XVII secolo). Allievi di Antonio Il Verso furono pure Francesco Del Pomo, Giuseppe Palazzotto Tagliavia, Antonio Formica e Giovan Battista Calì, i primi tre attivi a Palermo agli inizi del Seicento, il quarto nativo di Licata (Agrigento) e autore di una raccolta a stampa pubblicata a Venezia nel 1605.[3]

In senso alquanto allargato, è comunque possibile includere nella categoria di 'scuola polifonica siciliana' le edizioni dei compositori isolani (stampate o meno nelle tipografie dell'isola), quelle pubblicate da autori attivi in ambito siciliano e quelle composte da musicisti non locali, ma dedicate a committenti siciliani. Di questi autori e delle loro musiche esistono studi accurati, ma che spesso hanno riservato al contesto uno sguardo marginale, anche in relazione a Palermo che pure in quegli anni giunse a ricoprire un ruolo musicale di rilievo. L'analisi delle fonti d'archivio permette, invece, di monitorare i rapporti dei polifonisti con le istituzioni palermitane, evidenziando l'importanza della 'rete religiosa' offerta da chiese e monasteri per consentire a compositori ed esecutori di incontrarsi e condividere stili ed esperienze.

6.1.1. Polifonisti della prima generazione: Nicolò Toscano e Giulio Oristagno

Scegliendo di seguire un ordine cronologico (che ricalca quello adottato a suo tempo dallo stesso Tiby), il primo caso che ci viene offerto dalla consultazione dei volumi contabili è anche quello che pone maggiori spunti di riflessione e riguarda l'ericino Nicolò Toscano, che sappiamo attivo a Palermo, nel convento di San Domenico, nella seconda metà del Cinquecento. Riprendendo le testimonianze di autori precedenti, in particolare la *Bibliotheca Sicula* di Antonino Mongitore[4] e gli studi di Giuseppe Castronovo e Matteo Angelo Coniglione,[5] negli anni '50 Tiby aveva ricostruito le tappe salienti della vita e della carriera del domenicano: la nascita a Erice

---

[3] L'appartenenza di Palazzotto Tagliavia e Formica alla Congregazione dell'Oratorio spinge a credere che a Palermo Antonio Il Verso avesse collaborato anche con questa istituzione. Tuttavia, nel fondo archivistico della chiesa di Sant'Ignazio all'Olivella dei Filippini al momento non sono state rinvenute prove documentarie che confermino tale supposizione.

[4] Mongitore definisce Toscano «musices peritissimus, eo naturæ dono dicatus est, ut omnimodam vocis modulationem, à musices arte expetitam, ad miraculum eliceret: & quoquò vellet vocem inflecteret; adeo ut organum in pectore reconditum asservare videretur» (ANTONINO MONGITORE, *Bibliotheca Sicula sive De Scriptoribus Siculis qui tum vetera tum recentiora sæcula illustrarunt, notitiæ locupletissimæ*, II, Palermo, D. La Bua, 1714, p. 102).

[5] GIUSEPPE CASTRONOVO, *Erice oggi Monte San Giuliano*, III, Palermo, Stab. Tip. Virzì, 1880, pp. 272-280; MATTEO ANGELO CONIGLIONE, *La Provincia domenicana di Sicilia: notizie storiche documentate*, Catania, Tip. F. Strano, 1937, pp. 147 e 270; ID., *Fra gli artisti domenicani di Sicilia, Fra Nicolò Toscano*, «L'eco di S. Domenico», Palermo, marzo 1930, pp. 76-81.

intorno agli anni '30 del Cinquecento, l'entrata nell'ordine e i primi anni trascorsi a Trapani, il trasferimento al convento palermitano, la successiva carica di maestro di cappella a Giustinopoli (l'attuale Capodistria).

I libri amministrativi del XVI secolo attestano la presenza a San Domenico di Nicolò Toscano nell'ottobre del 1571, quando vengono pagati 9 tarì a lui e altri due padri del convento – Raffaele Stanghetta e Domenico di Fiorenza, forse anch'essi cantori – per loro provvigione, confermando l'effettiva permanenza del musicista a Palermo poco prima della partenza verso il nord Italia, collocabile intorno al 1573.[6] Tuttavia un altro documento entra in contraddizione con quanto tramandato dalla tradizione erudita, in particolare con i riferimenti cronologici indicati da Mongitore e ripresi da Tiby. Si tratta di una *cessio iurium* fra Antonino La Pergola e il convento di San Domenico, rogata a Palermo presso il notaio Nicolò Castruccio il 19 agosto del 1558.[7] Fra i padri citati quali presenti all'atto, insieme al cantore Gregorio di Mallorca, compare anche «Nicolaus Toscano», identificabile con il nostro musicista.

Se confermata, l'identificazione andrebbe a smentire la precedente ipotesi che per tradizione fisserebbe al 1566 l'arrivo del cantore nella città di Palermo. Lo stesso Tiby, sulla scorta di quanto dichiarato dagli altri studiosi, aveva affermato con assoluta ma immotivata certezza che fino all'età dei 31 anni Toscano non si fosse mosso da Trapani, coltivando lì i suoi studi musicali, prova del fatto che «in questa città v'erano allora maestri capaci di avviare seriamente un giovane a quegli studi».[8] Già comunque un atto notarile aveva confutato tale supposizione, dimostrando che nel 1563 il musicista si trovava a Messina[9] e che dunque aveva abbandonato la zona di Trapani ancora prima del 1566. Alla luce del nuovo dato, possiamo ipotizzare che Toscano si fosse recato a Palermo abbastanza giovane e che da lì avesse compiuto un viaggio a Messina, per poi fare ritorno alla capitale del viceregno ed essere ufficialmente trasferito a San Domenico nel 1566.

Un altro aspetto appare degno di considerazione. Proprio nel 1558 si trova a operare nel convento palermitano un musicista fiammingo, Nicola Flochetto (italianizzazione di 'Flochet' o più probabilmente 'Floquet').

---

[6] ASPa, CRS, *San Domenico*, vol. 472, c. 78r. Cfr. Paolo Emilio Carapezza – Giuseppe Collisani, «Toscano [Tuscano], Nicolò», in *The New Grove Dictionary of Music and Musicians* [= *New Grove*], a cura di Stanley Sadie, XXV, Londra, Macmillan, 2001, p. 646.

[7] ASPa, *Notai defunti – Stanza I*, vol. 5065, c. 658r.

[8] O. Tiby, *I polifonisti siciliani del XVI e XVII secolo* cit., p. 65.

[9] Il documento è conservato nel fondo 'San Domenico' dell'Archivio Provinciale di Messina ed è citato in M.A. Coniglione (*La Provincia domenicana di Sicilia* cit., p. 271) e nella tesi di laurea di Gianfranco Restivo, *Le canzonette di Nicolò Toscano (1584)*, Università degli Studi di Palermo, 1999-2000, p. iii.

Quest'ultimo era stato assoldato il 7 settembre 1557 per svolgere attività didattica, insegnando a un padre dell'ordine, Leonardo di Agrigento, la musica figurata in modo regolato e *mensuratamente*, oltre a suonare «cum debita et necessaria arte completa omne organum» come anche l'officio della messa – sia quello completo che la messa semplice della Beata Vergine Maria e le rispettive sequenze – e occupandosi infine dell'aspetto compositivo, «ut dicitur [...] mettiri da se ogni opera di musica idest intavulari».[10]

Gli obblighi esecutivi del maestro fiammingo vengono ulteriormente specificati nell'atto successivo,[11] in relazione alle feste principali della città di Palermo e dell'ordine domenicano, alle funzioni del sabato e della domenica, ribadendo sia l'arco di tempo della collaborazione («anno uno continuo et completo numerando et cursuro a die qua finiet annus presentis obligationis») sia l'entità della retribuzione («pro salario unciarum octo»). Nel pagamento erano anche incluse 2 onze elargite dalla nazione dei Catalani per servizio nelle cappelle di loro proprietà esistenti nel convento di San Domenico e nella chiesa di Sant'Eulalia, in particolare 1 onza per la celebrazione della festa della Madonna del Monserrato[12] alla quale erano intitolate le suddette cappelle, come specificato sul margine sinistro del documento.

Egualmente significativa la presenza nello stesso volume di un atto simile, stipulato il 14 ottobre del 1558,[13] che testimonia come la collaborazione tra Floquet e l'istituzione venisse riconfermata per l'anno successivo. Se possiamo identificare il Nicola Toscano del 1558 con il musicista ericino, allora è pure probabile che la formazione musicale del cantore domenicano sia stata influenzata dalla cultura d'oltralpe portata in convento dal musicista fiammingo e magari che quest'ultimo fosse stato suo maestro di musica. Quale che sia la risposta a questi interrogativi, è fuor di dubbio che il clima culturale e musicale della Palermo della seconda metà del Cinquecento, aperto a contatti di culture esterne (spagnola in primo luogo ma anche franco-fiamminga)[14] e arricchito da fermenti locali di alto livello, abbia

---

[10] ASPa, *Notai defunti – Stanza I*, vol. 5065, c. 17r. Gli atti relativi alla presenza del musicista fiammingo nel convento di San Domenico sono stati segnalati da GIOVANNI FILINGERI, *Tommaso Fazello: un pioniere dell'editoria siciliana del Cinquecento. Contributo storico-documentario su una esaltante esperienza tipografica: la stampa del "De rebus Siculis decades duæ"*, Montelepre, Associazione culturale "Historia magistra vitæ", 2007, p. 61.

[11] ASPa, *Notai defunti – Stanza I*, vol. 5065, c. 18r.

[12] Cfr. *supra*, capitolo II.

[13] ASPa, *Notai defunti – Stanza I*, vol. 5065, c. 121v.

[14] L'importazione di musicisti fiamminghi a Palermo ebbe un episodio di essenziale importanza nel 1545, quando, secondo la tradizione, il viceré Ferrante Gonzaga portò con sé a

costituito l'*humus* ideale per l'avviamento del Toscano alla pratica canora e soprattutto a quella compositiva – di cui oggi ci rimane il solo esempio delle *Canzonette a quattro voci*[15]– molto più che la città di Trapani nella quale Tiby aveva collocato l'apprendistato del musicista.

Altre sporadiche indicazioni nelle fonti archivistiche testimoniano il ritorno del compositore nel 1598 e la sua nomina a vicario provinciale di San Domenico. Che il musicista fosse tenuto in grande considerazione dai suoi contemporanei ci viene poi provato da altri indizi: l'esecuzione, nelle cappelle siciliane, di una composizione a lui attribuita, il cosiddetto «Credo del Toscano ericino», caso emblematico di permanenza repertoriale nella tradizione dell'isola; la stesura di un trattato di teoria musicale, il *De rebus musicis*, segnalato da Mongitore;[16] l'inclusione di una sua composizione nella celebre raccolta di madrigali *Infidi lumi* (1603), oggi perduta;[17] il coinvolgimento nel ruolo di giudice in una delle più rinomate contese musicali dell'epoca, la disfida fra Sebastián Raval, compositore spagnolo maestro della Palatina, e Achille Falcone, musicista calabrese, autore di madrigali e di altra musica profana.[18]

Contemporaneo di Nicolò Toscano e originario della stessa zona era Giulio Oristagno, nato a Trapani nel 1543, del quale abbiamo notizia sempre tramite la *Bibliotheca Sicula* del Mongitore e la *Biografia degli uomini illustri trapanesi* di Di Ferro.[19] È quest'ultimo a sostenere che Oristagno si tra-

---

Palermo il musicista Orlando di Lasso, allora dodicenne, che rimase nella città siciliana per sei mesi. A tale proposito si veda Wolfgang Boetticher, *Orlando di Lasso und seine Zeit (1532-1594)*, I, Kassel, Bärenreiter, 1958, p. 29 sgg.

[15] Sulle *Canzonette*, oltre alla già citata tesi di laurea di Restivo, si veda Ivano Cavallini, *Tradizione colta e influssi villaneschi nelle* Canzonette *di Nicolò Toscano (1584), maestro di cappella a Capodistria*, in *Villanella, Napolitana, Canzonetta. Relazioni tra Gasparo Fiorino, compositori calabresi e scuole italiane del Cinquecento*, Atti del convegno internazionale di studi (Arcavacata di Rende-Rossano Calabro, 9-11 dicembre 1994), a cura di Maria Paola Borsetta e Annunziato Pugliese, Vibo Valentia, Istituto di bibliografia musicale calabrese, 1999, pp. 233-242.

[16] A. Mongitore, *Bibliotheca Sicula* cit., II, p. 102.

[17] Cfr. O. Tiby, *I polifonisti siciliani del XVI e XVII secolo* cit., pp. 83-85.

[18] Cfr. «Relazione del successo seguito in Palermo tra Achille Falcone musico cosentino e Sebastiano Ravalle musico spagnolo» in Achille Falcone – Sebastiano Ravalle, *Madrigali a cinque voci*, Venezia, A. Vincenti, 1603. Per la disfida Raval-Falcone si veda O. Tiby, *Una disfida musicale a Palermo*, in Id., *I polifonisti siciliani del XVI e XVII secolo* cit., pp. 105-112 e Massimo Privitera, «*...Cantando victus...*»: *la disfida musicale fra Sebastián Raval e Achille Falcone*, in *Care note amorose: Sigismondo d'India e dintorni*, Atti del convegno internazionale (Torino, Archivio di Stato, 20-21 ottobre 2000), a cura di Sabrina Saccomani Caliman, Torino, Istituto per i Beni Musicali in Piemonte, 2004, pp. 133-143.

[19] Cfr. A. Mongitore, *Bibliotheca Sicula* cit., I, p. 415; Giuseppe M. Di Ferro, *Biografia degli uomini illustri trapanesi*, I, Trapani, Mannone e Solina, 1830, pp. 174-176. Per un quadro generale sull'attività del compositore, rimandiamo a Paolo Emilio Carapezza – Giuseppe Collisani, «Oristagno, Giulio d'», in *New Grove*, XVIII, p. 702.

sferì giovane a Palermo e intraprese lì gli studi musicali, fino alla nomina a suonatore di *piffaro* del Senato, documentata a partire dal 1573 sino almeno al 1581, secondo quanto ci dice Tiby.[20] Sempre Tiby ha rintracciato il decreto viceregio del 31 agosto 1593 con il quale Oristagno veniva nominato organista della Palatina, carica che manterrà sino alla morte nel 1623, per un salario di 48 onze annuali «con obbligo che habbi di tenere una persona benevisa al maestro di cappella di detta musica per alzare li mantichi».[21] Inoltre, come per Toscano in ambito canoro, anche per Oristagno Mongitore attesta una particolare valenza esecutiva, racchiusa nella definizione di «organicus peritissimus»[22] che il canonico palermitano gli attribuisce.

Accanto a queste notizie, almeno due sono le istituzioni ecclesiastiche in cui è stato possibile documentare l'attività musicale di Giulio Oristagno. Innanzitutto a San Martino delle Scale, dove vengono citati lui e compagni (probabilmente musici della Palatina) il 21 marzo 1610, assoldati allo stipendio di 24 tarì per la festa di San Benedetto.[23] Ben più significativa la collaborazione con il convento di San Domenico: qui infatti, nel 1607, l'Oristagno rivestiva la carica di organista stabile – che, ricordiamo, si avvicinava per tipo di occupazioni a quella di vero e proprio maestro di cappella – per un salario di 6 onze annuali. La sua presenza nel convento era comunque testimoniata già nel 1601, quando i padri gli elargivano 10 tarì «per loeri de lo cimbalo la notte di Natale».[24] Inoltre, nell'ottobre 1614 si certifica un altro pagamento di onze 2 «per comprare la viola da Giulio Oristagno»,[25] mentre sei anni dopo troviamo ulteriori annotazioni che confermano il parallelo impegno in campo didattico, con una serie di pagamenti di 24 tarì al mese per insegnare musica al novizio don Vincenzo da Palermo.[26]

6.1.2. *Mauro Panhormita, detto 'Ciaula'*

Negli stessi anni in cui operano Nicolò Toscano e Giulio Oristagno si sviluppa quasi parallela l'attività musicale di Maurus Panhormita, detto

---

[20] O. Tiby, *I polifonisti siciliani del XVI e XVII secolo* cit., p. 67.

[21] ASPa, *Tribunale del Real Patrimonio*, vol. 855, f. 261. Riportato in O. Tiby, *La musica nella Real Cappella Palatina* cit., p. 188.

[22] A. Mongitore, *Bibliotheca Sicula* cit., I, p. 415. Il musicista era molto lodato anche sul piano compositivo, come ancora testimonia Di Ferro (G.M. Di Ferro, *Biografia degli uomini illustri trapanesi* cit., p. 175).

[23] ASPa, CRS, *San Martino delle Scale – fondo II*, b. 1137: *Vacchetta 1609-1610*, c. 35r.

[24] ASPa, CRS, *San Domenico*, vol. 570, cc. 141r, 254r.

[25] ASPa, CRS, *San Domenico*, vol. 571, c. 48v.

[26] *Ivi*, cc. 176r, 178v, 182v.

anche Mauro Ciaula (o Chiaula), appartenente alla congregazione dei benedettini di San Martino delle Scale e, come i precedenti due compositori, inserito nella prima generazione dei polifonisti siciliani.[27] Per quanto la tradizione attribuisca a questo musicista il ruolo di maestro di cappella dell'abbazia, i volumi amministrativi dell'istituzione non ne fanno mai esplicito riferimento, pur attestando in svariate occasioni la sua presenza. Fra l'altro la testimonianza di Pietro Antonio Tornamira – relativa all'allestimento del 1581 dell'*Atto della Pinta*, rappresentazione teatrale di argomento sacro che a Palermo venne replicata dal 1538 per tutta la fine del XVI secolo, con apporti musicali non indifferenti[28] – definisce Mauro Ciaula maestro di cappella, ma non di San Martino delle Scale, bensì «del Duomo della Reggia di Sicilia».[29]

Secondo le fonti d'archivio, la presenza di Mauro Panormita a San Martino è documentata a partire dal 1569, confermando l'ipotesi che fisserebbe al 1562 la data di professione rispetto a quella più tarda del 1578.[30] La prima testimonianza sulla sua attività la troviamo nelle *Ordinationes speciales Capituli generalis pro monasterio Sancti Martini*, il 15 maggio 1569, quando i visitatori concedevano che «Don Mauro (iubente prælato) poterit organa pulsare ad honorem et laudem Dei».[31] In quel periodo il musicista aveva avuto già occasione di mettere a frutto gli insegnamenti impartiti nel marzo dello stesso anno dal già citato Francesco Lo Grammatico, stipendiato con 24 tarì «per imparare a don Mauro».[32] Anche la nota successiva testimonia il pagamento di 12 tarì il 19 agosto 1569 «al maestro [di?] D. Mauro che lu impara a sonare in conto del suo salario contanti».[33]

Altri registri dello stesso anno forniscono informazioni interessanti sul nostro musicista, come ad esempio il 22 agosto 1569, quando nel «Libro di spese minute» troviamo indicazioni sul trasporto di strumenti a tasto,

---

[27] Sulla figura del compositore e sulle sue opere cfr. PAOLO EMILIO CARAPEZZA – GIUSEPPE COLLISANI, «Ciaula [Chiaula, da Palermo, Palermitano, Panormitano], Mauro [Maurus Panhormita]», in *New Grove*, V, p. 596; O. TIBY, *I polifonisti siciliani del XVI e XVII secolo* cit., pp. 68-69; L. BIANCONI, *Sussidi bibliografici* cit., pp. 3-38.

[28] Per quanto riguarda l'*Atto della Pinta* si veda G. ISGRÒ, *Teatro del '500 a Palermo* cit., pp. 103-106 e M.A. BALSANO, *L'Atto della Pinta: un crescendo durato mezzo secolo* cit., pp. 195-236.

[29] *13 Raguagli istorici del P. Don Pietro Antonio Tornamira di Palermo*, p. 253. Questo manoscritto miscellaneo è conservato nella Biblioteca dell'abbazia di San Martino delle Scale.

[30] Cfr. M.A. BALSANO, *L'Atto della Pinta: un crescendo durato mezzo secolo* cit., p. 229.

[31] ASPa, CRS, *San Martino delle Scale – fondo II*, vol. 1467, c. 22r.

[32] ASPa, CRS, *San Martino delle Scale – fondo II*, vol. 738, c. 27v.

[33] *Ivi*, c. 50v. Nonostante l'uso improprio del verbo 'imparare', spesso adoperato come sinonimo di 'insegnare', non è verosimile pensare che fosse don Mauro a impartire le lezioni, considerando la giovane età del musicista.

nello specifico un pagamento di tarì 1 «per far portari la spinetta al frate di D. Mauro et portar lo minacordio in granchia».[34] Dopo questa data dovremo attendere quasi dieci anni per ritrovare notizie sul compositore che nel 1578 riceveva 2 onze «per comprare li flauti per la musica per mano del nostro reverendo».[35] Tre anni dopo verrà coinvolto in un'altra compravendita di strumenti musicali, della quale si già parlato in relazione a Morello. In questo caso la partecipazione del monaco benedettino è confermata dall'annotazione del 14 ottobre 1581: «Antonino Morello deve havere à xiiii di ottobre 1581 onze quattro, me diede in presenza di D. Mauro di Palermo, disse à bon conto dello prezzo dell'istrumenti musici, si li vendero li giorni passati, in detto à cassa».[36]

I pagamenti a Morello in presenza del Panormita, insieme alla notizia sull'acquisto dei flauti, si rivelano di un certo interesse se messi in relazione alla ripresa in quello stesso anno dell'*Atto della Pinta* su musiche del monaco benedettino. Fu proprio all'incarico di musicare il testo di Teofilo Folengo, commissione ricevuta dal viceré Marco Antonio Colonna, che il compositore dovette gran parte della sua fama presso i contemporanei, sia in Sicilia che nel resto di Italia, come conferma la testimonianza di Mongitore.[37] Anche per Ciaula, come per Nicolò Toscano, lo studioso registra un esempio di persistenza repertoriale in relazione al cosiddetto *Santo della Pinta* «che durante lo spettacolo [del 1581] era intonato da un coro angelico» e che «ancora ai primi dell'Ottocento, a quanto ci assicura il Bertini che fu maestro di cappella alla Palatina, era assiduamente cantato».[38]

Conformemente a quanto sappiamo da precedenti studi, il ritorno del musicista a Palermo e la sua permanenza nell'abbazia benedettina (dove sarebbe rimasto fino alla morte, avvenuta intorno al 1603) vengono confermati nel 1597 e nel 1598. In questi due anni i libri maggiori di San Martino documentano il nolo da Messina di libri di musica del padre don Mauro,[39] forse quegli stessi che nel 1597 erano stati stampati grazie a un contributo

---

[34] ASPa, CRS, *San Martino delle Scale – fondo II*, b. 1405: *Libro di spese minute 1569-1571*, c. 96r.

[35] ASPa, CRS, *San Martino delle Scale – fondo II*, vol. 758, c. 55v.

[36] ASPa, CRS, *San Martino delle Scale – fondo II*, b. 1404: *Libro di Cassa 1581-1582*, c. 33r.

[37] «Marcus Antonius Columna, tunc Siciliæ Prorex, nostrum Maurum ad cantus egregiè modulandos vocavit. Peritissimus armonicæ facultatis Magister ita excellenter munus sibi iniunctum explevit, ut unus fuerit Proregis, & omnium Auditorum sensus, inter Angelorum Choros in Cœlis audiri posse præstantiorem, suavioremque harmoniam. Hinc quæ harmonicis numeris concinnavit, publicis typis tradenda sancitum est. [...] Supra cæteros eminuit in ordinandis plurimorum vocum, & instrumentorum, pleno choro ex proportione respondentium symphoniacis modulationibus» (A. MONGITORE, *Bibliotheca Sicula* cit., II, p. 62).

[38] O. TIBY, *I polifonisti siciliani del XVI e XVII secolo* cit., p. 69.

[39] ASPa, CRS, *San Martino delle Scale – fondo II*, b. 1136: *Libro di spese minute 1597-1598*, c. 68v.

di 6 onze elargito dal monastero – «[Straordinario] et più onze tridici tarì sei et grana dui pagati dal P. di Martino di Palermo cioè onze sei per stampare li libri di canto del P. di Mauro di Palermo»[40] – e quindi identificabili con le *Lamentationes ac responsoria que in Hebdomada sanctæ cantari solent rithmis vocibus accomodata...quattuor vocibus* (Fig. 4).[41] Questa identificazione autorizza a porre quest'opera in relazione con l'abbazia palermitana e in particolare con i riti della Settimana Santa, che come abbiamo visto da sempre avevano ricevuto particolare attenzione musicale e per i quali vent'anni prima, nelle *Ordinationes speciales*, i visitatori avevano proibito espressamente il canto figurato.[42]

Sebbene incomplete, le *Lamentationes* si rivelano ugualmente utili per comprendere le consuetudini liturgiche dei monaci benedettini alla fine del XVI secolo, fornendo informazioni sui contesti e sulla cultura materiale da cui traggono origine. A tale scopo risulta essenziale l'analisi della dedica, in questo caso indirizzata a don Michele Abelardus, abate del monastero benedettino di San Giorgio a Venezia, che era solito sollevare l'animo dagli impegni gravosi ascoltando la musica, in particolare le composizioni del musicista palermitano, apprezzandovi la maniera ben temperata e armoniosa con cui le singole voci giungevano alle orecchie.[43] Alla fine della dedica, il Panormita rende chiaro il contributo dei frati di San Martino, ai quali era legato da *actissimo necessitudinis vinculo*, e la benevolenza dell'abate veneziano che quei frati *maximis cumulare honoribus soleas*, spingendo dunque il compositore a dedicargli l'opera.[44]

Se consideriamo l'assetto musicale, possiamo osservare un'alternanza ben bilanciata di passaggi omoritmici, parti imitative e sezioni libere in falsobordone, allo scopo di rendere evidente e comprensibile il significato del testo liturgico, in sintonia con i dettami della Controriforma. A quanto ci dice John Bettley, la novità stilistica del falsobordone quale cifra distintiva del genere della Lamentazione era stata introdotta da Pietro Vinci nel *Pri-*

---

[40] ASPa, CRS, *San Martino delle Scale – fondo II*, vol. 500, c. 7v.

[41] Questa stampa musicale, mutila del Canto, è conservata nel Museo Internazionale e Biblioteca della Musica di Bologna [RISM M 1450].

[42] Cfr. il capitolo successivo.

[43] «Non semel enim in ocio illo tu, in quo ad honestam hilaritatem soles animum à gravibus illis negotijs cum celeberrimi istius cœnobij, tum totius Congregationis nostræ, Cantionibus musicis revocare, aliqua ex nostris audire voluisti, atque in ijs acri perito ve iudicio, quàm temperata concentu auribus aptè respondeant singula vocum momenta perpendere».

[44] «Præterea cum propter filiorum huius cœnobij divi Martini, cum quibus arctissimo necessitudinis vinculo coniunctus sum, clientelam susceptam, pro singulari tua humanitate illos maximis cumulare honoribus soleas, non alij quàm tibi referendum erat hoc munus, quod esse posset simul grati erga te animi, ac ob susceptum patrocinium tui erga me beneficij monumentum».

mo libro delle Lamentationi del 1583,[45] quindi non stupisce la sua presenza nella composizione di Ciaula. Viceversa, come Ludovico Viadana avrebbe affermato nella postfazione alle sue *Lamentationes Hieremiæ Prophetæ* del 1609,[46] con il variare della situazione liturgica è necessario che nei Responsori il movimento delle voci diventi più animato, allo scopo di enfatizzare il messaggio liturgico che è tipico di questo repertorio, così come in genere dell'Officio delle Tenebre. Di conseguenza, attraverso il contenuto della stampa e le notizie delle fonti d'archivio, possiamo accertare la conformità alla pratica benedettina e il legame, ancora fruttuoso, fra l'istituzione e uno dei più importanti compositori della scena musicale del periodo.

6.1.3. *La seconda generazione: Antonio Il Verso ed Erasmo Marotta*

Dopo Toscano, Oristagno e Ciaula, si passa direttamente alla seconda generazione di polifonisti e alla figura che maggiormente la rappresenta: Antonio Il Verso, originario di Piazza Armerina e allievo di Vinci. Dell'attività palermitana del compositore ci informa ancora Tiby, testimoniandone la presenza fra i giudici della disfida Raval-Falcone e il rapporto d'amicizia con il poeta e musico Stefano Bagolino.[47] È sempre Tiby a rendere noti i riferimenti rintracciati nel fondo archivistico di San Domenico, che fra il 1608 e il 1609 attestano l'intervento di «Antonino lo Verso musico il quale insegna à f. Domenico di Ricalbuto organista del convento».[48] Questi, a sua volta, altri non è che Domenico Campisi, annoverato da Tiby fra i polifonisti siciliani della terza generazione, autore di due libri di *Mottetti a 2, 3 e 4* stampati a Palermo nel 1615 e nel 1618.[49]

---

[45] JOHN BETTLEY, La compositione lacrimosa: *Musical Style and Text Selection in North-Italian Lamentations Settings in the Second Half of the Sixteenth Century*, «Journal of the Royal Musical Association», CXVIII/2, 1993, pp. 181-182.

[46] Riportiamo quanto affermato da Bettley, che collega la maggiore diffusione alla fine del '500 della tecnica del falsobordone nel repertorio dei Salmi piuttosto che nelle Lamentazioni alla «very flexibility of declamation which the technique allowed», portando come esempio la dichiarazione di Viadana inclusa nella postfazione della raccolta del 1609, in cui il compositore affermava «non si è manco usato il Falsobordone [...] perché non si canta mai tutte le parole ugualmente» (*ivi*, p. 183). Sul genere delle Lamentazioni in Sicilia nel XVI secolo e sulla raccolta a stampa del Panormita rimandiamo a GIOVANNA VIZZOLA, *Le Lamentazioni del profeta Geremia in Sicilia nel Cinquecento*, PhD diss., Università di Roma 'La Sapienza', 2012.

[47] O. TIBY, *I polifonisti siciliani del XVI e XVII secolo* cit., p. 74. Su questo argomento si veda anche P.E. CARAPEZZA, *Introduzione* cit., p. 14 e la sua introduzione ad ANTONIO IL VERSO, *Madrigali a cinque voci, libro primo (1590)*, ed. moderna a cura di Ruth Taiko Watanabe e Paolo Emilio Carapezza, Firenze, Olschki, 1978, p. x.

[48] ASPa, CRS, *San Domenico*, vol. 570, cc. 278r, 283v, 286r.

[49] Cfr. A. MONGITORE, *Bibliotheca Sicula* cit., I, p. 166; PAOLO EMILIO CARAPEZZA – GIUSEPPE COLLISANI, «Campisi [Campesius], Domenico», in *New Grove*, IV, p. 893.

Oltre a queste notizie, non è stato trovato nessun altro accenno all'attività musicale nelle chiese palermitane di Antonio Il Verso, probabilmente uno dei pochi compositori a non essere legato stabilmente a nessuna istituzione e che forse poteva permettersi di svolgere la libera professione. Invece, nelle *vacchette* di San Martino delle Scale relative alla prima metà del XVII secolo, è possibile individuare alcune indicazioni su pagamenti all'abbazia in conto del *loero* (affitto) di varie abitazioni. Fra gli affittuari compare il nome di Antonio Lo Verso, segnalato fra il 1618 e il 1620. Che si tratti del nostro musicista è più che probabile, visto che le informazioni si fermano proprio in prossimità di quello che Tiby pensa sia stato l'anno di morte del compositore, il 1621, a sua volta suggerito dalle *Memorie familiari dell'oratorio di Palermo*.[50] A conferma di tale ipotesi, nell'agosto 1620 si legge che il pagamento venne effettuato per mano della moglie di Lo Verso, forse per una sopraggiunta malattia del marito.[51]

Di un altro importante musicista della seconda generazione, Erasmo Marotta, troviamo riscontro nei volumi amministrativi della Compagnia di Gesù di Palermo. Presso i gesuiti la musica era particolarmente coltivata, come confermato da numerose evidenze documentarie.[52] Il maggior numero di notizie musicali si trova, comunque, proprio in corrispondenza degli anni di permanenza di Marotta. Nato nel 1576 a Randazzo, dopo il periodo di apprendistato a Roma il musicista era stato ammesso al noviziato di Palermo nel 1612, rimanendovi sino almeno al 1620 e ritornando nel 1623. Le prime notizie sulla sua attività musicale risalgono al 1616 e confermano come in effetti fosse usuale per Marotta cantare e suonare insieme ai vari musici straordinari chiamati dall'esterno per le occasioni più importanti, cosa che era vista con un certo sospetto dagli esponenti della compagnia.[53]

All'anno successivo è datato un documento con il quale l'organaro Giovanni Vito Adragna di Monte San Giuliano si obbligava con Erasmo Marotta per la costruzione di un nuovo organo che fosse «a tono» con l'organetto in possesso dei padri, secondo il modello dell'organo della Palatina

---

[50] O. TIBY, *I polifonisti siciliani del XVI e XVII secolo* cit., p. 74. Questa indicazione è possibile prova di una collaborazione fra Antonio Il Verso e Sant'Ignazio all'Olivella.

[51] ASPa, CRS, *San Martino delle Scale – fondo II*, b. 1138: *Vacchetta 1620-1621*, c. 196v.

[52] Cfr. *infra*, capitolo IX.

[53] Cfr. O. TIBY, *I polifonisti siciliani del XVI e XVII secolo* cit., pp. 79-81. Su Marotta e sulla sua attività musicale rimandiamo a IRENE CALAGNA, *Jesuita cantat*, in ERASMO MAROTTA, *Mottetti concertati a due, tre, quattro e cinque voci (1635)*, ed. moderna a cura di Irene Calagna, Firenze, Olschki, 2002, pp. VII-XIX, e ANNA TEDESCO, «Marotta, Erasmo», in *Dizionario Biografico degli Italiani*, LXX, Roma, Istituto della Enciclopedia Italiana, 2008, pp. 673-675.

(«conforme all'organo del Regio Palazzo di questa città») e sottoposto in tutto e per tutto al giudizio di Marotta, con la precisazione che «in quanto al tono ita che detto de Adragna non sia tenuto farce nessuna canna di stagno ma tutte di piombo».[54] L'organo doveva essere «di otto registri di mesura di palmi deci»,[55] da concludere e sistemare nell'arco di sei mesi, al prezzo complessivo di 75 onze. La somma doveva essere elargita in tre rate: le prime due di 20 onze ciascuna, una delle quali da pagare in occasione del Natale, e le rimanenti 35 onze a lavoro ultimato (Fig. 5).

Il documento conferma quanto detto da Tiby riguardo alla permanenza di Marotta nel Collegio, durante la quale «impiantò l'organo e curò molto le esecuzioni musicali».[56] Lo strumento di Casa Professa costituirà fra l'altro il modello per quello che nel 1620 Giovanni Maria Fiorenza si impegnerà a costruire per il collegio di Sciacca, sempre con il coinvolgimento di Marotta nelle vesti di esperto.[57] Per motivi che non conosciamo, il progetto non fu portato a termine, forse a causa della supposta inettitudine di cui il suddetto Fiorenza aveva dato prova in relazione alla costruzione di un organo per il monastero di Santa Maria della Pietà. In effetti l'atto specificava che l'organo (la cui consegna era prevista entro gennaio 1621) dovesse «attalentare [piacere] al P. Erasmo Marotta di questa compagnia e conforme esso li dirà et tanto nel lavoro delli canni, banconi, mantici, delli registri et remanenti di detto organo quanto nella forma», aggiungendo che «se non riuscirà o non piacerà al Padre Marotta dovrà farne un altro».[58]

Di Marotta sappiamo anche che compose le musiche per gli intermedi del *Pelagius martyr*, dramma religioso su testo di Fabrizio De Spuches, che nel 1618 veniva rappresentato con immenso successo nel Collegio, due anni prima che i superiori prendessero la decisione di allontanare il musicista da Palermo. L'esilio, comunque, fu breve e già nel 1623 ritroviamo il compositore nel collegio palermitano, dove rimarrà sino alla morte (1641). I libri di conto attestano la sua presenza nel 1634 («compra di ciceri e un porco per P. Marotta»)[59] e dal 1638 al 1639. In base al tipo di riferimenti, possiamo affermare che in quegli anni all'interno dell'istituzione egli svolgesse i compiti di vero e proprio prefetto di musica, adibito al controllo delle attività relative, al pagamento dei musicisti e alla gestione dei legati destinati a tale scopo.

---

[54] ASPa, *Notai defunti – Stanza I*, vol. 599, c. 18r.

[55] *Ibidem*.

[56] O. TIBY, *I polifonisti siciliani del XVI e XVII secolo* cit., p. 81.

[57] Cfr. G. DISPENSA ZACCARIA, *Organi e organari in Sicilia* cit., p. 23.

[58] ASPa, *Notai defunti – Stanza II*, vol. 1219, c. 576r.

[59] ASPa, ECG, *Chiesa e Collegio Massimo dei Gesuiti – Serie H*, vol. 5, c. 36a.

Un esempio dei brani musicali eseguiti presso i gesuiti in quegli anni ci viene offerto dall'unica raccolta a stampa che ci rimane di Marotta, la *Raccolta di mottetti del Marotta [...] A Due, à tre, à Quattro, à Cinque. Con il Basso Continuo, & un Salmo à 3. & una Litania à 5. ò à 6.*, pubblicata a Palermo presso Giovanni Battista Maringo nel 1635 e dedicata a suor Antonia Gertrude, figlia di Antonio Aragona Moncada, duca di Montalto, e di Juana de la Cerda.[60] Particolarmente interessante risulta l'analisi della destinazione liturgica dei 36 mottetti, molti dei quali dedicati alla Vergine Maria, anche se non mancano riferimenti alle devozioni peculiari dell'istituzione, in particolare a Sant'Ignazio di Loyola e San Francesco Saverio.

Tuttavia dell'attività compositiva del gesuita i volumi d'archivio non forniscono alcuna notizia, soffermandosi invece sugli aspetti economici del finanziamento delle attività musicali che spesso coinvolgevano i privati, e in alcuni casi il Senato palermitano. Fra il 1640 e il 1641 fu anche nominato procuratore del Collegio, ma di questa carica dovette godere ben poco, a causa della morte nel 1641 di cui abbiamo notizia tramite una serie di annotazioni relative all'inventario dei suoi beni, alla riscossione dei censi del Collegio, alla commissione di manufatti tessili e argentei, a una casa che il musicista aveva preso a *loeri* per tre anni da Anna Mulè.[61]

6.1.4. *Polifonisti di terza e quarta generazione: Francesco Italia, Vincenzo D'Elia, Antonio La Greca*

Per quanto riguarda i musicisti della terza e quarta generazione, le informazioni risultano diversificate. Dell'attività dei compositori operanti a Sant'Ignazio all'Olivella nella prima metà del XVII secolo, vale a dire Antonio Formica e Giuseppe Palazzotto Tagliavia,[62] non abbiamo prove di tipo documentario, sebbene la mancanza di notizie sia facilmente spiegabile in relazione alle lacune del relativo fondo archivistico. I libri contabili delle istituzioni ecclesiastiche fanno invece riferimento al già discusso Domenico Campisi e a Francesco Italia «Panormitanus Musicæ artis peritissimus», di cui finora si conoscevano soltanto il luogo di nascita, il periodo di fioritura (1610) e la pubblicazione nel 1614 di un volume, i *Responsoria Feria Quinta, Sexta & Sabbato Sancto Majoris Hebdomadæ* presso Angelo Orlandi e Decio Cirillo.[63]

---

[60] Sul contenuto di questa raccolta e su alcune sue peculiarità stilistiche si veda ancora I. CALAGNA, *Jesuita cantat* cit., in particolare pp. XIII-XVIII.

[61] Cfr. ASPa, ECG, *Chiesa e Collegio Massimo dei Gesuiti – Serie H*, vol. 7, cc. 2a, 5a, 5b, 7b, 8b, 9a, 10a, 12b.

[62] Cfr. O. TIBY, *I polifonisti siciliani del XVI e XVII secolo* cit., pp. 91, 95, 97.

[63] Cfr. A. MONGITORE, *Bibliotheca Sicula* cit., I, p. 217.

Dalle ricerche effettuate, Francesco Italia (elencato fra i cantori della cattedrale in un documento del 1603) risulta attivo il 6 settembre 1603 presso la chiesa del Santissimo Salvatore – dove viene pagato 3 onze e 18 tarì «per la musica primi et secondi vesperi et missa»,[64] senza precisare il tipo di occasione – e il 23 settembre 1607 presso San Giovanni dell'Origlione, quando si pagano onze 4 «per tavola a D. Francesco Italia per esso et soi compagni per la musica nella nostra chiesa per la festa di San Francesco di Paula».[65] Del compositore conosciamo esattamente la data di morte grazie al suo epitaffio, esistente nella chiesa di Santa Maria di Monte Oliveto e trascritto da Mongitore nel suo manoscritto sui monasteri palermitani:

D. Franciscus Italia ex Panormitano Seminario inter primos fructus excerptus, pietate in deum, morum integritate præstantissimus, in Maiore Panormitana Ecclesia sacerdotio Scholæ Magisterij personatu dignissimè perfunctus, musici chori moderator, organorum modulator optimus. Oh quantum perdidisti reverenda Sacerdotum corona! In hoc, quem vivens sibi præoptaverat hoc requiescit. Obijt an. domini 1627. 15. cal. Augusti annum agens 52.[66]

Assai più documentata è l'attività di Vincenzo D'Elia, che insieme a Morello è il musicista per il quale si attesta il maggior numero di collaborazioni con istituzioni palermitane. Le notizie raccolte risultano ancor più significative se teniamo conto della scarsità di informazioni possedute fino a questo momento. Da Mongitore sappiamo che D'Elia fu maestro di cappella della Palatina,[67] succedendo nella carica a Cornelio Drago nel 1636, come hanno dimostrato le successive indagini di Tiby.[68] Nello stesso anno di assunzione della carica, diede alle stampe l'unico libro di sue composizioni che ci è rimasto, i *Salmi et hinni di vesperi ariosi, a 4 e 8 voci, di Vincenzo D'Elia luogotenente della cappella reale di Sicilia, con il basso continuo per l'organo*, conservato presso l'Archivio del Museo della Cattedrale di Malta.[69] Umberto D'Arpa ha anche rilevato la sua presenza nell'elenco dell'Unione dei Musici del 1653,[70] perfettamente legittimata dal ruolo di *moderator musicæ* della più importante istituzione cittadina.

Se le fonti erudite non riportano alcuna notizia sull'attività di D'Elia precedente al 1636, al contrario i libri di conto delle corporazioni religio-

---

[64] ASPa, CRS, *Santissimo Salvatore*, vol. 778, c. 65b.

[65] ASPa, CRS, *San Giovanni dell'Origlione*, vol. 154, c. 131a.

[66] A. MONGITORE, *Storia sagra di tutte le chiese, conventi, monasteri, spedali e altri luoghi pii della città di Palermo: Monasteri e conservatori* cit., f. 178.

[67] Cfr. A. MONGITORE, *Bibliotheca Sicula* cit., II, p. 281.

[68] Cfr. O. TIBY, *La musica nella Real Cappella Palatina* cit., p. 91.

[69] Cfr. DANIELE FICOLA, *Stampe musicali siciliane a Malta*, in *Musica sacra in Sicilia* cit., p. 74.

[70] Cfr. U. D'ARPA, *Notizie e documenti sull'unione dei musici* cit., pp. 30-31.

se arrivano a fornire numerose informazioni, forse anche relative ad anni abbastanza precoci. Infatti, a partire dal 1599 si registrano pagamenti per censo effettuati per mano di 'Vincenzo di Elia' all'abbazia di San Martino delle Scale, annotazioni che si ripetono con regolarità sino almeno al 1602.[71] Negli stessi anni, il suddetto di Elia compare sovente nella parte dell'esito dei volumi di conto a riscuotere varie somme elargite da membri della comunità religiosa, quali Orazio Lancetta, Agostino Bonanno e Alessandro Blanco. Non sappiamo per quale motivo questo 'Vincenzo di Elia' venisse retribuito dall'abbazia, quali fossero i suoi rapporti con l'istituzione e soprattutto se possiamo identificarlo con il musicista o se al contrario si tratta di un caso di omonimia.

A possibile sostegno dell'ipotesi di identificazione (che se fosse esatta spingerebbe a collocare la data di nascita del musicista verso gli anni '70-'80 del XVI secolo) sta un atto notarile del 4 gennaio 1617, nel quale l'organaro Giovanni Vito Adragna di Monte San Giuliano si obbligava con Vincenzo de Elia per alcune riparazioni e interventi di manutenzione destinati all'organo del monastero di Santa Maria di Valverde. Nello specifico l'atto recita:

Die iiij.a Januarij xv.e Indictionis 1617.

Magister Joanni Vitus de Adragna de civitate Montis sancti Juliani et habitator huius urbis Panhormi mihi notario cognitus coram nobis sponte se obligavit et obligat ac promisit, et promittit Vincentio de Elia coram presens, etiam mihi notario cognito presenti, et stipulanti facere infraditta opera videlicet mettere à tono l'organo del monasterio di Valleverde di questa città con farce il bancone novo, e mantici novi ita che detto bancone sia di sei registri conforme ch'era prima nec non et aggiungerci tutte quelle canne che saranno necessarie per calare lo tono, quale bancone mantici, et altre cose ut supra [c. 141r] detto di Adragna sia tenuto si come promette a detto di Elia stipulanti assettarli in detto organo di detta chiesa à spese di detto di Adragna ad altius per la festa di Pasca di ressurrectione proxima da venire. […]

Et hoc pro pretio et magisterio unciarum triginta otto de quibus dittus de Adragna personaliter et manualiter numerando habuit et recepit a ditto de Elia stipulante uncias decem de contanti in moneta argentea iusti ponderis, et restantes uncias viginti otto ditto de Adragna stipulanti seu personæ pro eo legitime hic Panhormi in pecunia numerata iusti ponderis videlicet uncias decem per totum presentem mensem Januarii et uncias decem et otto statim et incontinenti che sarà assettato detto bancone et altre cose ut supra et hoc sine aliqua exceptione iuris, et fatti in pace etc.

Cum hoc tamen condictione et clausula scilicet, che detta opera ut supra da fare sia benvista a persone pratice, et experti, e che in quanto alla detta revisione

---

[71] ASPa, CRS, *San Martino delle Scale – fondo II*, b. 1456: *Dare e avere 1598-1602*, c. 130a.

d'esperti il presente contratto s'intenda firmato con quelle stesse clausule conditioni, e pattj conforme detto d'Adragna s'obligao per l'organo da fare per la chiesa del Crocifisso dell'Albergaria di questa città, e non altrimente nè in altro modo.[72]

In margine all'atto si specifica che il 28 luglio 1617 Vito Adragna aveva ricevuto da Vincenzo D'Elia onze 10 in contanti in diverse partite, a compimento delle onze 28 che ancora gli si dovevano. Il fatto che D'Elia comparisse fra i contraenti dell'atto, a rappresentanza del monastero di Santa Maria di Valverde (e probabilmente anche fra quelle «persone pratiche et experti» che dovevano valutare l'intervento), spinge a credere che nel 1617 fosse già un musicista affermato e non alle prime armi, e che quindi fosse abbastanza avanti negli anni, cosa che renderebbe possibile la sua presenza quale affittuario a San Martino delle Scale nel 1599.

Come ulteriore conferma, l'anno successivo lo troviamo in una prestigiosa istituzione quale il convento di San Domenico per la musica della novena e notte di Natale, quando viene assoldato insieme ad altri esecutori e pagato 3 onze per i suoi servizi.[73] A San Domenico i riferimenti a Vincenzo D'Elia si susseguono lungo tutta la prima metà del XVII secolo. Di un certo interesse appare già l'annotazione del 22 marzo 1619 che registra la spesa di 5 onze e 18 tarì «per la musica della quaresma a Vincenzo musico maestro di cappella».[74] Che Vincenzo D'Elia venga denominato «maestro di cappella» è indicativo e conferma che già agli inizi del Seicento il musicista ricopriva quella carica in qualche istituzione cittadina o proprio a San Domenico. La sua presenza è documentata anche per la musica a tre cori della festa del titolo (1620), per la musica della novena e notte di Natale del 1620 (quando viene retribuito per il trasporto e noleggio di un organetto) e del 1623, per l'Epifania del 1621 e del 1624, per la Quaresima e la Settimana Santa sempre nel 1624.[75]

Due anni prima la nomina di maestro della Palatina, Vincenzo D'Elia viene attestato come organista del monastero di Santa Maria della Pietà, al

---

[72] ASPa, *Notai defunti – Stanza I*, vol. 599, c. 140v. Un altro atto relativo alla costruzione di un organo era stato già segnalato da Giuseppe Dispensa Zaccaria. Nel documento, datato 22 agosto 1613, l'organaro Francesco La Valle si obbligava con Vincenzo D'Elia per la costruzione di «un organetto di quattro registro di quillo modo et qualità che detto de Helia ha dato a fari a maestro Antonino La Valli suo fratello bene et magistribilmente da revedersi per altri maestri expertis» (cfr. G. Dispensa Zaccaria, *Organi e organari in Sicilia* cit., p. 144).

[73] ASPa, CRS, *San Domenico*, vol. 571, c. 142r.

[74] *Ivi*, c. 146v. Che probabilmente si tratti di D'Elia ci viene suggerito dalla nota del dicembre dello stesso anno che, come nel 1618, riporta i pagamenti per la musica del Natale fra cui sempre 3 onze a «Vincenzo di Lia come mastro di cappella» (*ivi*, c. 163v).

[75] ASPa, CRS, *San Domenico*, vol. 571, cc. 177r, 226r, 226v; vol. 572, cc. 8v, 9v, 18v, 19r.

salario di 4 onze annuali. Molto probabilmente si trattò di un incarico temporaneo, visto che lo troviamo esclusivamente nel 1634.[76] Nel monastero D'Elia tornerà a prestare i propri servizi di musico a partire dal 1640 sino al 1646, quasi sempre in relazione alle celebrazioni per le Quarantore (solo in un caso per la musica del Santissimo Rosario),[77] ma probabilmente anche per altre occasioni, come viene suggerito dall'annotazione del 16 febbraio 1643 che registra il pagamento di onze 21 e tarì 28 a Vincenzo di Elia «per suoi travagli presosi esso, e suoi compagni in havere cantato diverse volti nella chiesa del nostro monasteri».[78]

Le rimanenti notizie sull'attività musicale di D'Elia, sempre insieme ad altri compagni musicisti (quasi sicuramente membri della Palatina), riguardano periodi successivi al 1636 e coinvolgono istituzioni femminili: nel monastero della Martorana lo troviamo nel 1639, retribuito di terzo in terzo per un totale di onze 9 e tarì 6 annuali «per tanti servitii fatti per esso, e compagni per la musica»;[79] a Santa Maria del Cancelliere viene documentato a partire dal 1637 per la musica della festa della Madonna della Perla, dell'ottava del Santissimo Sacramento e delle Quarantore,[80] prestazioni che già non dovevano rientrare nell'ambito della straordinarietà se nel 1643 alcune note di pagamento lo retribuivano «di tutti li servitii d'esso fatte al nostro monasterio come maestro di cappella insieme con li 3 compagni musisci per tutto il passato mese di decembre 1641» e anche per «conzatura di organo»;[81] infine a Santa Chiara dove nel 1650 vengono pagate 6 onze «per tavola a Don Vincenzo Scamardi in somma di onze 24. per tanti doveva pagare a Vincenzo d'Elia e soi compagni per haver cantato nella vigilia e festività di Santa Clara».[82]

Attivo a metà Seicento fu infine Antonio La Greca, nato a Palermo nel 1631, che studiò musica con Filippo Fardiola, beneficiale della cattedrale di Palermo e maestro assai noto in quegli anni, a tal punto che da lui La Greca prese il nome di 'Fardiola' con cui spesso veniva denominato dalle fonti dell'epoca. Alla luce di queste considerazioni, non possiamo stabilire con assoluta certezza se il Fardiola che intervenne come soprano per la celebrazione delle Quarantore del 1643 nel convento di San Domenico[83]

---

[76] ASPa, CRS, *Santa Maria della Pietà*, vol. 267, c. 106r.

[77] ASPa, CRS, *Santa Maria della Pietà*, vol. 271, c. 110r.

[78] ASPa, CRS, *Santa Maria della Pietà*, vol. 219, c. 73b.

[79] ASPa, CRS, *Monastero della Martorana*, vol. 778, c. 71b.

[80] ASPa, CRS, *Santa Maria del Cancelliere*, vol. 537, cc. 253a, 253b.

[81] ASPa, CRS, *Santa Maria del Cancelliere*, vol. 538, c. 277a; vol. 539, c. 167a.

[82] ASPa, CRS, *Santa Chiara*, vol. 270, c. 143a.

[83] ASPa, CRS, *San Domenico*, vol. 578, c. 9r.

sia da identificare con Filippo Fardiola o più probabilmente con il suddetto Antonio La Greca, che quattordici anni dopo a Palermo avrebbe pubblicato la sua *Armonia sacra di vari mottetti a più voci* (1657) presso i tipi di Giuseppe Bisagni, stampa oggi conservata nell'Archivio di Malta.[84]

6.1.5. *Altri compositori: Bonaventura Rubino e Paolo d'Aragona*

Concludiamo questa rassegna con due musicisti che, pur non essendo annoverati fra i polifonisti siciliani, furono comunque attivi in Sicilia e autori di opere musicali. Il primo di essi è Bonaventura Rubino, appartenente all'ordine dei padri minori conventuali, che per il numero di stampe musicali superstiti (senz'altro sostanzioso, se paragonato alla situazione degli altri compositori) risulta negli ultimi anni il più studiato dai musicologi. Se la mancata inclusione di Rubino nella scuola polifonica va spiegata alla luce delle sue origini non siciliane, si può comunque affermare che «il Montecchi» – come spesso veniva definito dal nome del suo paese natale, Montecchio in Lombardia – a tutti gli effetti fosse un musicista di adozione siciliana, visto che a Palermo si trovò a svolgere gran parte della sua attività quale maestro di cappella della cattedrale, dal 1643 sino almeno al 1665.

Di Rubino si è già parlato in relazione alle musiche per le celebrazioni dello Stellario del 1644 e per la composizione del dialogo *La Rosalia guerriera*, rappresentato durante il festino di Santa Rosalia sia nel 1652 che nel 1655. Di questo dialogo non ci son giunte le musiche, ma un'idea dello stile compositivo di Rubino possiamo formarcela sulla base delle sette raccolte di musica sacra che di lui ci sono pervenute: dalla *Prima parte del Tesoro Armonico […] nella quale si contengono Messe concertate a 3, 4, 5, 6, 7, 8 e 9 voci, con Sinfonie e senza* del 1645, ai *Salmi concertati a 5 voci e Salmi davidici a 3 e 4 voci* del 1658, passando attraverso due raccolte di mottetti (1651 e 1653), un libro di *Messe e salmi a 8 voci concertati nel primo choro* (1651) e soprattutto i *Salmi varii variamente concertati* (1655) ai quali si è attinto per la ricostruzione delle musiche dello Stellario.[85]

Procedimento caratteristico della sua musica, e in particolare di questa raccolta, è l'utilizzo di bassi ostinati di derivazione profana (come bassi di

---

[84] Cfr. O. Tiby, *I polifonisti siciliani del XVI e XVII secolo* cit., p. 101; D. Ficola, *Stampe musicali siciliane a Malta* cit., p. 77.

[85] Sulla prima raccolta si veda Nicoletta Billio D'Arpa, *Il primo libro di Mottetti concertati (Palermo 1651) di Bonaventura Rubino*, «I Quaderni del Conservatorio», I, 1988, pp. 113-129. Cfr. anche Paolo Emilio Carapezza – Giuseppe Collisani, «Rubino, Bonaventura», in *New Grove*, XXI, pp. 843-844 e Daniele Ficola, *Echi monteverdiani a Palermo: il "Lauda Ierusalem secondo" di Bonaventura Rubino (1655)*, in *Ceciliana per Nino Pirrotta*, a cura di Maria Antonella Balsano e Giuseppe Collisani, Palermo, Flaccovio, 1994, pp. 145-160.

ciaccona o passacaglia), sui quali Rubino costruisce interi brani. È il caso del *Lauda Ierusalem secondo*, da intendere come una successione di variazioni sopra la bergamasca, secondo modelli di ascendenza monteverdiana.[86]

Alle notizie sulla sua attività presso San Francesco d'Assisi e nella cattedrale si aggiungono i dati riguardanti le collaborazioni con altre istituzioni della città. Nel monastero di Santa Elisabetta, appartenente anch'esso all'ordine francescano, viene attestato nel 1649 («per onze 6. girati in tavola al padre maestro fra Bonaventura Robbino per giorni 4. di musica per la detta festa delle quarant'hore») e nel 1652, sia per la stessa occasione che per la medesima retribuzione («onze 6. girati in tavola al maestro Fra Bonaventura Rubbino da Montecchi sin'à 26. del corrente per tutto il servitio delle 40. hore celebrate a 8. del corrente»).[87] Sempre agli stessi anni e alla celebrazione delle Quarantore è legato un ulteriore riferimento trovato fra le pagine dei libri di conto del monastero di Santa Maria della Pietà, che il 14 marzo 1651 registra un pagamento di «onze otto per tavola al padre fra Bonaventura Robbino per havere fatto la musica esso e suoi compagni».[88]

Di tutti i musicisti finora analizzati, per quanto attivi nella composizione di opere musicali, le fonti d'archivio riferiscono soltanto informazioni relative a compiti prettamente esecutivi o comunque di direzione e organizzazione dei gruppi musicali che venivano ingaggiati da conventi e monasteri per le occasioni festive di maggiore richiamo. L'unica eccezione è costituita da Paolo d'Aragona, il solo a essere citato in relazione alla composizione di musiche. Il suo nome compare, infatti, nella documentazione del convento di San Domenico, il 2 aprile 1621, quando viene stipendiato con 24 tarì «per componere li quattro passii» che dovevano essere eseguiti nella Settimana Santa di quell'anno e per i quali il convento aveva appositamente acquistato «carta rigata», come testimoniato in una nota precedente.[89]

Nello stesso anno Paolo d'Aragona è documentato quale musico dell'abbazia di San Martino delle Scale, sia in relazione alla festa di San Benedetto che per la Pentecoste allo Spirito Santo.[90] A queste due occasioni D'Aragona quasi sicuramente intervenne come strumentista, secondo quanto confermato da un riferimento di qualche mese successivo (dicembre 1621), sempre relativo al convento di San Domenico, dove lo troviamo a suonare

---

[86] Cfr. D. Ficola, *Il Festevole Trionfo per la Coronazione dell'Immacolata Reina* cit., pp. 244-248.

[87] ASPa, CRS, *Santa Elisabetta*, vol. 145, cc. 89a, 135a.

[88] ASPa, *Santa Maria della Pietà*, vol. 222, c. 115a.

[89] ASPa, *San Domenico*, vol. 571, cc. 190v, 191r.

[90] ASPa, CRS, *San Martino delle Scale – fondo II*, b. 1138: *Vacchetta 1620-1621*, c. 39v; *Vacchetta 1621-1622*, c. 34v.

il liuto durante la novena di Natale per 7 tarì al giorno, ad eccezione della notte di Natale, quando la cifra viene più che raddoppiata.[91] Queste annotazioni su Paolo d'Aragona risultano di un certo interesse, se consideriamo che fino a questo momento era del tutto sconosciuta la sua attività in ambito palermitano, mentre fonti documentarie precedentemente analizzate lo attestavano nella Sicilia centro-orientale e nel 1616 anche a Napoli.

La testimonianza più antica risale al 1597 ed è stata rinvenuta da Nicolò Maccavino, nel corso delle sue ricerche dedicate allo studio delle attività musicali a Caltagirone fra 1569 e 1619.[92] Il documento in questione registra il pagamento di onze 2 dalla città di Caltagirone «à Paulo di Aragona [...] per havere venuto di Catania ad agiutari à cantari la messa a cinque chori et sonari di licito per la festa di Santo Iacopo».[93] L'annotazione testimonia che Paolo d'Aragona alla fine del Cinquecento si trovava a Catania, che nel 1597 si era spostato a Caltagirone (non sappiamo se solo per la festa di San Giacomo o per altre occasioni) e che svolgeva sia attività canora che strumentale.

Da questo riferimento sono partiti Daniele Ficola e Paolo Rigano nel loro saggio incentrato sull'analisi di un manoscritto contenente una toccata per liuto di Paolo d'Aragona. In particolare, i due autori si sono soffermati sulla dicitura «sonari di licito» che, per quanto aderente alla grafia originale del copista, è da intendere come un errore di trascrizione e dunque, invece di riferirsi a 'ciò che è lecito', va letta come 'sonari di liuto', in relazione allo strumento che Paolo d'Aragona fu chiamato a suonare a Caltagirone. In assenza di ulteriori prove documentarie, i due studiosi concludevano che «non è possibile attribuire con assoluta certezza a Paolo d'Aragona la professione di liutista» pur ipotizzando una certa familiarità con questo strumento.[94]

Il ritrovamento dell'indicazione del 1621 scioglie, invece, qualsiasi dubbio, confermando come d'Aragona fosse effettivamente un liutista e anche di un certo livello, se paragoniamo l'entità della retribuzione per i suoi servizi durante il Natale (equivalente a circa 3 onze) con quella che solitamente veniva elargita dal convento ad altri liutisti per la stessa occasione (di rado superiore alle 2 onze). L'insieme di queste notizie, inoltre, getta luce sulla carriera del musicista e sui suoi spostamenti. Già Maccavino considerava d'Aragona di origini siciliane (nello specifico catanesi, alla luce del docu-

---

[91] ASPa, *San Domenico*, vol. 571, c. 206v.

[92] N. Maccavino, *Musica a Caltagirone* cit., p. 100.

[93] Archivio di Stato di Caltagirone, *Discarichi*, vol. 4, f. 47, n° 432.

[94] Daniele Ficola – Paolo Rigano, *La toccata per liuto di Paolo d'Aragona*, «I Quaderni del Conservatorio», I, 1988, p. 93.

mento di Caltagirone) e dal canto loro Ficola e Rigano hanno sottolineato altri elementi a supporto di tale ipotesi, fra tutti il fatto che nel manoscritto contenente la toccata egli sia definito «Paolo d'Aragona Siciliano». Sebbene un'analisi delle composizioni superstiti – oltre al manoscritto proveniente da Napoli, due libri di *canzonette*, stampate anch'esse a Napoli nel 1616 – suggerisca che a un certo punto il musicista si fosse trasferito nella città partenopea, sulla base delle nuove acquisizioni possiamo affermare che al massimo dopo cinque anni egli tornò a Palermo, dove si distinse nelle attività di cui abbiamo parlato.

Alla luce di queste considerazioni – alle quali si aggiunge la menzione nei due libri di canzonette della 'chitarra alla spagnola' e soprattutto l'analisi stilistica della toccata[95] – possiamo ipotizzare che anche per la composizione dei *Passi* eseguiti a San Domenico d'Aragona avesse messo a frutto la propria valenza di suonatore di liuto e la conoscenza delle caratteristiche dello strumento e delle sue potenzialità timbriche che sicuramente aveva avuto modo di approfondire durante il periodo napoletano. Tutto questo è confermato dalle notizie d'archivio relative al convento domenicano, che in molte occasioni, e soprattutto nel corso della Settimana Santa, fra gli strumenti musicali sancivano la prevalenza del liuto, sollecitando così una riflessione sulla pratica strumentale nelle chiese palermitane fra Cinque e Seicento.

---

[95] Tale scrittura «se da un lato [...] è assimilabile ad uno stile [...] già in atto nel madrigale coevo, dall'altro risulta perfettamente calibrata per il liuto» (*ivi*, p. 95).

Capitolo settimo

STRUMENTI MUSICALI, ORGANARI E LIUTAI

7.1. Musica strumentale nelle istituzioni palermitane

7.1.1. *"Ne monachi utantur musicis instrumentis": San Martino delle Scale*

Si è visto come l'analisi del rapporto fra musica e istituzioni comporti un confronto continuo con la tematica dell'esercizio del potere e con ragioni di natura economica. In questo senso va letta la promozione di attività musicali che avevano lo scopo di consolidare l'ideologia dominante, e allo stesso tempo di affermare l'autorità dell'istituzione che le commissionava, trasformandosi in vere e proprie fabbriche di consenso. È dunque alla luce di queste riflessioni che vanno considerate le manifestazioni di sospetto o interdizione verso quelle pratiche musicali che in qualche modo erano sentite come divergenti dal pensiero dell'autorità dominante. Non era peraltro infrequente che si verificasse un conflitto fra interessi concorrenti e che ciò che veniva proibito a livello centrale fosse invece, se non promosso, tacitamente accettato a livello locale, per non creare perdita di consenso e di potere politico.

Nel caso del rapporto fra musica e Chiesa, uno dei bersagli di tali proibizioni era costituito dall'utilizzo degli strumenti musicali che invece, come sappiamo, erano regolarmente adoperati dai membri del clero e degli ordini religiosi nelle diverse istituzioni. La diffidenza della Chiesa nei confronti della musica strumentale rientra in un orizzonte ideologico che considerava la musica quale supporto alla preghiera, e che quindi sin dall'inizio aveva accolto il canto gregoriano quale unica forma di espressione musicale ammessa nel corso delle funzioni liturgiche. Fra l'altro, sulla scorta dei dibattiti che si erano succeduti a partire dall'epoca medievale,[1] la pratica strumentale era vista quale manifestazione di un principio meccanico, dunque profano, e in quanto tale doveva essere respinta e proibita.

---

[1] Per una visione generale su questi argomenti rimandiamo a Enrico Fubini, *L'estetica musicale dall'antichità al Settecento*, Torino, Einaudi, 1976, p. 59 sgg.

Non era, comunque, soltanto la Chiesa a farsi portatrice di interventi legislativi volti a limitare il diffondersi degli strumenti musicali. Per quanto riguarda Palermo, sin dal Medioevo è possibile registrare atti simili da parte delle autorità civili. Tuttavia, con il diffondersi della Riforma protestante, la Chiesa cattolica non poteva restare indifferente alle istanze di rinnovamento che si agitavano al suo interno e che da tempo richiedevano una regolamentazione di arbitri e abusi, ormai diffusi in maniera indiscriminata. Su queste problematiche intervengono il Concilio di Trento (1545-1563) e il conseguente movimento controriformistico che, com'è noto, arrivò a giocare un ruolo essenziale anche in ambito musicale.

Tralasciando di approfondire la complessa tematica del rapporto fra musica e Controriforma,[2] basti solo ricordare che l'unica ufficiale disposizione conciliare sulla musica e sul suo ruolo nelle funzioni religiose mirava essenzialmente all'espunzione degli elementi profani dalle celebrazioni, cosa che, pur non facendo diretto accenno alla pratica strumentale, fu in molti casi intesa come restrizione di quest'ultima. Non stupisce, dunque, che in Italia il maggior numero di decreti relativi alla presenza della musica nelle istituzioni ecclesiastiche risalga proprio alla seconda metà del secolo, costituendo prova indiretta di come la legislazione ufficiale, più volte ribadita dai rappresentanti delle alte gerarchie, fosse disattesa in ambito locale e sul piano pratico.

Nel corso dell'indagine presso l'Archivio di Stato di Palermo – oltre a un'annotazione conservata nella documentazione delle Regie Visite e relativa alla cattedrale di Siracusa, in cui si vietava espressamente l'utilizzo di trombe e altri strumenti musicali, ad eccezione dell'organo[3] – l'unica proibizione finora rintracciata riguarda l'abbazia di San Martino delle Scale e si trova nelle *Ordinationes speciales* alle quali si è già accennato in precedenza. Fu in occasione della visita del 1578 che i padri visitatori annotarono:

Quia non decet gravitatem monasticam ut monachi et precipue novitii incumbant musicæ aut cantui figurato contra ordinationes nostras ordinamus quod nullo pacto permittantur novitii et iuvenes cantare nec vocibus nec instrumentis tam intra quam extra monasterium tam in ecclesia quam in recreationibus nisi aliter visum fuerit superiori in aliqua precipua sollemnitate maximeque in hebdo-

---

[2] Numerosi sono i contributi dedicati all'argomento. Fra questi segnaliamo *Musica e liturgia nella riforma tridentina*, a cura di Danilo Curti e Marco Gozzi, Trento, Provincia Autonoma di Trento. Servizio Beni Librari e Archivistici, 1995, in particolare i saggi di Giacomo Baroffio (*Il Concilio di Trento e la musica*, pp. 9-18) e di Oscar Mischiati (*Il Concilio di Trento e la polifonia. Una diversa proposta di lettura e di prospettiva storiografica*, pp. 19-29).

[3] «Tubarum sonitus ceterorumque instrumentorum musicorum usus preter organi in ecclesia arceatur» (ASPa, *Conservatoria di registro*, vol. 1330, c. 171v).

mada sancta nullo unquam presente pactu seculares admittantur contrafacientes comedant in terra in pane et aqua totiens quotiens.[4]

Tali ingiunzioni non dovettero sortire alcun effetto, se l'anno successivo i visitatori furono costretti a ribadirle – «ne monachi utantur musicis instrumentis, quæ ordinatio incipit quia non decet in gravitate monastica et cetera» (Fig. 6).[5] Non sappiamo se la situazione nell'abbazia costituisse un'eccezione nel quadro delle istituzioni palermitane o se in realtà la pratica strumentale fosse ugualmente diffusa nelle altre chiese. Quel che è certo è che a San Martino delle Scale l'attività strumentale era fiorente e praticata dai monaci sin dal Cinquecento, come testimoniano sia le indicazioni delle *Ordinationes* sia i numerosi pagamenti relativi al trasporto o all'acquisto di strumenti.

Per quanto riguarda il XVI secolo, gli strumenti più citati dalle fonti sono innanzitutto strumenti a tastiera e cordofoni a manico. Il più antico riferimento in tal senso risale al 1472 e riguarda il pagamento di 9 grana ad un certo frate Bernardo per l'acquisto di corde di *manacordio*.[6] Dopo questa data e fino alla metà del secolo le notizie riguardano interventi di manutenzione dell'organo, ma a partire dal 1557 vi si affiancano alcune indicazioni su altri strumenti, in particolare pagamenti per l'acquisto di corde (in un caso «cordi suttili») destinate alle viole.[7] Alla presenza di Mauro Panormita si collegano le spese per il trasporto di una spinetta e un *manacordio* nello Spirito Santo nel 1569 e per l'acquisto dei flauti per la musica nel 1578,[8] oltre alla compravendita con Morello, dove però gli «instrumenti musici» non vengono specificati. Parallelamente continuano anche i riferimenti all'acquisto di corde di viole e, alla fine del secolo, anche per liuti e violini.

Diverso il quadro nel Seicento, quando le notizie sulle presenze strumentali diventano più varie, iniziando a coinvolgere un maggior numero di istituzioni. A San Martino delle Scale (grazie soprattutto alle notizie fornite dalle *vacchette*) vengono riportate informazioni più precise sui suonatori e soprattutto sulle occasioni festive che prevedevano l'intervento strumentale. Nella tabella che segue [TAVOLA 10] sono elencate le indicazioni relative agli strumenti musicali dal 1609 al 1629, attraverso le quali possiamo

---

[4] ASPa, CRS, *San Martino delle Scale – fondo II*, vol. 1467, c. 32r.

[5] *Ivi*, c. 42r.

[6] ASPa, CRS, *San Martino delle Scale – fondo II*, b. 1456: *Giornale 1472-1473*, c. 5v.

[7] ASPa, CRS, *San Martino delle Scale – fondo II*, b. 1203: *Libro di spese minute 1557-1559*, c. 96b.

[8] ASPa, CRS, *San Martino delle Scale – fondo II*, b. 1405: *Libro di spese minute 1569-1571*, c. 96r; vol. 758, c. 55v.

formarci un quadro delle tipologie maggiormente utilizzate, in parte già presenti nel XVI secolo: strumenti a tasto (spinette, organetti, cembali), strumenti a fiato (tromboni, trombe) e cordofoni (liuti, viole, violoni, chitarre, lire e arpe).[9]

Tavola 10:
STRUMENTI MUSICALI A SAN MARTINO DELLE SCALE (1609-1629)

DATA	STRUMENTI	OCCASIONE	RIFERIMENTI
21 mar. 1609	spinetta, viola da arco	[San Benedetto]	Spesa di 1 tarì per trasporto di una spinetta e viola d'arco alla grancia
11 apr. 1609	lira, viola, liuto	Settimana Santa	Acquisto di corde di lira, viola e liuto per la Settimana Santa in monastero
11 nov. 1609	trombe	San Martino	Pagamenti ai trombettieri
4 apr. 1610	lira, liuto	Settimana Santa	Acquisto di corde di lira e liuto
11 nov. 1610	trombone, trombe	San Martino	Pagamenti a trombettieri per la messa e a Mario Italia che portò un trombone per la festa in monastero
27 giu. 1611	spinetta		Tarì 6. 6 a Giovanni Maria Florenza per accordare una spinetta
10 nov. 1611	cembalo	[San Martino]	Trasporto di *zimbali* alla grancia
11 nov. 1611	liuto trombone trombe cembalo	[San Martino]	Pagamenti al liuto, trombone e trombettieri. *Zimbalo* per la grancia
mar. 1612	organetto	[San Benedetto]	Trasporto di un organetto
apr. 1612	viole	[Pasqua]	*Conzatura* di viole
12 nov. 1612	trombe	San Martino	Trombettieri per la festa in monastero
21 mar. 1613	cembalo trombe	San Benedetto	Trasporto di un cembalo e pagamenti ai trombettieri per la festa alla grancia
12 nov. 1613	trombe	San Martino	Pagamento a Mariano trombettiere per suonare in monastero con i suoi compagni
dic. 1613	trombe		Trombettieri e musici per la posa della prima pietra della nuova grancia
ago. 1614	spinetta		Tarì 4 per *acconciare* una spinetta

---

[9] In questa e nelle successive due tabelle sono escluse le notizie sugli organi, ai quali si dedicherà una trattazione a parte.

9 nov. 1614	cembalo trombe	[San Martino]	Trasporto di un cembalo e pagamenti a trombettieri che suonarono in monastero
21 mar. 1615	spinetta	San Benedetto	Trasporto di una spinetta
apr. 1616	trombe	Pasqua	Trombettieri per la mattina di Pasqua
nov. 1616	trombe	San Martino	Trombettieri che suonarono in monastero
marzo 1617	liuto	[Carnevale]	Corde di liuto per la terza ricreazione
set. 1617	cembalo trombe liuto		Trasporto di un cembalo, pagamenti a trombettieri e a un liutista per l'inaugurazione della chiesa nuova dello Spirito Santo
nov. 1617	trombe	San Martino	Pagamento ai trombettieri
gen. 1618	trombe	Capodanno	Pagamento alle *trombette delle galere* che andarono alla grancia per dare il buon capodanno
gen. 1618	liuto	[Carnevale]	Corde di liuto per la seconda ricreazione
feb. 1618	chitarre	[Carnevale]	Corde di *guidane* per la terza ricreazione. *Conzatura* di una chitarra e pagamento per corde di chitarra
mar. 1618	cembalo liuto	San Benedetto	Trasporto del cembalo. Pagamento a un liuto per la grancia
apr. 1618	lira		Trasporto della lira in foresteria e pagamento a fra' Cornelio di San Francesco per suonarla
apr. 1618	cembalo	Giovedì dopo Pasqua	Trasporto di un cembalo allo Spirito Santo
lug. 1618	trombe		Trombettieri per la grancia
nov. 1618	spinetta		Corde e penne per accomodare la spinetta
nov. 1618	cembalo	San Martino	Trasporto di un cembalo per la grancia
dic. 1618	violone		Tarì 13 per accomodare un violone
mar. 1619	cembalo	San Benedetto	Trasporto del cembalo per la grancia
feb. 1620	liuto	[Carnevale]	Corde di liuto
mar. 1620	cembalo	San Benedetto	Trasporto di un cembalo per la grancia
apr. 1620	cembalo	Giovedì dopo Pasqua	Trasporto di un cembalo per i giovedì dopo Pasqua alla grancia

ott. 1620	chitarra		*Cordi per armare una chitarra alle recreationi di monte Petruso*
nov. 1620	spinetta		Pagamento a Natale Sant'Angelo per *acconciare* la spinetta del monastero
nov. 1620	cembalo	San Martino	Trasporto di un cembalo per la grancia
dic. 1620	cembalo	[Natale]	Trasporto di un cembalo
mag. 1621	cembalo violone	Pentecoste	Trasporto di cembalo e violone per la festa dello Spirito Santo
nov. 1621	cembalo violone	San Martino	Trasporto di cembalo e violone
mag. 1622	cembalo	Pentecoste	Trasporto del cembalo
feb. 1623	chitarra	Carnevale	Tarì 3 per *conciare* una chitarra per le "ricreazione" del Carnevale
12 nov. 1623	viola	San Martino	Trasporto di una viola per i musici
25 dic. 1623	trombe	[Natale]	Tarì 4 ai trombettieri *di galera*
17 dic. 1624	cembalo	[Natale]	Corde di *zimbalo*
1 feb. 1625	chitarra	Carnevale	Corde di chitarra per la ricreazione
1 mar. 1625	cembalo		Corde di *zimbalo*
1 mag. 1625	cembalo		Corde di *zimbalo*
5 apr. 1626	cembalo		Corde di *zimbalo*
mar. 1628	cembalo	[San Benedetto]	Trasporto del cembalo
apr. 1629	cembalo	Quarantore	Trasporto di un cembalo

7.1.2. *Riferimenti a strumenti in altre istituzioni*

Meno frequenti sono le notizie che si ricavano dalla documentazione delle altre istituzioni, quasi sempre relative a interventi straordinari [TAVOLA 11]. Nonostante l'esistenza di un solo libro contabile anteriore al 1655, un caso abbastanza felice è costituito da Santa Maria del Bosco, dove a partire dal 1621 si registrano pagamenti per suonatori di tamburo (in un caso denominati *zingari*) durante la festa di San Giovanni, a suonatori di *ribecchina* e liuto per la festa di San Leonardo, a un suonatore di lira per la festa di Santa Francesca e a diversi *bastasi* per il trasporto di strumenti, in particolare cembali.[10] Il trasporto di organi, spinette e cembali è l'indicazione che più ricorre fra le carte d'archivio ed è spesso indizio di esecuzioni di tipo policorale, molto probabilmente a 2 o 3 cori, come era prassi diffusa all'epoca.

---

[10] ASPa, CRS, *Convento della Consolazione di Santa Maria del Bosco*, vol. 68, cc. 14r, 19v, f. 174. Ad esempio, nel 1625 vengono pagati grana 10 per portare in chiesa il clavicembalo da don Paolo Paternostro e per riportarlo al padrone una volta concluse le celebrazioni natalizie (*ivi*, f. 252).

Come si è più volte ribadito, la laconicità dei copisti non ci viene in aiuto per individuare la composizione degli organici strumentali che formavano la *musica* di cui essi ci parlano. Basti considerare l'esempio del monastero delle Vergini e di San Francesco di Paola. Nel primo, a parte l'organo e i *bifari* (piffari) che nel 1647 vengono retribuiti separatamente dagli altri musici per la festa di Sant'Andrea,[11] non vengono nominati altri strumenti, ma è fuor di dubbio che la musica che interveniva alle feste fosse anche di tipo strumentale e non solo vocale, come in effetti viene confermato nel 1644, quando si registrano due pagamenti rispettivamente di tarì 24 «per una corda per la musica» e di tarì 16 «al mastro d'asca per conciare la musica».[12]

A San Francesco di Paola viene attestato il regolare trasporto di cembali, organi e di altri «instrumenti di musiche» presi a nolo per diverse occasioni, in particolare per la festa del padre fondatore. Fino agli anni '30 del Seicento le tipologie strumentali vengono specificate piuttosto di rado: nel giugno del 1627 si segnala la presenza di un violone, nel 1628 un pagamento ai *tamburinari* per il Santissimo Sacramento, nel luglio 1629 un suonatore di *ribicchina*, nell'aprile 1630 un pagamento ai *piffari* per la festa di San Francesco di Paola.[13] A partire dal 1634 le testimonianze diventano meno generiche e in occasione della festa principale documentano la presenza di organo, cembalo e violone (nel 1637 il trasporto di un ulteriore organo al posto del cembalo) e, avvicinandoci a metà secolo, anche di *tamburinari*, trombettieri e suonatori di *piffari*.

Sempre a trombettieri e *piffari* erano destinati alcuni pagamenti che è possibile certificare a Santa Maria della Pietà per la festa del titolo e per l'ottava del Santissimo Sacramento, mentre a Santa Maria la Misericordia la presenza di contributi musicali, in particolare delle trombe, si riferisce quasi sempre alla solennizzazione delle Quarantore, in base al legato testamentario stabilito nel 1623 da Dorotea Capua.[14] Ulteriori pagamenti per *tamburinari* si attestano nel monastero della Martorana[15] e insieme alle trombe anche nel monastero del Santissimo Salvatore per «gettare il bando» in occasione delle feste di maggior richiamo.[16] Fra l'altro l'importanza dei tamburi nel corso delle feste viene ben rappresentata da un proverbio della tradizione siciliana, secondo il quale *Nun cc'è festa senza tammurinu,*

---

11 ASPa, CRS, *Monastero delle Vergini*, vol. 265, c. 27r.
12 ASPa, CRS, *Monastero delle Vergini*, vol. 236, carte sciolte.
13 ASPa, CRS, *San Francesco di Paola*, vol. 443, ff. 119, 264, cc. 425b, 498a.
14 ASPa, CRS, *Santa Maria la Misericordia*, vol. 130, carte sciolte.
15 ASPa, CRS, *Monastero della Martorana*, vol. 804, c. 364v.
16 ASPa, CRS, *Santissimo Salvatore*, vol. 691, c. 75v.

«strazio d'orecchi» secondo Pitrè, ma elemento indispensabile per una buona riuscita della celebrazione.[17]

Per quanto riguarda i cordofoni a manico, alle notizie finora riportate si affiancano poche altre attestazioni, collocate cronologicamente verso la seconda metà del Seicento. Ad esempio, nel 1653 venivano pagate onze 13. 22. 10 dai padri della Congregazione dell'Oratorio a Francesco Soprano per servizi fatti *di sonare di rebecchini*;[18] nel 1654, nel convento di Santa Maria la Misericordia, si registra una spesa di 8 tarì «per fari accommodare la viola» e l'anno successivo la stessa cifra «per un violino per sonare la notte di Natali»;[19] infine, nel 1656, troviamo un pagamento di onze 1 e tarì 12 «per musica di un vespiri et una ribbichina alla messa cantata che la cantan le monache»,[20] presso il monastero di Santa Maria della Pietà.

TAVOLA 11:
STRUMENTI MUSICALI NELLE ISTITUZIONI
DEGLI ORDINI PALERMITANI (SECC. XVI-XVII)

ISTITUZIONE	STRUMENTI	ANNI	RIFERIMENTI DOCUMENTARI
San Francesco d'Assisi	*manicordio*	1535	Nel testamento di Vincenzo Ramondino sono citati diversi strumenti musicali. Fra questi, un *gravacordio*, una *viola di sandalo cum la sua caxia* e un liuto in potere di Domenico Alliata; un cembalo in potere di Antonello Vultagio; un altro cembalo in potere di Nicolao de Modica; un *manicordio* in potere di Francesco Percolla; un altro *manicordio* in potere di un frate di San Francesco
Carmine Maggiore	trombe e tamburi	1570-1571, 1577-1579, 1582	Pagamenti *a trompitteri, tamborinari et banditore* per la festa della Madonna del Carmine
	cembalo	1577	Pagamento *per conciar il cimbalo*
	trombe	1586	Pagamento per la *pietanza* dei trombettieri
	tamburi	1595	Tarì 9 ai tamburi per la processione della festa del Carmine

---

[17] Cfr. GIUSEPPE PITRÈ, *Feste patronali in Sicilia*, Torino-Palermo, Clausen, 1900 («Biblioteca delle tradizioni popolari siciliane», XXI); ed. moderna a cura di Aurelio Rigoli, Palermo, Edizioni Il Vespro, 1978, p. XXXII.

[18] ASPa, CRS, *Congregazione di San Filippo Neri all'Olivella*, vol. 159, c. 583a.

[19] ASPa, CRS, *Santa Maria la Misericordia*, vol. 171, cc. 30r, 55v.

[20] ASPa, CRS, *Santa Maria della Pietà*, vol. 275, c. 90v.

SS. Salvatore	trombe e *tubali*	1580	Onza 1 tarì 2 dati *a lo bandituri et a li tubali et a li trumbetti* per il bando della festa di Santa Caterina
Santa Maria della Pietà	organetto	1602	Onze 12 per la vendita di un vecchio organetto
	cembalo	1639	Trasporto del cembalo per la festività di San Domenico
	trombe	1643	Tarì 2 di regalo ai trombettieri per la festa di Santa Maria della Pietà e ai *piffari* per l'ottava del Santissimo Sacramento
	trombe	1650	Tarì 8 per le trombette
	cembalo	1651	Tarì 2 per il trasporto del cembalo
	trombe e piffari	1651	Tarì 14 per trombette e *pifari* per la festa di Santa Maria della Pietà
	piffari	1655	Tarì 6 per *pifari* per la festa del Santissimo Sacramento
	ribecchina	1656	Onza 1 e tarì 12 *per musica di un vespiri et una ribbichina alla messa cantata che la cantan le monache*
Santa Maria delle Vergini	organetto	1603	Onze 35 a Bartolomeo La Valle per un organetto da mettere nel *letterino*
		1644	Pagamenti per una corda per la musica e al mastro d'ascia *per conciare la musica*
	piffari	1647	Tarì 12 ai *bifari* per la festa di Sant'Andrea
Chiesa e collegio dei Gesuiti	cembalo e organetto	1614	Trasporto di organetto e cembalo per la celebrazione della festa di San Ottavio
	trombe e piffari	1615	Onze 2 e tarì 18 pagati a trombettieri, *pifari musici* e mortilla [mirto] per la benedizione della nuova chiesa
	organo, liuto, violone e viola	1617	Legato di Emilia di Bologna per la costituzione di una cappella di musica
	piffaro	1624	Tarì 15 dati da Lorenzo Lo Giudice *che sonò lo pifaro in tre volte*
	cembalo	1624-1625	Pagamenti di tarì 18 per accomodare organo e cembalo
	viola	1626	Tarì 5 per due corde per la viola della chiesa
	piffari	1628	Tarì 14 ai *pifari* per la festa del Beato Luigi

	piffari	1632-1633	Pagamenti ai *pifari* per la festa del Beato Luigi
	trombe e piffari	1644	Pagamenti a trombette e *pifari* per la festa delle Quarantore
	trombe e piffari	1644	Pagamenti per *bifari* e trombette per la festa del Beato Luigi
	piffari	1646	Onze 2 per i *pifari* per le Quarantore
	violino, trombone, piffari	1649	Pagamenti per un violino *per il mancamento di soprano*, per trombone e *piffari* per la musica del sabato e per la festa del Beato Luigi
	piffari	1651	Tarì 24 per i *pifari* per le Quarantore
	cembalo	1652	Tarì 4 *per portatura e reportatura del zimbalo*
	trombe e piffari	1654	Per trombette e *pifari* per le Quarantore
	trombe e piffari	1654-1655	Per trombette e *pifari* per la festa del Beato Luigi
San Francesco di Paola	cembalo, organo, violone, piffari e altri strumenti	1619-1637	Trasporto di organo, cembalo e altri strumenti per la festa di San Francesco di Paola [nel 1630 pagamenti ai suonatori di *piffaro*, dal 1634 è citato il violone]
	spinetta	1623	Trasporto di organo e spinetta per la festa di San Francesco di Paola
	cembalo	1623	Trasporto del cembalo per le Quarantore
	violone	1627	Trasporto di violone e organo per le Quarantore
	tamburi	1628	Tarì 6 ai *tamburinari* per la festa che si fece per la processione del Santissimo Sacramento in chiesa
	cembalo e ribecchina	1629	Spese per la festa del Santissimo Sacramento e per le Quarantore, fra cui tarì 2 per il trasporto di cembalo e *a uno che sonò la ribicchina per tutti li tre volti*
	violone	1646	Trasporto di violone e organo per la festa di San Francesco di Paola
	violone, piffari	1647	Tarì 2 per trasporto di violone e altri strumenti; tarì 6 per *pifari*
	tamburi	1649	Tarì 3 ai *tamborinari*
	tamburi, trombe e piffari	1649	Onza 1 e tarì 2 a tamburini, trombette e *pifari* per la festa di San Francesco di Paola e per le Quarantore

	trombe e piffari	1650	Tarì 10 a *pifari* e trombettieri per la festa di San Francesco di Paola
	piffari	1650	Tarì 6 dati ai *pifari* per la festa della Croce
Consolazione di Santa Maria del Bosco	tamburi	1621	Tarì 1 agli zingari per suonare i tamburi per la festa di San Giovanni
	ribecchina e liuto	1621	Tarì 3 ai suonatori di *ribicchina* e liuto per la festa di San Leonardo
	[strumenti]	1621-1626	Pagamenti vari ad Antonio *orvi* e altri musicisti per suonare con loro strumenti in diverse occasioni (Settimana Santa, Quarantore, Santa Francesca, San Benedetto, Pasqua, San Leonardo, Novena, etc.)
	tamburo	1622	Grana 12 pagati a un uomo che suonò il tamburo la sera della festa di San Giovanni
	cembalo	1623	Grana 10 dati a due giovani che portarono il cembalo per le Quarantore
	cembalo	1623	Pagamenti per trasporto del cembalo *per accomodarsi*
	ribecchina	1625	Tarì 3 a un uomo che suonò la *rebbecchina*
	lira	1625	Tarì 11 ad Antonio cieco e altri due compagni che suonarono per la festa di Santa Francesca e *ad uno di Bisacquino che venne con lira da sonare*
	cembalo	1625	Grana 10 pagati a un uomo che portò il cembalo per suonare in chiesa
	cembalo	1625	Pagamenti a un giovane che portò il clavicembalo dal signor don Paolo Paternostro in chiesa e viceversa per il Natale
	cembalo	1626	Grana 8 per il trasporto del cembalo prestato per il Giovedì Santo e dopo restituito
Monastero della Martorana	cembalo	1638-1642	Tarì 2 per il trasporto del cembalo per il *conducere* del Santissimo Sacramento
	cembalo	1640	Tarì 2 per il trasporto del cembalo per il *conducere* delle Quarantore
	cembalo	1648	Tarì 1. 10 per il trasporto del cembalo per la festa di San Simone

	tamburi	1650	Tarì 1 di biscotti per i suonatori di tamburo
	cembalo	1650	Tarì 1 per il trasporto del cembalo per la festa di San Simone
Sant'Ignazio all'Olivella	cembalo	1640	Onze 2 ad Atanasio Bonagurio per suo salario di tre mesi per suonare *lo zzimaro* nell'oratorio a Santa Caterina l'Olivella
	ribecchina/ violino	1653	Pagamenti a Francesco Soprano *per servitii fatti alla nostra chiesa di sonare di rebecchini*, e per suonare detto violino in chiesa
Santa Maria la Misericordia	trombe e altri strumenti	1653	Pagamenti ai trombettieri e altri strumentisti per le Quarantore
	concerti di musica	1654	Onza 1 e tarì 6 per comprare cinque *concerti di musica*
	organetto	1654	Tarì 2 *per fare mettere l'organetto tra la chiesa*
	viola	1654	Tarì 8 per accomodare la viola
	cembalo	1654	Pagamenti vari per accomodare il cembalo e per il suo trasporto in occasione della festa di Sant'Anna
	violino	1654	Tarì 8 per un violino che suonò durante la notte di Natale
	organetto e cembalo	1655	Trasporto di un organetto e pagamento per corde di cembalo
	viola e cembalo	1656	Pagamenti per corde di viola e per *conzare* il cembalo per le Quarantore

7.1.3. *Prassi strumentale a San Domenico*

Messe insieme le precedenti informazioni non equivalgono che a una minima parte di quelle contenute nei volumi di San Domenico. Ancora una volta lo stato complessivo del fondo domenicano, insieme alla cura che i padri profondevano nella compilazione delle note di spesa, si rivela un supporto insostituibile per il monitoraggio delle numerose presenze strumentali che si documentano nell'istituzione. Tuttavia, a differenza di San Martino delle Scale, nel convento domenicano le notizie *ante '600* sugli strumenti riguardano la manutenzione dell'organo e solo in due casi il trasporto di strumenti a tasto, nello specifico il *manacordio* di frate Giovanbattista Sacco (1568) e un cembalo portato nella cella del padre provinciale mentre era malato (1575).[21] Invece, a partire da inizio '600, con l'infittirsi delle notizie sulla musica straordinaria, compaiono anche dettagli sulle tipologie strumentali [TAVOLA 12].

TAVOLA 12:
STRUMENTI MUSICALI A SAN DOMENICO (1601-1655)

DATA	STRUMENTI	OCCASIONE	RIFERIMENTI
dic. 1601	cembalo	Natale	Tarì 10 a Giulio Oristagno per *loero del cimbalo*
gen. 1605	cembalo		Pagamento per una corda per il cembalo
27 nov. 1606	trombe piffari		Pagamenti a cantanti, *piffari* e trombette per la processione della reliquia di San Domenico
24 dic. 1609	liuto	Natale	Pagamento a Miliano musico
15 ago. 1610	liuto	San Domenico	Pagamento a Miliano
23 dic. 1612	violoni	Natale	Pagamenti per corde e trasporto di violoni
17 dic. 1613	viola lira	Natale	Pagamento per corde di viola. Tarì 12 a un musicista che suonò la lira
9 gen. 1614	piffari, lire, spinetta, liuto, ribecchina, viola, cembalo	Epifania	Pagamenti a diversi musici per la solennità dell'Epifania
4 mar. 1614	cembalo		Pagamento per un *cimbalo* con due registri e ad Antonino La Valle per *acconciarlo di corde e di tasti*
4 apr. 1614	cembalo, chitarra, liuto	Settimana Santa	Corde per cembalo, chitarra e liuto
22 mag. 1614	cembalo		Tarì 3 per una *fermatura con sua chiave* per il cembalo
6 ago. 1614	ribecchine	San Domenico	Onze 4 per la musica, messa e vespri a due cori *con sinfonie di stromenti e rebecchine*

---

21 ASPa, CRS, *San Domenico*, vol. 472, c. 32r; vol. 473, c. 102r.

1 ott. 1614	viola		Onze 2 per comprare viola da Giulio Oristagno
26 dic. 1614	viole, violone, cembalo	Natale	Pagamenti per corde di viole e cembalo. Un bordone per il violone e per mettervi un manico nuovo e il *timpagniolo*
15 gen. 1615	piffari, cembalo	Epifania	Pagamenti per *piffari* e corde di cembalo per l'Epifania
22 apr. 1615	cembalo, viole, violoni, liuto, lira	Quaresima Settimana Santa	Pagamenti per corde di cembalo e per trasporto di viole e violoni. Pagamenti a diversi suonatori di liuto, lira, cembalo e viola per Quaresima e *Passi*
20 giu. 1615	viola		Tarì 2 per comprare corde per viola
19 dic. 1615	liuto, viola, cembalo	Natale	Onze 2 a Gerardo Rapi per suonare il liuto nella novena. Corde di viola e cembalo
26 mar. 1616	violone	Settimana Santa	Corde di violone
29 mar. 1616	viole	Quaresima	Tarì 1 per restituire le viole
22 mag. 1616	viola		Onze 1. 18 per una viola per servizio del convento
25 lug. 1616	cembalo, violoni	San Domenico	Corde di cembalo e violoni
3 dic. 1616	cembalo, violoni, liuto	Natale	Corde di cembalo e violoni. Pagamento a un liutista
8 gen.1617	liuti, piffari	Epifania	Onze 6 per 10 voci, 2 organisti, 2 liuti e *piffari*
24 mar. 1617	liuto	Settimana Santa	Tarì 22 al liutista
12 ago. 1617	cembalo	San Domenico	Trasporto del cembalo
12 nov. 1617	cembalo		Corde per accomodare il cembalo del convento
26 dic. 1617	liuto	Natale	Pagamento al liutista e altri musici
10 mar. 1618	cembalo		Pagamento a un mastro per *mattonare* dentro il coro e spostare il cembalo, ponendolo altrove
2 ago.1618	violoni	San Domenico	Corde di violoni
28 dic. 1618	liuto	Natale	Pagamento a un liutista e altri musici
5 gen. 1619	violone, piffari	Epifania	Pagamenti ai *piffari*. Tarì 18 per una corda e arco per il violone

10 ago. 1619	cembalo, spinetta	San Domenico	Pagamento per corde di cembalo e per il trasporto della spinetta
27 dic. 1619	liuto	Natale	Pagamento a un liutista e altri musici
8 gen. 1620	piffari	Epifania	*Piffari* per la festa dell'Epifania
16 gen. 1620	viola d'arco, viole		Tarì 12 per *conzare* l'arco della viola grande, per corde di viola e due *caviglie di basso*
26 mar. 1620	viola d'arco		Tarì 2 per l'arco della viola
6 gen. 1621	piffari, viole, cembalo, liuto	Epifania Natale [1620]	*Piffari* per l'Epifania. *Cavigli* di viole, corde di viole, cembalo e registro. Pagamento a un liuto e altri musici per il Natale passato
2 apr. 1621	cembalo, viola, liuto	Quaresima	Corde di cembalo. Pagamenti a suonatori di viola e liuto
7 apr. 1621	liuto, cembalo	Settimana Santa	Suonatori di cembalo e liuto per i quattro *Passi*
17 apr. 1621	viola		Tarì 18 al maestro della viola
2 ago. 1621	cembalo, viola	San Domenico	Corde di viola e cembalo, e *cavigli*
7 dic. 1621	cembalo, viola, liuto	Natale	Corde di viola e cembalo. Pagamento a Paolo d'Aragona che suonò il liuto per la novena e notte di Natale
8 gen. 1622	piffari	Epifania	Pagamento a *piffari* per l'Epifania
30 gen. 1622	viola d'arco		Tarì 10 al maestro della viola, cioè *per il prezzo di dui cordi grossi quarti di viola tarì otto et per dui ponti et conzatura d'archi tarì dui*
10 mar. 1622	viole		Pagamento per *cavigli* di viole
22 mar. 1622	cembalo, liuto	Quaresima	Pagamenti a suonatori di cembalo e liuto
5 apr. 1622	viola		Tarì 5 al maestro che *conzò* la viola
2 ago. 1622	cembalo		Tarì 2 al padre organista per corde di cembalo
2 dic. 1622	viola d'arco, cembalo		Pagamenti a mastro Paolo *per un arco novo per la viola picciola, una quarta, dui cavigli* e al maestro di novizi per penne e corde per *conzare* il cembalo

20 dic. 1622	viola		Tarì 12 a mastro Paolo per la viola grande
28 dic. 1622	organetto, piffari, ribecchina	Natale	Pagamenti a musici per il Natale
6 gen.1623	piffari	Epifania	Tarì 12 ai *piffari* delle galere
6 apr. 1623	cembalo		Al padre organista per *cavigli* e corde di cembalo
14 apr. 1623	cembalo, violone	Settimana Santa	Suonatori di cembalo e violone per i *Passi*
28 apr. 1623	piffari	Quarantore	Pagamenti ai *piffari* delle galere
29 lug. 1623	viola, cembalo		Corde per viola e cembalo, e una *caviglia*
12 dic. 1623	cembalo		Corde di cembalo e viola, e penne di corvo
26 dic. 1623	liuto	Natale	Pagamento ad Ascanio che suonò il liuto
4 gen. 1624	piffari	Epifania	Pagamenti ai *piffari* della Città
24 mar. 1624	cembalo	San Giuseppe	Corde di cembalo
1 apr. 1624	ribecchina	Quaresima	Pagamenti al suonatore di ribecchina
6 apr. 1624	liuto, cembalo, viola	Settimana Santa	Pagamenti a Vincenzo per il cembalo, ad Ascanio per il liuto e a un suonatore di viola
1 mar. 1625	liuto	Quaresima	Corde di liuto per fra Bernardo
10 mar. 1625	cembalo		Corde di cembalo, viola e penne di corvo
29 mar. 1625	cembalo, viola, lira	Settimana Santa	Pagamenti a suonatori di cembalo, viola e lira per i *Passi*
15 giu. 1625	liuto		Corde per il liuto di Bernardo Ciofalo
28 nov. 1625	viola d'arco		Tarì 1 a Giacinto di Licodia organista per un arco per la viola
7 gen. 1626	piffari, violino	Epifania	Ai *piffari* della Città per aver suonato la sera, al Mattutino, a vari musici e al suonatore di violino
5 mar. 1626	cembalo, violone		Corde di cembalo e violone, penne e una chiave per il violone
28 apr. 1626	viola d'arco, violone		Onze 2 a Paolo Calandra per fare una cassa dove conservare la viola d'arco e il violone

3 ago. 1626	cembalo	San Domenico	Corde e penne per il cembalo
23 ott. 1626	violone, viola		Corde per violone e viola piccola, ponte e *cavigli*
12 dic. 1626	cembalo	Natale	Corde e penne per il cembalo
8 gen. 1627	liuto, viola	Epifania	Pagamenti a suonatori di liuto e viola
1 apr. 1627	liuto, viola	Quaresima Settimana Santa	Pagamenti a suonatori di liuto e viola
24 lug. 1627	cembalo	San Domenico	Penne di corvo e corde per il cembalo
9 gen. 1628	piffari	Epifania	Pagamento ai *piffari* della Città
14 apr. 1628	liuto	Quaresima	Pagamento al liutista Cannizzaro
15 apr. 1628	viola, violone, cembalo		A mastro Paolo per corde di viola e violone, e per tasti. Corde e penne per il cembalo
21 apr. 1628	liuto, violone, cembalo	Settimana Santa	Pagamenti a suonatori per i *Passi*
6 gen. 1629	piffari	Epifania	Onza 1 ai *piffari* della Città
10 feb. 1629	viola	[Carnevale]	Due corde di viola, *cioè una terza et una quarta*
10 giu. 1629	cembalo	Settimana Santa	Tarì 4 per una chiave di cembalo, corde e penne, e per *conzarlo*
5 ago. 1629	piffari	San Domenico	Pagamento ai *piffari* della Città
11 ago. 1629	violone		Tarì 5 a mastro Paolo per *cavigli* e una chiave per il violone
7 gen. 1630	piffari	Epifania	Pagamento ai *piffari* della Città
3 ago. 1630	piffari	San Domenico	Pagamento ai *piffari* della Città
8 dic. 1630	cembalo	Natale	Corde per il cembalo
21 dic. 1630	cembalo		Pagamento per una chiave del cembalo e ala di corvo per accomodarlo
gen. 1631	piffari	Epifania	Pagamento ai *piffari* della Città
8 gen. 1631	viole d'arco		Corda grossa e 2 corde piccole per viole d'arco
12 apr. 1631	liuto	Quaresima	Pagamento a suonatore di liuto
22 apr. 1631	liuto	Settimana Santa	Tarì 16 ad Ascanio Cervia che suonò il liuto durante i *Passi*
6 gen. 1632	violini, piffari	Epifania	Pagamento ai violini e ai *piffari* per l'Epifania

5 giu. 1632	viola		Tarì 15 per fare un manico nuovo alla viola piccola e aggiustare il *timpagno* che si era rotto
1 gen. 1633	piffari, viole, violini, liuti	Epifania	Pagamenti a diversi musici per l'Epifania
12 mar. 1633	liuto, violini	Quaresima	Pagamenti a un liuto e due violini
12-26 mar. 1633	cembalo, liuto, lira, ribecchina	Settimana Santa	Corde per il cembalo. Pagamenti a suonatori per i *Passi*
7 gen. 1634	piffari, ribecchine, liuto, serpone, viola	Epifania	Pagamenti a diversi musici
10 feb. 1634	cembalo, viole		Tarì 12 per aggiustare una *fermatura* nel cembalo e nella cassa delle viole
19 feb. 1634	arpa	Carnevale	Pagamento al suonatore d'arpa
9 apr. 1634	viola d'arco	Quaresima	Tarì 2. 10 per *acconciare* l'arco della viola
8 mar. 1636	viola	Settimana Santa	Tarì 18 per *acconciare* la viola
21 mar. 1637	viole		Acquisto di una viola grande nuova. Corde, chiave e *conciatura* di diverse viole
11 apr. 1637	organetto, liuto, viola	Settimana Santa	Trasporto dell'organetto. Corde per il liuto. Arco per la viola
25 apr. 1637	viola		Tarì 24 per la viola grande
8 gen. 1639	cornetto, trombone, piffari, trombe, viole	Nome di Gesù	Pagamenti a diversi musici per la processione. Pagamento a mastro Costantino per *conzare* una viola grande. Corde per la viola grande
23 apr. 1639	violini	Quaresima	Musica per la Quaresima
14 mag. 1639	violini viola d'arco	San Pietro Martire	Pagamenti a suonatori di violini e di una viola d'arco
19 nov. 1639	piffari	Santa Ninfa	Pagamenti a *piffari*
24 dic. 1639	violini	Natale	Pagamenti a musici

7 gen. 1640	trombe, piffari	Nome di Gesù	Pagamenti per la processione
4 feb. 1640	piffari		*Piffari* per la prima pietra della nuova chiesa
31 mar. 1640	violino	Quaresima	Pagamenti a musici
7 apr. 1640	liuto	Settimana Santa	Pagamento a un liutista per i *Passi*
4 nov. 1643	violini, liuto	Quarantore	Pagamenti a musici
26 dic. 1643	violini	Natale	Pagamenti a musici
3 gen. 1644	trombe, piffari, tamburi	Nome di Gesù	Pagamenti per la processione
13 feb. 1644	violini	Quaresima	Pagamenti a musici
21 mag. 1644	tamburo		Pagamento a un suonatore di tamburo per il trasporto del tonno
24 dic. 1644	violini	Natale	Pagamenti a musici
9 mar. 1645	violini	Quaresima	Pagamenti a musici
15 apr. 1645	violini, lira	Settimana Santa	Pagamenti a musici per i *Passi*
23 dic. 1645	violini	Natale	Pagamenti a musici
17 feb. 1646	violini	Quaresima	Pagamenti a musici
31 mar. 1646	violini	Settimana Santa	Pagamenti a musici per i *Passi*
8 mag. 1646	violini, violone	Quarantore	Pagamenti a musici per i *Passi*
21 mar. 1648	violini	Quaresima	Pagamenti a musici
14 giu. 1648	trombe, piffari	Corpus Domini	Trombe e *piffari* della Città per la processione
26 dic. 1648	violini	Natale	Pagamenti a musici
9 gen. 1649	violini, viola, piffari	Quarantore	Pagamenti a diversi musici e ai *piffari* per la processione
20 feb. 1649	violini	Quaresima	Pagamenti a musici
1 gen. 1650	violini	Natale	Pagamenti a musici
9 apr. 1650	violini	Quaresima	Pagamenti a musici
2 mag. 1650	violini, liuto	Settimana Santa	Pagamenti a musicisti e due strumentisti per i *Passi, stante l'altri non essere venuti*

29 gen. 1651	violini	Natale	Pagamenti a musici
29 apr. 1651 6 mag. 1651	violini, tamburi	Quarantore	Pagamenti a diversi musici e ai tamburini per la processione
16 giu. 1651	trombe, piffari	Corpus Domini	Trombe e *piffari* della Città per la processione
20 gen. 1652	tamburi		Tamburi per la traslazione del quadro di San Domenico nella cappella di San Giacinto
20 gen. 1652	violini	Natale	Pagamenti a musici
5 giu. 1652	trombe	Corpus Domini	Pagamenti a trombe per la processione
1 mar. 1653	[liuto]	Quaresima	Corde per lo strumento di Ciofalo
21 giu. 1653	trombe, piffari, tamburi	Corpus Domini	Pagamenti per la processione
1 nov. 1653	piffari, trombe, tamburi	Quarantore	Pagamenti a diversi musici e ai tamburini per la processione
3 gen. 1654	violini	Natale	Pagamenti a musici
13 giu. 1654	trombe, piffari	Corpus Domini	Pagamenti per la processione
5 giu. 1655	trombe, piffari	Corpus Domini	Pagamenti per la processione

Dall'analisi dei dati raccolti possiamo rilevare una massiccia prevalenza della viola (sia 'da mano' che 'da arco'), dei violini, di diverse tipologie di fiati (fra cui, nel 1634, un serpone) e soprattutto del liuto. Questo strumento, infatti, godeva di particolare considerazione nella Palermo del Cinque-Seicento e di una solida tradizione, sia esecutiva che didattica, come attestato dalle fonti del periodo, dalle testimonianze della critica erudita e dalle considerazioni di alcuni studiosi, fra cui quella di Tiby.[22] Quest'ultimo, riprendendo la testimonianza di Vincenzo Di Giovanni (*Palermo restaurato*, 1615), nel suo studio sui polifonisti siciliani riportava i nomi di alcuni liutisti attivi a Palermo nel Cinquecento.

Il più noto di essi era Mario Cangialosi, appartenente alla nobile famiglia dei Bellacera, definito da Di Giovanni «il più eccellente uomo di toccare un leuto che abbia l'Europa, come ne fè pruova e in Roma e in Spagna, portatovi dal signor Marco Antonio Colonna».[23] Le nobili origini e la fama

---

[22] Cfr. O. Tiby, *I polifonisti siciliani del XVI e XVII secolo* cit., pp. 31-33.
[23] *Ivi*, p. 32.

raggiunta come musico gli valsero la possibilità di ottenere una sepoltura a San Francesco d'Assisi, come testimonia Mongitore che descrivendo la chiesa ne riporta l'epitaffio, aggiungendo che secondo Pietro Cannizzaro il Cangialosi, «cavaliere palermitano e musico eccellentissimo, famoso per l'Italia», era morto nel 1620 e che al suo funerale «concorsero tutti i musici e fra gli altri componimenti che allor furon cantati, risonò il verso *Orphea vicisti in terris Amona per undis*».[24]

Mario Cangialosi e altri liutisti nominati da Di Giovanni (Giacomo D'Aurea e Giovanni Bonasera) dovettero operare prevalentemente presso le corti e i palazzi nobiliari, visto che non ne troviamo accenno nella documentazione delle corporazioni religiose. Degli altri due musicisti citati da Di Giovanni abbiamo, invece, alcune testimonianze in relazione alla loro attività in ambito ecclesiastico. Il primo, Ambrogio Maja, può essere identificato con quel «signor Maio» che nell'aprile 1610 veniva retribuito in natura per i suoi servizi della Settimana Santa.[25] Il secondo, Miliano, viene testimoniato nel 1609 a San Domenico per le tre occasioni più importanti dell'anno, ovvero il Natale, la festa del titolo e la Quaresima (inclusi i *Passi* per la Settimana Santa).[26]

Non è un caso che i liutisti siano fra i pochi suonatori a essere regolarmente nominati dalle fonti archivistiche del Seicento. Accanto a Maja e Miliano, operavano infatti anche Gerardo Li Rapi (testimoniato a San Domenico nel 1615 e quasi 40 anni dopo, quale suonatore di arciliuto della Palatina),[27] un certo «figlio di Godano» chiamato a San Domenico nel 1617 per la novena di Natale,[28] Paolo d'Aragona attivo sia a San Domenico che a San Martino delle Scale, Ascanio Cervia che troviamo a San Domenico dal 1622 al 1632,[29] Bernardo Ciofalo al quale abbiamo già accennato, e infine Girolamo Cannizzaro, quest'ultimo pagato per la musica di San Martino allo Spirito Santo (1628) e per suonare durante la Quaresima e le Quarantore nella chiesa di San Domenico.[30] È alla luce di queste considerazioni che possiamo spiegare la diffusione di questo strumento in ambito palermitano, soprattutto nel convento di San Domenico, dove la sua permanenza in organico viene documentata sino almeno alla seconda metà del XVII seco-

---

[24] A. MONGITORE, *Storia delle chiese di Palermo. I conventi* cit., I, p. 257.

[25] ASPa, CRS, *San Martino delle Scale – fondo II*, b. 1137: *Vacchetta 1609-1610*, c. 180v.

[26] ASPa, CRS, *San Domenico*, vol. 570, cc. 300r, 312r; vol. 571, c. 63r.

[27] ASPa, CRS, *San Domenico*, vol. 571, c. 79v.

[28] *Ivi*, c. 121v.

[29] ASPa, CRS, *San Domenico*, vol. 571, c. 214r; vol. 572, cc. 8v, 19r, 145r; vol. 574, cc. 51v, 73v.

[30] ASPa, CRS, *San Martino delle Scale – fondo II*, b. 1139: *Vacchetta 1628-1629*, c. 302v; *San Domenico*, vol. 572, c. 196r; vol. 578, c. 9r.

lo, per l'esecuzione dei *Passi* nella Settimana Santa e per i riti del periodo natalizio.

Il primato fra gli strumenti musicali spettava però all'organo. Riassumere nell'ambito di un paragrafo tutte le indicazioni che riguardavano gli organi di monasteri e conventi palermitani sarebbe impresa impossibile, per cui rimandiamo alle fonti trascritte nelle appendici documentarie, dove vengono riportate tutte le notizie (anche quelle apparentemente più irrilevanti) per rendere evidente lo straordinario numero di tali interventi e il consistente impegno economico che essi richiedevano. Alcune di queste informazioni verranno riprese e approfondite nel successivo paragrafo, in relazione all'attività degli organari che in quegli anni operavano a Palermo e per i quali le fonti d'archivio rivelano un numero di informazioni solitamente maggiore rispetto ad altri protagonisti della vita musicale del periodo.

7.2. ORGANARI E ALTRI COSTRUTTORI DI STRUMENTI

7.2.1. *Dal Trecento al Cinquecento: i Blundo e Silvestro Colica*

Come ha sottolineato Dispensa Zaccaria, le più antiche notizie sull'organaria palermitana riguardano gli organi della cattedrale e risalgono al XIV secolo. In particolare gli *Acta Curie* forniscono indicazioni sulla manutenzione degli organi, nonché sui nomi degli eventuali organari, tra i quali il *magister* Guglielmo de Bentifano, che nel 1332 veniva assoldato per riparare i mantici dell'organo, oltre a provvedere alla legatura e al restauro dei libri liturgici.[31] In generale, erano comunque gli organisti stessi a doversi occupare della manutenzione degli strumenti della cattedrale, come specificato nei contratti che riportano la dicitura «pro conservacione et custodia ac pulsacione organorum» o simili. In ogni caso, i pagamenti a organi e organisti provenivano sempre dai fondi della *maramma*, secondo una consuetudine che nella *mater ecclesia* rimarrà attestata anche nei secoli successivi.[32]

---

[31] Cfr. *Acta Curie Felicis Urbis Panormi. Registri di lettere ed atti. 1328-1333*, V, a cura di Pietro Corrao, Palermo, Assessorato alla Cultura – Archivio Storico, 1986, pp. 300-301. Sugli *Acta curie* cfr. la nota 4 del cap. III. In particolare i *Registri di lettere* forniscono indicazioni sugli organi e sulla presenza degli organisti, nonché sul *Cantor*, principale sovrintendente alle attività liturgico-musicali, che pure si occupava dell'apprendistato dei giovani coristi.

[32] In Sicilia per *maramma* si intendeva la fabbriceria ecclesiastica, vale a dire l'ente amministrativo che gestiva le rendite destinate alla conservazione e al restauro degli edifici sacri. Sulla *maramma* della cattedrale (con un elenco delle spese destinate agli organisti fra '300 e '400) si veda PATRIZIA SARDINA, *Il ruolo della Cattedrale di Palermo e la gestione della* maramma *dal Vespro*

Per quanto riguarda il Quattrocento, le informazioni sugli organari cominciano anche a coinvolgere i membri degli ordini religiosi, testimoniando l'importanza delle congregazioni palermitane nell'aumento della richiesta di mercato e nel conseguente sviluppo delle attività degli organari in ambito cittadino. I due esempi rintracciati riguardano, infatti, Antonio de Lamposi carmelitano e Salvo de Salvo dell'ordine dei Minori, che nella prima metà del secolo stipulano contratti con organari palermitani, rispettivamente Francesco di Sena nel 1411 e Nicola de Yskisano nel 1427, per la costruzione di un organetto nel primo caso, per la vendita di un organo nel secondo.[33]

Dopo queste notizie dovremo attendere gli ultimi anni del XV secolo per trovare qualche altra informazione su organari operanti a Palermo, tra i quali Giovanni Castellano, che nel 1480 si obbligava con Nardo del Giardino aromatario a nome di Santa Maria di Gesù per la costruzione di un 'paio' d'organi[34] (ricordando che nella documentazione dell'epoca la dicitura non alludeva alla costruzione di due unità, ma a un unico esemplare formato da più pezzi), Bartolomeo Schillaci, documentato nel 1494 a San Martino delle Scale per interventi ai mantici, Giovanni Messina, che nel 1501 riparava l'organo grande della cattedrale, e Leonardo Cassaro che lo rinnovava in un anno non precisato, ma presumibilmente sempre agli inizi del Cinquecento.[35]

Nella prima metà del XVI secolo i nomi degli organari operanti a Palermo cominciano a farsi sempre più numerosi, con diffuse informazioni in merito alla loro attività nelle chiese cittadine e spesso anche in altri centri della Sicilia. Fra i più attivi troviamo Giovanni e Vincenzo Blundo, padre e figlio, originari di Scicli. Il primo risulta a San Domenico fra il 1517 e il 1523, regolarmente stipendiato con 1 onza e 18 tarì all'anno *causa accordandi* o *reficiendi organum*.[36] Probabilmente è lui quel mastro «Joanne lo

---

alla morte di Alfonso V (1282-1458), in *Storia & Arte nella scrittura. L'Archivio Storico Diocesano di Palermo a 10 anni dalla riapertura al pubblico (1997-2007)*, Atti del Convegno Internazionale di Studi (Palermo, 9-10 novembre 2007), a cura di Giovanni Travagliato, Santa Flavia, Edizioni Centro Studi Aurora Onlus, 2008, pp. 141-200. Cfr. *infra*, capitolo VIII.

[33] Cfr. G. DISPENSA ZACCARIA, *Organi e organari in Sicilia* cit., p. 13.

[34] ASPa, *Notai defunti – Stanza I*, vol. 1393. Ringrazio Antonino Palazzolo, al quale devo la segnalazione del documento.

[35] Cfr. G. DISPENSA ZACCARIA, *Organi e organari in Sicilia* cit., p. 15. Messina era anche organista della cattedrale, come risulta da un documento del 1492 scoperto da Paola Scibilia e segnalato da LUCIANO BUONO, *Documenti sull'organaria rinascimentale in Sicilia: la bottega dei La Valle*, in *Arte organaria italiana. Fonti documenti e studi*, a cura di Andrea Carmeli, Maurizio Isabella e Federico Lorenzani, Guastalla, Associazione culturale "Giuseppe Serassi", 2009, p. 93.

[36] ASPa, CRS, *San Domenico*, vol. 468, cc. 40r, 78v, 95r, 106v, 121v.

organaro»[37] che viene retribuito fra il 1528 e il 1529 dal Santissimo Salvatore per il nuovo organo fatto costruire nella città di Piazza e forse anche il mastro Joanni che nel 1533 riceve 1 onza e 9 tarì per accordare l'organo di San Martino delle Scale.[38]

Da precedenti ricerche, Giovanni Blundo risulta documentato anche nel 1512 per la vendita di un cembalo al nobile Mariano Vernagallo, nel 1516 per la fornitura di un organo e un cembalo a Blasio Timpanello, nel 1529 quando si obbliga con Ettore Pignatelli duca di Monteleone per la costruzione di un organo dell'altezza di palmi 9. A queste notizie, tutte relative all'attività palermitana, si aggiungono le informazioni sulla realizzazione degli organi delle chiese madri di Alcamo e di Cammarata, rispettivamente nel 1503 e nel 1506, e sulla vendita di un organo da camera a Francesco d'Aragona vescovo di Cefalù. Secondo Dispensa Zaccaria, a lui si deve anche la costruzione dell'organo della cattedrale di Cefalù e di quello di San Francesco d'Assisi a Palermo.[39]

Simili le notizie su Vincenzo Blundo, anch'egli attivo in vari centri siciliani e soprattutto a Palermo, dove viene documentato fra il 1525 e il 1535, nel 1551 per la riparazione dell'organo della Magione[40] e presso il convento di San Domenico, che nel 1569 lo retribuisce per accordare l'organo a uno stipendio di 4 onze «et sonno a complimento per la presenti annata xii.a Indictione et onze 2 li lassao per elemosina quali diva haviri per missi».[41] Si tratta, però, dell'unica occasione, visto che l'anno successivo compare già il nuovo organaro, Francesco Bonasia di Scicli (e forse non è un caso che provenga dalla stessa città dei Blundo), mentre il 25 settembre 1569 si registra una nota di spesa di tarì 2 «per reconzari li organi per mancamento di mastro Vincencio per mano di frati Benedico Seidigita».[42]

---

[37] ASPa, CRS, *Santissimo Salvatore*, vol. 687, cc. 115*r*, 116*v*, 117*v*. La prima notizia sulla costruzione di questo organo risale al 23 maggio 1528 e riguarda un pagamento di onze 51. 16. 15 a Pietro de Archeri, superiore del convento di San Domenico di Piazza, «per lu prezzo di l'organo haviano facto fari et tucti spisi tantu per andari et viniri di Plaza in Palermo come per altri di spisi», fra cui onze 40 a mastro Joanne lo organaro. La realizzazione dello strumento coinvolse maestranze di livello e qualità artistica: Giacomo Galvagno e Stefano La Torre per la doratura, Giacomo Pusavera per la tela, mastro Sudili per la manifattura dei capitelli e delle basi delle colonne, Giovanni Gili per le armi e soprattutto il pittore Mario di Laurito, chiamato a dipingere «li costate di li organi et li angili».

[38] ASPa, CRS, *San Martino delle Scale – fondo II*, vol. 723, c. 71*a*.

[39] Cfr. G.P. DI STEFANO, *Strumenti musicali in Sicilia* cit., p. 43; G. DISPENSA ZACCARIA, *Organi e organari in Sicilia* cit., pp. 18, 129.

[40] ASPa, *Notai defunti – Stanza I*, vol. 6280. Di questo documento devo la conoscenza alla cortese segnalazione di Antonino Palazzolo.

[41] ASPa, CRS, *San Domenico*, vol. 472, c. 44*v*.

[42] *Ivi*, c. 47*v*.

Sul figlio di Vincenzo, Giovanni junior, abbiamo per lo più indicazioni relative all'attività fuori Palermo, in particolare nel trapanese, ma anche a Sciacca e a Corleone.[43] Tuttavia, sappiamo che nel 1572 o 1573 un Giovanni Blundo *organaro* locava ad Antonino Inzerillo una casa *solerata* in più parti sita a Palermo, nel quartiere Seralcadio, di fronte al trappeto dell'olio di Sant'Agostino, per 20 onze complessive. Per ragioni cronologiche, possiamo identificare il suddetto Blundo con Giovanni junior, figlio di Vincenzo, e non con il nonno, che probabilmente era morto già negli anni '40 o massimo '50 del Cinquecento. Nel 1581, inoltre, Giovanni si impegnava a costruire l'organo per la chiesa di Santa Maria di Gesù di Palermo.[44]

Altro organaro attivo in quegli anni è Silvestro Colica (che le fonti chiamano anche *Corriga* o *Collica*), al quale si deve la costruzione di diversi organi della città, fra cui quello del monastero di Santa Maria delle Vergini – realizzato nel 1540 insieme a Francesco de Coni, secondo il modello dell'organo esistente nella chiesa di San Giacomo La Marina[45] – e anche quello di Santa Cita, ipotesi suggerita da Dispensa Zaccaria sulla base di un'indicazione rinvenuta nell'inventario testamentario del suddetto Colica e recentemente confermata dalla scoperta di un documento del 1546.[46] Sicura, invece, l'attribuzione dello strumento di Sant'Antonio Abate, da lui costruito nel 1561, come viene attestato dal relativo atto di obbligazione con i rettori della Cappella del *Corpus Christi* esistente nella chiesa.[47]

Le notizie d'archivio confermano la presenza di Colica in almeno due istituzioni palermitane: a San Martino delle Scale lo troviamo fra il 1543 e il 1546 per accordare l'organo in due occasioni, per costruirvi un flauto nel 1543 e per aggiungervi 7 canne nel 1546.[48] Anche nel Carmine Maggiore il «mastro Silvestro organista» che a partire dal 1561 viene citato dai libri contabili può essere ragionevolmente identificato con Colica, anche perché la sua attività nell'istituzione viene documentata fino al 1563,[49] due anni prima la morte dell'organaro, che il già citato inventario colloca nel 1565. Per analoghe ragioni non è possibile, invece, proporre un'ipotesi di identificazione con il «mastro Silvestro» che nel 1573 veniva retribuito a San Domenico con 2 onze per suo salario annuale di organaro stabile del convento.[50]

---

43 Cfr. G. DISPENSA ZACCARIA, *Organi e organari in Sicilia* cit., p. 18.

44 Cfr. L. BUONO, *Documenti sull'organaria rinascimentale in Sicilia* cit., p. 95.

45 Cfr. G. DISPENSA ZACCARIA, *Organi e organari in Sicilia* cit., p. 133.

46 Cfr. L. BUONO, *Documenti sull'organaria rinascimentale in Sicilia* cit., p. 95.

47 *Ivi*, pp. 134-135.

48 ASPa, CRS, *San Martino delle Scale – fondo II*, vol. 728, c. 51a; vol. 729, c. 17v.

49 ASPa, CRS, *Carmine Maggiore*, vol. 252, cc. 8v, 22r, 32v.

50 ASPa, CRS, *San Domenico*, vol. 473, c. 71v.

7.2.2. Da Raffaele La Valle a Giovanna Ortis 'organara'

Nella seconda metà del XVI secolo la scena dell'organaria siciliana è do-minata dalla figura di Raffaele La Valle, il più celebre degli organari paler-mitani, capostipite di una vera e propria dinastia che opererà in città e negli altri centri dell'isola fino alla seconda metà del Seicento. Egli costituisce il caso più documentato dalle fonti coeve e per il più lungo arco di tempo (dal 1569 sino alla morte, avvenuta nel 1621). Numerose sono le notizie riportate da Dispensa Zaccaria, che prende le mosse da un'indicazione ri-ferita da Filippo Meli nel suo studio su Matteo Carnilivari, in relazione alla vendita nel 1570 di un organetto alla Confraternita di Santa Maria la Nova di Palermo.[51] Già, però, nel 1569 troviamo il suo nome in un documento sul restauro dell'organo della Palatina, a conferma di un'attività autonoma iniziata precocemente e con incarichi di un certo rilievo.[52]

Nello stesso anno del contratto con Santa Maria La Nova inizia la colla-borazione con il Carmine Maggiore, dove La Valle viene salariato nelle vesti di organaro stabile dal 1570 fino al 1603, probabilmente come sostituto di Silvestro Colica, allo stipendio di 24 tarì annuali. I compiti che Raffaele do-veva svolgere per l'istituzione riguardavano innanzitutto l'accordatura dello strumento e la sua manutenzione o *conzatura* (in particolare il rifacimento dei mantici). Il salario rimane lo stesso sino al 1580 – quell'anno viene retri-buito onze 4 e tarì 24 «per renovare multi canni, reconzare il bancone et ac-cordarlo» – e nel 1581 viene stipulato un nuovo contratto che prevede quasi il raddoppio della precedente retribuzione, probabilmente in virtù della consi-stente richiesta di mercato e della notorietà raggiunta in ambito cittadino.[53]

Abbiamo già accennato all'ambiguità che nelle fonti di archivio riguar-da il termine 'organista', spesso adoperato per designare gli organari. Nel caso di Raffaele La Valle tale ambiguità diventa ancor più problematica. Infatti, sappiamo che Raffaele svolgeva anche attività esecutiva, visto che nel 1587 lo troviamo quale allievo di Giuseppe Lombardo detto Sgarracata-lano, che gli insegnava a suonare il liuto.[54] Non è fuori luogo supporre che tale attività riguardasse non soltanto il liuto, ma anche lo strumento nella

---

[51] Cfr. G. Dispensa Zaccaria, *Organi e organari in Sicilia* cit., pp. 19-20. Come ci informa Dispensa Zaccaria, Raffaele apparteneva a una famiglia di origine lombarda e anche il padre, Antonio, svolgeva il mestiere di organaro, visto che nel 1555 risulta attivo a Palermo come col-laboratore di Silvestro Colica. Alla luce di questo dato, è dunque possibile che l'apprendistato del giovane Raffaele possa essere collocato presso la bottega di Colica.

[52] ASPa, *Cancelleria*, vol. 424, f. 178. Ringrazio Antonino Palazzolo per la segnalazione di questo documento.

[53] ASPa, CRS, *Carmine Maggiore*, vol. 252, cc. 334v, 355r.

[54] Cfr. G.P. Di Stefano, *Strumenti musicali in Sicilia* cit., p. 52.

cui costruzione era insuperato maestro. Una possibile conferma proviene proprio dalle carte del Carmine Maggiore, dove Raffaele viene indifferentemente indicato sia come 'organaro' che come 'organista', ma in un'occasione (16 dicembre 1574) esplicitamente «sonaturi di organo», dicitura che sembrerebbe non lasciare spazio a ulteriori dubbi.[55]

Negli anni successivi lo troviamo in altre istituzioni, ad esempio nel Santissimo Salvatore per *acconciare* l'organo nel 1591 al prezzo complessivo di 1 onza annuale[56] e a partire dall'anno precedente nell'abbazia di San Martino delle Scale, con la quale nel 1594 si obbligherà per la costruzione del nuovo organo, sul modello di quello esistente nella chiesa di San Francesco d'Assisi.[57] Lo strumento venne iniziato nel 1595, come testimoniano due pagamenti di onze 4 «per transmutari l'organo da un loco ad un altro» e di onze 20 «a conto dell'organo novo che si ha obligato di fari».[58] I lavori continueranno sino al 1612, avvalendosi degli interventi di Antonino di Maria per l'intaglio, di Girolamo Caprisi per la doratura e di Filippo di Mercurio, incaricato di dipingere le porte, i quadri e le tele con diversi colori e immagini, fra cui la raffigurazione di Santa Cecilia.[59] Parallelamente Raffaele La Valle continua a operare come organaro stabile dell'istituzione fino al 1613, sempre al salario di onza 1 e tarì 6 all'anno.

Probabilmente a spingere i monaci benedettini nella scelta dell'organaro era stato il prestigioso incarico che Raffaele aveva ricevuto nel 1593 per la realizzazione degli organi della cattedrale.[60] La commissione della *Maior*

---

[55] ASPa, CRS, *Carmine Maggiore*, vol. 252, c. 200v. Tale ipotesi è pure confermata dal contratto del 1576 per la costruzione dell'organo della chiesa di Santa Maria degli Angeli di Caccamo, in cui Raffaele La Valle si impegnava a suonare lo strumento nelle principali feste dell'istituzione. Cfr. L. BUONO, *Documenti sull'organaria rinascimentale in Sicilia* cit., p. 96.

[56] ASPa, CRS, *Santissimo Salvatore*, vol. 777, c. 250v.

[57] Cfr. G. DISPENSA ZACCARIA, *Organi e organari in Sicilia* cit., pp. 140-141.

[58] ASPa, CRS, *San Martino delle Scale – fondo II*, vol. 777, c. 15r.

[59] Relativamente alla costruzione del nuovo organo e al contratto stipulato tra La Valle e i monaci di San Martino cfr. G. B. VAGLICA, *Da La Valle... a Mascioni* cit., pp. 9-14, 45-47.

[60] Cfr. G. DISPENSA ZACCARIA, *Organi e organari in Sicilia* cit., pp. 20 e 138-140. A circa dieci anni dopo risale una obbligazione fra il pittore fiorentino Filippo Paladini e i *marammieri* don Martino Mira e don Giovan Battista de Oriolis per dipingere otto quadri raffiguranti i martîri di Santa Ninfa e Santa Cristina da collocare sulla facciata dei due organi. Il documento specifica le dimensioni delle tele, fornendo dunque informazioni riguardo alle possibili dimensioni degli organi: «tri quatri di longhiza di palmi setti et di larghiza di palmi quatro per ogni uno di detti quatri et in testa seu in li cantoneri di detti organi fari per ogni uno di detti organi uno quatro di palmi novi et menzo di longeza et di palmi tri et quarti tri di largheza». Si precisa la cifra (80 onze) e anche che «detti otto quatri habbiano di essiri fatti et depinti supra tila in oglio di coluri fini li più fini chi si ritroviranno in li quali coluri fini ci habia di intrari coluri fini ultra marini li quali si habbiano a metiri a detta depintura undi parirà a detto depinturi bene et magistrabilmenti fatti come si conviene». Le tele però non vennero realizzate, come specificato in margine

---

Ecclesia aveva costituito il biglietto da visita per il consolidamento della sua attività in ambito cittadino e per le collaborazioni con le altre istituzioni, assicurandogli al contempo una certa stabilità economica, come confermato da una serie di riferimenti che alludono al godimento di diverse proprietà e soprattutto dall'atto del 3 gennaio 1620 con cui La Valle si impegnava a finanziare la costruzione dell'oratorio di Santa Maria Maggiore a Palermo, dove verrà sepolto l'anno successivo.[61] Per questo motivo, talvolta, i rapporti con le istituzioni ecclesiastiche erano di natura amministrativa e non musicale, come nel caso del monastero dell'Origlione (al quale nel 1608 donava un giardino come dote per la monacazione della figlia Antonina)[62] o del monastero di Santa Chiara (dal quale nel 1606 riceveva 1 onza di rendita).[63]

Allo stesso periodo risalgono i rapporti con le due maggiori istituzioni domenicane: San Domenico e Santa Maria della Pietà. A San Domenico una nota di spesa del 15 marzo 1606 riporta il pagamento di 14 onze «per le canne dell'organo disfatti et venduti à mastro Rafaele La Valle»,[64] mentre già in precedenza erano cominciati i pagamenti al figlio Antonino, organaro stabile del convento per un periodo che copre più di quarant'anni, dal 1600 sino al 1644. A Santa Maria della Pietà, invece, La Valle viene citato per la prima volta nel 1606 per la costruzione del nuovo organo. L'incarico, in realtà, era stato affidato prima del 1601 a un altro organaro, Giovanni Maria Fiorenza, retribuito in diverse occasioni «in conto della sua maestria» e per la manifattura delle canne.[65] Tuttavia il lavoro non piacque alle monache che restituirono l'organo a Fiorenza, annullarono il contratto e chiamarono come sostituto proprio Raffaele La Valle, che concluse l'opera il 14 maggio 1609.[66]

L'ultimo conosciuto incarico di Raffaele La Valle per un convento palermitano risale al 1615 e riguarda la realizzazione dell'organo del conven-

---

al documento (ASPa, *Notai defunti – Stanza I,* vol. 12623, c. 442r). Ringrazio Arturo Anzelmo per avermi segnalato questo documento.

[61] G. Dispensa Zaccaria, *Organi e organari in Sicilia* cit., pp. 147-148.

[62] ASPa, *Notai defunti – Stanza I,* vol. 9801, c. 77r.

[63] ASPa, *Notai defunti – Stanza I,* vol. 4867, c. 49r. Di questo e del precedente documento ho ricevuto segnalazione da Arturo Anzelmo che ancora ringrazio.

[64] ASPa, CRS, *San Domenico,* vol. 478, c. 130v.

[65] ASPa, CRS, *Santa Maria della Pietà,* vol. 261, c. 75b. Anche in questo caso, come per San Martino delle Scale, si riportano i nomi degli artigiani e maestri che a vario titolo intervennero nella realizzazione: Mario Marraffa per l'intaglio, Antonino Criscolo (o Cristolo) per la doratura e Mariano Smiriglio per la pittura. Criscolo era già stato incaricato nel 1594 di *indorare* l'organo della cattedrale (cfr. G. Dispensa Zaccaria, *Organi e organari in Sicilia* cit., pp. 141-142).

[66] Il 19 marzo i libri registrano un ultimo pagamento di onze 17, «cioè onze 8. per doratura di detto organo, onze sei per lo gradescu gelosie di quello, et onze tre pagate à mastro Raffaele la Valle per haver accordato acconciato, et agiustato detto organo» (ASPa, CRS, *Santa Maria della Pietà,* vol. 261, c. 262b).

to francescano di Santa Maria degli Angeli o della Gancia.[67] In aggiunta a quanto già noto è stata reperita una supplica del 1601, nella quale i guardiani del convento si rivolgevano al viceré duca di Maqueda per aiutarli con «alcuna elemosina» nella fabbrica della cappella maggiore e di un organo. Da quanto ci dice il documento, il Senato cittadino aveva già promesso la concessione di 60 onze e per questo i guardiani supplicavano il viceré di confermare l'elemosina, «servendo in tanta buona opera» e «per decoro della chiesa, honor di Dio, della Beata Vergine et del Padre S. Francesco».[68]

Informazioni sull'ubicazione della bottega di Raffaele La Valle ci vengono fornite dai volumi di Casa Professa. Dal 1590 sino al 1621, infatti, si registra il pagamento di 5 tarì all'anno che l'organaro pagava ai gesuiti come affitto «sopra tre case terrane et doppo redatti terreno, et al presente poteghe grande con case di sopra nello quartieri dell'Albergaria nella contrata dello Ponticello vicino l'ecclesia di santa Maria d'ogni Gratia».[69] Nella stessa zona Raffaele La Valle possedeva un terreno vacante concesso a *enfiteusi* nel 1593 a un certo Domizio Vegna[70] e una casa che aveva ottenuto dal musicista Giuseppe Gallo, poi lasciata allo stesso Gallo e ai suoi eredi, come chiarito nel precedente capitolo. Secondo quanto ci dicono le fonti, l'abitazione di Raffaele La Valle apparteneva originariamente a Vincenzo Quaresma, ereditata poi dalla figlia Violante, moglie di Vincenzo d'Accomando e successivamente da Antonio e Giuseppe d'Accomando, forse suoi figli, che per prestazione di consenso dell'1 marzo 1571 l'avevano concessa a La Valle.

Dopo la morte di Raffaele, i 5 tarì continueranno a essere pagati al Collegio dalla vedova Filippa La Valle e a partire dal 1625 dal figlio Francesco e dalla moglie Lorenza, fino almeno al 1639. Per quanto si può dedurre dalla fitta rete di concessioni e compravendite di cui danno conto le scritture d'archivio, Francesco e Lorenza, oltre ai 5 tarì dovuti da Raffaele, pagavano anche una rendita di 12 tarì per un'abitazione che gli era stata concessa da un altro musicista, Lorenzo Lo Giudice, e che probabilmente era sempre quella che Raffaele aveva ottenuto da Gallo, quest'ultimo legato da rapporti di parentela con Lo Giudice. Altri pagamenti, risalenti alla prima metà del XVII secolo (1631-1650), vengono registrati da parte di Antonino, fratello di Francesco, che abitava nella stessa zona, come conferma un riferimento indiretto a una casa solerata sita «nella contrata della portaria della Casa Professa nella vanella dentro il cortiglio»[71] e confinante con le case di mastro Antonino La Valle.

---

[67] Cfr. G. DISPENSA ZACCARIA, *Organi e organari in Sicilia* cit., p. 21.

[68] ASPa, *Conservatoria di registro*, vol. 242, c. 214r.

[69] ASPa, ECG, *Chiesa e Collegio Massimo dei Gesuiti – Serie A*, vol. 19, c. 18r.

[70] ASPa, ECG, *Chiesa e Collegio Massimo dei Gesuiti – Serie A*, vol. 2, f. 820.

[71] ASPa, ECG, *Chiesa e Collegio Massimo dei Gesuiti – Serie A*, vol. 44, c. 2b.

Che nel suo testamento Raffaele avesse lasciato tutti i ferri del mestiere e il materiale presente in bottega al figlio Francesco è indicativo di una scelta con la quale voleva forse segnalare l'erede della propria arte. Non a caso è proprio a Francesco La Valle che la cattedrale si rivolge il 22 dicembre 1635, quando si impegna con il maestro di cappella Nicola de Amato per la vendita un organetto portativo «di tono di palmi dechi cum dudici canni di ligno stuppati di cinco registri»[72] al prezzo di 40 onze da pagare in 2 volte, le prime 20 all'atto di consegna e le rimanenti 20 dieci giorni dopo. A garanzia del compratore, l'atto specificava alcune condizioni:

Cum patto casu che lo bancuni di detto organo facissi qualche moto o fussi xaccato o resunassi oi imprentassi infra annum unum a die consignactionis in tali casu dittus magister Franciscus sit obligatus conzarcilo et levarci quello defetto che havi ex patto etc. Cum alio patto processit caso che a detto emptori non ci attalentassi ditto organo in ditta consigna in primo martij proximo futuro in tali casu se obligavit et obligat dittus de la Valli dare et solvere ditto emptori stipulanti dictas uncias decem statim et in contanti in pace etc. Pro quibus unciarum decem ut supra solutis dittus de la Valli se obligavit et obligat hiippotecavit et hiippotecat ditto emptori stipulanti dittum organum per computum et constituti nomine tenere et possedere etc.[73]

Tuttavia, se si escludono i rapporti con la cattedrale, San Martino e due collaborazioni con il padre,[74] non abbiamo ulteriori indicazioni sull'attività di Francesco, mentre è Antonino il costruttore più documentato dalle fonti di archivio delle chiese palermitane. Infatti, oltre che a San Domenico e a San Martino delle Scale, lo troviamo come organaro stabile presso i gesuiti (1627), a Santa Maria di Piedigrotta (1616)[75] e come costruttore degli organi di San Nicolò all'Albergheria (1621) e di Santa Cita (1624), oltre che degli strumenti di numerosi altri centri siciliani. Anche figlio di Raffaele, ma stranamente non citato nel testamento, era infine Bartolomeo La Valle, che nel 1605, con il permesso del padre, costruiva per la Matrice di Pettineo un organo simile a quello del monastero della Martorana[76] e che nel 1603

---

[72] ASPa, *Notai defunti – Stanza II*, vol. 881, c. 206v.

[73] *Ivi*, cc. 207r, 207v.

[74] Le collaborazioni riguardano gli organi della Confraternita di Santa Maria di Maddalena di Palermo e di Santa Maria dei Miracoli a Mussomeli. Cfr. ASPa, *Notai defunti – Stanza II*, vol. 881, c. 206v e G. Dispensa Zaccaria, *Organi e organari in Sicilia* cit., p. 21.

[75] ASPa, ECG, *Chiesa e Collegio Massimo dei Gesuiti – Serie H*, vol. 3, f. 228; *Notai defunti – Stanza I*, vol. 9802, c. 185r.

[76] ASPa, *Notai defunti – Stanza I*, vol. 11482, c. 81v. Ancora un ringraziamento ad Arturo Anzelmo per avermi segnalato questi due documenti.

veniva pagato 35 onze dalla badessa del monastero delle Vergini per il prezzo di un organetto da collocare nel *letterino* della chiesa.[77]

Fra gli organari che operavano a Palermo negli stessi anni di Raffaele La Valle vi erano Francesco Bonasia – testimoniato a San Domenico e a San Martino delle Scale dal 1576 al 1582 – e soprattutto Nicola Angelo e Ascanio Testaverde, entrambi attivi nella seconda metà del Cinquecento, e forse imparentati con Giuseppe Testaverde, basso e organista della Palatina. Dell'attività di 'Colangelo' abbiamo notizia a San Martino delle Scale, dove viene documentato dal 1569 al 1580,[78] e a Santa Chiara, dove viene pagato nel 1588 «per la fattura et mastria delli mantici de l'organo di esso monastero et cannoli».[79] In realtà un altro Cola Angelo organaro viene attestato nel 1522 a San Francesco d'Assisi, ma la distanza cronologica tra questa e le successive indicazioni rende improbabile che si tratti della stessa persona.[80]

Possibilmente erano organari anche Vincenzo Galvano, che nel 1568 veniva pagato dal Carmine Maggiore «per lo salario di l'organo»,[81] e un certo Pompilio Ortis *alias* organaro, citato come *enfiteuta* sia nella documentazione di Casa Professa (a partire dal 1557) che a San Martino delle Scale,[82] intorno al 1593. Anche la madre del detto Pompilio, Giovanna Ortis, viene detta *organara*, forse a riprova dell'esistenza di costruttrici di organi, come recenti studi hanno confermato in relazione ad altri strumenti.[83] In ogni caso è verisimile che almeno Pompilio svolgesse il mestiere di organaro, come testimonia il fatto che abitasse nella zona del Ponticello. Non è neppure da escludere che quest'ultimo fosse legato da rapporti di parentela con quell'Antonino Ortis organaro che veniva citato nel 1527 per la vendita di un cembalo doppio ad Alessandro Rosolmini e nel 1531 per riparare e accordare l'organo della Magione.[84]

7.2.3. Organari e liutai del Seicento

Nel Seicento, oltre ai discendenti di Raffaele La Valle, risulta attivo il già citato Giovanni Maria Fiorenza, di origini calabresi, che nel 1611 veniva re-

---

[77] ASPa, CRS, *Monastero delle Vergini*, vol. 334, c. 150v.

[78] ASPa, CRS, *San Martino delle Scale – fondo II*, vol. 750, c. 12v; vol. 758, c. 45v; vol. 760, c. 26r.

[79] ASPa, CRS, *Santa Chiara*, vol. 403, c. 34r.

[80] ASPa, CRS, *San Francesco d'Assisi*, vol. 294, c. 32r.

[81] ASPa, CRS, *Carmine Maggiore*, vol. 252, c. 92r.

[82] ASPa, ECG, *Chiesa e Collegio Massimo dei Gesuiti – Serie A*, vol. 4, cc. 34a, 172a; vol. 6, cc. 83a, 83b; vol. 13, cc. 62v, 63r; ASPa, CRS, *San Martino delle Scale – fondo II*, b. 1456: *Dare e avere 1586*, cc. 70a, 70b.

[83] Cfr. G.P. Di Stefano, *Strumenti musicali in Sicilia* cit., p. 51.

[84] *Ivi*, p. 48. Cfr. G. Dispensa Zaccaria, *Organi e organari in Sicilia* cit., p. 132.

tribuito dall'abbazia di San Martino delle Scale per accordare una spinetta[85] e successivamente come organaro stabile e affittuario dell'istituzione, sino al 1621. Stesso l'iter documentario di Natale Santangelo, che lo sostituisce in quello stesso anno e che, come Fiorenza, viene citato per la prima volta in relazione all'accordatura di una spinetta, sicuramente per le celebrazioni della festa del titolo.[86] Sempre nei libri di conto di San Martino compare uno dei primi riferimenti all'attività palermitana di Giovanni Vito Adragna, originario di Monte San Giuliano, che nell'aprile 1609 veniva chiamato per accordare l'organo in monastero e retribuito 18 tarì per i suoi servizi,[87] proprio nel periodo in cui si stava portando a termine la rifinitura dell'organo commissionato a Raffaele La Valle.

Di Adragna abbiamo già parlato in relazione al contratto di obbligazione per l'organo della chiesa di Santa Maria di Valverde e su lui torneremo nel capitolo dedicato alla promozione musicale dei gesuiti. Nel corso delle nostre ricerche è stato possibile individuare il testamento di questo organaro, documento interessante per ricostruire le collaborazioni con diversi personaggi e istituzioni di cui il testatore risultava debitore o creditore. L'atto reca la data del 31 agosto 1618 e in esso il detto Adragna alias Lo Cuduto menzionava l'elenco dei propri creditori:

Item dittus testator declarat esse debitor conventus Santi Dominici civitatis Randatii in unciabus sex pro totidem aliis sibi datis pro caparra cuiusdam organi et voluit quod restituantur statim sequuta eius morte. / Item dittus testator declarat esse debitor magistri Valentini sutori in tarenis viginti novem pro totidem servitiis et voluit quod solvantur. / Item dittus testator declarat esse debitor Patri Bartolomei de Castrovetrano tertii ordinis santi Francisci in uncia una pro totidem et mutuatis, et voluit quod restituatur. / Item dittus testator declarat esse debitor Domus Professe Societatis Jesu in tarenis 25. pro totidem ei datis de contanti per Patri Joanni Baptistam Costarella ac etiam habere meius posse cantareum unum plumbei ditte Domus Professe, et voluit quod restituantur. / [...] / Item dittus testator declarat esse debitor Don Philippi Laudato et Comitibus in unciabus decem et septem scilicet in unciabus quindecim pro loherio anni presentis primae Indictionis domus et apothecæ in qua ad presens stat et in unciabus 2. pro totidem ditto de Laudato fattis bonis per ipsum testatorem, nomine et pro parte magistri Francisci Maniscalco et voluit quod solvantus non obstante, che detto di Laudato ce ne fece certa recevuta in fede. / [...] Item dittus testator declarat esse debitor conventus Sancte Marie de Sicurso Albergarie PP. Carmelitarum huius urbis in uncia una quam habuit ad effettum conciandi quoddam organum et voluit quod resti-

---

[85] ASPa, CRS, *San Martino delle Scale – fondo II*, b. 998: *Cassa 1611-1613*, c. 9v.

[86] ASPa, CRS, *San Martino delle Scale – fondo II*, b. 1138: *Vacchetta 1620-1621*, c. 17v.

[87] ASPa, CRS, *San Martino delle Scale – fondo II*, b. 998: *Cassa 1609-1611*, c. 25r.

tuatur. / Item dittus testator declarat esse creditor conventus Crucifixi Albergarie huius urbis in unciabus vigintiotto ex resto pretii cuiusdam organi per eum fatti ditto conventui vigore attus publici die etc. / Item dittus testator declarat esse creditor collegii santi Jacobi della Mazzara huius urbis in unciabus duodecim ex resto pretii cuiusdam organi per eum fatti in ditta ecclesia vigore attus publici die etc.[88]

Nessuna notizia si è, invece, trovata su Antonio Il Verde, ad eccezione di un pagamento di 6 tarì dell'abbazia di Santa Maria del Bosco «per haverne accomodato l'organo il giorno della festa di santo Leonardo» nel 1621.[89] Ben diversa la situazione dei Sutera di Castelvetrano, già segnalati da Dispensa Zaccaria. È quest'ultimo a fornirci informazioni sull'attività palermitana di Giacomo Sutera, che nel 1639 si obbligava con la congregazione della Concezione di Casa Professa per la realizzazione di un organo a cinque registri, conforme al modello di quello esistente nel monastero di Santa Caterina.[90] Più numerose le notizie su Giovan Battista Sutera, che fra il 1634 e il 1651 costruisce l'organo di Santa Maria di Valverde, i due organi di San Giuseppe dei Teatini e un altro strumento per la congregazione di Santa Maria degli Agonizzanti di Palermo.

Dai libri contabili delle corporazioni soppresse veniamo a sapere che Giovan Battista Sutera collaborò con il convento di San Domenico in almeno due occasioni: nel 1647 viene pagato 8 tarì da Bernardo Ciofalo organista «per maestria delli dui canni dell'organo che di nuovo si fecero per essere quelli stati rubbati»,[91] mentre il 15 agosto dell'anno successivo la cifra elargita è di 1 onza e 12 tarì «per accordare l'organo per la festa di San Domenico che era sconcertato assai per havere più di dui anni che non si accordava».[92] Inoltre, nel 1649 lo ritroviamo a San Martino delle Scale e a Sant'Ignazio all'Olivella, in una serie di pagamenti relativi alla riparazione del vecchio organo e alla costruzione di un nuovo strumento[93] che a quanto pare fu finanziato per la maggior parte dal contributo di Accursio Cenante, preposito dell'istituzione.

Verso gli anni '50 del Seicento si sviluppa, infine, l'attività del messinese Santo Romano, attestato a San Domenico e a San Martino delle Scale, e di Giuseppe Speradeo, organaro stabile della Palatina,[94] anch'egli attivo

---

88 ASPa, *Notai defunti – Stanza I*, vol. 599, cc. 161v-162v.

89 ASPa, CRS, *Convento della Consolazione di Santa Maria del Bosco*, vol. 68, c. 36r.

90 Cfr. G. Dispensa Zaccaria, *Organi e organari in Sicilia* cit., p. 25.

91 ASPa, CRS, *San Domenico*, vol. 578, c. 168v.

92 ASPa, CRS, *San Domenico*, vol. 579, c. 10r.

93 ASPa, CRS, *Congregazione di San Filippo Neri all'Olivella*, vol. 159, cc. 411a, 467a.

94 Cfr. G. Dispensa Zaccaria, *Organi e organari in Sicilia* cit., p. 25.

nell'abbazia di San Martino delle Scale, oltre che a San Domenico e a Santa Maria la Misericordia. In particolare, nel convento dei francescani verrà retribuito in più partite per la riparazione dell'organo della chiesa, in base all'accordo stipulato nel 1654 e pubblicato da Dispensa Zaccaria.[95]

Da quanto detto, le notizie sull'organaria appaiono importanti non soltanto di per sé, ma anche in relazione a istituzioni ecclesiastiche poco documentate.[96] Tuttavia, nonostante la varietà di strumenti attestati nelle chiese palermitane, dalle ricerche finora effettuate risultano pochissime le informazioni su costruttori di strumenti diversi dall'organo. Anche nel convento di San Domenico, pur susseguendosi i pagamenti per la manutenzione di liuti, di viole e violoni, i maestri liutai vengono nominati di rado e sempre in modo incompleto. Fra il 1622 e il 1629 troviamo un certo mastro Paolo che viene retribuito in quattro diverse occasioni e per vari servizi,[97] mentre in una sola occasione viene citato quel mastro Costantino che il 6 gennaio 1639 riceve 4 tarì «per conzare una viola grande».[98]

Attraverso gli studi condotti da Di Stefano,[99] possiamo accertare l'esistenza a Palermo di numerose botteghe di liutai, per lo più situate nella zona del Ponticello. Forse il mastro Paolo che operava a San Domenico si può identificare con Paolo Cullaro, documentato fra il 1594 e il 1611 e appartenente a una generazione di liutai, o con Paolo Raineri, attivo nei primi anni del XVII secolo, o ancora con quel Paolo Calandra che nel 1625 veniva chiamato a costruire una cassa per viola e violone. Più probabile, invece, l'identificazione di «mastro Costantino» con Costantino Buccaccio, attestato in una serie di documenti notarili datati fra il 1617 e il 1621.

---

[95] Cfr. A. Tedesco, *Il Teatro Santa Cecilia* cit., pp. 45-46.

[96] In alcuni casi ci vengono in aiuto altre fonti, in particolare le testimonianze di tipo iconografico raffiguranti strumenti e/o scene musicali. Ci riferiamo alla *Natività con i Santi Chiara, Francesco e Giovanni Battista* (1609) di Pietro D'Asaro, proveniente dalla chiesa di Santa Maria di Gesù, e di due dipinti un tempo conservati a Santa Cita, quali *Santa Caterina da Siena in estasi* (1609) di Filippo Paladini e *La comunione di Santa Maria Maddalena* (1642) di Pietro Novelli. Nella misura in cui si attribuisce alle immagini lo statuto di fonte documentaria, l'accurata rappresentazione di strumenti (come il pregevole liuto nel quadro di Novelli) e l'analisi delle tecniche esecutive possono essere ricollegate al contesto di provenienza, facendosi specchio delle prassi musicali in uso nelle rispettive istituzioni.

[97] Nello specifico 6 tarì il 4 dicembre 1622 «per un arco novo per la viola picciola, una quarta, dui cavigli e sua mastria», 12 tarì il 22 dicembre 1622 «per la conza della viola grande», 6 tarì il 15 aprile 1628 «per il prezzo di dui cordi per la viola et violuni e tasti», e 5 tarì l'11 agosto 1629 «per cavigli, ed una chiave per il violone» (ASPa, CRS, *San Domenico*, vol. 571, cc. 225r, 225v; vol. 572, cc. 196v, 252v).

[98] ASPa, CRS, *San Domenico*, vol. 576, c. 47v.

[99] Cfr. G.P. Di Stefano, *Strumenti musicali in Sicilia* cit., pp. 45-47.

PARTE TERZA
FORME DI FINANZIAMENTO
E CAPPELLE MUSICALI: IL CASO DEI GESUITI

Capitolo ottavo

FINANZIAMENTO DELLE INIZIATIVE MUSICALI
E CAPPELLE DI MUSICA

8.1. *Exitus maragmatis*: finanziamenti dalla fabbrica e dal monte di elemosine

Parlando degli organi della cattedrale, si è accennato alle spese per la manutenzione degli strumenti che derivavano dalla *maramma*, ossia dalle risorse economiche destinate alla fabbrica dell'edificio, e in particolare alla costruzione del nuovo campanile.[1] La cosa non stupisce, visto che gli organi erano considerati veri e propri elementi della struttura architettonica e di conseguenza i pagamenti relativi erano spesso inseriti nella sezione delle uscite riservate alla fabbrica. Tuttavia, tale situazione non riguardava soltanto gli organi, ma anche coloro che venivano ingaggiati per suonare tali strumenti. Infatti, gli organisti stabili della cattedrale erano stipendiati tramite gli introiti provenienti dai legati *pro maragmatis* e dai proventi sulla vendita della cera offerta dai palermitani in occasione della festa dell'Assunta, secondo una prassi che sembrerebbe interessare sia il Trecento che il Quattrocento.

La perdita di gran parte della documentazione non permette di valutare l'entità del fenomeno e la sua estensione cronologica. Tuttavia, per quanto riguarda i periodi successivi, è possibile certificare il persistere di tale consuetudine grazie alle scritture delle *Sacre Regie Visite*,[2] in particolare attraverso le relazioni di Francesco Del Pozzo (1583) e Filippo Jordi (1603).

---

[1] Cfr. *supra*, capitolo VII.

[2] Si trattava delle relazioni stilate in occasione delle visite di controllo effettuate da un ecclesiastico nelle chiese e diocesi di regio patronato, per accertare il corretto funzionamento del godimento dei benefici, oltre a segnalare il numero dei sacerdoti, redigere un inventario dei beni posseduti e correggere le eventuali intemperanze, ribadendo le antiche prescrizioni o istituendo nuove ordinazioni. La documentazione è conservata nel fondo della *Conservatoria del Real Patrimonio* dell'Archivio di Stato di Palermo, organismo creato agli inizi del XV secolo allo scopo di controllare e registrare le scritture contabili che avessero attinenza con il patrimonio regio e con il fisco. A partire dal 1571, alla differenziazione dei compiti fece seguito l'articolazione dell'ufficio in due sezioni distinte: da una parte la *Conservatoria di registro* (che include oggi le Regie Visite) e dall'altra la *Conservatoria d'azienda*. Cfr. Paolo Collura, *Le sacre regie visite alle Chiese della Sicilia*, «Archiva Ecclesiæ», XXII-XXIII, 1979-1980, p. 445.

In entrambi i casi le spese destinate alla musica e all'organista venivano annotate nella parte riservata alle uscite della fabbrica (*Exitus et gravitia fabrice*), accanto alle informazioni sullo stato degli strumenti e sui libri liturgici.[3] Anche il contratto stipulato a fine Cinquecento da Antonino Morello, incaricato di suonare l'organo della cattedrale, prevedeva il coinvolgimento dei *marammieri*, cioè di coloro che si occupavano della gestione della *maramma* e del reclutamento degli organisti, confermando la loro competenza non soltanto in materia di amministrazione della fabbrica, ma anche nella gestione e organizzazione delle attività di culto.

Altri documenti evidenziano il perdurare di tale consuetudine. Ad esempio il 4 maggio 1601 Lorenzo de Elia si obbligava con i *marammieri* per lo svolgimento di alcune mansioni, fra cui suonare uno dei due organi, impegnandosi a «mectiri ad un'altra persona per l'altro organo quando si sonirà».[4] Ma l'intervento dei *marammieri* non riguardava soltanto gli ingaggi degli organisti, e due atti, rispettivamente del 19 novembre 1604 e del 27 maggio 1605, ce lo confermano. Nel primo diversi cantori della cattedrale (Pietro Garofalo, Giacomo Tagliavia, Baldassarre Gallo, Giovanni Antonio Princivalli, Terenzio Azimbato, Carlo di Michele, Mariano Ragusa, Cataldo Firliti, Adamo la Catuna, Antonio di Polizzi) si obbligavano con i *marammieri* a servire e cantare *pro musicis*, in determinati giorni e festività.[5] Nel secondo i suddetti musici – insieme ad altri prima non citati, quali Antonio Russo, Giuseppe Italia, Gaspare Matrascia e Vincenzo Cardona – nominavano procuratore Bernardino Sinaldi, incaricato a rappresentarli nelle questioni ufficiali.[6]

Quanto detto suggerisce che nel sistema valoriale dell'epoca non fossero soltanto gli organi o i libri liturgici a essere considerati parte integrante dell'edificio, ma anche i musicisti e in particolare gli organisti, ai quali in taluni casi le fonti documentarie si riferiscono come a veri e propri beni stabili, strettamente legati allo strumento e di conseguenza all'edificio del quale tali strumenti facevano parte. Si tratta di un aspetto che ricorre assai di frequente nella mentalità del periodo, anche in contesti geograficamente lontani da quello palermitano,[7] interessando gli esecutori che si trovavano

---

[3] ASPa, *Conservatoria di registro*, vol. 1326, cc. 638v, 639v, 645v, 646r.

[4] ASPa, *Notai defunti – Stanza I*, vol. 12622, c. 469r.

[5] ASPa, *Notai defunti – Stanza I*, vol. 12625, c. 206v. Su Garofalo cfr. *supra*, capitolo III. Ringrazio Arturo Anzelmo e Giovanni Di Stefano per avermi segnalato tale documento.

[6] *Ivi*, c. 553v. L'atto ci dice che in caso di inadempienza ciascun cantore veniva obbligato a una penale di 4 tarì per ogni assenza, da sottrarre allo stipendio ordinario che consisteva in 8 onze all'anno per Garofalo, Tagliavia e Azimbato, 10 onze per tutti gli altri.

[7] Citiamo ancora il caso delle chiese parrocchiali veneziane, dove solitamente il salario dell'organista veniva erogato dalla fabbriceria e «nel caso in cui la chiesa non disponesse di entrate destinate alla fabbriceria o queste non fossero sufficienti e sostenere l'onere della re-

al servizio permanente di un'istituzione, come appunto nel caso degli organisti. Tutto questo a maggior ragione valeva anche per gli organari, i cui pagamenti venivano spesso annotati fra le uscite della fabbrica, sia all'interno della documentazione relativa alla cattedrale sia in quella dei monasteri e conventi della città.

A tale proposito è opportuno segnalare il caso del Carmine Maggiore, dove fra gli *Exitus fabricæ* o *Exitus maragmatis*, oltre ai salari destinati agli organari, venivano registrati altri compensi riservati a figure in qualche modo legate alla produzione sonora (campanari, trombettieri, suonatori di tamburo e i banditori, incaricati di pubblicizzare la festa del titolo per le vie della città). In questa sezione troviamo, inoltre, i pagamenti per gli apparati festivi della Madonna del Carmine che venivano finanziati dai cantori della festa, secondo la già discussa tradizione del convento che testimoniava l'esistenza di una relazione fra musica e ornamenti. Talmente stretto era il collegamento da determinare in molti casi l'assenza di una distinzione fra gli interventi musicali e gli elementi decorativi della festa, come ad esempio si può osservare il 20 luglio 1574, in riferimento alle spese «per portatura di panni [...] per la festa di lo Carmino per chova, spinguli, agugli, raccorafi, filo, spisi per la musica, per li paraturi et omnia altra spisa [...] tarì cinque et grana undici».[8]

Da quanto esposto risulta confermato che nell'orizzonte del periodo la musica veniva spesso considerata *ornamentum Dei*, alla stregua degli apparati che a loro volta costituivano un elemento indispensabile all'allestimento delle cerimonie liturgiche. Per questo non era raro che i pagamenti per la musica fossero annotati insieme alle spese per gli apparati. Accanto al Carmine Maggiore, un esempio fra i più antichi ci viene offerto dal monastero di Santa Maria di Valverde. È qui, infatti, che sin dalla seconda metà del Cinquecento le spese per la musica destinate alla celebrazione di Santa Lucia compaiono regolarmente fra i pagamenti destinati ad altre occorrenze, in particolare alle decorazioni, sovvenzionate tramite le elemosine che venivano elargite dai fedeli presenti alla celebrazione.

Il finanziamento della musica attraverso le elemosine era probabilmente una delle tipologie più diffuse fra quelle in uso nelle chiese palermitane, rimandando ancora una volta alla necessità delle istituzioni di pubblicizzarsi nel modo più adeguato, per attirare il maggior numero di cittadini e quindi indirettamente di 'finanziatori'. Nella maggior parte delle occasioni le elemosine impiegate erano quelle che frati e monache raccoglievano

---

tribuzione dell'organista, tale spesa poteva ricadere sulle spalle dello stesso pievano o essere ripartita più o meno equamente fra i preti titolati» (E. QUARANTA, *Oltre San Marco* cit., p. 51).

[8] ASPa, CRS, *Carmine Maggiore*, vol. 252, c. 221v.

il giorno stesso della festa. Peraltro, nel caso in cui le somme non fossero state sufficienti, esse potevano provenire dal monte che le chiese avevano a disposizione, al quale si attingeva ogniqualvolta era opportuno. Il contributo delle elemosine rende ancor più difficile la quantificazione delle uscite destinate alla musica e rappresenta una variabile non indifferente nella valutazione della reale presenza della musica all'interno delle istituzioni.

8.2. Pietanze e 'cose dulci': elargizioni in cibo ai musicisti

Una panoramica sulle modalità di finanziamento consente di spostare l'attenzione su un'altra connessione, assai tipica dello spirito dell'epoca: il rapporto fra musica e cibo. Infatti, nella Palermo di Cinque e Seicento, come nel resto d'Italia, i musicisti non erano pagati soltanto in denaro, ma più frequentemente in cibo e altre occorrenze. Questa pratica era comunissima nelle chiese palermitane e durò per molti secoli ancora, come peraltro si può osservare nei libri dei cappuccini, dai quali cantori e strumentisti continueranno a essere retribuiti con pesci e frutta (soprattutto meloni) per tutto il corso del Settecento e almeno fino alla seconda metà del XIX secolo.

L'analisi delle notizie sulle elargizioni in cibo ai musicisti permette di formarci un'idea delle attività musicali in relazione alle consuetudini dei secoli passati. Infatti, il fenomeno non costituiva un'eccezione, bensì la regola nell'ambito della gestione delle spese musicali. Per questa serie di motivi anche stavolta sembra utile riassumere le testimonianze raccolte in una tabella articolata per singola istituzione [Tavola 13], a conferma della pervasività in diversi luoghi e per diversi anni di tale prassi di finanziamento.

Tavola 13:
Pagamenti in cibo ai musicisti di conventi e monasteri

ISTITUZIONE	ANNI	CIBO E PIETANZE	MUSICISTI E OCCASIONI
San Domenico	1517-1643	Galline Carne di castrato *Cucuzzata* Torte *Cubaita* *Persicata* Confettura Biscotti Neve Pesci Uova Mele Riso Ricotta	Cibo e 'pietanze' per i padri cantori del convento Colazione, mangiare e diversi rinfreschi ai cantanti e musicisti nelle principali occasioni dell'istituzione

Carmine Maggiore	1584-1594		Spese per il 'mangiare' o 'pietanza' dei musicisti (in particolare per i *cantori di sua eccellenza*) ingaggiati in occasione della festa della Madonna del Carmine
Consolazione di Santa Maria del Bosco	1625-1626	Minestre Uova Carne di vitello Capretti Broccoli Lattughe *Tonnina* Pesci Sarde *Bifara*	Dispensa di vari alimenti e "antipasto" ai musici straordinari in occasione delle principali feste dell'istituzione
Monastero della Martorana	1650	Biscotti Neve	Biscotti e neve dati ai musicisti in occasione della festa del Santissimo Sacramento
San Carlo	1652	Confettura	Confettura ai cantanti per la festa di San Benedetto
San Francesco di Paola	1613-1651	Neve Frutta *Confezioni* Noci *Mustazzoli* *Strippata* Dolci Tartarughe	Cibi e pietanze ai musicisti straordinari in diverse occasioni, in particolare per la festa di San Francesco di Paola
Santa Maria la Misericordia	1653-1655	Mustazzoli Napoletani Neve Mandorle	Biscotti, dolci, neve e frutta secca ai musici straordinari delle Quarantore
San Martino delle Scale	1609-1613	*Confezione* Pesci *Cubaita* *Mustazzola* Carciofi	Cibi e colazione per i musici straordinari
Chiesa e Collegio Massimo dei gesuiti	1638		Pagamento per alimenti di un musico che dimorò per alcuni giorni nel collegio

Di alcune di queste spese si è già parlato in riferimento a specifiche istituzioni, ma le informazioni sui premi in natura riservati ai musicisti si trovano nella maggior parte dei libri contabili di Cinque e Seicento. Fra i beni alimentari più 'gettonati' troviamo innanzitutto i dolciumi (o «cose dolci») come i *mustazzola* (biscotti a forma romboidale a base di miele e vino cotto), la *cubaita* (dolce croccante del periodo natalizio), la *cucuzzata* (zucca candita), i biscotti, torte di marzapane e soprattutto la *nivi* che serviva per la produzione di gelati e sorbetti.[9] Sempre in questo ambito rientrano anche le confetture o 'confezioni' – ad esempio la *persicata*, conserva di pesche – e la frutta, in particolare i *bifara*, termine con cui in Sicilia si indicava una varietà di fichi (da non confondere con il medesimo sostantivo che spesso nelle fonti veniva adoperato per designare i *piffari*) e la frutta secca (noci e mandorle).

Assai diffusa era pure la distribuzione dei pesci, soprattutto durante il periodo quaresimale. Emblematico il caso di Santa Maria del Bosco, dove troviamo diverse elargizioni di *tonnina* ai musicisti e in un'occasione «sarde fresche [*sic*] per Antonio cieco che non si camarò».[10] Più rare, invece, le indicazioni sulla carne, considerata un bene di lusso, che veniva riservato alle occasioni più importanti e a personalità di rilievo, come ad esempio ai cantori di San Domenico (carne di castrato, polli e galline) o ancora a Erasmo Marotta, durante l'ultima fase della sua permanenza presso il collegio dei gesuiti. In alcune istituzioni le notizie riguardano un'ampia varietà di cibi e pietanze, quali uova, carne di vitello, broccoli, lattughe e minestre. Questo esempio costituisce però un'eccezione e di fatto nella maggior parte dei casi i riferimenti appaiono generici e non specificano la tipologia di alimenti, segnalando soltanto i pagamenti per 'rinfresco', 'pietanza' o più semplicemente per 'il mangiare' dei musicisti.

8.3. LEGATI E DONAZIONI PER MESSE CANTATE E MUSICA

Alle modalità di finanziamento fin qui esposte si affiancava tutta una serie di iniziative private effettuate tramite legati e donazioni, che contribuivano in modo determinante allo sviluppo delle attività musicali. In un circuito dominato dalle ferree leggi del mercato, dalle richieste dell'utenza, dai bisogni economici e dal rigore della consuetudine, i legati testamentari per le messe cantate rappresentavano uno dei mezzi di cui il legatario pote-

---

[9] A queste tipologie si aggiungerà in un secondo momento anche la cioccolata, nominata dai libri contabili verso la metà del Settecento, in corrispondenza dei pagamenti destinati ai musicisti straordinari ingaggiati dai gesuiti (cfr. ASPa, ECG, *Chiesa e Collegio Massimo dei Gesuiti – Serie I*, vol. 198, c. 475r).

[10] ASPa, CRS, *Convento della Consolazione di Santa Maria del Bosco*, vol. 68, f. 296. *Cammararisi* in siciliano significava 'mangiare di grasso'.

va disporre per affermare la propria individualità attraverso la morte e oltre la morte.[11] Si trattava di una prassi assai diffusa già in epoca medievale e che per lo più riguardava quantità di denaro *pro fabrica* o destinate all'esecuzione di opere d'arte. Ma se per la pittura il momento di codificazione ed espansione si colloca già nel Trecento,[12] per l'ambito musicale sembra essere il Cinquecento, o per lo meno è in questo periodo che le indicazioni relative alle messe cantate si fanno più numerose, meno ambigue e più dettagliate rispetto alla dicitura *pro missis canendibus* che si trova nei secoli precedenti.

Sembrava esservi un rapporto direttamente proporzionale fra il prestigio di colui che dettava il testamento, il desiderio di affermare la propria individualità e la ricchezza descrittiva dei capitoli testamentari relativi alla cerimonia funebre, oltre che alla celebrazione dell'anniversario e alla destinazione del denaro erogato. Tale minuziosità mirava a contrastare la tendenza delle istituzioni religiose a gestire i lasciti in modo autonomo e la cattiva usanza degli esecutori testamentari di trarre quasi sempre personale vantaggio dalla loro posizione. Nonostante questo, i testatori continuavano a lasciare somme di denaro destinate alla componente sonora delle celebrazioni liturgiche, facendo emergere quel rapporto fra morte, individuo ed espressioni artistiche che è stato in parte analizzato (soprattutto sul piano storico e antropologico),[13] ma che attende ancora una più ampia riflessione relativamente all'aspetto musicale.

Se sul piano figurativo i ritratti dei donatori si insinuano sempre più spesso fra le immagini dei santi, anche per le messe cantate si assiste a un processo analogo, non direttamente osservabile come nel caso della pittura, ma ugualmente desumibile dalla quantità di cerimonie di tal tipo che venivano celebrate nelle diverse istituzioni. Si andava, infatti, dalle cerimonie più impegnative, officiate con l'intervento di diacono e suddiacono, a quelle che contemplavano il coinvolgimento del solo sacerdote. Con il passare del tempo, e a seconda della somma erogata, al semplice canto gregoriano potevano affiancarsi forme musicali più artificiose ed eseguite polifonicamente.[14]

---

[11] ILARIA GRIPPAUDO, «*Poiché così voglio, e non altrimenti*»: *forme di individualismo e pratiche musicali nelle chiese di Palermo nel periodo rinascimentale*, in *Voci dal Rinascimento II. La nascita dell'individualismo*, Atti del secondo incontro di studi (Palermo, Palazzo Benfratelli, 12-13 maggio 2006), a cura di Carlo Fiore, Palermo, Provincia Regionale di Palermo, 2008, pp. 75-110.

[12] Sul rapporto fra produzione figurativa e lasciti testamentari si veda il volume di MICHELE BACCI, *Investimenti per l'aldilà. Arte e raccomandazione dell'anima nel Medioevo*, Bari, Laterza, 2003.

[13] In particolare rimandiamo ai volumi di MICHEL VOVELLE (*La morte e l'Occidente*, Bari, Laterza, 1986) e PHILIPPE ARIÈS (*Storia della morte in Occidente*, Milano, Rizzoli, 1978).

[14] M. BACCI, *Investimenti per l'aldilà* cit., p. 46.

Anche per i legati delle messe cantate sono riportate tutte le informazioni pertinenti nelle appendici documentarie, allo scopo di rendere evidente la portata del fenomeno, la sua diffusione nelle istituzioni palermitane e il coinvolgimento di ogni strato sociale. Infatti, tali disposizioni testamentarie sono documentabili in quasi tutti i conventi e monasteri di Palermo, in particolare a San Francesco d'Assisi, San Francesco di Paola, Santa Maria della Pietà e nel monastero della Martorana. Nella maggior parte dei casi le fonti specificano il nome del legatario e la data, ma non riportano il riferimento all'atto notarile, impedendoci di accertare se in effetti la volontà del testatore fosse stata rispettata nella sua interezza o disattesa.

Tuttavia è ancora una volta grazie alla documentazione del convento di San Domenico che possiamo ricostruire un panorama più completo grazie alla presenza di un *Libro per obblighi di Messe*.[15] Quest'ultimo attesta dal 1488 al 1726 l'esecuzione di 440 messe cantate all'anno, quantità che fra l'altro si considerava inferiore rispetto alle reali possibilità del convento.[16] Dalla lettura del volume si può notare come la maggior parte dei lasciti per le messe cantate risalga proprio al XVI secolo e riguardi anche altre occorrenze, in particolare torce e candele per illuminare la chiesa durante la celebrazione.[17] Il moltiplicarsi dei legati in questo periodo si può ricollegare alla regolarizzazione dei riti funebri promossa dalla Chiesa nel corso del Cinquecento, che in prossimità del Concilio di Trento fece della messa il fulcro della cerimonia[18] e di conseguenza quello che richiedeva maggiore attenzione musicale.

A titolo di esempio risulta interessante il caso della donazione di Cesare Marullo, arcivescovo di Palermo, che nel 1581, sette anni prima della sua morte, lasciava 120 onze annuali da ripartire fra il capitolo palermitano e altri cinque conventi (San Domenico, San Francesco di Paola, San Francesco d'Assisi, Sant'Agostino e il Carmine Maggiore) per la celebrazione di due messe cantate ogni settimana. Il fatto trova riscontro nei libri contabili dei primi due conventi[19] e si conservano sia l'atto originale che una sua

---

[15] Cfr. ASPa, CRS, *San Domenico*, vol. 465.

[16] «Il convento ha pochissimi obblighi di messe cantate, e moltissimi di messe lette, e da un altra parte [sic] il convento suole ogn'anno cantare 440 messe in circa, e ne potrebbe cantar più senza incommodo alcuno» (*ivi*, f. 1).

[17] «L'esigenza di illuminare lo spazio sacro costituiva [...] una delle principali preoccupazioni del buon cristiano: la luce aumentava il decoro e l'aspetto devoto dell'edificio e degli oggetti che custodiva, anche in virtù dei numerosi significati simbolici di cui era caricata» (M. BACCI, *Investimenti per l'aldilà* cit., p. 126).

[18] Cfr. M. VOVELLE, *La morte e l'Occidente* cit., pp. 127-234.

[19] ASPa, CRS, *San Domenico*, vol. 465, f. 70; *San Francesco di Paola*, vol. 426, c. 114v.

copia del 1831.[20] Il documento riporta per ogni giorno della settimana il tipo di messa da cantare, la relativa orazione e l'istituzione adibita all'esecuzione. La celebrazione dell'anniversario – da effettuarsi in ciascuno dei conventi citati – prevedeva la recita dell'officio dei morti, la messa cantata, l'esecuzione del *Dies Iræ* e del *Libera me Domine*, nonché il rintocco della campana 'La Guzza' (la campana grande della cattedrale) insieme alle campane maggiori dei suddetti conventi. La frequente ripetizione della dicitura «ut in similibus fieri solet» testimonia come tali pratiche fossero diffuse nel periodo considerato.

Indirettamente troviamo anche conferma delle occasioni che nelle chiese palermitane dovevano essere celebrate in modo solenne e con l'intervento della musica, vale a dire Natale e Pasqua, il giorno dell'Ascensione, il *Corpus Domini*, le principali ricorrenze mariane (Natività, Annunciazione, Purificazione e Assunzione), il giorno dei morti, la dedicazione della chiesa e le feste dei santi titolari. Infatti, se l'anniversario del Marullo fosse caduto in una delle precedenti giornate, ne veniva previsto il rinvio «in sequentem tercium diem singulis annis», a testimonianza dell'impegno celebrativo che coinvolgeva le diverse istituzioni e di conseguenza anche musici e cantori.

Un posto a sé viene infine occupato dai legati per la musica, per i quali le informazioni risultano di un certo interesse anche sul piano sociologico poiché, a fronte di attività musicali praticate per lo più da uomini, testimoniano come sul piano della committenza le donne svolgessero un ruolo non indifferente. I dati raccolti [Tavola 14] dimostrano anche come la modalità mista di finanziamento fosse una prassi talmente ordinaria da spiegare l'assenza di informazioni musicali per alcune istituzioni o periodi.

Tavola 14:
Legati per musica destinati a conventi e monasteri (sec. XVII)[21]

LEGATARI	ISTITUZIONE	TIPO DI LEGATO	DATA	SOMMA
Benedetta Scacciaferro	Santa Maria del Cancelliere	Musica per il *Corpus Domini*	ante 1623	oz. 1
Fortunia Rajola	Santa Maria del Cancelliere	Musica per il *Corpus Domini*	ante 1623	oz. 1
Giulia Opezzinga	Santa Maria del Cancelliere	Musica per il *Corpus Domini*	ante 1623	oz. 1

[20] ASPa, *Notai defunti – Stanza I*, vol. 6951, *sub data*; CRS, *Convento dei PP. Cappuccini*, vol. 1, c. 1r.

[21] La tabella esclude i dati relativi ai gesuiti, oggetto di analisi dell'ultimo capitolo.

Oliva Crispo	Santa Maria del Cancelliere	Musica per il *Corpus Domini*	ante 1623	tt. 12
Dorotea Capua	Santa Maria la Misericordia	Musica, apparato, olio e cera per le Quarantore del carnevale	1623	oz. 10
Suor Caterina Platamone	Santa Maria della Pietà	Cinque messe cantate di cui una con musica	ante 1624	oz. 6. 4
Ottavia Rajola	Santa Maria del Cancelliere	Messa cantata con musica	ante 1627	oz. 1. 18
Antonia Spinola, principessa di Villanova	San Pietro in Vinculis	Musica, luminaria e ornamenti per le domeniche per esposizione del Santissimo Sacramento	1637	oz. 50
Marietta Doria e Boccalandro	San Domenico	Musica per il vespro e messa cantata di un venerdì di Quaresima	1646	oz. 11
Suor Maria Serafina Milanese	Monastero della Martorana	Messa cantata con musica per Santa Maria Maddalena	ante 1650	oz. 2
Suor Serafica Francesca Milanese	Monastero della Martorana	Messa e vespro cantati con musica per l'Assunzione	ante 1650	oz. 4
Porzio Valguarnera	Sant'Ignazio all'Olivella	Messe cantate con musica per Annunciazione, Visitazione e Presentazione	1650	oz. 4
Francesco Perpignano [principe di Buonriposo]	Monastero della Martorana	Messe cantate con musica per l'Ascensione e la festa dell'Angelo custode	II metà del '600	oz. 10
Suor Gertrude Boratti	Monastero della Martorana	Messa cantata con musica per la Madonna dell'Itria	II metà del '600	oz. 2
Suor Colomba Bonfanti	Monastero della Martorana	Messa cantata con musica per la Santissima Trinità	II metà del '600	oz. 2
Suor Maria Domenica dell'Abbita	Monastero della Martorana	Messa cantata con musica per un giorno fra l'ottava del *Corpus Domini*	II metà del '600	oz. 2
Suor Domitilla Galletti	Monastero della Martorana	Messe cantate con musica per Natività e Circoncisione	II metà del '600	oz. 8
Suor Giovanna Battista Ricca	Monastero della Martorana	Messa solenne con musica per San Benedetto	II metà del '600	oz. 2

Il fenomeno nel suo complesso rifletteva l'ansia del singolo individuo di affermare se stesso nella vita terrena e anche oltre, assicurandosi la salvezza tramite il finanziamento di opere che fossero in grado di testimoniarne il prestigio in vita e il desiderio di eternità dopo la morte.[22] In tale prospettiva la musica svolgeva un ruolo rilevante nell'offrire al testatore la possibilità di rinsaldare il legame con i vivi, oltre che assicurargli una forma illusoria di esistenza e continuità. Il concetto di 'buona morte' era alla base di questa serie di iniziative che nella mentalità dei secoli passati potevano contribuire a perpetuare il ricordo di sé e alle quali si deve gran parte della dotazione artistica (compresa quella musicale) di chiese e monasteri.

8.4. MUSICA NELLE CERIMONIE FUNEBRI

Alla luce delle medesime ragioni possiamo spiegare le testimonianze sulla presenza di musica durante i funerali. Difatti, se analizziamo le cronache palermitane dalla prospettiva della relazione fra musica e ciclo della vita, possiamo osservare che, a fronte delle pochissime notizie relative a nascite e matrimoni,[23] i commentatori riportano invece numerosi interventi musicali nel corso delle cerimonie funebri fra la seconda metà del Cinquecento e la metà del secolo successivo.

Molti degli interventi musicali in occasione dei funerali vanno ricollegati alle personalità che erano oggetto della celebrazione, quasi sempre autorità ecclesiastiche, sovrani e principi, membri della nobiltà. Non stupisce che in queste circostanze la musica costituisse una presenza significativa e mai trascurabile, sia in senso simbolico sia in senso concreto. Fra l'altro in tali occasioni gli strumenti venivano spesso 'adeguati' al tono dell'evento,

---

[22] Su quest'aspetto nei testamenti siciliani cfr. MARIA ANTONIETTA RUSSO, *Matteo Sclafani: paura della morte e desiderio di eternità*, «Mediterranea. Ricerche storiche», III/6, 2006, pp. 39-68.

[23] Riferimenti alla presenza di musiche e balli nel corso di matrimoni si trovano in occasione delle nozze del 1574 di Anna d'Aragona con Giovanni Ventimiglia marchese di Geraci (di cui rimane un ampio resoconto a firma di Bernardino Masbel, segnalato e in parte trascritto da G. ISGRÒ, *Teatro del '500 a Palermo* cit., pp. 171-173) e per l'unione nel 1603 di Giovanna d'Austria e Francesco Branciforte principe di Pietraperzia (cfr. *Memorie diverse di notar Baldassare Zamparrone palermitano* cit., pp. 266-270). Di particolare interesse risultano anche i festeggiamenti per il matrimonio fra Ignazio Moncada, fratello del viceré, e Anna Gaetani, figlia di Pietro Gaetani marchese di Sortino, quando il marchese di Geraci «fece fare un carro trionfale, dove erano quaranta musici tutti ben vestiti; e nel più alto luogo vi fu una donna chiamata Marichetta spagnola. Ed il carro caminò [sic] per tutto il Cassaro; e detta donna esplicò ne' versi musicali la memoria della casa Vintimiglia, che insieme con li principi Normanni liberarono la Sicilia delli Saracini» (*Compendio di diversi successi in Palermo dall'anno 1632, cavato da un manoscritto di notar Baldassare Zamparrone*, in *Biblioteca storica e letteraria di Sicilia* cit., II, p. 285).

come accadeva nel 1568 per i funerali in cattedrale del primogenito di Filippo II, Don Carlos, allorché venne eseguita «una messa di requie con bellissima musica funebre» con i tamburi listati a lutto, i flauti sordi e l'organo serrato, o ancora nel corso della cerimonia funebre per il viceré Maqueda del 16 dicembre 1601, durante la quale ritroviamo i «tamburi coverti di nero che sonavano sordi», l'esecuzione di *messe di requiem* e dopo pranzo il canto dell'officio dei defunti ad opera dei rappresentanti dei conventi della città.[24]

L'esecuzione di messe da requiem con musica viene documentata in molte altre cerimonie: ad esempio il 26 novembre 1568, in occasione del funerale della regina Elisabetta di Valois, moglie di Filippo II, quando «per tutta questa città [*sic*] non si vidi altro si non lutto et ancora per tutta quella ecclesia, cantandosi la messa funerali con la musica»;[25] o durante la celebrazione del 7 luglio 1576 per le vittime della peste, anch'essa officiata in cattedrale, dove a un certo punto «s'incominciò la messa di requie con gran musica a suoni d'organi, simile a quella dell'esequie dei nostri re»;[26] o ancora il 20 agosto 1577 per la morte di Giovanna d'Aragona, madre del viceré Marcantonio Colonna, allorché «si cantâro per tutte le chiese messe cantate di requie».[27]

Un altro esempio significativo è offerto dalle cerimonie organizzate per la morte di Filippo II, il 13 settembre 1598. A Palermo, abbiamo notizia di due distinte celebrazioni: la prima fu organizzata nella chiesa di San Domenico con sontuosi apparati e «il divin sacrificio cantato con bella musica».[28] La seconda ebbe luogo l'anno successivo in cattedrale, dove a colpire l'attenzione dei commentatori furono ancora la ricchezza dell'allestimento, lo splendore luminoso delle candele e lo sfarzo dei panneggi a lutto (che dovevano essere straordinariamente numerosi e dispendiosi, se nel resoconto si specifica che per essi venne impiegata gran parte dei 10 mila ducati versati per la celebrazione). Invece, per quanto riguarda la componente sonora, ancora una volta il cronista spende pochissime parole, limitandosi a segnalare la presenza del canto e della musica con «istrumenti musicali».[29] Tale presenza dovette però essere notevole, se in un altro commento per la stes-

---

24 *Diario della città di Palermo* cit., pp. 34, 142; *Memorie diverse di notar Baldassare Zamparrone palermitano* cit., p. 248.

25 *Notizie di successi varî* cit., p. 209.

26 *Diario della città di Palermo* cit., p. 75.

27 *Ivi*, p. 81.

28 *Varie cose notabili occorse in Palermo ed in Sicilia, copiate da un libro scritto da Valerio Rosso. 1587-1601*, in *Biblioteca storica e letteraria di Sicilia* cit., I, p. 288.

29 *Ivi*, pp. 288-290.

sa occasione ne troviamo un brevissimo accenno, nonostante la maggiore stringatezza delle indicazioni.[30]

Del funerale per il viceré Emanuele Filiberto di Savoia, morto di peste nel 1624, ci è pervenuto un resoconto più corposo e dettagliato, stilato dall'alcamese Domenico Cannata. In questo caso l'accuratezza della descrizione consente di individuare con precisione la presenza dei contributi musicali, dimostrando come il contenuto delle relazioni cambiasse sensibilmente a seconda del cronista, dello spazio che poteva dedicargli e degli elementi che decideva di mettere in risalto. Di fatto Cannata non si sofferma sulla musica del corteo, limitandosi a segnalare la presenza dei tamburi della fanteria e di «quattro trombettieri con vestiti negri alla tidesca»,[31] ma alludendo all'intervento dei 'figlioli dispersi' ai quali forse era stata affidata l'esecuzione della musica di cui parla in un altro resoconto il canonico La Rosa.[32]

Invece, laddove Giovanni Battista La Rosa era apparso evasivo, l'alcamese si dimostra prodigo di informazioni di natura musicale, soffermandosi sulla veglia di tre settimane nella Palatina. Infatti, durante quei giorni vennero eseguite numerose messe e ogni mattina una messa solenne cantata con musica, mentre di notte «assistevano quattro sacerdoti religiosi, i quali insino al far del giorno sempre salmigiavano attorno la detta tomba».[33] Ancor più significativi i dettagli relativi alla cerimonia funebre in cattedrale del 27 agosto 1624:

Arrivato che fu il cataletto nel domo, si trovorno le torcie e blandoni posti nella piramide tutti accesi, quando con diligenza lo posero sopra li scalini nel mezzo della piramide […]. Et allora l'arcidiacono del domo, con pluviale negro, da tutto il Capitolo e clero accompagnato, incominciò l'esequie o absoluzione sopra fosso, seguendo il Vespro de' morti, cantando con flebili e meste voci in funesto stile quattro cori di canori musici. […] La mattina del 28 a bon'ora incominciorno a suonare tutte le campane con sì pietoso tuono, che pareva piangessiro ancor loro, e con quella flebil voce si lamentassiro di perdita sì grande. […] Uscì dalla sacrestia l'arcidiacono vicario generale, con dui canonici, uno per diacono e l'altro per subdiacono, parati con loro vesti negre, e cantorno messa solenne di requie nell'altar maggiore. Respondevano quattro cori di musica et altri dui cori di strumenti. […] Finita la messa, si fece l'orazione funerale da un padre di santo Domenico; qual

---

[30] *Memorie varie cavate da un libro ms. del can D. Gio. Battista La Rosa e Spatafora* cit., II, pp. 264-265.

[31] *Esequie del serenissimo principe Filiberto fatte nella madre chiesa di Palermo a 27 d'agosto 1624 d'ordine dell'ill.mo e rev.mo sig. cardinale Doria arcivescovo di detta città di Palermo e luocotenente e capitano generale per Sua Maestà in questo regno di Sicilia. Scritto da Domenico Cannata alcamese*, in *Biblioteca storica e letteraria di Sicilia* cit., II, p. 303.

[32] Cfr. *Alcune cose degne di memoria* cit., pp. 220-221.

[33] *Ivi*, p. 295.

finita, di novo si accesiro li blandoni e torcie, et il subdiacono con la croce s'inviò alla piramide, seguendo per ordine il clero e Capitolo, e il signor vicario generale celebrante, in mezzo quattro canonici tutti parati con pluviali negri [...]. Salendo li detti con li cinque pluviali sopra dove il corpo di S. A., incominciò il celebrante, che si mêse nel capo, a far la sua absoluzione con le cerimonie dell'acqua benedetta et incensiero, respondendo la musica e cantando l'antifone et i responsorii ora con strumenti et ora con l'organo.[34]

La particolare cura musicale nell'allestimento dei funerali, e in genere delle cerimonie funebri, viene pure messa in risalto dalle fonti archivistiche delle corporazioni soppresse, in particolare a partire dal XVII secolo. Tuttavia, dobbiamo considerare che le notizie raccolte offrono soltanto un quadro parziale della situazione reale, riferendosi ai contributi musicali finanziati direttamente dalle istituzioni e tralasciando le sovvenzioni di natura privata che, se non destinate alle casse del convento o del monastero di turno, non trovavano posto nella documentazione ufficiale. Nonostante questo, gli interventi del canto e della musica nelle cerimonie funebri appaiono ugualmente di grande interesse, sia sul piano quantitativo ed economico, sia talvolta anche su quello delle personalità coinvolte e delle pratiche esecutive [TAVOLA 15].

TAVOLA 15:
INTERVENTI MUSICALI DURANTE LE CERIMONIE FUNEBRI
IN CONVENTI E MONASTERI (SECC. XVI-XVII)

DATA	ISTITUZIONE	DEFUNTO	RIFERIMENTI
4 dic. 1531	San Domenico	*Famiglio* di Piero Miraglia	Obito e messa cantata
4 dic. 1531	San Domenico	Giovanni Antonio Pizzuni	Processione, messa cantata e apertura della fossa
2 ago. 1554	San Domenico		Messa cantata per la sepoltura
22 dic. 1568	San Domenico	Elisabetta di Valois	Messa cantata per la regina
1598	San Domenico	Filippo II	Musica per il funerale
23 ago. 1602	Santissimo Salvatore	Matteo Ventimiglia	Messa cantata per l'obito
25 gen. 1603	Santissimo Salvatore	Suor Cornelia La Noara	Pagamenti per messa cantata e ai beccamorti
10 mag. 1611	Chiesa e Collegio Massimo dei gesuiti	Figlie della viceregina Caterina de Ribera	Musica per il funerale

---

34 *Ivi*, pp. 305-307.

20 gen. 1614	Chiesa e Collegio Massimo dei gesuiti	Girolamo Bavera	Pagamenti ad Antonino Morello per la musica nel funerale ed esequie
lug. 1621	San Martino delle Scale	padre Cipriano	Messa cantata e trasporto dell'organo per la morte del padre Cipriano
7 apr. 1623	San Francesco di Paola		Pagamento ai musici per il *quondam* padre provinciale
15 ott. 1625	Santa Maria della Pietà	Suor Anna M. Traina	Messa cantata per le esequie
23 nov. 1628	San Domenico	Serafino Sicco	Giuseppe Agattio e compagni per la musica della messa
17 mar. 1631	Chiesa e Collegio Massimo dei gesuiti	Leandra Salerno	Musica per il funerale
15 dic. 1631	San Domenico	Vincenzo Giancardo	Musica a due cori per la messa
28 dic. 1631	San Francesco di Paola	padre Pietro	Pagamento ai musici che cantarono la messa di morti per padre Pietro
21 nov. 1632	San Francesco di Paola	Giuseppe Giacopino	Musica per la sepoltura
8 mar. 1633	Chiesa e Collegio Massimo dei gesuiti	Vincenzo Bologna	Musica per il funerale
30 sett. 1633	Chiesa e Collegio Massimo dei gesuiti	Ippolita Bologna Lercara	Musica per il funerale
8 feb. 1634	Santa Maria della Pietà	Suor M. Domenica Maddalena Colnago	Messa cantata per le esequie e sepoltura
8-9 sett. 1635	San Francesco di Paola	Bonaventura da Palermo	Musica a due cori durante la messa
5 apr. 1637	San Francesco di Paola		Pagamenti a musici per la messa del funerale del padre reverendissimo
27 feb. 1638	San Francesco di Paola	Padre Italiano	Pagamenti ai musici per il funerale del padre collega Italiano
25 lug. 1638	Monastero della Martorana	Suor Sigismonda Bologna	Messa cantata per il funerale
14 sett. 1638	Monastero della Martorana	Suor Costanza Faccio	Messa cantata per il funerale

11 feb. 1640	Monastero della Martorana	Suor Lucrezia Francesca del Castillo	Messa cantata per il funerale
17 apr. 1640	Monastero della Martorana	Suor Febronia	Messa cantata per il funerale
10 nov. 1640	Monastero della Martorana	Suor Maura Maglia	Messa cantata per il funerale
9 dic. 1640	Monastero della Martorana	Suor Illuminata Mendello	Messa cantata per il funerale
30 mar. 1641	Monastero della Martorana	Suor Eufrosina	Messa cantata per il funerale
18 giu. 1641	Monastero della Martorana	Suor Vincenza Maria Scirotta	Messa cantata per il funerale
8 sett. 1641	Monastero della Martorana	Suor Elisabetta Crispo	Messa cantata per il funerale
13 dic. 1641	Monastero della Martorana	Suor Sigismonda Carboni	Messa cantata per il funerale
26 apr. 1642	Monastero della Martorana	Suor Girolama di Acate	Messa cantata per il funerale
7 giu. 1642[35]	Monastero della Martorana	Suor Mascimilla Trapani	Messa cantata per il funerale
8 gen. 1643	Santa Maria della Pietà	Suor Maria Reparata	Pagamento a un sacerdote che cantò la messa per la sepoltura
8 gen. 1643	Santa Maria della Pietà	Suor Veronica	Messa cantata per la sepoltura
8 gen. 1643	Santa Maria della Pietà	Suor Eufrogenia	Messa cantata per la sepoltura
23 gen. 1643	Santa Maria della Pietà	Suor Arcangela d'Amari	Messa cantata per la sepoltura
18 mar. 1645	Chiesa e Collegio Massimo dei gesuiti	Muzio Vitelleschi	Musica per le esequie
7 mag. 1646	San Francesco di Paola		Musica per la sepoltura del Padre reverendissimo
3 ott. 1646	Sant'Ignazio all'Olivella	Pietro Giattino	Musica a due cori per il funerale

[35] Da questa data in poi si attestano pagamenti per messe cantate nel corso di funerali di sorelle defunte che però non vengono più nominate. Anche in altre istituzioni, come nel monastero di San Giovanni dell'Origlione, si riportano pagamenti complessivi e generici per «far cantare alcune messe per sorelle defunte» (ASPa, *San Giovanni dell'Origlione*, vol. 157, c. 181*a*).

18 gen. 1647	Santa Elisabetta Regina	Francesco Valanzone	Musica per il funerale e spese per il trasporto dell'organo
6 feb. 1648	Santa Elisabetta Regina	Suor Antonia de Conziis	Messa cantata per l'anima della defunta
22 dic. 1651	Santa Elisabetta Regina	Suor Candida Lo Castro	Messa cantata durante il funerale
6 nov. 1652	Sant'Ignazio all'Olivella	Porzio Valguarnera	Messa cantata durante il funerale

8.5. Le cappelle di musica: alcune ipotesi di identificazione

La questione dell'individuazione delle cappelle musicali all'interno dei conventi e monasteri palermitani pone numerosi interrogativi di non facile soluzione. Stando alle informazioni delle fonti di archivio, sembrerebbe che oltre alla cattedrale e alla Palatina l'unica cappella operante in un'istituzione ecclesiastica cittadina (ovvero quella che i copisti chiamavano tale) fosse quella dei gesuiti, attiva a partire dalla prima metà del Seicento. Eppure, come abbiamo visto, alcuni indizi presenti nella documentazione delle corporazioni religiose – supportati dai dati presi in prestito da altre fonti, in particolare dalle testimonianze posteriori degli eruditi e dalle opere musicali stampate in quegli anni – sembrano spingere verso altra direzione, alludendo alla presenza di organici che, pur non essendo indicati come tali, funzionavano alla stregua di vere e proprie cappelle di musica.

Se adottiamo la definizione di Oscar Mischiati della cappella come «un complesso di cantori e di suonatori che sotto la guida di un maestro (che talvolta è anche l'organista) è stabilmente al servizio di una chiesa, dalla cui amministrazione riceve uno stipendio regolare»,[36] possiamo ravvisare tale struttura in diverse istituzioni, quali San Martino delle Scale, San Domenico, San Francesco d'Assisi, il Carmine Maggiore, Sant'Ignazio all'Olivella. Ed effettivamente è proprio in queste chiese che è possibile individuare il maggior numero di indicazioni sulle attività musicali e soprattutto sugli stipendi elargiti in modo regolare sia a cantori che a strumentisti.

Fra l'altro quello che Oscar Mischiati dice a proposito del ruolo dell'organista quale maestro e organizzatore delle iniziative musicali trova piena corrispondenza nella situazione palermitana, in particolare a San Domenico e a San Martino delle Scale. Come già osservato, nel convento domeni-

---

[36] Oscar Mischiati, *Profilo storico della cappella musicale in Italia nei secoli XV-XVIII*, in *Musica sacra in Sicilia* cit., p. 24.

cano l'organista – ad esempio Benedetto Seidita a partire dal 1569 – svolgeva precise funzioni di gestione della vita musicale e delle spese relative, avvicinandosi in questo alla fisionomia di maestro di cappella. Nell'abbazia benedettina di San Martino delle Scale, invece, le indicazioni risultano più ambigue, ma sembrano spingere alle medesime conclusioni. Pensiamo, ad esempio, a Mauro Panormita che le fonti dell'abbazia non definiscono mai maestro di cappella, ma che viene documentato nel ruolo di organista, e talvolta coinvolto in compravendite di strumenti musicali.

Sulla base delle fonti d'archivio, ai conventi e monasteri sopra elencati dobbiamo aggiungere altri esempi di istituzioni in cui forse operavano delle cappelle, come il convento di Santa Maria la Misericordia, dove vengono attestate elargizioni (scarpe, vestiti e cibo) a 'terziari musici', in particolare frate Agostino, frate Filippo e frate Cherubino, tutti documentati intorno alla metà del Seicento. Accanto a testimonianze di questo tipo, si trovano ingaggi di musici secolari o 'strumentari', spese per carta pentagrammata e pagamenti per 'concerti' di musica (gruppi di strumenti di diversi formati). Soprattutto le spese per carta da musica e per strumenti risultano interessanti, in quanto iniziative 'di servizio' per attività non occasionali, come avveniva in altre istituzioni (*in primis* a San Domenico).

Anche in alcune istituzioni femminili – appartenenti per lo più all'ordine benedettino – è ipotizzabile che esistessero cappelle di canto, possibilmente costituite dalle religiose appartenenti alla comunità monastica.[37] Ad esempio, presso il monastero della Martorana troviamo diffusi riferimenti a messe cantate eseguite dalle monache per le festività più importanti (oltre alle numerose indicazioni sui legati per musica), e lo stesso nel monastero di Santa Maria del Cancelliere, anch'esso benedettino, che come si è visto era solito ingaggiare maestri esterni per l'insegnamento della pratica musicale. Riguardo al monastero della Martorana abbiamo, inoltre, un'interessante testimonianza relativa alle cerimonie per l'arrivo delle reliquie di Santa Ninfa nel 1593, in cui si descrive il carro allestito dal monastero sul quale erano collocati alcuni angeli, la Madonna e le quattro vergini palermitane (Oliva, Ninfa, Cristina, Eufemia) precisando che «eran tutti i sudetti personaggi donzelle musiche: ed andavano del continovo [*sic*] cantando sante

---

[37] Il rapporto tra musica e comunità femminili palermitane è indagato in ILARIA GRIPPAUDO, *Donne e musica nelle istituzioni religiose di Palermo fra Rinascimento e Barocco*, in *Celesti Sirene II. Musica e monachesimo dal Medioevo all'Ottocento*, Atti del Secondo Seminario internazionale (San Severo, 11-13 ottobre 2013), a cura di Annamaria Bonsante e Roberto Matteo Pasquandrea, Barletta, Cafagna Editore, 2015, pp. 429-470; EAD., *Attività musicale, patrocinio e condizione femminile nei monasteri palermitani (secc. XVII-XVIII)*, in *Puta/Putana. Donne Musica Teatro tra XVI e XVIII secolo*, a cura di Maria Paola Altese e Pierina Cangemi, Palermo, Il Palindromo, 2016, pp. 43-55.

canzoni in lode di Gesù e della sua gloriosa madre».[38] È possibile che le «donzelle musiche» fossero le stesse monache o le novizie, ma non si può escludere che si trattasse di esecutrici di altra provenienza.

Più delineata risulta la situazione nei due monasteri di Santa Maria della Pietà e Santa Maria delle Vergini: nel primo le spese musicali si susseguono con regolarità sin dai primi anni del Seicento e le collaborazioni con musicisti nelle vesti di organisti suggeriscono che anche all'interno di questo monastero costoro svolgessero la funzione di coordinatori delle attività musicali. In particolare va segnalata una nota del 1656 che testimonia il pagamento «per musica di un vespiri et una ribbichina alla messa cantata che la cantan le monache».[39] Pochi dubbi abbiamo, invece, sull'esistenza di monache musiciste a Santa Maria delle Vergini, considerando che un'annotazione del 30 aprile 1653 riporta una serie di spese per i *Passi* della Settimana Santa e fra queste anche un pagamento ai «musici per la messa del Giovedì stante che li sorelle musici detto giorno essere ammalati».[40]

Degno di interesse è anche il caso della Congregazione dei padri dell'Oratorio, giunti a Palermo nel 1592.[41] Come è noto, gli oratoriani furono fra i principali artefici della vita musicale cittadina, soprattutto a partire da metà Seicento, grazie all'attività di una vera e propria cappella di musica. A questa congregazione si deve, ad esempio, la promozione del genere dell'oratorio o dialogo, che a Palermo raggiunse l'apice del proprio sviluppo tra la fine del XVII e la prima metà del XVIII secolo.[42] Per quanto riguarda i musicisti ingaggiati e le pratiche musicali, le informazioni ricavabili dall'unico volume di conto anteriore alla seconda metà del Seicento vanno integrate con altre testimonianze, in particolare con le *Memorie familiari dell'oratorio di Palermo*,[43] manoscritto conservato presso la Biblioteca Comunale di Palermo.

A tale riguardo risultano interessanti le notizie relative al canto delle laudi o *canzonette spirituali* (accertate in un riferimento del 1623), all'esecuzione di mottetti in musica durante il Venerdì Santo e ancora la presenza di contributi musicali durante i vespri che, a quanto ci dicono le fonti, a Palermo si cantavano secondo l'uso della congregazione romana «a vicenda coi Musici, cioè un salmo i Musici e l'altro i Padri».[44] Pure documentata

---

[38] G. Di Regio, *Breve ragguaglio* cit., p. 49.

[39] ASPa, CRS, *Santa Maria della Pietà*, vol. 275, c. 90v.

[40] ASPa, CRS, *Monastero delle Vergini*, vol. 266, c. [80v].

[41] Cfr. A. Mongitore, *Storia delle chiese di Palermo. I conventi* cit., II, pp. 232-252.

[42] Sul dialogo in Sicilia cfr. A. Tedesco, *Alcune note su oratorî e dialoghi* cit., pp. 203-256.

[43] *Memorie familiari dell'oratorio di Palermo*, BCP, ms. 3Qq D 2.

[44] *Discorso Preliminare all'Istoria della Congregatione di Palermo*, BCP, ms. Qq B 133, c. 146r.

è la presenza a Sant'Ignazio all'Olivella di esponenti della scuola polifonica, come Giuseppe Palazzotto Tagliavia (attestato nella congregazione dal
1606 sino al 1613)[45] e sempre nel 1606 Antonio Formica, per il quale nel
1614 veniva espressamente creata la carica di 'prefetto di musica', da lui
ricoperta in diverse occasioni sino al 1626, quando la tradizione attesta la
sua nomina a preposto dell'istituzione.[46] Purtroppo di tutto questo non
possiamo avere preciso riscontro, a causa della già discussa dispersione della documentazione contabile. Nonostante ciò, un'idea generale possiamo
ugualmente formarcela sulla base delle informazioni ottenute dal confronto fra le poche testimonianze che ci sono rimaste.

Un elenco dei prefetti di musica attivi nell'istituzione dal 1593 al 1652 –
sempre ricavato dall'analisi di manoscritti della Comunale – è stato riportato da Anna Tedesco,[47] ma dal confronto con il libro-giornale del fondo
dell'Archivio di Stato sono emerse alcune disparità, almeno per gli anni
successivi al 1640. Infatti, accanto a precisazioni relative all'arco cronologico di attività, si è notata la sovrapposizione di diverse figure per gli stessi
anni, facendo supporre che la carica non fosse rigidamente formalizzata,
ma in alcuni anni ricoperta da più padri, e dunque gestita in modo flessibile, come peraltro sembrava accadere anche presso i gesuiti [Tavola 16].

Tavola 16:
Prefetti di musica presso la Congregazione dell'Oratorio (1640-1654)

NOME	ANNI
Pietro [Piero] Maria Rosciano [Rusciano][48]	1640-1646
Martino Minolfi[49]	1643
Carlo Spatafora	1646-1647
Gabriele Tagliavia	1647-1649
Francesco Granata	1649
Girolamo Verdino	1649-1651
Carlo del Castillo [Castiglio]	1652-1654
Pietro Maggio	1654

Questa e le altre indicazioni sono riportate in A. Tedesco, *Alcune note su oratori e dialoghi* cit.,
pp. 237-239.

[45] Cfr. O. Tiby, *I polifonisti siciliani del XVI e XVII secolo* cit., p. 97.

[46] *Ivi*, p. 95. La nomina a preposto è riferita in A. Mongitore, *Storia delle chiese di Palermo.
I conventi* cit., II, p. 252.

[47] A. Tedesco, *Alcune note su oratori e dialoghi* cit., p. 255.

[48] Secondo le *Memorie familiari dell'oratorio di Palermo*, Rosciano fu prefetto di musica anche in anni precedenti, ovvero nel 1629 e dal 1631 al 1632.

[49] Minolfi aveva ricoperto l'incarico nel 1621, nel 1623, nel 1627 e nel 1634 (cfr. A. Tedesco, *Alcune note su oratori e dialoghi* cit., p. 255).

Questo discorso vale soprattutto per il periodo *post* 1646. Fino a questa data sembrerebbe, infatti, che l'incarico fosse assolto esclusivamente da Piero (o Pietro) Maria Rosciano, citato quale prefetto di musica per un lungo periodo (1640-1646) durante il quale in una sola occasione viene affiancato da Martino Minolfi, a sua volta documentato per nove mesi, dal maggio al dicembre 1643. Nel 1646 alcune spese di pertinenza musicale vengono gestite dal prefetto di sacrestia, Gabriele Tagliavia, e per un breve periodo anche da Carlo Spatafora, procuratore della congregazione, che ricoprì la carica dal dicembre 1646 sino all'agosto 1647. Quest'ultimo si alterna allo stesso Rosciano (citato per l'ultima volta il 31 dicembre 1646) e a Gabriele Tagliavia, del quale il manoscritto della Comunale non parla e che comincia a essere definito 'prefetto di musica' dal maggio 1647 sino all'aprile 1649.

Negli anni seguenti la situazione sembra regolarizzarsi. Dal 1649 compare Francesco Granata, che sappiamo prefetto sino al luglio 1649, mentre nel settembre dello stesso anno gli subentra Girolamo Verdino (altra figura alla quale le *Memorie* non fanno riferimento), attivo sino al giugno 1651. Nello stesso mese le fonti alludono all'attività di Carlo del Castillo, in carica sino al 1654, cui spetterà fra le altre cose anche la gestione del legato del 1650 di Porzio Valguarnera, al quale si è più volte accennato. Sappiamo che Valguarnera ricopriva la carica di tesoriere della congregazione (frequentemente nominato dai libri di conto, visto che le spese musicali venivano smistate ai tesorieri, più raramente al procuratore della chiesa) e risulta in vita sino al 1652, data in cui sono riportati alcuni riferimenti alla riscossione di suoi crediti e all'esecuzione di messe cantate nel corso del funerale, come stabilito nel testamento. L'ultimo prefetto di cui si ha notizia è infine Pietro Maggio, incaricato a partire dal maggio 1654 fino a data imprecisata, visto che le notizie si interrompono nel luglio 1654.

Altri membri di comunità religiose che a Palermo si avvalevano di prefetti di musica erano i gesuiti, sui quali ci soffermeremo nel capitolo successivo. A loro volta questi si trovavano in perenne competizione con la congregazione dei teatini, fra le più importanti del panorama palermitano di Sei e Settecento. È probabile che i teatini si servissero dei musici dell'Unione, considerando i termini dell'atto di concessione del 1653. All'Unione, lo ricordiamo, i teatini avevano concesso una cappella per seppellirvi i morti, abbellirla con opere d'arte e celebrarvi le feste di San Gaetano, Sant'Andrea Avellino e Santa Cecilia con 9 voci, 2 violini, 2 organisti e maestro di cappella.[50] La già discussa cronaca di Fortunio sembra dare maggior forza a tale

---

[50] ASPa, CRS, *Casa dei PP. Teatini in San Giuseppe*, vol. 103. Riportato in U. D'Arpa, *Notizie e documenti sull'unione dei musici* cit., pp. 31-33.

supposizione, riferendo della presenza di Giovanni Battista Fasolo *maestro di cappella*, incaricato di comporre le musiche per i festeggiamenti in onore di Santa Cecilia.[51] Non essendo ancora a quella data *magister musices* di Monreale, non si può escludere che Fasolo svolgesse tale carica nella chiesa di San Giuseppe, come sembrano suggerire le attestazioni sui pagamenti destinati alla musica.

L'attenzione che i teatini riservavano alle attività sonore è suggerita da alcune annotazioni riportate in uno dei volumi del fondo archivistico. Si tratta del *Libro di fabbrica della nuova chiesa di S. Giuseppe*, che oltre a fornire dettagli sulla costruzione dei letterini della musica[52] presenta una corposa sezione introduttiva dedicata alla *Narratione de Cose Memorabili della Nova Chiesa di san Giuseppe di Palermo*. A Palermo i teatini erano infatti arrivati nel 1602, stabilendosi prima nel convento annesso alla chiesa della Catena e poi spostandosi in una sede più adeguata nonché strategica nella nuova fisionomia topografica della città. Si trattava dell'oratorio di San Giuseppe della congregazione dei falegnami, che li accolse a partire dal 1603; qui però ben presto i padri si trovarono nell'impossibilità di amministrare i sacramenti a causa dell'angustia dell'edificio e per questo decisero di costruire una nuova chiesa, iniziata nel 1612, «pure con nome e titolo di san Gioseppe in sito e posto più nobile del primo benché ad'esso quasi congiunto».[53]

La nuova chiesa venne conclusa nel 1624 e in quello stesso anno benedetta con grande solennità e affluenza di popolo. Qui i membri della comunità religiosa solevano celebrare un gran numero di messe cantate (come peraltro si può constatare dalla quantità di legati che si registrano nei volumi contabili) e le litanie cantate in onore della Vergine. Ma soprattutto risulta interessante un'annotazione relativa al periodo della costruzione della nuova chiesa. Fu infatti nel 1622 che i teatini sollevarono una controversia contro l'edificazione di un *luoco* per la musica profana – forse un teatro, più probabilmente un palco – da situarsi in corrispondenza dell'angolo destro esterno della chiesa «per abbellimento della città». L'opposizione dei teatini a tale disposizione fu talmente risolta da determinare l'intervento del viceré Francesco Lemos conte di Castro e l'immediata interruzione dei lavori, già iniziati su probabile commissione del Senato:

20° l'anno 1622 essendo preposto il reverendo padre D. Andrea Filingieri sucesse che la Città voleva fare un luoco per musica profana come anche una botte

---

[51] G.M. FORTUNIO, *Gli applausi di Palermo* cit., p. 22. Su Fasolo, CLAUDIO BACCIAGALUPPI, *Giovanni Battista Fasolo "fenice della musica"*, «Rivista internazionale di musica sacra», XIX/2, 1998, pp. 5-66.

[52] ASPa, CRS, *Casa dei PP. Teatini in San Giuseppe*, vol. 857, c. 299b.

[53] *Ivi*, c. 2a.

d'acqua cioè la musica dalla parte di fuori dell'angolo destro della chiesa fabbricato per detta Città per abbellimento della città e la botte in detto angolo dalla parte di dentro la chiesa, e di già vi eranno gl'operari per detto effetto, furono di ciò avisati li padri, et andarono in persona ad'oviare che ciò non si facesse e si ricorse a S. E. che era in quel l'Eccellentissimo Signor Conte di Castro Viceré in questo Regno e s'ottenne in nostro favore cioè che la musica non se ci facesse e la giarra dell'acqua si facesse dentro il proprio muro in pietra viva che non potesse nè parere nè penetrare dalla parte di dentro come appare.[54]

La stringatezza della testimonianza non permette di stabilire cosa esattamente si intendesse per «luoco per musica», se un teatro, un palco o qualcosa di ancora più semplice. Tuttavia, la ferrea opposizione dei teatini induce a pensare che si trattasse di un edificio stabile e non di una struttura effimera, per di più appositamente destinata alla musica profana. Di conseguenza, possiamo ipotizzare che questo edificio fosse simile al teatrino marmoreo che a fine secolo verrà costruito nella Marina, come suggerisce la collocazione sul lato destro della chiesa di San Giuseppe, equivalente a uno degli angoli di piazza Villena, punto strategico per la collocazione di luoghi destinati a esecuzioni musicali. In questi termini il progetto non venne realizzato e soltanto cinquant'anni dopo i senatori palermitani optarono per la costruzione della nuova struttura nella Strata Colonna, determinando il moltiplicarsi delle esecuzioni di serenate che incontrarono un periodo di particolare favore proprio negli ultimi anni del Seicento.

L'episodio va a inserirsi nel fitto quadro delle lotte territoriali fra istituzioni concorrenti, lotte nelle quali anche la musica svolgeva un ruolo determinante. Se infatti elenchiamo in una tabella le notizie relative alla presunta esistenza di organici musicali autonomi nei conventi e monasteri palermitani, con l'esplicitazione del 'mandamento' nel quale la relativa chiesa era collocata [TAVOLA 17], possiamo notare come vi fosse una distribuzione territoriale abbastanza equilibrata, quasi esistesse un accordo implicito sulla ripartizione dei ruoli e delle competenze in materia di controllo del territorio. Si trattava, però, di un equilibrio apparente e sempre messo in discussione dalle frequenti forme di competizione che interessavano quasi tutte le congregazioni più in vista del contesto cittadino.

---

[54] *Ivi*, c. 4*b*.

TAVOLA 17:
ORGANICI MUSICALI PRESENTI IN MONASTERI E CONVENTI (SECC. XVI-XVII)[55]

ISTITUZIONE	QUARTIERE O MANDAMENTO	ORDINE
San Francesco d'Assisi	Kalsa	Francescani
Monastero della Martorana	Kalsa	Benedettine
Santa Maria la Misericordia	Kalsa	Francescani
Santa Maria della Pietà	Kalsa	Domenicane
San Domenico	Loggia	Domenicani
Sant'Ignazio all'Olivella	Loggia	Oratoriani
Santa Maria delle Vergini	Loggia	Benedettine
San Giuseppe dei Teatini	Albergheria	Teatini
Casa Professa	Albergheria	Gesuiti
Carmine Maggiore	Albergheria	Carmelitani
Santa Maria del Cancelliere	Seralcadi	Benedettine
Collegio Massimo dei gesuiti	Seralcadi	Gesuiti
San Martino delle Scale	[fuori le mura]	Benedettini

A prescindere da questa serie di considerazioni, resta il fatto che le fonti finora consultate non forniscono alcun tipo di informazioni sulle modalità di ingaggio degli esecutori, sul funzionamento dell'eventuale cappella e sulla presenza di un maestro, spingendoci a credere che in una prima fase, anche in istituzioni del calibro di San Domenico o San Martino delle Scale, la fisionomia del personale musicale fosse flessibile e non codificata, a differenza degli organici del Senato, della cattedrale e della Palatina. Alla luce di quanto detto, non stupisce che fossero soprattutto i musicisti di queste ultime due istituzioni a svolgere attività itinerante nelle altre chiese, cosa che in alcune occasioni viene confermata dai libri di conto delle corporazioni religiose.

Per quanto concerne la cappella del Senato, alcuni documenti tratti dai volumi dei notai palermitani si dimostrano utili nell'integrare le informazioni già in nostro possesso e nel fornirci i nomi dei musicisti che operavano nella cappella. Oltre a quelli già segnalati da Tiby (Antonino Morello, Mariano Carusello, Simone Li Rapi, Cesare Matrascia), i pagamenti per l'anno 1577 segnalano, infatti, la presenza di quattro trombettieri (Placido di Sena, Vito di Blasi, Nicola Ebilili, Silvestro Trovato) e di due «pifari ac etiam musici», Vincenzo Augeri (anche cantore, come documentato il 30

---

[55] Non sono incluse le cappelle musicali attestate dopo il 1650. Si ricorda che la Palatina e la cattedrale si trovano rispettivamente nei mandamenti Albergheria e Seralcadi.

luglio 1577)[56] e Giovanni Battista Adamo (che 'teneva scola' presso la chiesa di San Teodoro, oltre a collaborare con San Martino delle Scale).

Riguardo alla Palatina, la lettura a campione dei volumi del fondo del *Tribunale del Real Patrimonio* (anni 1584-1603) ha permesso di accertare come le ricerche a suo tempo effettuate da Tiby avessero tralasciato una parte della documentazione, offrendo di fatto un quadro incompleto. Al contrario, le nuove acquisizioni documentano la circolazione di cantori fra Napoli e Palermo, in particolare i rapporti fra le rispettive cappelle reali. I due casi di Juan de Medina e Antonio Potenza, rispettivamente contralto e basso, confermano i legami che esistevano fra la Palatina e l'ambiente napoletano, considerando che il primo risulta attivo nella Reale di Napoli fino al 1595, mentre il secondo operava nella cappella dell'Annunziata, probabilmente dopo aver concluso il proprio servizio in Sicilia.[57]

Inoltre, stando alla relazione stilata nel 1603 dal regio visitatore Filippo Jordi, si può accertare che l'organico di base era costituito dal maestro di cappella (probabilmente Sebastián Raval), dall'organista (Giulio Oristagno), e ancora da tre soprani, tre contralti, quattro tenori, quattro bassi e tre suonatori per i quali è possibile indicare il rispettivo strumento musicale (trombone nel caso di Lorenzo Lo Giudice, cornetto per Julio de Leri e forse *piffaro* per Antonio Morello). La presenza del tenore Filippo Trapanotta nel ruolo di maestro di scuola ribadisce l'importanza che l'insegnamento del canto e della musica continuava ad avere e la necessità di avvalersi di una persona adeguata allo scopo.[58]

---

[56] Cfr. A. PALAZZOLO, *Le torri di deputazione nel regno di Sicilia (1579-1813)* cit., p. 66.

[57] Per una ricostruzione aggiornata sulle attività musicali nella Palatina rimandiamo a ILARIA GRIPPAUDO, *Fra Palermo e Napoli. Attività musicali presso la Reale Cappella Palatina di Palermo*, «Studi Pergolesiani», X, 2015, pp. 15-61; EAD., *Le cappelle musicali a Palermo tra Cinque e Seicento: nuovi documenti sulla Palatina*, «Drammaturgia musicale e altri studi», V, 2017, pp. 11-36; ANGELA FIORE – ILARIA GRIPPAUDO, *Musica nelle istituzioni religiose del meridione d'Italia: ipotesi di confronto fra le Cappelle Reali di Napoli e Palermo*, «Quadrivium. Revista Digital de Musicologia», VII, 2016, pp. 84-106.

[58] ASPa, *Conservatoria di registro*, vol. 1330, cc. 222v-224r. Cfr. I. GRIPPAUDO, *Fra Palermo e Napoli* cit., p. 59. Per quanto riguarda la Palatina, pur non trattandosi di istituzione legata a un ordine o congregazione religiosa, le notizie musicali reperite nel corso della ricerca sono state ugualmente trascritte e inserite in chiusura di appendice digitale (Appendice 30).

CAPITOLO NONO

GESUITI E MUSICA A PALERMO

9.1. PROMOZIONE DELLE ATTIVITÀ MUSICALI PRESSO I GESUITI

Nel quadro della committenza musicale promossa a Palermo dagli ordini religiosi un posto di rilievo spetta senz'altro ai gesuiti, congregazione che sin dall'inizio, molto più di altri ordini religiosi, fu contraddistinta da una forte spinta alla militanza, all'esercizio politico e di conseguenza all'organizzazione di numerose iniziative di alto livello.[1] Queste, governate dalla manifestazione del potere, in breve li portarono a diventare protagonisti della scena palermitana, sia sul piano religioso sia su quello artistico e storico-politico. Sin dal loro arrivo nel 1549 – reso possibile grazie all'intervento del viceré Juan de Vega – i gesuiti ebbero, infatti, come principale scopo quello «di fruttificare et esercitare in questa città et in tutto questo regno erudire la gioventù nel timore di Dio et dottrina, et esercitare tutti l'altri ministerii nelli quali suole la compagnia conforme al suo santo instituto».[2] Rifacendosi a questi principi, la prima colonia di padri, inviata da Roma da Ignazio di Loyola, si adoperò per intraprendere la propria azione di evangelizzazione, prendendo in affitto alcune abitazioni presso il convento di Santa Maria la Misericordia e lì fondandovi le prime scuole del Collegio.[3]

Si trattava del primo passo verso una più spinta azione di permeazione del tessuto urbano che i padri portarono avanti stabilendosi nel 1553 presso la chiesa di Santa Maria della Grotta, a loro concessa da Carlo V, e trasferendosi poi al Cassaro, dove nel 1586 venne posta la prima pietra della nuova *Domus Studiorum*, centro di irradiamento di interventi finalizzati

---

[1] Per una visione più approfondita sull'argomento cfr. ILARIA GRIPPAUDO, *I Gesuiti e la musica a Palermo fra Rinascimento e Barocco*, in *Musica tra storia e filologia. Studi in onore di Lino Bianchi*, a cura di Federica Nardacci, Roma, Istituto Italiano per la Storia della Musica, 2010, pp. 279-312.

[2] *Riassunti di tutti i Volumi delle Scritture e degli Assenti delli Beni del Collegio compilati dal P. Andrea Gaudio* (ASPa, ECG, *Chiesa e Collegio Massimo dei Gesuiti – Serie A*, vol. 1, f. 3).

[3] Cfr. A. MONGITORE, *Storia delle chiese di Palermo. I conventi* cit., II, p. 135.

all'affermazione del proprio prestigio in termini sociali, politici e soprattutto culturali.[4] Alla *Domus Studiorum* venne aggregata una nuova chiesa, ricostruita a partire dai primi anni del Seicento (1615) e parimenti intitolata alla Madonna della Grotta, mentre l'abbazia originaria fu distrutta e al suo posto edificata la nuova Casa Professa che in brevissimo tempo divenne simbolo concreto della potenza e magnificenza della Compagnia, oltre che splendido esempio di architettura e decorazione barocca.[5]

Le iniziative promosse dai gesuiti riguardarono subito tutti i campi atti a consentire visibilità, a partire da quello artistico e architettonico – in quanto più facilmente percepibile – fino alla letteratura, al teatro, e soprattutto alla pedagogia, missione primaria della Compagnia sin dalla sua fondazione. Non mancava la musica, sulla quale i gesuiti di Palermo esercitarono un controllo ancor più accurato rispetto alle altre forme ed espressioni artistico-culturali, affiancandosi ad altri ordini e impegnandosi sul piano della committenza e della promozione delle iniziative più importanti, sia all'interno delle occasioni specificamente legate alla Compagnia, sia durante le occasioni ufficiali, religiose e civili. Non solo, tale monopolio si realizzava anche concretamente, come controllo dello spazio circostante, spesso sfociando in controversie con altri ordini, quali i teatini, i francescani e i domenicani.

Al moltiplicarsi delle iniziative, tuttavia, non corrisponde un adeguato riscontro documentario, stante la scarsa presenza di notizie musicali nella documentazione contabile a fronte dell'abbondanza di testimonianze di altro genere. In più, a rendere complessa la ricerca vi è la corposità del fondo relativo custodito nell'Archivio di Stato di Palermo, forse il più vasto fra quelli delle corporazioni palermitane (più di 2.000 volumi), insieme ai fondi di San Martino delle Scale. Esso è diviso in undici serie progressive, dalla lettera A alla lettera M, in un arco temporale che include quattro secoli e che segue le vicissitudini dei tre principali organismi della Compagnia: il Collegio, il Noviziato e la Casa Professa. Per ognuno di essi le scritture relative si compongono principalmente di tre nuclei: titoli e rendite, libri contabili e volumi di cautele. Tuttavia, non sempre a ogni nucleo corrisponde un'unica serie: spesso accade che i volumi di cautele siano raccolti in serie distinte, o viceversa che titoli e cautele siano inclusi insieme in una sola se-

---

[4] Sulla storia del Collegio cfr. Giuseppe Scuderi – Vincenzo Scuderi, *Dalla domus studiorum alla Biblioteca Centrale della Regione Siciliana. Il Collegio Massimo della Compagnia di Gesù a Palermo*, Palermo, Regione Siciliana. Assessorato dei beni culturali e della pubblica istruzione, 1995.

[5] Cfr. Maria Clara Ruggieri Tricoli, *Costruire Gerusalemme: il complesso gesuitico della Casa Professa di Palermo dalla storia al museo*, Milano, Lybra Immagine, 2001.

rie. Non solo, all'interno delle singole serie l'ordinamento dei volumi spesso non segue criteri organici di classificazione e nei libri di inventario redatti nel 1874 solo per alcuni viene indicato il periodo di appartenenza.

La mancanza di un principio organico di suddivisione riguarda proprio le serie più sostanziose, quelle dei titoli, ordinate in base a un argomento generico, ma senza alcuna indicazione di data. Si è dunque deciso di concentrare la ricerca sui documenti inventariati con una precisa indicazione cronologica, che come di consueto vanno a coincidere con i libri contabili, nel caso specifico i libri maestri, i libri-giornale e i volumi di cautele. Se ciò da un lato ha permesso di seguire un percorso cronologico, articolato anno per anno e calato nella quotidianità dell'istituzione, dall'altro la natura dei documenti presi in esame ha offerto nella maggior parte dei casi notizie generiche, prive di informazioni sulla tipicità dei repertori, delle pratiche e dei materiali coinvolti.

9.2. LE INIZIATIVE MUSICALI

9.2.1. *Cerimonie nel secondo Cinquecento: dal 'Trionfo della morte' (1567) all'arrivo delle reliquie di Santa Ninfa (1593)*

Le tipologie documentarie di cui disponiamo, insieme alla dispersione di altre fonti (in particolare i libri di spese minute, ai quali spesso si rimanda nei libri maestri), possono in parte spiegare l'assenza di informazioni relative alla musica per tutta la seconda metà del XVI secolo. Sta di fatto che i primi riferimenti cominciano a comparire agli inizi del '600, ancora molto generici e relativi ad aspetti marginali (come la riparazione dell'organo) o spese per musici esterni per occasioni straordinarie (fra queste l'inaugurazione della nuova chiesa nel 1615). Questo aspetto accomuna la situazione di Palermo a quella di altri collegi gesuitici, in particolare al Collegio Romano, studiato da Thomas Culley in *Jesuits and Music*. Secondo lo studioso, la minore quantità di riferimenti musicali nel periodo compreso fra la seconda metà del '500 e l'anno 1600 può ricondursi ad aspetti legislativi orientati alla limitazione dell'attività musicale all'interno della Compagnia (ad esempio veniva proibito l'uso di strumenti musicali nei collegi, in perfetta rispondenza ai nuovi orientamenti della Controriforma).[6] Che questi dettami siano stati applicati con rigore, soprattutto a ridosso della morte di Ignazio di Loyola, è più che probabile, ma ciò non esclude che a Palermo,

---

[6] Cfr. THOMAS CULLEY, *Jesuits and music*, Roma, Jesuit Historical Institute, 1970, pp. 13-24.

come a Roma, la musica venisse praticata in modo continuativo sin dai primi anni della costituzione della Compagnia.

Nel caso di Palermo ci vengono in aiuto altre testimonianze (come cronache, diari, relazioni) sia coeve che posteriori, che attestano come in realtà già a partire dalla seconda metà del Cinquecento la musica ricoprisse una funzione se non essenziale comunque significativa. Un esempio eloquente ci viene offerto dalla processione del *Trionfo della morte*, organizzata dai gesuiti nel 1567. Di questa processione ci dà notizia padre Aguilera, autore di una storia della Compagnia in Sicilia pubblicata a Palermo nel 1737, dove troviamo un'accurata descrizione della cerimonia.[7]

La celebrazione risentiva dell'influsso di analoghe cerimonie spagnole, in particolare della *danza de la muerte*, corteo allegorico che dalla metà del Cinquecento fu allestito in molte città della penisola iberica con ampio utilizzo di apparati e carri trionfali.[8] Dalla descrizione di Aguilera veniamo a conoscenza della presenza lungo il corteo di alcuni musicisti che accompagnavano il simulacro di Cristo sia processionalmente che sonoramente con un *concento* di flebili suoni, mentre un gruppo di cantori in abito lacero proclamava la caducità della condizione umana:

Sacrum agmen præibant sexaginta pullati homines, qui bini cereis instructi facibus incedebant. Post flebilis musicorum concentus demortui Redemptoris Simulacrum comitabatur, quod crebris circumfusum luminibus, altoque jacens feretro, efferebatur. [...] Inter hos alius sese inferebat canentium chorus, qui sordido habitu, mæstisque numeris, caducam humanarum rerum conditionem carminibus declarabat. Succedunt his duodecim atrati equites, qui totidem squalidis, atque horrentibus equis vehuntur. Horum primus serali tuba Libitinæ quasi classicum canit.[9]

Con l'organizzazione di simili spettacoli i gesuiti bene interpretavano il messaggio controriformistico di rigore e di edificazione morale, a maggior ragione se consideriamo che queste cerimonie venivano organizzate subito dopo il Carnevale, come contraltare agli eccessi che caratterizzavano i giorni antecedenti al periodo quaresimale. Che i gesuiti palermitani avessero un rapporto privilegiato con il tema della morte ci viene confermato dalle cronache locali sull'organizzazione di cerimonie funebri all'interno di Casa Professa, ad esempio nel 1611, quando «la signora viceregina [Caterina de Ribera] desertò il giorno della Ascensione due figlie femine, che morsero subito. Non volse visite; e s'interràro la notte a Casa Professa del

---

[7] La descrizione è riportata e analizzata da G. Isgrò, *Teatro del '500 a Palermo* cit., pp. 170-171.

[8] *Ivi*, p. 15.

[9] Emmanuel Aguilera, *Provinciæ Siculæ Societatis Jesu Ortus et Res Gestæ ab Anno 1564 ad Annum 1611. Pars Prima*, Palermo, ex Typographia Angelo Felicella, 1737, pp. 171-172.

Collegio. Li portava di sopra per insino al cocchio un cappellano, in un ba-gulletto coverto di tela d'oro, il quale posero in carrozza; e [...] nella Casa Professa si ritrovò nell'entrare musica».[10]

Il contributo dei gesuiti alle occasioni ufficiali fu subito di grande rilievo anche sul piano strettamente musicale, come ad esempio nella discussa ce-rimonia per l'arrivo delle reliquie di Santa Ninfa nel 1593.[11] In quella circo-stanza – oltre alle consuete presenze musicali, per lo più reclutate tra le fila della cappella del Senato, e ai cantanti e strumentisti che si collocavano nel-le macchine allestite da nazioni, conventi e monasteri[12] – i commentatori fanno riferimento alla recita di un dialogo in onore di Santa Ninfa, promos-so dai gesuiti e rappresentato dagli studenti su un palco eretto di fronte alla facciata della chiesa annessa al Collegio. La cronaca riporta la presenza di tre personaggi o *interlocutori* (Santa Ninfa, Angelo Gabriele, Angelo Uriele) e l'intervento della musica in diversi punti del dialogo.

9.2.2. *Musica e teatro*

Nella seconda metà del Cinquecento la presenza della musica presso la Compagnia va analizzata soprattutto in relazione all'attività teatrale, che com'è noto fu particolarmente coltivata dai gesuiti, anche in Sicilia e a Pa-lermo. I primi padri iniziarono la pratica teatrale nei loro collegi già negli anni '50 del XVI secolo, facendo rappresentare agli studenti una volta all'an-no una commedia o una tragedia in latino e segnando il passaggio dalla sacra rappresentazione al teatro classicheggiante di argomento sacro. In-terventi musicali trovavano posto negli intermezzi, come testimonia Salo-mone Marino, che dà indicazioni sulla tipologia professionale dei musicisti impiegati, non solo quelli stipendiati dal Senato, ma anche esecutori esterni, sia professionisti che dilettanti, appartenenti per lo più al ceto aristocratico:

Il comune di Palermo manteneva un corpo di otto Messeri, con la paga, splen-dida per quei tempi, di onze trenta annuali, uguali a quella dei Capitani della Regia Milizia. E basta ciò per farci arguire che questi musici della città non erano poveri

---

[10] *Memorie diverse intorno al vicerè duca d'Ossuna, cavate da un ms. col titolo di Ceremoniale del Senato di Palermo dal 1598 al 1652, esistente nell'Archivio Comunale*, in *Biblioteca storica e letteraria di Sicilia* cit., II, p. 74.

[11] Cfr. *supra*, capitolo III. I. GRIPPAUDO, *Music, Religious Communities* cit., pp. 309-326.

[12] La relazione si sofferma sul carro della nazione dei napoletani e su quello del monaste-ro della Martorana. Il primo accoglieva diversi personaggi rappresentanti altrettanti santi della tradizione sia palermitana che partenopea, e al passaggio del carro di Santa Ninfa doveva unirsi al corteo, alternando ai concerti dei 48 musici il canto di due soprani con la partecipazione del coro. Nel secondo erano collocate le «donzelle musiche» delle quali si è già parlato (cfr. *supra*, capitolo VIII; G. DI REGIO, *Breve ragguaglio* cit., pp. 44-49).

sonatori comuni, ma veri ed abili maestri [...] ma non gli stipendiati del Comune soltanto compaiono nelle musiche teatrali, ma altri ancora o musici di professione, o amatori, nobili i più, artisti veri nell'anima e per vocazione. Svolgevasi principalmente la musica nell'intervallo degli atti, non solo, ma accompagnando quasi costantemente gli intermezzi.[13]

Era proprio negli intermezzi che gli elementi della sacra rappresentazione (come la presenza di personaggi allegorici) permanevano ancora, enfatizzati dalle nuove soluzioni della scenotecnica che, attraverso macchinari ingegnosi, creavano effetti e movimenti spettacolari. A tale proposito, notizie precise sulla presenza della musica nel corso delle tragedie si possono ricavare dalle didascalie de *Il martirio di S. Caterina* di Bartolo Sirillo (rappresentazione del 1580)[14] e della *Rappresentazione del martirio di S. Cristina* di Gaspare Licco (allestimento del 1584).[15] Le prime, integralmente riportate da Di Giovanni, testimoniano come la musica trovasse posto negli intermezzi e alla fine della rappresentazione, a simboleggiare il trionfo della santa.[16] Gli interventi musicali consistevano principalmente nell'esecuzione di brani madrigalistici, probabilmente con l'accompagnamento di strumenti, anche se la presenza di quest'ultimi viene confermata soltanto all'interno del terzo intermedio. Più articolato il quadro che ci viene offerto dalle didascalie della *Tragedia di S. Cristina*, che prevedevano contributi musicali sia durante gli intermezzi che nel corso degli atti, con il significativo apporto di diverse tipologie strumentali.

I precedenti due esempi costituiscono il modello *standard* di tragedia sacra di cui i gesuiti arrivarono a promuovere numerose rappresentazioni nella seconda metà del XVI secolo, come testimoniano le diffuse note di pagamento dei libri contabili, alcune delle quali specificamente destinate all'allestimento della tragedia di Santa Caterina nel 1569.[17] Come ha giu-

---

[13] GIUSEPPE COCCHIARA, *Inediti di S. Salomone-Marino. Sul teatro in Sicilia nel secolo XVI*, «Lares», XIII/4, 1942, p. 240.

[14] Oltre che di questo allestimento, le cronache ufficiali parlano anche di quello del 1588 che si distinse per «recitanti principalissimi, et apparati et intermedii veramente regii» e per il quale il Senato spese 8.000 scudi (*Varie cose notabili occorse in Palermo ed in Sicilia* cit., p. 278).

[15] Fra le memorie di Giovan Battista La Rosa leggiamo: «Nel 1584. Il Senato fece fare allo Spasimo la tragedia di santa Cristina con intermedii rari, innanti il detto viceré Colonna» (*Memorie varie cavate da un libro ms. del can. D. Gio. Battista La Rosa e Spatafora* cit., p. 259).

[16] VINCENZO DI GIOVANNI, *Delle rappresentazioni sacre in Palermo nei secoli XVI e XVII*, «Il Propugnatore», I, 1868, pp. 20-40; cit. in G. ISGRÒ, *Festa teatro rito* cit., pp. 192-193.

[17] ASPa, ECG, *Chiesa e Collegio Massimo dei Gesuiti – Serie A*, vol. 9, c. 117a. A questa rappresentazione e ai problemi di censura che dovette subire fa riferimento il diario di Paruta e Palmerino, dove leggiamo: «A 15 d'ottobre [1569]. Li padri di Gesù rappresentâro la tragedia di s. Catarina nella loro chiesa, non ci essendo lasciato fare per giorni da mons. Biczerra inquisito-

stamente sottolineato Maria Clara Ruggieri Tricoli, il teatro gesuitico costituì la risposta più efficace del potere ecclesiastico alla grande teatralità promossa dal potere civile e sviluppatasi lungo il Cinquecento attraverso le rappresentazioni dell'Atto della Pinta, grazie soprattutto al rinnovato supporto dei più raffinati ritrovati della scenotecnica che la Compagnia non disdegnava, anzi promuoveva «per costruire artificiosamente adesione e consenso».[18]

9.2.3. Le cerimonie per laurea e le litanie del sabato

Da 'ancella' del testo verbale e delle soluzioni scenografiche, come ancora lo era nella produzione teatrale, la musica diviene protagonista in altri generi di intrattenimento, sempre organizzati dai gesuiti all'interno dei propri collegi o lungo le strade della città, in perfetta armonia con il cambiamento del gusto che a metà Seicento porterà all'approdo del melodramma a Palermo. All'inizio del Seicento risalgono, inoltre, le prime informazioni sugli spettacoli musicali che la Compagnia promuoveva in occasione delle lauree, commissionando le musiche a compositori la cui attività si ipotizza legata alle iniziative interne dell'istituzione, come per lo più avverrà nel corso del Settecento.[19] Tuttavia, l'unico testo della prima metà del Seicento di cui abbiamo notizia è un *Epinicium modis musicis decantatum*, pubblicato nel 1621 ed eseguito nel collegio in occasione di una laurea in filosofia.[20]

A questo genere di occasione rimanda la prima attestazione di presenze musicali che si è potuta finora individuare nella documentazione amministrativa dell'istituzione. Si tratta di un pagamento di onze 3 e tarì 26 incluso nella sezione delle uscite straordinarie del 1606, da elargire ai musici e per «portatura di sedii per li disputi».[21] Prima di questa data, i volumi dei gesuiti costituiscono comunque una fonte importante per la presenza di suonatori professionisti e organari che avevano a censo case e botteghe nel Ponticello,

---

re, per fino a tanto che fu revista dalli padri di s. Domenico. E la fecero più volte» (*Diario della città di Palermo* cit., p. 35).

[18] MARIA CLARA RUGGIERI TRICOLI, *Il teatro e l'altare: paliotti "d'architettura" in Sicilia*, Palermo, Grifo, 1992, p. 30.

[19] Cfr. ILARIA GRIPPAUDO, *La cantata a Palermo fra Sei e Settecento: il caso dei Gesuiti*, in *La cantata da camera e lo stile galante: sviluppi e diffusione della "nuova musica" tra il 1720 e il 1760*, a cura di Giulia Giovani e Stefano Aresi, Amsterdam, Stile Galante Publishing, 2017, pp. 113-142.

[20] *Epinicium. Modis musicis decantatum cum sub auspiciis excell. Siciliæ proregis don Francisci A Castro comitis Castri, et don Joseph Del Castillo solemnes ex universa philosophia theses publice defenderet in Collegio Panormitano Societ. Iesu* [Palermo, apud Io. Antonium de Francisci, 1621]: Palermo, BCP. Cfr. SARTORI, III, p. 34, n° 8963.

[21] ASPa, ECG, *Chiesa e Collegio Massimo dei Gesuiti – Serie A*, vol. 19, c. 100v.

la zona prospiciente alla chiesa, sede tradizionale delle maestranze legate alla musica. Fra i nomi citati troviamo Raffaele La Valle, i figli Francesco ed Antonino, Pompilio Ortis alias *organaro*, Antonino Morello e soprattutto la famiglia dei Gallo, sui quali ci siamo soffermati nei precedenti capitoli.

Oltre che per la mappatura dei musicisti nella zona del Ponticello, i libri di conto del fondo gesuitico si rivelano preziosi anche per lo studio delle attività musicali liturgiche, ambito che risulta ancora oggi poco approfondito, ma sicuramente ricco di esempi e contributi. Infatti, oltre che nel teatro, la musica era presente nelle cerimonie ecclesiastiche sin dai primi anni, come ci attesta Andrea Gaudio nella sua breve ricostruzione della storia della Compagnia:

> Si conservava in quella chiesa [Santa Maria della Grotta] l'imagine della Beatissima Vergine Nostra Signora, depinta in un quadretto di tavola di molta divotione, e venerata dal populo palermitano, in modo particolare, per li molti miracoli che Dio operò per mezo della sua Santissima Madre [...] e l'imagine sudetta si conservò nella chiesa della Casa Professa dove all'hora habitavano li padri e studenti del Collegio, al quale ultimo loco fù unita l'abbatia, come si dirà sicome fù doppo trasferita detta imagine insieme col detto Collegio nella Chiesa di Santo Antonio, e poi nel luogo dove hoggi è il convento di padri del 3° ordine di San Francesco sotto titolo della Misericordia, e finalmente nella Chiesa del Collegio novo nel Cassaro, che fù dedicata alla Beatissima Vergine della Grutta, e si vede detta imagine nell'altare maggiore alla parte di sopra, avanti il quale il sabbato la sera si cantano con musica formata li suo sette Litanie, standovi presente tutti li scolari, e mastri del Collegio, e si celebra con l'istessa solennità la sua festa ogn'anno a 8 di settembre, sicome sempre costumarono quelli religiosi Basiliani.[22]

Il gesuita fa riferimento all'immagine della Madonna della Grotta, anticamente conservata nell'abbazia omonima e oggetto di particolare devozione da parte del popolo palermitano, come fra l'altro testimonia Mongitore.[23] I gesuiti la portarono con sé nei loro spostamenti, per poi collocarla nella nuova Chiesa della Grotta aggregata al Collegio, posizionandola sull'altare maggiore e facendo cantare davanti a essa le litanie della Beatissima Vergine ogni sabato e in occasione della sua solennità dell'8

---

[22] *Riassunti di tutti i Volumi delle Scritture e degli Assenti delli Beni del Collegio compilati dal P. Andrea Gaudio* (ASPa, ECG, *Chiesa e Collegio Massimo dei Gesuiti – Serie A*, vol. 1, f. 45).

[23] «Questo monastero e chiesa sortirono il nome della Madonna della Grotta atteso che sin dalla fondazione si venerò in essa chiesa un'immagine della Ss. Vergine dipinta a stile greco in un luogo sotterraneo, anzi grotta, nel luogo appunto ove oggi sovrasta la cappella di S. Anna [...] e fu molto famosa per li miracoli che operò il Signore per suo mezzo» (A. MONGITORE, *Storia delle chiese di Palermo. I conventi* cit., II, p. 132). Cfr. anche ID., *Palermo divoto di Maria Vergine* cit., I, pp. 259-264.

settembre, continuando così la tradizione già in uso presso i monaci basiliani dell'antica abbazia e che quindi venne presumibilmente rispettata sin dall'insediamento della Compagnia nel 1553.

Come abbiamo già detto, le primissime indicazioni dei libri-giornale dell'istituzione su aspetti relativi alla musica appaiono del tutto irrilevanti e riguardano due note di spesa del 1597 e 1598 per riparare la cassa dell'organo e per costruirvi una serratura.[24] Per reperire qualche informazione su interventi di esecutori esterni – oltre all'isolata annotazione del 1606 per i musici delle *dispute* – dovremo attendere il 18 aprile 1615, anno della benedizione della nuova chiesa di Santa Maria la Grotta, quando per l'occasione furono pagate onze 2 e tarì 18 «à diversi trombitteri, pifari musici et per mortilla [mirto]».[25] Prima di quest'anno, gli unici riferimenti ad attività musicali nel corso delle celebrazioni liturgiche riguardano la festa di Sant'Ottavio con spese per la generica 'musica' e per il trasporto di strumenti (organo nel 1613, organetto e cembalo nel 1614).[26] Probabilmente la particolare cura devozionale e anche sonora che i padri riservavano a questa occasione è da ricollegare alla figura di Ottavio Lombardo che nel 1590 aveva fondato la casa del Noviziato della Compagnia, come ci attestano le fonti erudite.[27]

9.3. La fondazione della cappella musicale: il legato di Emilia Bologna e la devozione delle Quarantore

Una data di cruciale importanza per la storia delle iniziative musicali legate ai gesuiti di Palermo è il 1617, anno in cui donna Emilia Aragona e Bologna, marchesa di Marineo – sorella di don Carlo Aragona Tagliavia, presidente del Regno di Sicilia nella seconda metà del Cinquecento, e moglie del marchese Vincenzo di Bologna, una delle figure più importanti della Palermo del XVI secolo – tramite legato testamentario destinava al Collegio una somma in denaro (32 onze all'anno) sopra le rendite dei territori di Marineo e Capaci per la creazione di una cappella musicale da impiegare in alcune delle occasioni celebrate solennemente dall'istituzione, in particolare per le litanie della Vergine durante i sabati e per i mottetti delle Quarantore. Alle 32 onze si aggiungevano 18 onze da spendere per la celebrazione delle Quarantore nei primi tre giorni della Settimana Santa.

---

24 ASPa, ECG, *Chiesa e Collegio Massimo dei Gesuiti – Serie H*, vol. 1, cc. [59v], [89v].

25 ASPa, ECG, *Chiesa e Collegio Massimo dei Gesuiti – Serie A*, vol. 21, c. 266a.

26 ASPa, ECG, *Chiesa e Collegio Massimo dei Gesuiti – Serie H*, vol. 23, ff. 86, 246.

27 Cfr. A. Mongitore, *Storia delle chiese di Palermo. I conventi* cit., II, p. 163.

Le scritture relative all'eredità Bologna (raccolte in un apposito volume del fondo e trascritte quasi integralmente nell'Appendice)[28] danno un'idea dell'importanza che questa famiglia dovette rivestire per l'aumento del prestigio del Collegio, sia sul piano musicale che su quello artistico. Tali iniziative si spiegano alla luce dell'intento dei Bologna di affermarsi quali protagonisti della scena culturale cittadina, dopo essersi già imposti come una delle famiglie più influenti del panorama politico palermitano, saliti alla ribalta grazie all'accesso ad alcune cariche di fondamentale importanza amministrativa e alla prestigiosa acquisizione del marchesato di Marineo che li aveva inseriti a tutti gli effetti nell'ambitissimo *pantheon* della nobiltà cittadina.[29]

Il documento sulla costituzione della cappella è assai indicativo per numerosi motivi. Innanzitutto per la segnalazione dell'organico: quattro voci (basso, tenore, alto e soprano) e quattro strumenti (organo, liuto, violone e viola) coadiuvati dall'intervento di musici esterni in caso di residua disponibilità finanziaria; in secondo luogo, per alcune delle occasioni solenni che nell'istituzione prevedevano l'intervento della musica (sabati dell'anno, Quarantore, Sant'Ignazio e Francesco Saverio, San Luigi Gonzaga, Madonna dell'Egitto); poi per l'indicazione dei generi eseguiti (nello specifico le litanie della Beatissima Vergine e i mottetti concertati); infine per la dicitura «come si sole» che conferma l'uso prolungato di una consuetudine musicale fino ad allora non attestata, in relazione a una delle più importanti feste della devozione cittadina, di patrocinio specifico dei padri gesuiti (Fig. 7).

Ci riferiamo alla celebrazione delle Quarantore che consisteva nell'esposizione del Santissimo Sacramento per 40 ore consecutive, effettuata in occasione del Carnevale (detto «periodo di Settuagesima»), ma anche in corrispondenza di altre occasioni liturgiche, come la Pentecoste o il Natale.[30]

---

[28] Cfr. ASPa, ECG, *Chiesa e Collegio Massimo dei Gesuiti – Serie B*, vol. 126. Le scritture evidenziano anche le difficoltà connesse alla gestione del legato, dal momento che il lascito veniva considerato sufficiente soltanto per il finanziamento della musica durante le litanie del sabato.

[29] Sulla famiglia Bologna cfr. LAVINIA PINZARRONE, *La «Descrittione della casa e famiglia de' Bologni» di Baldassare di Bernardino Bologna*, «Mediterranea. Ricerche storiche», IV/10, 2007, pp. 355-398; EAD., *Dinamiche di mobilità sociale in Sicilia: potere, terra e matrimonio. I Bologna tra XVI e XVII secolo*, «Mediterranea. Ricerche storiche», VI/15, 2009, pp. 123-156. Sulla costituzione del marchesato di Marineo, rimandiamo a ANTONINO SCARPULLA, *Rapporti tra barone e popolo: il caso di Marineo*, in *L'isola ricercata: inchieste sui centri minori della Sicilia. Secoli XVI-XVIII*, Atti del convegno di studi (Campofiorito, 12-13 aprile 2003), a cura di Antonino Giuseppe Marchese, Palermo, Provincia Regionale di Palermo, 2008, pp. 113-130.

[30] La celebrazione delle Quarantore avveniva anche per altre occasioni, fin dai primi anni della sua introduzione a Palermo. A darne testimonianza è un'indicazione del 5 agosto 1601 dove si legge che «s'incominciâro le 40 ore nella matri ecclesia; in lo fine delli quali si conduciò per la città li casci della gloriosa s. Cristina e s. Ninfa. E così seguêro tutti li conventi e compagnii, che in lo fini faciano le processioni di sera. E questo per l'armata» (*Memorie diverse di notar*

A quanto ci attesta padre Aguilera, la devozione venne introdotta nel 1582 prima a Messina dalla Congregazione dell'Annunciazione aggregata al Collegio gesuitico e poi a Palermo da Carlo Mastrilli nel 1591. Nel *metodo della oratione delle Quaranta Hore* del 1592 si fa riferimento a due tipologie distinte di solennizzazione: la prima ininterrotta sia in luogo che in tempo, la seconda ininterrotta di tempo, ma interrotta di luogo. Quest'ultima era la forma più in uso a Palermo, tanto che nella documentazione ufficiale la devozione assumeva spesso il nome di «40 ore circolari»: in questo caso la solennità si svolgeva in più chiese, distribuendo le ore in modo diverso, in modo però che al finire dell'orazione in una si cominciasse senza soluzione di continuità in un'altra.[31]

Notizie precise sullo svolgimento della celebrazione ci vengono pure offerte dai diari palermitani del 1607, quando il Senato decise di regolamentare la festa, come testimoniano le *Instruttioni per l'oratione delle Quaranta Hore* del 1609:[32]

A 2 *di febraro 1607*, venerdì, che fu il giorno della Purificazione della Beata Vergine. Questa città di Palermo incominciò a fare per sua devozione perpetua, mentre che sarà mondo, l'instituzione et orazioni delle 40 ore, con l'assistenza del santissimo Sacramento, per tutte le chiese di questa città. Et il senato palermitano s'obligò per ogni chiesa darci un rotolo di cera il giorno, cioè, per quelli quattro giorni che ad ogni chiesa tocca, darci quattro rotula di cera, cioè sei solfarari di onze due l'uno; e che non si potesse permettere sopra l'altare, onde sarà detto santissimo Sacramento, più di sei candele accese; e chi ne volesse più, li metterà in arbitrio di dette chiese. Et prima che incominciao a fare detta orazioni fu la chiesa maggiore, et poi di mano in mano l'altre chiese, incominciando dalle parrocchie, conventi, monasterii, compagnie, confratìe, congregazioni ed altre chiese.[33]

Della diffusione capillare di questa celebrazione nelle chiese palermitane ci forniscono un quadro dettagliato i volumi contabili dei conventi e monasteri a partire dalla prima metà del Seicento [Tavola 18], confermando quanto detto sulla varietà tipologica delle occasioni e dei periodi dell'anno che a Palermo potevano accogliere tale celebrazione.

Baldassare Zamparrone palermitano cit., p. 245). L'armata alla quale si fa riferimento era quella capeggiata da Andrea Doria per la spedizione di Algeri.

[31] Filippo Gesualdo, *Metodo della oratione delle Quaranta Hore, col suo officio. Raccolto dal molto rever. P. M. Filippo Gesualdo. Minor Conventoale. Regente nel Santo di Padoa*, Padova, Meietti, 1592, f. 136.

[32] Cfr. *Instruttioni ordinate dall'Ill.mo Senato palermitano per l'oratione delle Quaranta Hore che in questa felicissima città si fanno continuamente. La quale fu stabilita e cominciata il dì 2 di febraro 1607*, Palermo, Giovanni Antonio De Franceschi, 1609.

[33] *Notizie di successi varî* cit., p. 225.

TAVOLA 18:
INTERVENTI MUSICALI PER LE QUARANTORE
NELLE ISTITUZIONI ECCLESIASTICHE PALERMITANE (SEC. XVII)

ISTITUZIONE	ANNI	PERIODI	RIFERIMENTI DOCUMENTARI
San Domenico	1609-1653	Gennaio Aprile Maggio Novembre	Pagamenti a cantori e suonatori di diversi strumenti (*piffari*, organo, liuto, violino, viola, violone) per la musica delle Quarantore Colazione e rinfreschi ai musicisti. Spese per la musica (*piffari, tamburi, trombe*) durante la processione nell'ultimo giorno delle Quarantore della città Spese per i talami dei musicisti
San Martino delle Scale	1620-1629	Aprile	Pagamento a frate Cornelio «per haver venuto a cantare quando si levò il Santissimo Sacramento nelle 40 hore» Trasporto di cembalo e organo per le Quarantore Pagamenti a Giovanni Battista Castiglia per la musica delle Quarantore
Santa Maria di Monte Oliveto (Badia nuova)	1623	Agosto Settembre	Musica per le Quarantore
Consolazione di Santa Maria del Bosco	1623-1626	Gennaio Febbraio Marzo Giugno Luglio Ottobre	Pagamenti per il trasporto di strumenti a tasto (cembalo e organo) e a vari musicisti, fra cui Antonio cieco e compagni, per suonare con gli strumenti per tutti i giorni (4 o 7) delle Quarantore Pagamenti in natura (minestre, uova e altri rinfreschi) ai suonatori
San Francesco di Paola	1623-1649	Marzo Aprile Giugno Luglio Agosto Settembre	Trasporto del cembalo e altri strumenti (organo, violone) per le Quarantore Pagamenti sia in natura che in denaro ai musici per i 4 giorni delle Quarantore

Santa Maria la Misericordia	1623-1656	Febbraio Dicembre	Legato testamentario di Dorotea Capua per la musica e apparato delle Quarantore Pagamenti in natura e denaro ai musici
Monastero delle Stimmate di San Francesco	1625-1644	Gennaio Luglio Settembre Ottobre Dicembre	Musica per i 4 giorni delle Quarantore
Monastero della Martorana	1639-1650	Maggio Ottobre Novembre	Trasporto del cembalo e musica per i 2 giorni delle Quarantore
Santa Maria del Cancelliere	1640	Gennaio	Pagamenti a Vincenzo D'Elia per la musica delle Quarantore
Santa Maria della Pietà	1640-1651	Marzo Giugno Ottobre Novembre Dicembre	Pagamenti a diversi musici (fra cui Vincenzo D'Elia e Bonaventura Rubino) per la musica delle Quarantore Spese per il talamo dei musici
Sant'Ignazio all'Olivella	1641	Ottobre	Pagamento ai musici straordinari per le Quarantore
Monastero delle Vergini	1644	Ottobre	Musica per le Quarantore
Sant'Elisabetta	1646-1652	Luglio Dicembre	Musica per le Quarantore Pagamento a Matteo Moretto «per haver cantato esso e suoi compagni in tutte li quattro giorni delle 40 hore della città celebrate in nostra chiesa dalli 23. per tutti li 26. di decembre […] 1646» Pagamenti a Bonaventura Rubino per la musica nei 4 giorni delle Quarantore

Nonostante la compresenza e le eventuali ingerenze da parte delle altre istituzioni, i gesuiti continuarono comunque a mantenere una posizione di rilievo nell'organizzazione delle Quarantore, sia sul piano della magnificenza degli apparati sia su quello dell'offerta delle musiche. Da quanto ci dice Castellucci, a Casa Professa l'esposizione con musica delle Quarantore aveva luogo durante la domenica di Quinquagesima e durava sino al martedì successivo,[34] mentre non si fa accenno ai primi tre giorni della Settimana

---

[34] G.B. Castellucci, *Giornale Sacro Palermitano* cit., p. 190.

Santa ai quali si riferiscono le scritture relative al legato di Emilia di Bologna e altre indicazioni nei volumi contabili della prima metà del Seicento. Per quanto riguarda gli interventi musicali, a riprova di quanto detto sulla consuetudine musicale cui alludeva il legato Bologna, padre Aguilera fa riferimento a interventi sonori sin dai primi anni dell'introduzione della festività, sia a Messina che nella città di Palermo:

> Sed nobilis Annunciationis sodales, illud etiam in ipso Sodalitatis exortu excogitaverunt religionis officium, ut supremis tribus Bacchanalium diebus Quadraginta Horarum publicam supplicationem auspicarentur, in Templo Societatis, *non sine musico concentu, & magnifico apparatu*. Quam religionem Maceratæ primùm in Picæno repertam, & per terrarum orbem diffusam, Messanam cum laude, hoc anno [1582] invectam comperio, & per Siciliæ Collegia propagatam ad hanc ætatam magno populorum consensu […].
>
> 1591. Instituta denique primùm est in tribus supremis bacchanalium diebus publica ante divinam Eucharistiam supplicatio. Ornatum est purpurà auro distincta Templum, cereæ faces accensæ, quamplurimæ. Odoratarum rerum suffitus loci cultum augebat. Aedus Pontifex solemni ceremonià rem divinam fecit. Prorex & uxor sacris adfuerunt. *Habitæ sunt matutinis, ac vespertinis horis sacræ conciones, additus etiam concentus*, mirà Civitatis frequentià, quæ Bacchanalium licentia in religionem abiisse, magno voluptatis sensu, gratulabatur. […] Qui deinde mos Panormi ita coaluit, ut exinde tanquam ex capite in Provinciæ Collegia manaverit.[35]

Il ruolo dei gesuiti nell'ambito delle iniziative musicali per le Quarantore si esplicava soprattutto nell'allestimento dei dialoghi in musica – sui quali torneremo a fine capitolo – che costituiranno una tipicità del repertorio palermitano per molti anni ancora, se ancora un editto del 1724 li vietava espressamente – «che assolutamente in nessuna festa *nemmeno nelle 40 Ore*, si cantassero Dialoghi né volgari né latini»[36] – e pure nel 1834, anno in cui vengono stampate le *Istruzioni ed Ordinazioni da osservarsi per l'orazione interrotta delle Quarant'ore*, dove si proibivano «non solo i dialoghi, ma ogni sorta di musica, ancorché fossero spirituali ed in lingua latina, sì con istrumenti che senza di essi: nemmeno sinfonia, a riserva della musica per la messa solenne del primo giorno per l'esposizione, e nella ultima sera per la deposizione: permettendosi per gli altri tre giorni il canto gregoriano per la messa solenne».[37]

---

[35] E. AGUILERA, *Provinciæ Siculæ Societatis Jesu* cit., pp. 243, 300. Corsivi nostri.

[36] Editto di Giuseppe Gasch citato in A. TEDESCO, *Alcune note su oratorî e dialoghi* cit., p. 213.

[37] *Istruzioni ed ordinazioni da osservarsi per l'orazione interrotta delle quarant'ore aventi le stesse indulgenze e privilegi della orazione continua introdotta qui in Palermo nell'anno 1580 e poscia nell'anno 1607 ristabilita dall'eccellentissimo Senato di questa felice e fedelis. città di Palermo*, Palermo, Bernardo Virzì, 1835, ff. 6-7.

9.4. PREFETTI, MUSICISTI E LEGATI PER MUSICA

Probabilmente fra i motivi che spinsero Emilia di Bologna a donare una consistente somma al Collegio per l'istituzione di una cappella musicale vi era anche la presenza in quegli anni di uno dei più celebri musicisti dell'epoca, il gesuita Erasmo Marotta, del quale si è parlato nel capitolo sui compositori.[38] Come già si è detto, all'interno dell'istituzione egli svolgeva i compiti di prefetto di musica, incarico che a partire dal 1621 venne assunto di volta in volta da diverse personalità della Compagnia [TAVOLA 19]. In alcuni casi i prefetti di musica venivano coadiuvati o sostituiti da altri padri, anche se con ogni probabilità essi non praticavano la musica al pari di Erasmo.[39]

TAVOLA 19:
PADRI GESUITI ADIBITI ALLA GESTIONE DELLE SPESE MUSICALI (1621-1654)

NOME	ANNI
Girolamo Donato	1621
Vincenzo Bongiorno	1621-1622
m. Giunta	1622
Vincenzo Carbone	1623-1624
Girolamo Messana	1625
Francesco Massaria	1626-1629
f. Piazza	1629-1630
m. Buchetta	1630
Vincenzo Chiavelli	1630
f. Ventura	1630
Francesco Massaria	1631
Salvatore Granata	1632-1637
Erasmo Marotta	1638-1639
Lorenzo Finocchiaro	1639-1640
p. Carrera	1640-1641
p. Minolfo	1641-1642
Vincenzo Romano	1643-1645
Nunzio Patti	1644
Andrea Chirizi	1644
Giuseppe Parisi	1644-1645
Ignazio Caruso	1645
Giuseppe Fimia	1647-1648

[38] Cfr. *supra*, capitolo VI.

[39] Un'eccezione era forse costituita da Nunzio Patti, identificabile con l'omonimo musicista presente nell'organico della Palatina nel 1656 e fra coloro che parteciperanno alla rappresentazione del *Giasone* del 1655.

Giacomo Siracusa	1649-1650
Giuseppe Gazzara	1650-1652
Placido Spatafora	1653-1654

Da quanto detto, non risulta strano che proprio negli anni in cui Marotta si trovava a Palermo i libri contabili registrino un considerevole aumento delle attività musicali (oltre alla fondazione della cappella), ma soprattutto il moltiplicarsi di legati e donazioni destinati alla musica, confermando come il finanziamento delle iniziative musicali fosse essenzialmente di natura privata e per lo più legato al ceto nobiliare. Non solo, come è possibile notare dalla tabella [Tavola 20], si trattava in quasi tutti i casi di donne e di legati testamentari *post mortem*, situazione che accomunava i gesuiti alle altre congregazioni della città. È pure da sottolineare che le prime informazioni sui legati risalgono al 1616, quasi contestualmente all'istituzione della cappella, tenendo conto che le spese di musica entrarono a far parte dell'amministrazione ordinaria soltanto a partire dal 1620, quando la cappella cominciò a operare in modo continuativo.

Tavola 20:
Legati per feste e musica documentati nei volumi
di conto della Chiesa e Collegio Massimo dei gesuiti (1616-1651)

LEGATARI	TIPO DI LEGATO	DATA	SOMMA
Rutilio Scirotta	Festa del Natale, della Circoncisione, dell'Epifania	1616	oz. 16
Giulio Cesare Imperatore	Musica	1625	oz. 20
Ignazio Merulla	Festa del B. Luigi Gonzaga	ante 1629	oz. 2
Antonia Caccamo e Branciforti, principessa di Castel di Jaci	Messa di requiem con musica	1630	oz. 6
Suor Maria Grigolicchio Suor Reparata Garigliano	Musica «ai tempi benvisti dal Padre Preposito»	1631	
Melchiora Virgel	Musica per la Settimana Santa	1632	oz. 8
Carlo Maria Ventimiglia	Musica	1633	
Giulia Larcan e Spatafora, baronessa di S. Fratello	Musica per la festa dell'Assunzione	1635	oz. 4
Vincenza Conti Amari e Ventimiglia, principessa di Carini	Musica	ante 1637	oz. 10
Vincenza La Canneta	Salario per i musici	1637	IV parte sui suoi beni

Maria Cutelli e Abatellis, principessa di Villarosata	Festa della Natività della Vergine e dei Sette Dolori	1641	oz. 9
Gaspare Ledon Severa Ledon e Benfari	Musica per la festa dell'Annunciazione	1641	
Eularia Cicero Francesca Cicero e Nevola	Musica	1642	oz. 8. 12. 10
Peretta Castelli, contessa di Gagliano	Musica per la recita della corona delle Cinque Piaghe	1651	oz. 35

Dovremo attendere il 1624 per conoscere il nome del maestro di cappella, tale Roberto Caijo, attestato sino al 1626 insieme ad altri musici straordinari che però solo di rado vengono nominati. La laconicità dei copisti diminuisce man mano che ci avviciniamo alla metà del secolo, con più diffuse segnalazioni sugli esecutori. Si trattava per lo più di membri dell'Unione dei musici, come Vincenzo Marchese (che probabilmente svolgeva l'incarico di organista stabile, visto che nel 1640 compare fra i salariati dell'istituzione), Paolo Zafferana (anch'egli musicista stabile, pagato di terzo in terzo a partire dal 1647 sino al 1648), Giuseppe Di Miceli detto 'Muscarello' (retribuito il 30 novembre 1649 per la musica del sabato), Girolamo Regina (attivo a partire dal 1655).

Accanto a questi personaggi, in parte già noti alla ricerca musicologica, troviamo il nome di un musicista sconosciuto, tale Vincenzo Vianisi, pagato nel 1640 per suo salario di musico[40] e soprattutto quel «maestro di cappella Amato»,[41] attestato il 30 giugno 1649 e forse identificabile con Vincenzo Amato.[42] Tuttavia, la natura ambigua del riferimento non consente di associare con certezza le due figure. Ricordiamo che nel giugno 1649 il compositore aveva appena compiuto vent'anni, un'età che sembrerebbe troppo acerba per il prestigioso incarico di maestro di cappella. Più probabile che il musicista di cui qui si parla sia un altro Amato, magari quel Nico-

---

[40] ASPa, ECG, *Chiesa e Collegio Massimo dei Gesuiti – Serie A*, vol. 38, c. 53v.

[41] ASPa, ECG, *Chiesa e Collegio Massimo dei Gesuiti – Serie A*, vol. 46, c. 124r.

[42] Vincenzo Amato, prima di diventare *magister cappellæ* della cattedrale, fu maestro del Carmine Maggiore. Dal convento carmelitano il compositore ricevette l'incarico di musicare la *Passione Secondo Giovanni* e la *Passione Secondo Matteo*, opere alle quali legò la sua notorietà in ambito siciliano, oltre che ulteriore esempio di persistenza repertoriale nell'ambito della musica sacra siciliana (cfr. PAOLO EMILIO CARAPEZZA – GIUSEPPE COLLISANI, «Amato [D'Amato, De Amato, Di Amato], (Epifanio) Vincenzo», in *New Grove*, I, pp. 446-447). Di queste due composizioni rimangono diverse copie manoscritte, variamente sparse in chiese siciliane (spesso in arrangiamenti del XIX secolo, come quelli conservati nell'archivio musicale della Chiesa Madre di Enna), nell'Archivio del Museo della Cattedrale di Malta e a Palermo, presso la Biblioteca Comunale, l'Archivio della Collegiata di Monreale, il Fondo Musicale della Palatina. Sulla copia di Enna, cfr. ILARIA GRIPPAUDO, *Il fondo musicale della Chiesa Madre di Enna – Catalogo*, Enna, Il Lunario, 2004, p. 16.

la de Amato che nel 1635 veniva segnalato quale maestro della cattedrale. L'ipotesi rimane comunque affascinante, a riprova dell'esistenza di una rete di contatti fra Amato, il collegio gesuitico e di rimando gli Scarlatti (nello specifico Pietro Scarlatti, padre di Alessandro, che verrà ingaggiato dai gesuiti come cantore nel 1652), ipotesi già avanzate e discusse in altra sede.[43]

9.5. ALTRE OCCASIONI DI MUSICA: IL GENERE DEL DIALOGO

Con il passare degli anni, riusciamo a ottenere informazioni più precise sulle occasioni celebrative che nell'istituzione prevedevano il contributo della musica. Oltre alle litanie del sabato e alle Quarantore, i pagamenti per le esecuzioni musicali riguardavano anche la comunione generale effettuata mensilmente, la festa di Santa Maria la Grotta (che come abbiamo detto veniva celebrata l'8 settembre), la Settimana Santa, la novena di Natale, San Tommaso d'Aquino, San Giovanni Battista, Sant'Ottavio, Santa Rosalia, Sant'Anna, l'Immacolata Concezione, il *Corpus Domini* e ovviamente le feste peculiari, come quella in onore del Beato Luigi Gonzaga. Non si è trovata, invece, alcuna informazione sulla solennizzazione con musica delle feste di Sant'Ignazio e di San Francesco Saverio (che pure venivano citate nell'elenco delle occasioni previste dal legato Bologna), anche se è molto probabile che in entrambi i casi la presenza di interventi musicali fosse prevista già in precedenza, soprattutto dopo la canonizzazione dei due santi avvenuta nel 1622.

Agli anni '50 del Seicento risalgono, infine, i primi libretti di azioni musicali appartenenti al genere dell'oratorio (che in Sicilia verrà spesso denominato 'dialogo') quali *L'Abramo*, 'attione' posta in musica dal romano Giovanni Conticini, eseguita nella chiesa di Casa Professa nel 1650,[44] e la *Rosalia Guerriera*.[45] In realtà la prima testimonianza sull'esecuzione di un dialogo in musica ad opera dei gesuiti palermitani risale al 1622 e si collega ai festeggiamenti per la canonizzazione di Sant'Ignazio e San Francesco Saverio. In quell'occasione la musica giocò un ruolo importante, sia nel

---

[43] Cfr. UMBERTO D'ARPA, *La famiglia Scarlatti: nuovi documenti biografici*, «Recercare», II, 1990, pp. 243-247; R. PAGANO, *Giasone in Oreto* cit., p. 11; ID., *Alessandro e Domenico Scarlatti. Due vite in una*, Lucca, LIM, 2015.

[44] *L'Abramo. Attione in gran parte accresciuta da' Padri della Compagnia di Giesù. Posta in musica dal signor Giovanni Conticini romano. Cantata nella chiesa del Giesu di Palermo. In occasione delle Quarant'hore di carnevale del 1650. Data in luce per commodita degli uditori dall'illustre [...] don Gregorio Castello conte di San Carlo* [Palermo, Coppola, 1650]: Palermo, BCP. Cfr. SARTORI, I, p. 6, n° 78.

[45] Cfr. *supra*, capitolo III.

corso dei vespri che il giorno successivo, dopo pranzo, quando si cantarono *gratiosissimi* mottetti per trattenimento. Il culmine della celebrazione si raggiunse, però, il lunedì con l'esecuzione nel Collegio di «un gratioso dialogo di tre Canti [che] si fece in scena: dove cantaronsi alcuni versi in lode de' Santi, aggiuntivi come per digressione altri in lode del Cardinale, e del duca di Mont'Alto quivi presente, l'uno come Mecenate della Festa, l'altro del Canto».[46]

Tuttavia, la rappresentazione forse più importante per la storia della musica cittadina fra quelle finanziate e promosse dai gesuiti appartiene ancora al genere della tragedia e coincide con il *Costantino*, azione tragica eseguita in occasione della vittoria a Barcellona nel 1653.[47] Le musiche per il Prologo, gli intermezzi e i cori furono commissionate a Giovanni Battista Fasolo, mentre come interprete i padri chiamarono a Palermo il castrato Marc'Antonio Sportonio, allievo di Carissimi al Collegio Romano, che avrà un ruolo fondamentale nella vita musicale della città soprattutto in relazione allo sviluppo del melodramma, visto che lo ritroveremo fra gli organizzatori ed interpreti della prima rappresentazione operistica palermitana di cui abbiamo notizia, il *Giasone* di Francesco Cavalli, eseguito nel 1655.[48]

Da queste e da altre testimonianze appare chiaro il monopolio gesuitico nell'allestimento locale dei dialoghi in musica, diffusissimi a Palermo come anche negli altri centri dell'isola, in particolare a Messina, dove le prime attestazioni risalgono già alla prima metà del XVII secolo.[49] Dei dialoghi allestiti dai gesuiti palermitani, tuttavia, rimane soltanto un riferimento nella documentazione contabile *ante* 1655: si tratta di una nota di spesa destinata alla rappresentazione di due dialoghi in musica in occasione delle Quarantore del 1654.[50] Per quanto isolata, essa risulta significativa nel confermare come in effetti fosse consuetudine delle istituzioni ecclesiastiche di quel periodo fare eseguire due dialoghi musicali all'interno

---

[46] Tommaso D'Afflitto, *Ragguaglio de gli apparati e feste fatte in Palermo per la canonizzazione de Santi Ignatio, e Francesco Xavier l'anno 1622 per Tomaso d'Afflitto*, Palermo, Giovanni Battista Maringo, 1622, p. 21; cit. in G. Collisani, *Occasioni di musica nella Palermo barocca* cit., p. 53.

[47] *Ragguaglio del Costantino. Attion tragica che faranno rappresentare i padri della Compagnia di Giesù nel Collegio di Palermo a conformità delle allegrezze che per la racquista di Barcellona si son fatte in quella felice città. Dedicato all'eccellentissimo signore Don Rodrigo Mendoza e Sandoval [...] vicerè nella Sicilia e capitan generale per S.M. da D. Pietro Corsetto barone di Aidonetto* [Palermo, Giovanni Antonio Mandracchia, 1653]: Palermo, BCP. Cfr. Sartori, V, p. 7, n° 19477.

[48] Cfr. A. Tedesco, *Il Teatro Santa Cecilia* cit., pp. 26-27 e Lorenzo Bianconi – Roberto Pagano, «Sportonio, Marc'Antonio», in *New Grove*, XXIV, pp. 221-222.

[49] Cfr. A. Tedesco, *Alcune note su oratorî e dialoghi* cit., pp. 203-255.

[50] ASPa, ECG, *Chiesa e Collegio Massimo dei Gesuiti – Serie A*, vol. 48, f. 301.

della medesima occasione celebrativa, come peraltro è stato suggerito da altri studi.[51]

Quanto detto sottolinea la funzione rilevante che i gesuiti ebbero all'interno del panorama musicale palermitano nel complesso gioco di relazioni fra sacro e profano e fra generi diversi, in particolare fra oratorio e melodramma. Sarà proprio la diffusione dei dialoghi a favorire l'inclinazione del pubblico palermitano verso nuove forme di intrattenimento musicale e il gusto per le rappresentazioni operistiche, sviluppatosi a partire dalla seconda metà del XVII secolo, in un contesto che, per quanto ai margini e in ritardo rispetto al resto della penisola, appare comunque caratterizzato da diversi tentativi di adeguamento alle più significative tendenze culturali (e anche musicali) del periodo.

---

[51] Cfr. A. TEDESCO, *Alcune note su oratorî e dialoghi* cit., p. 223.

CONCLUSIONI

Attraverso la panoramica effettuata sulle attività musicali promosse dagli ordini religiosi palermitani si è restituito un quadro complessivo della vita musicale in tali istituzioni, sulla base di documenti d'archivio che hanno permesso di cogliere in prevalenza la componente materiale ed economica delle iniziative musicali. La documentazione spesso tace su aspetti che senza dubbio potrebbero apparire più importanti, come ad esempio i generi eseguiti, le pratiche esecutive, gli autori delle musiche. Tuttavia, erano altri gli elementi che costituivano l'oggetto di interesse dei copisti, nel quadro delle molteplici attività che formavano la routine di conventi e monasteri. Tentare di scrivere una storia della musica nelle istituzioni ecclesiastiche senza tener conto di tali componenti, dando cioè esclusivo risalto all'opera o al compositore, significherebbe travisare alcuni aspetti fondamentali nella considerazione delle iniziative musicali nei secoli passati.

Pure in assenza di dettagli significativi, risulta comunque evidente che il ruolo musicale di monasteri e conventi nel panorama palermitano era di rilievo assoluto. Il contributo monastico alle attività musicali non va valutato soltanto in relazione alla singola comunità religiosa, ma acquista ulteriore senso e vigore alla luce dei rapporti che sussistevano fra istituzioni. Che si trattasse di rapporti di collaborazione o viceversa di dinamiche di competizione, le fonti archivistiche costituiscono un osservatorio privilegiato per valutare il peso che le attività musicali promosse da conventi e monasteri potevano avere nel contesto cittadino. Il fatto che tale incidenza fosse significativa è testimoniato a più livelli: liturgie musicalmente sontuose, feste celebrate con l'apporto degli esecutori più in vista, attività musicali praticate direttamente dalle comunità religiose, collaborazioni con cantori, strumentisti, maestri di musica.

Tuttavia, nel tracciare questo percorso, non possiamo che ammettere quanto già sottolineato da diversi studiosi, a partire da Roberto Pagano che nel 1969, nel suo saggio sulla vita musicale nella Palermo del XVII secolo, metteva in luce «la quasi assoluta e per molti versi ingiustificata scomparsa di manoscritti dell'epoca»,[1] a fronte di un'attività che da diverse fonti e testimonianze risultava ricca e vivace. Questa constatazione è stata ripresa da

---

[1] R. PAGANO, *La vita musicale a Palermo* cit., p. 445.

altri musicologi, che pur aggiungendo importanti tasselli alla ricostruzione del panorama musicale dei secoli passati, si sono scontrati con questo desolante stato di cose. Peraltro, la scomparsa delle fonti musicali non riguarda soltanto Palermo, ma nel complesso la maggior parte delle istituzioni ecclesiastiche siciliane, dove il numero dei manoscritti superstiti è relativamente ridotto e riguarda periodi più tardi rispetto a quelli presi in esame.[2]

La dispersione dei manoscritti musicali risulta paradossale per istituzioni del calibro di San Domenico, dove sin dal Cinquecento sono frequenti le testimonianze su acquisti di carta rigata e sulla composizione di musiche per diverse occasioni. Informazioni del genere riguardano anche altre chiese, come Santa Maria la Misericordia, Casa Professa e Sant'Ignazio all'Olivella. Di tutta questa produzione non ci è rimasto nulla, così come delle partiture di oratori e dialoghi che da metà Seicento venivano eseguiti nelle istituzioni cittadine.[3] Per spiegare tale situazione è comunque necessario considerare la logica di mercato che stava alla base di tali repertori e che probabilmente portava a distruggere i supporti cartacei una volta adoperati, o a riutilizzarli assemblando precedenti composizioni, come diverrà consueto nel Settecento.[4] La spinta alla conservazione dei materiali musicali riguardava per lo più i libri liturgici, che per qualità artistica venivano considerati parte integrante dell'istituzione.

Alla luce di queste considerazioni, rispetto ai manoscritti il quadro dei codici e dei libri corali risulta senz'altro più confortante, soprattutto in quei conventi e monasteri che erano dotati di propri scriptoria. Ai codici musicali di epoca medievale dobbiamo aggiungere i corali di San Martino delle Scale, i libri corali della Biblioteca Centrale della Regione Siciliana (provenienti per lo più da San Domenico) e gli esemplari del fondo della Palatina

---

[2] Fra gli esempi più antichi figurano le composizioni di Vincenzo Amato conservate nell'Archivio di Malta (insieme ad altre opere di autori siciliani secenteschi) e i manoscritti del fondo musicale del Santissimo Salvatore di Monreale, datati fra il XVI e il XVII secolo. Sui primi cfr. GIOVANNI AZZOPARDI, *La cappella musicale della cattedrale di Malta e i suoi rapporti con la Sicilia*, in *Musica sacra in Sicilia* cit., pp. 63-67; sui secondi R. LO COCO, *La cappella musicale della Collegiata di Monreale* cit., pp. 188-193.

[3] Fra le poche eccezioni, la *Santa Rosalia* (1687) di Bonaventura Aliotti e *Il Diluvio Universale* (1682) di Michelangelo Falvetti, di cui esistono due edizioni moderne, la prima a cura di Fabrizio Longo (*Il diluvio universale. Dialogo posto in musica dal rev. sig. M. A. Falvetti, maestro della Real Cappella di questa nobile città di Messina (1682)*, Messina, Società di Storia Patria, 2002) la seconda a cura di Nicolò Maccavino (*Il Diluvio Universale. Dialogo a cinque voci e strumenti*, Reggio Calabria, Edizioni del Conservatorio "Francesco Cilea", 2002). Sul dialogo di Aliotti cfr. NICOLETTA BILLIO D'ARPA, *La* Santa Rosalia *(1687) di Bonaventura Aliotti*, in *Ceciliana per Nino Pirrotta* cit., pp. 161-202. Sul dialogo di Falvetti, NICOLÒ MACCAVINO, *Il Diluvio Universale. Dialogo a cinque voci e cinque strumenti di Michelangelo Falvetti*, in *Tra Scilla e Cariddi* cit., pp. 257-296.

[4] Questa prassi musicale risulta attestata ad esempio presso gesuiti, intorno alla seconda metà del XVIII secolo. Cfr. I. GRIPPAUDO, *La cantata a Palermo* cit., pp. 133-136.

(il più antico dei quali è datato al 1608).[5] Anche in questi casi, tuttavia, ci troviamo di fronte a una minima parte dei volumi realmente prodotti, e le notizie d'archivio si dimostrano ancora una volta una fonte inesauribile di informazioni sulla redazione, la manutenzione e il rifacimento di libri liturgici musicali, attestati dal Cinquecento sino a tutto il secolo successivo. Non dimentichiamo, peraltro, che molto spesso i frammenti dei libri liturgici venivano utilizzati come copertina di altri volumi, abitudine diffusa presso i notai, che però finora si è riscontrata soltanto nel fondo del monastero di Santa Maria di Valverde.

Accanto ai libri liturgici si collocano le stampe di musica sacra, pubblicate tra Cinquecento e seconda metà del Seicento. Di alcune di queste abbiamo già discusso, in particolare delle *Lamentationes* di Mauro Panormita e dei *Mottetti* di Erasmo Marotta, due raccolte che è possibile collegare a uno specifico contesto di produzione. Molte altre, però, sono le edizioni siciliane cinque e seicentesche che ci rimangono, per alcune delle quali sarà forse possibile ipotizzare legami con ambiti di committenza e contesti di utilizzo finora non considerati (fra cui anche istituzioni femminili, come Santa Maria del Cancelliere, Santa Maria della Pietà, Sant'Elisabetta, Santa Maria di Valverde). Un interessante filone di ricerca potrà riguardare l'esame del contenuto di queste edizioni, in particolare di quelle pubblicate dai musicisti nominati nelle fonti d'archivio.[6]

A ulteriore supporto di tale operazione risulterebbe auspicabile uno studio sistematico degli inventari di libri musicali conservati negli atti dei notai. Questo tipo di analisi consentirebbe, infatti, di indagare la circolazione delle fonti musicali con più consapevolezza di quella che possiamo formarci dall'osservazione delle poche opere che ci sono rimaste.[7] Gli in-

---

[5] Cfr. GIUSEPPINA MONTELEONE, *Il fondo musicale della Cappella Palatina*, tesi di laurea, I, Università degli Studi di Palermo, 1996-1997, p. 33 sgg.

[6] Un elenco delle raccolte di musica sacra pubblicate da musicisti documentati in istituzioni ecclesiastiche palermitane è presente in I. GRIPPAUDO, *Nuove acquisizioni sull'attività dei polifonisti siciliani* cit., pp. 394-403.

[7] Bastino solo due esempi: l'inventario dei beni di Luis Ruiz *hispanus*, maestro di cappella della Palatina, che alla sua morte nel 1595 risultava in possesso di manoscritti e di numerose edizioni musicali, fra cui mottetti di Ferdinando di Lasso, Francisco Guerrero e Costanzo Porta, madrigali di Maddalena Casulana, salmi e vespri di Alessandro Marino, e ancora libri di musica di Pietro Ponzio, Cipriano de Rore, Bastiano Melfio, Cristóbal de Morales, Luca Marenzio, Jhan Gero, Giuliano Matteo Asola, Orlando di Lasso. Altrettanto importante l'inventario del 1550 del libraio Giovanni Santoro, che insieme a messali, antifonari, salteri, graduali e a due esemplari del *Dialogo della musica* di Antonfrancesco Doni presentava svariati volumi di madrigali (composti da Costanzo Festa, Giacomo Fogliano, Giovanni Domenico di Nola, Eliseo Ghibellini, Giovanni Tommaso Cimello, Francesco Corteccia, Antonio Martorello), mottetti di Willaert, Nicola Conforti e Pedro Guerrero, villanesche di Giovanni Tommaso di Maio.

ventari si rivelano preziosi non soltanto per precisazioni relative alla produzione dei musicisti, ma anche per comprendere il tipo di repertorio che circolava in un determinato contesto, mostrando ad esempio quanto fosse determinante l'incidenza dei musicisti stranieri. Tutto ciò contribuisce ad arricchire di dettagli il panorama che le carte delle corporazioni religiose hanno offerto in relazione alla vita musicale cittadina. È attraverso la combinazione di queste fonti che emerge un quadro delle attività musicali per lo più sconosciuto e che riguarda non soltanto le grandi istituzioni (la Palatina e la cattedrale), ma in genere tutte le chiese conventuali e monastiche del territorio urbano.

Grazie al supporto di altri documenti (in particolare di cronache e diari) si può pure accertare come gli ordini religiosi fossero attivi nell'organizzazione di cerimonie all'aperto, soprattutto di processioni e cortei, nel corso dei quali la musica giocava un ruolo non indifferente. Alla luce di queste considerazioni, un'altra interessante prospettiva di ricerca può coincidere con uno studio più approfondito sul modo in cui la musica interagiva con l'ambiente urbano e su come essa veniva fruita dagli ascoltatori. In queste occasioni un ruolo essenziale veniva assegnato agli strumenti musicali, la cui presenza nelle cerimonie religiose era determinata dal tipo di celebrazione. I libri contabili hanno inoltre evidenziato la presenza di molteplici tipologie di strumenti, in particolare dei cordofoni a manico, secondo una prassi che qui più che altrove sembra uniformarsi al principio della continuità e della consuetudine.

Tuttavia, gli strumenti musicali protagonisti delle funzioni liturgiche (sia ordinarie che straordinarie) continuano ancora a essere gli organi, documentati in tutti i conventi e monasteri presi in considerazione, e oggetto di particolare cura nonché di interesse artistico. Accanto agli organi e alla relativa attività degli organari si collocavano i libri liturgici, esempi mirabili di arte applicata e, come gli organi, elementi fissi della dotazione permanente dell'istituzione. I dati sui libri liturgici, sugli organi, sulle prestazioni dei musicisti sollecitano considerazioni sulla valutazione della componente musicale come insieme di molteplici aspetti e funzioni: elemento visivo e ornamentale, dimensione concreta ed economica, funzione di prestigio e simbolica. Tutto questo trova riscontro nella riflessione sulle forme di finan-

---

Su entrambi gli inventari cfr. ILARIA GRIPPAUDO, *Sacred Music Production and Circulation in Sixteenth-Century Palermo: The Inventories of Giovanni Santoro (1550) and Luis Ruiz (1595)*, «Journal of the Alamire Foundation», VIII/2, 2016, pp. 227-240. Riguardo ai gesuiti si veda anche il recente contributo di MARIA ANTONELLA BALSANO, *La primavera fiorita e il grande assente. Il patrimonio musicale della Biblioteca palermitana dei Gesuiti nell'A.D. 1682*, «Fonti Musicali Italiane», XXV, 2020, pp. 7-32.

ziamento, per lo più rientranti nel campo della committenza privata, a maggior ragione per quegli interventi che riguardavano i funerali, la celebrazione delle messe novelle e le cerimonie di consacrazione delle monache.

Nell'ambito di un dialogo sempre più serrato fra diverse discipline, lo studio delle fonti di archivio risulta, dunque, indispensabile per la ricostruzione delle attività musicali nelle chiese palermitane dei secoli passati (e nelle istituzioni *tout court*), a definitiva smentita di quello che nel 1952 un dubbioso Tiby ancora diceva riguardo all'inutilità dello spoglio della documentazione di conventi e monasteri, che a suo parere non avrebbe portato che a «notizie certamente frammentarie e incomplete, sia per le vaste lacune esistenti in tali carteggi [...] sia per la sommarietà delle scritture ch'essi contengono».[8]

---

[8] O. Tiby, *La musica nella Real Cappella Palatina* cit., p. 177.

ELENCO DELLE TAVOLE

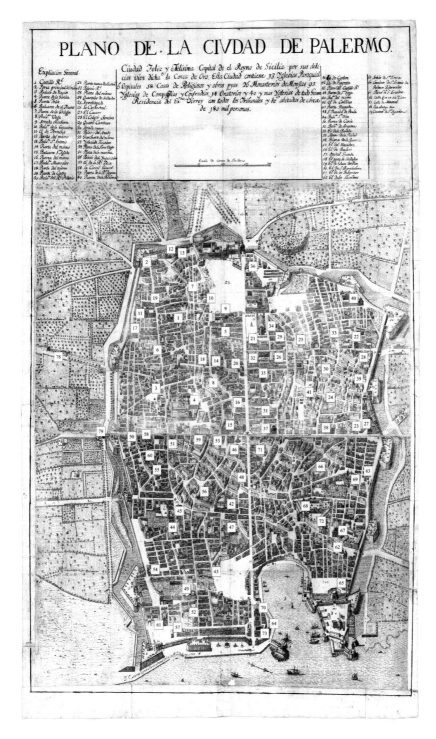

Fig. 1. Gaetano Lazzara, *Plano de la Ciudad de Palermo*, 1703, con localizzazione delle istituzioni monastiche e conventuali elencate in Tavola 1 (España. Ministerio de Defensa. Archivo Cartográfico y de Estudios Geográficos del Centro Geográfico del Ejército).

Fig. 2. *Atto obligatorio fatto dal Senato di questa felice città di Palermo*, 1655 (*Miscellanea Archivistica* – Serie II, vol. 303, frontespizio. Soprintendenza Archivistica della Sicilia – Archivio di Stato di Palermo. Su concessione del Ministero della Cultura).

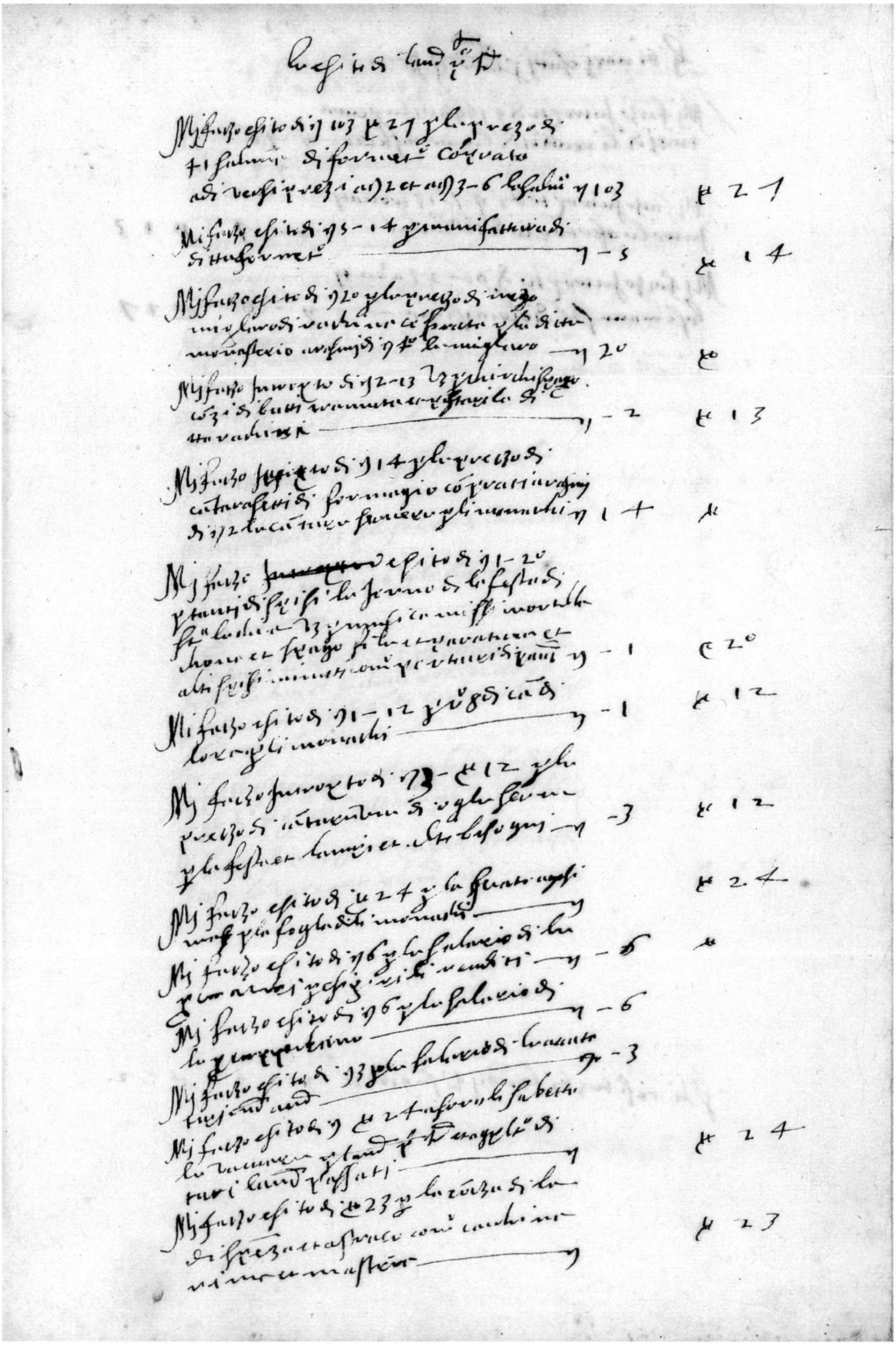

Fig. 3. Spese musicali per la festa di Santa Lucia presso il monastero di Santa Maria di Valverde, 13 dicembre 1557 (*Corporazioni Religiose Soppresse*, Santa Maria di Valverde, vol. 235, c. 18*r*. Soprintendenza Archivistica della Sicilia – Archivio di Stato di Palermo. Su concessione del Ministero della Cultura).

ALTVS

LAMENTATIONES AC
RESPONSORIA

Quę in hebdomada Sancta cantari solent,
rithmis uocibus accommodata.

AVTHORE D. MAVRO PANORMITANO
Monacho Casinensi.

QVATTVOR VOCIBVS.

Nunc primum in lucem editę.

Venetijs apud Ricciardum Amadinum,

M D X C V I I. G

Fig. 4. MAURO PANORMITANO, *Lamentationes ac responsoria que in Hebdomada sanctæ cantari solent rithmis vocibus accomodata...quattuor vocibus* (Venezia, Ricciardo Amadino 1597). Si ringrazia il Museo internazionale e biblioteca della musica di Bologna.

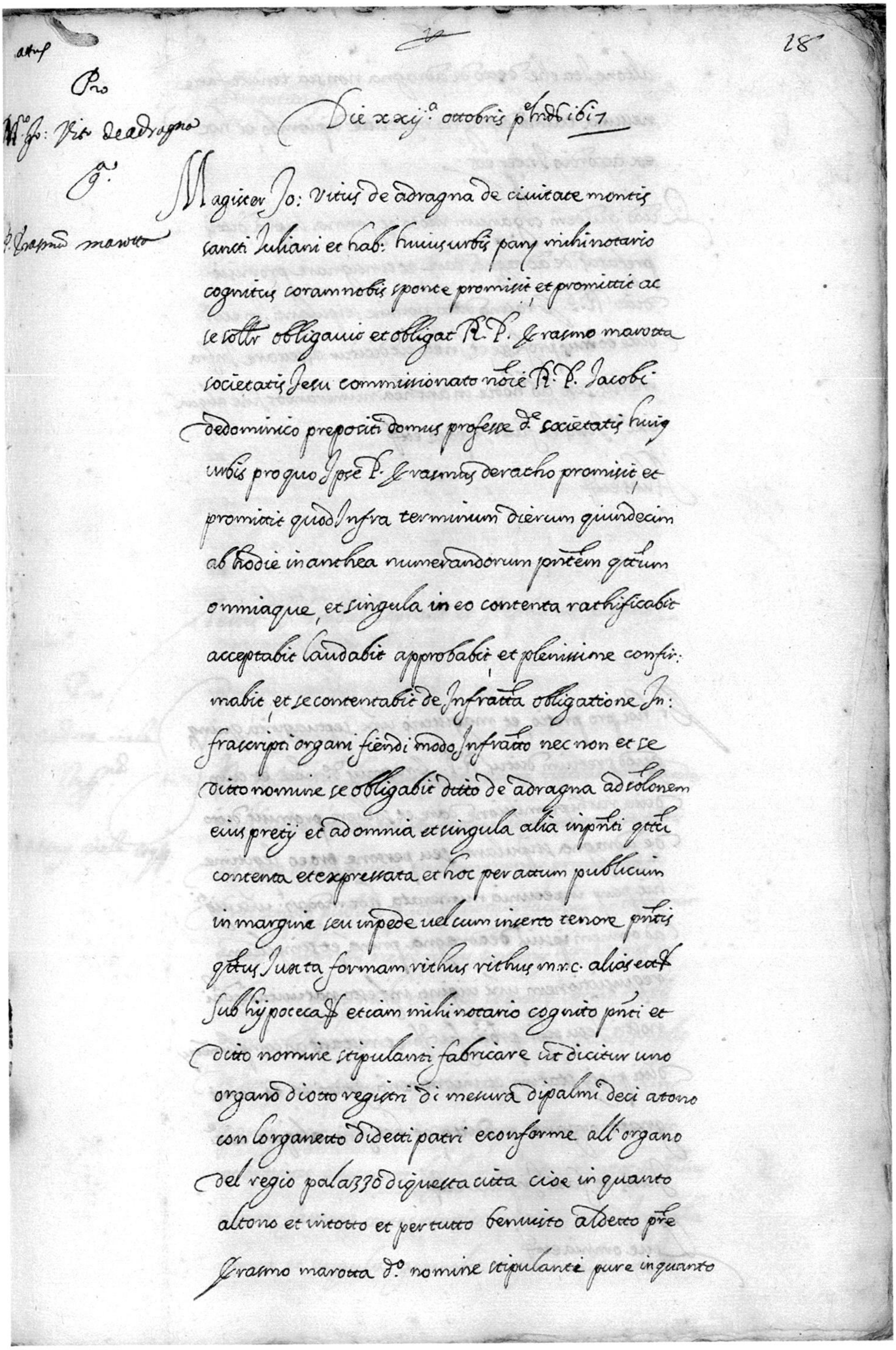
atti 18

Pro M.ro Jo: Vito de adragna c.a R.P. Erasmo marotta

Die xxij.a ottobris p.e Ind. 1617

Magister Jo: Vitus de adragna de civitate montis sancti Iuliani et hab. huius urbis pan. mihi notario cognitus coram nobis sponte promisit et promittit ac se sollr. obligavit et obligat R.P. Erasmo marotta societatis Iesu commissionato nomine R.P. Jacobi dedominico prepositi domus professe d.e societatis huius urbis pro quo d.us pre. P. Erasmus de ratho promisit et promittit quod infra terminum dierum quindecim ab hodie in antea numerandorum pntem cttum omniaque et singula in eo contenta rathificabit acceptabit laudabit approbabit et plenissime confirmabit et se contentabit de infratta obligatione in fracripti organi fiendi modo infratto nec non et se ditto nomine se obligabit ditto de adragna ad solutionem eius pretij et ad omnia et singula alia in pnti cttu contenta et expressata et hoc per actum publicum in margine seu in pede vel cum inserto tenore pntis cttus iuxta formam rithus rithus m.r.c. alias etc. sub hypoteca etc. etiam mihi notario cognito pnti et ditto nomine stipulanti fabricare ut dicitur uno organo di otto registri di mesura di palmi deci a tono con lorganetto di detti patri e conforme all'organo del regio palazzo di questa citta cioe in quanto al tono et in otto et per tutto benvisto al detto pre Erasmo marotta d.o nomine stipulante pure in quanto

Fig. 5. Obbligazione fra l'organaro Giovanni Vito Adragna ed Erasmo Marotta per la costruzione dell'organo di Casa Professa, 22 ottobre 1617 (*Notai Defunti – Stanza I*, vol. 599, c. 18*r*. Soprintendenza Archivistica della Sicilia – Archivio di Stato di Palermo. Su concessione del Ministero della Cultura).

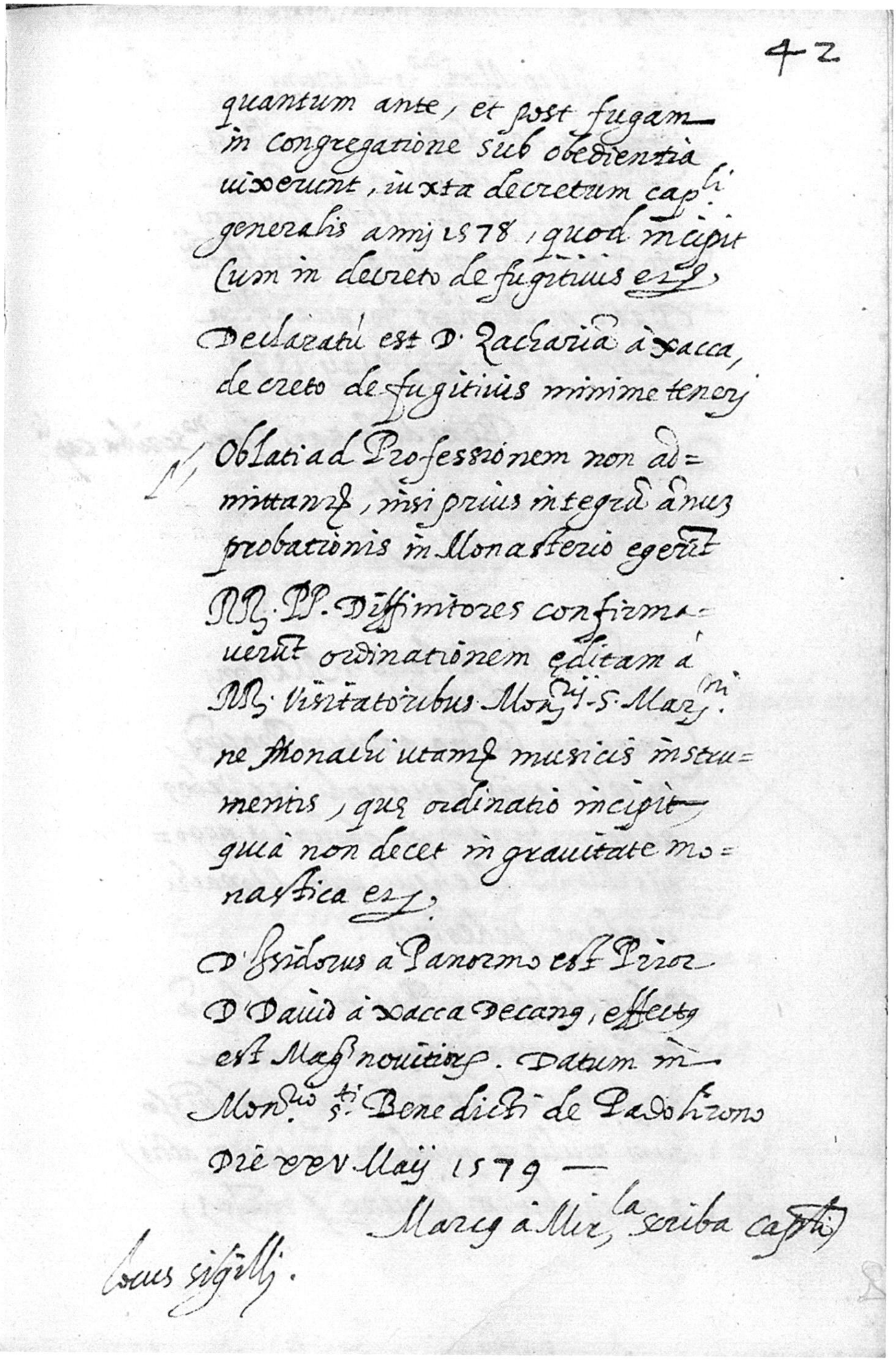

quantum ante, et post fugam
in congregatione sub obedientia
uixerunt, iuxta decretum cap.li
generalis anni 1578, quod incipit
Cum in decreto de fugitiuis etc.

Declaratu est D. Zacharia à xacca,
de creto de fugitiuis minime teneri

Oblati ad Professionem non admittantur, nisi prius integru annu
probationis in Monasterio egerit

RR. PP. Diffinitores confirma-
uerut ordinationem editam à
RR. Visitatoribus Mon.ij S. Mar.ni
ne Monachi utantur musicis instrumentis, que ordinatio incipit
quia non decet in grauitate monastica etc.

D Isidorus à Panormo est Prior
D Dauid à xacca Decang, effectus
est Mag. nouitior. Datum in
Mon.rio S.ti Benedicti de Padolirono
die xxv Maij 1579 —

Marus à Mil. la scriba cap.li

locus sigilli.

Fig. 6. *Ordinationes speciales Capituli generalis, pro monasterio Sancti Martini, excerptæ a suis origi-
nalibus, amputatis superfluis et non necissariis* (Corporazioni Religiose Soppresse, San Martino delle
Scale – fondo II, vol. 1467, c. 42r. Soprintendenza Archivistica della Sicilia – Archivio di Stato
di Palermo. Su concessione del Ministero della Cultura).

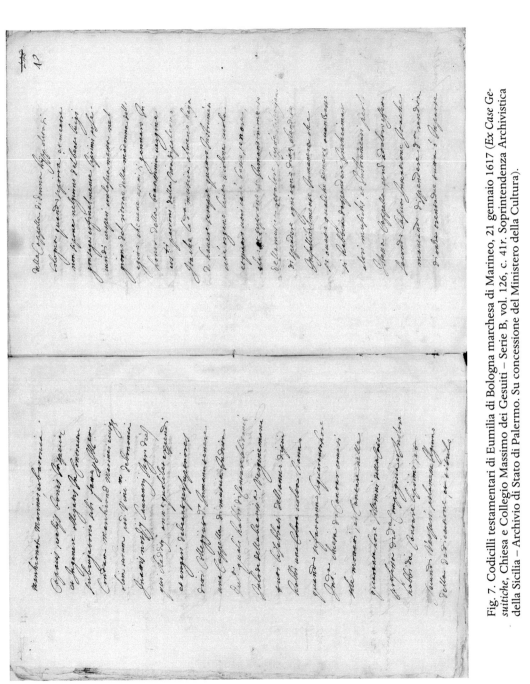

Fig. 7. Codicilli testamentari di Eumilia di Bologna marchesa di Marineo, 21 gennaio 1617 (*Ex Case Gesuitiche, Chiesa e Collegio Massimo dei Gesuiti – Serie B, vol. 126, c. 41r, Soprintendenza Archivistica della Sicilia – Archivio di Stato di Palermo. Su concessione del Ministero della Cultura*).

ELENCO DELLE ILLUSTRAZIONI

BIBLIOGRAFIA

ABBATE, VINCENZO, *"Ad aliquid sanctum significandum". Immagine della* Purissima Reina *tra Cinque e Seicento*, in *Bella come la luna, pura come il sole. L'Immacolata nell'arte in Sicilia*, a cura di Maria Concetta Di Natale e Maurizio Vitella, Palermo, Provincia Religiosa di Sicilia dei Frati Minori Conventuali "Ss. Agata e Lucia", 2004, pp. 30-47.

AGUILERA, EMMANUEL, *Provinciæ Siculæ Societatis Jesu Ortus et Res Gestæ ab Anno 1564 ad Annum 1611. Pars Prima*, Palermo, ex Typographia Angelo Felicella, 1737.

ARIÈS, PHILIPPE, *Storia della morte in Occidente*, Milano, Rizzoli, 1978.

Atto obligatorio fatto dal Senato di questa felice città di Palermo e confirmato da sua eccellenza e dal Tribunale del Reale Patrimonio in maggior ossequio e veneratione della Santissima Vergine Madre di Dio Maria Signora nostra sotto titolo della sua Immaculata Concettione, Palermo, 1655.

AURIA, VINCENZO, *Ragguaglio delle feste fatte in Palermo a XIII, XIV e XV di luglio MDCXXXXIX di comandamento del Senato illustriss. li signori d. Vincenzo Landolina ill. pret. [...] nell'annual memoria del ritrovamento di S. Rosalia vergine palermitana*, Palermo, Decio Cirillo, 1649.

BACCI, MICHELE, *Investimenti per l'aldilà. Arte e raccomandazione dell'anima nel Medioevo*, Bari, Laterza, 2003.

BACCIAGALUPPI, CLAUDIO, *Giovanni Battista Fasolo "fenice della musica"*, «Rivista Internazionale di Musica Sacra», XIX/2, 1998, pp. 5-66.

BAKER, GEOFFREY, *Imposing Harmony: Music and Society in Colonial Cuzco*, Durham, Duke University Press, 2010.

BALSANO, MARIA ANTONELLA, *Composizioni musicali per i Sabati dell'Immacolata*, in *La Sicilia e l'Immacolata. Non solo 150 anni*, Atti del Convegno di Studio (Palermo, 1-4 dicembre 2004), a cura di Diego Ciccarelli e Marisa Dora Valenza, Palermo, Biblioteca Francescana – Officina di Studi Medievali, 2006, pp. 41-48.

— *La primavera fiorita e il grande assente. Il patrimonio musicale della Biblioteca palermitana dei Gesuiti nell'A.D. 1682*, «Fonti Musicali Italiane», XXV, 2020, pp. 7-32.

BELLAFIORE, GIUSEPPE, *La Maniera italiana in Sicilia. Profilo dell'urbanistica e dell'architettura*, Firenze, Le Monnier, 1963.

BERNARDI, CLAUDIO, *La drammaturgia della Settimana Santa in Italia*, Milano, Vita e Pensiero, 1991.

— *Il tempo sacro: "Entierro". Riti drammatici del venerdì santo*, in *La scena della gloria. Drammaturgia e spettacolo a Milano in età spagnola*, a cura di Annamaria Cascetta e Roberta Carpani, Milano, Vita e Pensiero, 1994, pp. 585-620.

BETTLEY, JOHN, *La compositione lacrimosa: Musical Style and Text Selection in North-Italian Lamentations Settings in the Second Half of the Sixteenth Century*, «Journal of the Royal Musical Association», CXVIII/2, 1993, pp. 167-202.

BIANCONI, LORENZO, *Sussidi bibliografici per i musicisti siciliani del Cinquecento*, «Rivista Italiana di musicologia», VII, 1972, pp. 3-38.

BILLIO D'ARPA, NICOLETTA, *Il primo libro di Mottetti concertati (Palermo 1651) di Bonaventura Rubino*, «I Quaderni del Conservatorio», I, 1988, pp. 113-129.

— *La Santa Rosalia (1687) di Bonaventura Aliotti*, in *Ceciliana per Nino Pirrotta*, a cura di Maria Antonella Balsano e Giuseppe Collisani, Palermo, Flaccovio, 1994, pp. 161-202.

BISSO, GIOVAN BATTISTA, *Palermo Festivo, o le feste nell'inventione di Santa Rosalia [...] fatte in Palermo l'anno M. DC LIV*, Palermo, Nicolò Bua, 1654.

BOETTICHER, WOLFGANG, *Orlando di Lasso und seine Zeit (1532-1594)*, I, Kassel, Bärenreiter, 1958.

BOMBI, ANDREA – CARRERAS, JUAN JOSÉ – MARÍN, MIGUEL ÁNGEL (a cura di), *Música y cultura urbana en la Edad Moderna*, Valencia, Universitat de València-IVM, 2005.

BONANZINGA, SERGIO, *Forme sonore e spazio simbolico. Tradizioni musicali in Sicilia*, Palermo, Nuova graphicadue, 1992.

— *Tradizioni musicali per l'Immacolata in Sicilia*, in *La Sicilia e l'Immacolata. Non solo 150 anni*, Atti del Convegno di Studio (Palermo, 1-4 dicembre 2004), a cura di Diego Ciccarelli e Marisa Dora Valenza, Palermo, Biblioteca Francescana – Officina di Studi Medievali, 2006, pp. 69-154.

BRYANT, DAVID – QUARANTA, ELENA (a cura di), *Produzione, circolazione e consumo. Consuetudine e quotidianità della polifonia sacra nelle chiese monastiche e parrocchiali dal tardo Medioevo alla fine degli Antichi Regimi*, Atti del seminario di studi (Fondazione Ugo e Olga Levi, Venezia, 28-30 ottobre 1999), Bologna, il Mulino, 2006.

BUONO, LUCIANO, *Forme oratoriali in Sicilia nel secondo Seicento: il dialogo*, in *L'oratorio musicale italiano e i suoi contesti (secc. XVII-XVIII)*, Atti del convegno internazionale (Perugia, Sagra Musicale Umbra, 18-20 settembre 1997), a cura di Paola Besutti, Firenze, Olschki, 2002, pp. 115-139.

— *Documenti sull'organaria rinascimentale in Sicilia: la bottega dei La Valle*, in *Arte organaria italiana. Fonti documenti e studi*, a cura di Andrea Carmeli, Maurizio Isabella e Federico Lorenzani, Guastalla, Associazione culturale "Giuseppe Serassi", 2009, pp. 93-118.

BURGESS, CLIVE – WATHEY, ANDREW, *Mapping the Soundscape: Church Music in English Towns, 1450-1550*, «Early Music History», XXIX, 2000, pp. 1-46.

BURKE, PETER, *Storia e teoria sociale*, Bologna, il Mulino, 1995.

BUTTITTA, ANTONINO, *Pasqua in Sicilia*, Palermo, Promo Libri, 2003.

CALANDRA, ELIANA (a cura di), *L'Immacolata e il rito delle cento onze. Fonti storico-documentarie*, Roma-Palermo, Edizioni associate, 1996.

CARAPEZZA, PAOLO EMILIO, *Lo Stellario: una festa per l'Europa*, in *La Sicilia e l'Immacolata. Non solo 150 anni*, Atti del Convegno di Studio (Palermo, 1-4 dicembre 2004), a cura di Diego Ciccarelli e Marisa Dora Valenza, Palermo, Biblioteca Francescana – Officina di Studi Medievali, 2006, pp. 161-167.

CARDAMONE, GIOVANNI, *La Scuola di Architettura di Palermo nella Casa Martorana*, Palermo, Sellerio, 2012.

CARTER, TIM, *The Sound of Silence: Models for an Urban Musicology*, «Urban History», XXIX/1, 2002, pp. 8-18.

CASTELLUCCI, GIUSEPPE BERNARDO, *Giornale Sacro Palermitano. In cui si descriuono tutte le Feste de' Giorni, che si fanno nelle Chiese dentro, e fuori la Feliciss. e Fedelissima Città di Palermo [...]*, Palermo, per l'Isola, 1680.

CASTRONOVO, GIUSEPPE, *Erice oggi Monte San Giuliano*, III, Palermo, Stab. Tip. Virzì, 1880.

CAVALLINI, IVANO, *Tradizione colta e influssi villaneschi nelle* Canzonette *di Nicolò Toscano (1584), maestro di cappella a Capodistria*, in *Villanella, Napolitana, Canzonetta. Relazioni tra Gasparo Fiorino, compositori calabresi e scuole italiane del Cinquecento*, Atti del convegno internazionale di studi (Arcavacata di Rende-Rossano Calabro, 9-11 dicembre 1994), a cura di Maria Paola Borsetta e Annunziato Pugliese, Vibo Valentia, Istituto di bibliografia musicale calabrese, 1999, pp. 233-242.

CICCARELLI, DIEGO, *Cavalieri dell'Immacolata*, in *Il Libro del Giuramento dell'Immacolata. Memorie di un rito urbano (1795-1912)*, a cura di Eliana Calandra, Palermo, Comune di Palermo, 1996, pp. 23-28.

COCCHIARA, GIUSEPPE, *Inediti di S. Salomone-Marino. Sul teatro in Sicilia nel secolo XVI*, «Lares», XIII/4, 1942, pp. 222-242.

COCO GRASSO, LORENZO, *Del successivo progresso del cattolicismo in Sicilia per lo mezzo degli ordini religiosi e claustrali. Memorie storico-critiche-archeologico-sacre scritte da Lorenzo Coco-Grasso*, Palermo, Stamperia Barcellona, 1847.

COLLISANI, GIUSEPPE, *Occasioni di musica nella Palermo barocca*, «I Quaderni del Conservatorio», I, 1988, pp. 37-73.

— *I musici del "primo atrio del paradiso"*, «Regnum Dei – Collectanea Theatina», XLIX, 2003, pp. 129-137.

COLLISANI, GIUSEPPE – TURANO, FRANCESCA, *Santa Rosalia nella musica colta*, in *La rosa dell'Ercta, 1196-1991. Rosalia Sinibaldi: sacralità, linguaggi e rappresentazione*, a cura di Aldo Gerbino, Palermo, Dorica, 1991, pp. 285-296.

COLLURA, PAOLO, *Le sacre regie visite alle Chiese della Sicilia*, «Archiva Ecclesiæ», XXII-XXIII, 1979-1980, pp. 443-451.

CONIGLIONE, MATTEO ANGELO, *La Provincia domenicana di Sicilia: notizie storiche documentate*, Catania, Tip. F. Strano, 1937.

— *Fra gli artisti domenicani di Sicilia, Fra Nicolò Toscano*, «L'eco di S. Domenico», Palermo, marzo 1930, pp. 76-81.

CORRAO, PIETRO (a cura di), *Acta Curie Felicis Urbis Panormi. Registri di lettere ed atti. 1328-1333*, V, Palermo, Assessorato alla Cultura – Archivio Storico, 1986.

CRISTADORO, GIOVAN BATTISTA, *Il Festevole Trionfo per la Coronazione dell'Immacolata Reina co 'l Diadema delle dodeci stelle Ombreggianti li dodeci Privilegi rimembrati nella Corona del Santissimo Stellario, celebrato nell'ultima domenica 28 d'agosto 1644 nella chiesa dei Padri Minori Conventuali di Palermo […]*, Palermo, Alfonso dell'Isola, 1644.

CULLEY, THOMAS, *Jesuits and music*, Roma, Jesuit Historical Institute, 1970.

CURTI, DANILO – GOZZI, MARCO (a cura di), *Musica e liturgia nella riforma tridentina*, Catalogo della mostra (Trento, Castello del Buonconsiglio, 23 settembre – 26 novembre 1995), Trento, Provincia Autonoma di Trento. Servizio Beni Librari e Archivistici, 1995.

D'AFFLITTO, TOMMASO, *Ragguaglio de gli apparati e feste fatte in Palermo per la canonizzazione de Santi Ignatio, e Francesco Xavier l'anno 1622 per Tomaso d'Afflitto*, Palermo, Giovanni Battista Maringo, 1622.

DANEU LATTANZI, ANGELA, *La miniatura*, in *La cultura in Sicilia nel Quattrocento*, Catalogo della mostra (Messina, Salone del Comune, 20 febbraio-7 marzo 1982), a cura di Giacomo Ferraù, Roma, De Luca, 1982, pp. 133-136.

D'ARPA, UMBERTO, *Notizie e documenti sull'unione dei musici e sulla musica sacra a Palermo tra il 1645 e il 1670*, «I Quaderni del Conservatorio», I, 1988, pp. 19-36.

— *La famiglia Scarlatti: nuovi documenti biografici*, «Recercare», II, 1990, pp. 243-247.

DEL GIUDICE, MICHELE, *La sposa de' sacri cantici figurata nella solennità di S. Rosalia vergine palermitana, dell'anno 1699 per ordine dell'illustrissimo Senato D. Giuseppe Valguarnera [...] senatori*, Palermo, Agostino Epiro, 1699.

DE LUCA, MARIA ROSA, *Musica e cultura urbana nel Settecento a Catania*, Firenze, Olschki, 2012.

DI BLASI, SALVATORE MARIA, *Relazione della nuova libreria del gregoriano monastero di S. Martino delle Scale*, Palermo, Stamperia de' SS. Apostoli in Piazza Bologni per D. Gaetano Bentivegna, 1770.

DI FERRO, GIUSEPPE M., *Biografia degli uomini illustri trapanesi*, I, Trapani, Mannone e Solina, 1830.

DI GIOVANNI, VINCENZO, *Delle rappresentazioni sacre in Palermo nei secoli XVI e XVII*, «Il Propugnatore», I, 1868, pp. 20-40.

— *Palermo restaurato*, a cura di Mario Giorgianni, Palermo, Sellerio, 1989.

DI MARZO, GIOACCHINO (a cura di), *Biblioteca storica e letteraria di Sicilia. Diari della città di Palermo dal secolo XVI al XIX*, voll. 28, Palermo, Pedone Lauriel, 1869-1877.

— *La Pittura a Palermo nel Rinascimento. Storia e documenti*, Palermo, Alberto Reber, 1899.

DI NATALE, MARIA CONCETTA, *Un codice francescano del Quattrocento e la miniatura in Sicilia*, «Quaderni dell'Archivio Fotografico delle Arti Minori in Sicilia», I, 1985, pp. 97-117.

— (a cura di), *Le Confraternite dell'Arcidiocesi di Palermo. Storia e arte*, Palermo, Oftes, 1993.

— *Arti decorative nell'abbazia di San Martino delle Scale*, in *Lo splendore di un chiostro. Guida storico-artistica dell'Abbazia di San Martino delle Scale*, a cura di Anselmo Lipari e Fabrizio Messina Cicchetti, San Martino delle Scale, Abadir, 2002, pp. 77-96.

— *Il Museo Diocesano di Palermo*, Palermo, Flaccovio, 2006.

DI NATALE, MARIA CONCETTA – MESSINA CICCHETTI, FABRIZIO (a cura di), *L'eredità di Angelo Sinisio. L'abbazia di San Martino delle Scale dal XIV al XX secolo*, catalogo della mostra (Palermo, Abbazia di San Martino delle Scale, 23 novembre 1997-13 gennaio 1998), Palermo, Regione Siciliana – Assessorato dei Beni Culturali, Ambientali e della Pubblica Istruzione, 1997.

DI NATALE, RITA, *Le Confraternite dell'Arcidiocesi di Palermo dedicate a Maria SS. Immacolata*, in *Bella come la luna, pura come il sole. L'Immacolata nell'arte in Sicilia*, a cura di Maria Concetta Di Natale e Maurizio Vitella, Palermo, Provincia Religiosa di Sicilia dei Frati Minori Conventuali "Ss. Agata e Lucia", 2004, pp. 113-120.

DI REGIO, GASPARE, *Breve ragguaglio della trionfal solennità fatta in Palermo l'anno M.D.XC. III. nel ricevimento del capo di S. Ninfa vergine e martire palermitana, donato a questa città da papa Clemente VIII*, Palermo, Giovanni Antonio de Franceschi, 1593.

DISPENSA ZACCARIA, GIUSEPPE, *Organi e organari in Sicilia dal '400 al '900*, Palermo, Accademia Nazionale di Scienze, Lettere ed Arti di Palermo, 1988.

DI STEFANO, GIOVANNI PAOLO, *Strumenti musicali in Sicilia tra Rinascimento e Barocco*, in *Musica Picta. Immagini del suono in Sicilia tra Medioevo e Barocco*, Catalogo della mostra (Siracusa, chiesa di Santa Lucia alla Badia, 16 novembre 2007 – 7 gennaio 2008), a cura di Carmela Vella, Siracusa, Sovrintendenza ai Beni Culturali ed ambientali, 2007, pp. 43-53.

Divote dimostranze fatte dal Senato della felice città di Palermo in maggior ossequio e veneratione della Santissima Vergine Madre di Dio Maria Signora nostra sotto titolo della sua Immaculata Concettione, Palermo, Nicolò Bua, 1657.

FABRIS, DINKO, *Music in Seventeenth-Century Naples. Francesco Provenzale (1625–1704)*, Aldershot, Ashgate, 2007.

FAGIOLO, MARCELLO – MADONNA, MARIA LUISA, *Il teatro del sole. La rifondazione di Palermo nel Cinquecento e l'idea della città barocca*, Roma, Officina, 1981.

FAVARA, ALBERTO, *Il ritmo nella vita e nell'arte popolare in Sicilia*, «Rivista d'Italia», XXVI, 1923; ried. in *Scritti sulla musica popolare siciliana – Con un'appendice di scritti di U. Ojetti, C. Bellaigue, E. Romagnoli e A. Della Corte*, a cura di Teresa Samonà Favara, Roma, De Santis, 1959, pp. 86-120.

— *Corpus di musiche popolari siciliane*, a cura di Ottavio Tiby, 2 voll., Palermo, Accademia di Scienze Lettere e Arti di Palermo, 1957.

FICOLA, DANIELE – RIGANO, PAOLO, *La toccata per liuto di Paolo d'Aragona*, «I Quaderni del Conservatorio», I, 1988, pp. 91-100.

FICOLA, DANIELE (a cura di), *Musica sacra in Sicilia tra rinascimento e barocco*, Atti del convegno (Caltagirone, 10-12 dicembre 1985), Palermo, Flaccovio, 1988.

— *Echi monteverdiani a Palermo: il "Lauda Ierusalem secondo" di Bonaventura Rubino (1655)*, in *Ceciliana per Nino Pirrotta*, a cura di Maria Antonella Balsano e Giuseppe Collisani, Palermo, Flaccovio, 1994, pp. 145-160.

FILINGERI, GIOVANNI, *Tommaso Fazello: un pioniere dell'editoria siciliana del Cinquecento. Contributo storico-documentario su una esaltante esperienza tipografica: la stampa del "De rebus Siculis decades duæ"*, Montelepre, Associazione culturale "Historia magistra vitæ", 2007.

FIORE, ANGELA – GRIPPAUDO, ILARIA, *Musica nelle istituzioni religiose del meridione d'Italia: ipotesi di confronto fra le Cappelle Reali di Napoli e Palermo*, «Quadrivium. Revista Digital de Musicologia», VII, 2016, pp. 84-106.

FIORE, ANGELA, *"Non senza scandalo delli convicini": pratiche musicali nelle istituzioni religiose femminili a Napoli 1650-1750*, Bern, Peter Lang, 2017.

FIUME, GIOVANNA, *Il Santo Moro. I processi di canonizzazione di Benedetto da Palermo (1594-1807)*, Milano, Franco Angeli, 2002.

FORTUNIO, GIACINTO MARIA, *Gli ossequii festivi di Palermo, e le pompe fatte a XIII. XIV. e XV. luglio M DC LIII per la sua cittadina Santa Rosalia liberatrice della peste*, Palermo, Nicolò Bua, 1653.

— *Gli applausi di Palermo alla maestà cattolica di Filippo quarto il Grande e le feste celebrate in essa città negli anni 1652 e 1653 per le vittorie di Barcellona, Casale e Duncherche [...]*, Palermo, Nicolò Bua, 1655.

FRANGIPANE, SILVESTRO, *Raccolta de' miracoli fatti per l'intercessione di San Domenico*, Messina-Firenze, Zanobi Pignoni, 1622.

FRAZZETTA, MICHELE, *Vita, virtù e miracoli del ven. servo di Dio Don Girolamo di Palermo canonico della cattedrale della città di Palermo*, Palermo, presso Pietro Isola, 1681.

FUBINI, ENRICO, *L'estetica musicale dall'antichità al Settecento*, Torino, Einaudi, 1976.

GALLO, CAIO DOMENICO, *Annali della città di Messina capitale del Regno di Sicilia dal giorno di sua fondazione sino a tempi presenti*, I, Messina, Francesco Gaipa, 1756.

GAROFALO, GIROLAMO, *Le novene del Natale*, «Nuove Effemeridi», XL, 1997, pp. 25-41.

GESUALDO, FILIPPO, *Metodo della oratione delle Quaranta Hore, col suo officio. Raccolto dal molto rever. P. M. Filippo Gesualdo. Minor Conventoale. Regente nel Santo di Padoa*, Padova, Meietti, 1592.

GIALLOMBARDO, FATIMA, *I cibi della Passione. Un codice alimentare festivo in Sicilia*, «Archivio Antropologico Mediterraneo», V-VII, 2002-2004, pp. 171-190.

Giordano, Rosalia Claudia (a cura di), *Originale delli testimonij di Santa Rosalia. Trascrizione del manoscritto 2 Qq E 89 della Biblioteca Comunale di Palermo*, Palermo, Biblioteca Comunale, 1997.

Giuriati, Giovanni – Tedeschini Lalli, Laura (a cura di), *Spazi sonori della musica*, Palermo, L'Epos, 2010.

Griffiths, John, *Hidalgo, merchant, poet, priest: the vihuela in the urban soundscape*, «Early Music», XXXVII/3, 2009, pp. 355-365.

Grippaudo, Ilaria, *Il fondo musicale della Chiesa Madre di Enna – Catalogo*, Enna, Il Lunario, 2004.

— *«Poiché così voglio, e non altrimenti»: forme di individualismo e pratiche musicali nelle chiese di Palermo nel periodo rinascimentale*, in *Voci dal Rinascimento II. La nascita dell'individualismo*, Atti del secondo incontro di studi (Palermo, Palazzo Benfratelli, 12-13 maggio 2006), a cura di Carlo Fiore, Palermo, Provincia Regionale di Palermo, 2008, pp. 75-110.

— *I Gesuiti e la musica a Palermo fra Rinascimento e Barocco*, in *Musica tra storia e filologia. Studi in onore di Lino Bianchi*, a cura di Federica Nardacci, Roma, Istituto Italiano per la Storia della Musica, 2010, pp. 279-312.

— *Musica Urbana. Musica e cerimonie all'aperto nella Palermo di Cinque e Seicento*, in *Studi sulla musica dell'età barocca*, a cura di Giorgio Monari, Lucca, LIM, 2012, pp. 77-134.

— *Nuove acquisizioni sull'attività dei polifonisti siciliani nelle chiese palermitane (XVI-XVII secolo)*, «Studi musicali», n. s., V/2, 2014, pp. 357-403.

— *Fra Palermo e Napoli. Attività musicali presso la Reale Cappella Palatina di Palermo*, «Studi Pergolesiani», X, 2015, pp. 15-61.

— *Donne e musica nelle istituzioni religiose di Palermo fra Rinascimento e Barocco*, in *Celesti Sirene II. Musica e monachesimo dal Medioevo all'Ottocento*, Atti del Secondo Seminario internazionale (San Severo, 11-13 ottobre 2013), a cura di Annamaria Bonsante e Roberto Matteo Pasquandrea, Barletta, Cafagna Editore, 2015, pp. 429-470.

— *Music at Palermo's San Martino delle Scale during the Late Sixteenth Century*, «Mousikos Logos», II, 2015, pp. 1-17.

— *Attività musicale, patrocinio e condizione femminile nei monasteri palermitani (secc. XVII-XVIII)*, in *Puta/Putana. Donne Musica Teatro tra XVI e XVIII secolo*, a cura di Maria Paola Altese e Pierina Cangemi, Palermo, Il Palindromo, 2016, pp. 43-55.

— *Sacred Music Production and Circulation in Sixteenth-Century Palermo: The Inventories of Giovanni Santoro (1550) and Luis Ruiz (1595)*, «Journal of the Alamire Foundation», VIII/2, 2016, pp. 227-240.

— *La cantata a Palermo fra Sei e Settecento: il caso dei Gesuiti*, in *La cantata da camera e lo stile galante: sviluppi e diffusione della "nuova musica" tra il 1720 e il 1760*, a cura di Giulia Giovani e Stefano Aresi, Amsterdam, Stile Galante Publishing, 2017, pp. 113-142.

— *Le cappelle musicali a Palermo tra Cinque e Seicento: nuovi documenti sulla Palatina*, «Drammaturgia musicale e altri studi», V, 2017, pp. 11-36.

— *Music, Religious Communities, and the Urban Dimension: Sound Experiences in Palermo in the Sixteenth and Seventeenth Centuries*, in *Hearing the City in Early Modern Europe*, Atti del convegno internazionale, a cura di Tess Knighton e Ascensión Mazuela-Anguita, Turnhout, Brepols, 2018, pp. 309-326.

Guggino, Elsa, *I canti della memoria*, in *La pesca del tonno in Sicilia*, a cura di Vincenzo Consolo, Palermo, Sellerio, 1986, pp. 85-111.

— *I triunfi degli orbi*, «Nuove Effemeridi», XL, 1997, pp. 50-61.

GUTTON, PIERRE, *Bruits et sons dans notre histoire. Essai sur la reconstitution du paysage sonore*, Paris, Presses Universitaires de France, 2000.

HILLS, HELEN, *Convents in the city; choirs in the convents: Aristocratic female convents and urbanism in early modern Palermo and Naples*, in *Annali del Barocco in Sicilia: Pompeo Picherali. Architettura e città fra XVII e XVIII secolo. Sicilia, Napoli, Malta*, a cura di Lucia Trigilia, Roma, Gangemi, 1997, pp. 61-76.

— *Iconography and Ideology: Aristocracy, Immaculacy and Virginity in Seventeenth-century Palermo*, «Oxford Art Journal», XVII/2, 1994, pp. 16-31.

— *Cities and Virgins: Female Aristocratic Convents in Early Modern Naples and Palermo*, «Oxford Art Journal», XXII/1, 1999, pp. 31-54.

— *Monasteri femminili aristocratici a Napoli e a Palermo nella prima età moderna e la "conventualizzazione" della città*, in *Il santo patrono e la città. San Benedetto il Moro: culti, devozioni, strategie di età moderna*, a cura di Giovanna Fiume, Venezia, Marsilio, 2000, pp. 68-80.

Il Campidoglio palermitano, traboccante di gioia, nell'anno 1655 per li trionfi di santa Rosalia [...]. Opera data in luce da Nicolò Delfino [...], Palermo, Nicolò Bua, 1655.

IL VERSO, ANTONIO, *Madrigali a cinque voci, libro primo (1590)*, ed. moderna a cura di Ruth Taiko Watanabe e Paolo Emilio Carapezza, Firenze, Olschki, 1978.

ISGRÒ, GIOVANNI, *Festa teatro rito nella storia di Sicilia*, Palermo, Cavallotto, 1981.

— *Teatro del '500 a Palermo*, Palermo, Flaccovio, 1983.

— *Il paesaggio scenico della Sicilia*, Palermo, Anteprima, 2005.

Instruttioni ordinate dall'Ill.mo Senato palermitano per l'oratione delle Quaranta Hore che in questa felicissima città si fanno continuamente. La quale fu stabilita e cominciata il dì 2 di febraro 1607, Palermo, Giovanni Antonio De Franceschi, 1609.

Istruzioni ed ordinazioni da osservarsi per l'orazione interrotta delle quarant'ore, aventi le stesse indulgenze e privilegi della orazione continua introdotta qui in Palermo nell'anno 1580 e poscia nell'anno 1607 ristabilita dall'eccellentissimo Senato di questa felice e fedelis. città di Palermo, Palermo, Bernardo Virzì, 1835.

KISBY, FIONA (a cura di), *Music and Musicians in Renaissance Cities and Towns*, Oxford, Oxford University Press, 2001.

KNIGHTON, TESS – MAZUELA-ANGUITA, ASCENSIÓN (a cura di), *Hearing the City in Early Modern Europe*, Atti del convegno internazionale, Turnhout, Brepols, 2018.

LA DUCA, ROSARIO, *Cartografia della città di Palermo dalle origini al 1860*, Palermo, ed. Banco di Sicilia, 1962.

— *Repertorio bibliografico degli edifici religiosi di Palermo*, Palermo, Oftes, 1991.

LA BARBERA, SIMONETTA – MAZZÈ, ANGELA, *Regesto delle Compagnie a Palermo nei secoli XVI e XVII*, in *L'ultimo Caravaggio e la cultura artistica a Napoli, in Sicilia e a Malta*, Atti del Convegno Internazionale di Studi (Siracusa-Malta, aprile 1985), a cura di Maurizio Calvesi, Siracusa, Ediprint, 1987, pp. 253-277.

LE GOFF, JACQUES (a cura di), *La nuova storia*, Milano, Mondadori, 1980.

LOMBARDO, ROCCO, *La musica ad Enna dai tempi del Mito ai primi decenni del Novecento*, Enna, Inner Wheel Club di Enna, 2000.

LONGO, FABRIZIO (a cura di), *Il diluvio universale. Dialogo posto in musica dal rev. sig. M. A. Falvetti, maestro della Real Cappella di questa nobile città di Messina (1682)*, Messina, Società di Storia Patria, 2002.

MACCAVINO, NICOLÒ (a cura di), *Il Diluvio Universale. Dialogo a cinque voci e strumenti*, Reggio Calabria, Edizioni del Conservatorio "Francesco Cilea", 2002.

MACCHIARELLA, IGNAZIO, *Trascrizioni musicali*, in *La pesca del tonno in Sicilia*, a cura di Vincenzo Consolo, Palermo, Sellerio, 1986, pp. 112-114.

MAGGIORE-PERNI, FRANCESCO, *Statistica della città di Palermo. Censimento della popolazione nel 1861 pubblicato dall'Ufficio Comunale di Economia e Statistica*, Palermo, Francesco Lao, 1865.

MANGANANTI, ONOFRIO, *Sacro Teatro Palermitano*, BCP, sec. XVII, ms. Qq D 11-15.

MARÍN, MIGUEL ÁNGEL, *Sound and urban life in a small Spanish town during the ancien régime*, «Urban History», XXIX/1, 2002, pp. 48-59.

— *Music on the Margin: Urban Musical Life in Eighteenth-Century Jaca (Spain)*, Kassel, Reichenberger, 2002.

MAROTTA, ERASMO, *Mottetti concertati a due, tre, quattro e cinque voci (1635)*, ed. moderna a cura di Irene Calagna, Firenze, Olschki, 2002.

MAZZARESE FARDELLA, ENRICO – FATTA DEL BOSCO, LAURA – BARILE PIAGGIA, COSTANZA (a cura di), *Ceremoniale de' Signori Viceré (1584-1668)*, «Documenti per servire alla storia di Sicilia», s. IV, XVI, Palermo, Società Siciliana di Storia Patria, 1976.

MERRIAM, ALAN P., *Antropologia della musica*, Palermo, Sellerio, 1990.

MONGITORE, ANTONINO, *Bibliotheca Sicula sive De Scriptoribus Siculis qui tum vetera tum recentiora sæcula illustrarunt, notitiæ locupletissimæ*, voll. 2, Palermo, D. La Bua, 1707-1714; rist. anast. Bologna, Forni, 1968-1971.

— *Palermo divoto di Maria Vergine e Maria Vergine protettrice di Palermo*, voll. 2, Palermo, Stamperia di Gaspare Bayona, 1719-1720.

— *Le porte della città di Palermo al presente esistenti descritte da Lipario Triziano*, in GAETANO GIARDINA, *Le antiche porte della città di Palermo*, Palermo, Gramignani, 1732.

— *Storia sagra di tutte le chiese, conventi, monasteri, spedali e altri luoghi pii della città di Palermo: Le chiese e le case dei regolari*, BCP, sec. XVIII, ms. Qq E 5.

— *Storia sagra di tutte le chiese, conventi, monasteri, spedali e altri luoghi pii della città di Palermo: Monasteri e conservatori*, BCP, sec. XVIII, ms. Qq E 7.

— *Storia sacra di tutte le chiese, conventi, monasteri, ospedali ed altri luoghi pii della città di Palermo. Le confraternite, le chiese di Nazioni, di artisti e di professioni, le Unioni, le Congregazioni e le chiese particolari*, BCP, sec. XVIII, ms. Qq E 9.

— *Storia delle chiese di Palermo. I conventi*, ed. critica a cura di Francesco Lo Piccolo, voll. 2, Palermo, Cricd, 2009.

MONTELEONE, GIUSEPPINA, *Il fondo musicale della Cappella Palatina*, tesi di laurea, voll. 2, Università degli Studi di Palermo, 1996-1997.

MORONI, GAETANO, *Dizionario di erudizione storico-ecclesiastica da S. Pietro sino ai nostri giorni*, voll. 103, Venezia, Tipografia Emiliana, 1840-1861.

MORSO, SALVATORE, *Memoria sulla chiesa di Santa Maria l'Ammiraglio*, in *Descrizione di Palermo antico ricavata sugli autori sincroni e i monumenti de' tempi da Salvadore Morso R. Professore di lingua arabica*, Palermo, Lorenzo Dato, 1827, pp. 73-106.

OLIVIER, LORENZO, *Annali del Real Convento di S. Domenico di Palermo*, ed. moderna a cura di Maurizio Randazzo, Palermo, Provincia Regionale di Palermo – Biblioteca Regionale dei Domenicani, 2006.

PAGANO, ROBERTO, *La vita musicale a Palermo e nella Sicilia del Seicento*, «Nuova Rivista Musicale Italiana», III, 1969, pp. 439-466.

— *Le origini ed il primo statuto dell'Unione dei Musici intitolata a Santa Cecilia in Palermo*, «Rivista Italiana di Musicologia», X, 1975, pp. 545-563.

— *Giasone in Oreto. Considerazioni sull'introduzione del melodramma a Palermo*, «I Quaderni del Conservatorio», I, 1988, pp. 11-18.

— *Alessandro e Domenico Scarlatti. Due vite in una*, 2 voll., Lucca, LIM, 2015.

PALAZZOLO, ANTONINO, *Le torri di deputazione nel regno di Sicilia (1579-1813)*, Palermo, ISSPE, 2007.

PALERMO, GASPARE, *Guida istruttiva per potersi conoscere con facilità tanto dal siciliano, che dal forestiere tutte le magnificenze, e gli oggetti degni di osservazione della Città di Palermo Capitale di questa parte de' R. Dominj*, Palermo, Reale Stamperia, 1816.

PAPA, GIOVANNI VINCENZO, *Diario sagro in cui si descrivono tutte le Feste, che si fanno nelle Chiese dentro, e fuori la Felicissima, e Fedelissima Città di Palermo*, Palermo, Vincenzo Toscano, 1730.

PINZARRONE, LAVINIA, *La «Descrittione della casa e famiglia de' Bologni» di Baldassare di Bernardino Bologna*, «Mediterranea. Ricerche storiche», IV / 10, 2007, pp. 355-398.

— *Dinamiche di mobilità sociale in Sicilia: potere, terra e matrimonio. I Bologna tra XVI e XVII secolo*, «Mediterranea. Ricerche storiche», VI / 15, 2009, pp. 123-156.

PIRRI, ROCCO, *Sicilia Sacra disquisitionibus et notitiis illustrata*, Palermo, Pietro Coppola, 1633.

PITRÈ, GIUSEPPE, *Spettacoli e feste popolari siciliane*, Palermo, Pedone Lauriel, 1881 («Biblioteca delle tradizioni popolari siciliane», XII).

— *Usi e costumi. Credenze e pregiudizi del popolo siciliano*, I, Palermo, Pedone Lauriel, 1889 («Biblioteca delle tradizioni popolari siciliane», XIV).

— *Feste patronali in Sicilia*, Torino-Palermo, Clausen, 1900 («Biblioteca delle tradizioni popolari siciliane», XXI); ed. moderna a cura di Aurelio Rigoli, Palermo, Edizioni Il Vespro, 1978.

— *La vita in Palermo cento e più anni fa*, I, Palermo, Alberto Reber, 1905; rist.: Firenze, G. Barbera, 1944.

POMATA, GIANNA – ZARRI, GABRIELLA (a cura di), *I monasteri femminili come centri di cultura fra Rinascimento e Barocco*, Roma, Edizioni di Storia e Letteratura, 2005.

PRIVITERA, MASSIMO, *«...Cantando victus...»: la disfida musicale fra Sebastián Raval e Achille Falcone*, in *Care note amorose: Sigismondo d'India e dintorni*, Atti del convegno internazionale (Torino, Archivio di Stato, 20-21 ottobre 2000), a cura di Sabrina Saccomani Caliman, Torino, Istituto per i Beni Musicali in Piemonte, 2004, pp. 133-143.

QUARANTA, ELENA, *Oltre San Marco. Organizzazione e prassi della musica nelle chiese di Venezia nel Rinascimento*, Firenze, Olschki, 1998.

Raguaglio dello stupendo miracolo fatto dalla Santa vergine Rosalia palermitana nell'esercito della catolica maestà del re nostro signore, e della solennità perciò celebrata in Madrid nel giorno della sua festa alli 4. di settembre 1652, Palermo, Nicolò Bua, 1652.

Regola delle monache di Nostra Signora del Carmine con alcune costituzioni approvate da molti sommi pontefici, stampate per ordine del reverendiss. ed eminentiss. sig. card. Doria arcivescovo di Palermo nell'anno 1615, Palermo, Stefano Amato, 1779.

Relatione delle feste fatte in Palermo per lo felicissimo nascimento del Serenissimo Principe della Spagna primogenito dell'invittissimo Re di Spagna, e di Sicilia Don Filippo III, drizzata dal fumicante academico nascoso all'Illustrissimo Senato di Palermo, Palermo, Decio Cirillo, 1630.

Relazione delle pompe di Palermo per la festa della inventione del corpo di s. Rosalia vergine palermitana alli 15. di luglio di quest'anno 1650, Palermo, Cirilli, 1650.

RESTIVO, GIANFRANCO, *Le canzonette di Nicolò Toscano (1584)*, tesi di laurea, Università degli Studi di Palermo, 1999-2000.

ROSSO, VALERIO, *Descrizione delle chiese di Palermo fatte nel 1590*, in *Descrittione di tutti i luoghi sacri della felice Città di Palermo. Libri sei*, BCP, sec. XVI, ms. Qq D 4.

ROTOLO, FILIPPO, *La Sicilia nella luce dell'Immacolata. Contributo dei Frati Minori Conventuali*, Palermo, s.n., 1954.

— *La cappella dell'Immacolata nella Basilica di S. Francesco a Palermo: culto e arte*, Palermo, Basilica di S. Francesco d'Assisi, 1998.

— *L'Immacolata Concezione di Maria Madre di Gesù*, in *Bella come la luna, pura come il sole. L'Immacolata nell'arte in Sicilia*, a cura di Maria Concetta Di Natale e Maurizio Vitella, Palermo, Provincia Religiosa di Sicilia dei Frati Minori Conventuali "Ss. Agata e Lucia", 2004, pp. 17-29.

RUBINO, BONAVENTURA, *Vespro dello Stellario con sinfonie e altri salmi (1655)*, Firenze, Olschki, 1996.

RUGGIERI TRICOLI, MARIA GRAZIA, *Il teatro e l'altare: paliotti "d'architettura" in Sicilia*, Palermo, Grifo, 1992.

— *Costruire Gerusalemme: il complesso gesuitico della Casa Professa di Palermo dalla storia al museo*, Milano, Lybra Immagine, 2001.

RUSSO, MARIA ANTONIETTA, *Matteo Sclafani: paura della morte e desiderio di eternità*, «Mediterranea. Ricerche storiche», III/6, 2006, pp. 39-68.

SADIE, STANLEY (a cura di), *The New Grove Dictionary of Music and Musicians*, voll. 29, Londra, Macmillan, 2001.

SANFILIPPO, MARCELLA, *Il registro notarile n. 129 di Bartolomeo de Bonomia dell'anno indizionale 1377-1378 (cc. 102r-152v)*, tesi di laurea, Università degli Studi di Palermo, 2000-2001.

SARDINA, PATRIZIA, *Il ruolo della Cattedrale di Palermo e la gestione della* maramma *dal Vespro alla morte di Alfonso V (1282-1458)*, in *Storia & Arte nella scrittura. L'Archivio Storico Diocesano di Palermo a 10 anni dalla riapertura al pubblico (1997-2007)*, Atti del Convegno Internazionale di Studi (Palermo, 9-10 novembre 2007), a cura di Giovanni Travagliato, Santa Flavia, Edizioni Centro Studi Aurora Onlus, 2008, pp. 141-200.

SARTORI, CLAUDIO, *Catalogo dei libretti italiani a stampa*, voll. 6, Cuneo, Bertola & Locatelli, 1990.

SCARPULLA, ANTONINO, *Rapporti tra barone e popolo: il caso di Marineo*, in *L'isola ricercata: inchieste sui centri minori della Sicilia. Secoli XVI-XVIII*, Atti del convegno di studi (Campofiorito, 12-13 aprile 2003), a cura di Antonino Giuseppe Marchese, Palermo, Provincia Regionale di Palermo, 2008, pp. 113-130.

SCUDERI, GIUSEPPE – SCUDERI, VINCENZO, *Dalla domus studiorum alla Biblioteca Centrale della Regione Siciliana. Il Collegio Massimo della Compagnia di Gesù a Palermo*, Palermo, Regione Siciliana. Assessorato dei beni culturali e della pubblica istruzione, 1995.

STROHM, REINHARD, *Music in Late Medieval Bruges*, Oxford, Oxford University Press, 1985.

TEDESCO, ANNA, *Il Teatro Santa Cecilia e il Seicento musicale palermitano*, Palermo, Flaccovio, 1992.

— *Alcune note su oratorî e dialoghi a Palermo e in Sicilia*, in *"Tra Scilla e Cariddi". Le rotte mediterranee della musica sacra tra Cinque e Seicento*, Atti del Convegno Internazionale di Studi (Reggio Calabria-Messina, 28-30 maggio 2001), a cura di Nicolò Maccavino e Gaetano Pitarresi, Reggio Calabria, Edizioni del Conservatorio di Musica "F. Cilea", 2003, pp. 203-256.

— *La cappella de' militari spagnoli di Nostra Signora della Soledad di Palermo*, in *Giacomo Francesco Milano e il ruolo dell'aristocrazia nel patrocinio delle attività musicali nel XVIII secolo*, Atti del Convegno Internazionale di Studi (Polistena-San Giorgio Morgeto, 12-14 ottobre 1999), a cura di Gaetano Pitarresi, Reggio Calabria, Laruffa Editore, 2001, pp. 199-254.

— *La serenata a Palermo alla fine del Seicento e il duca d'Uceda*, in *La serenata tra Seicento e Settecento: musica, poesia, scenotecnica*, Atti del Convegno Internazionale di Studi (Reggio Calabria, 16-17 maggio 2003), II, a cura di Nicolò Maccavino, Reggio Calabria, Edizioni del Conservatorio di Musica "F. Cilea", 2007, pp. 547-598.

— *Aspetti della vita musicale nella Palermo del Settecento*, in *Il Settecento e il suo doppio. Rococò e neoclassicismo, stili e tendenze europee nella Sicilia dei viceré*, a cura di Mariny Guttilla, Palermo, Kalós, 2008, pp. 391-401.

— «Marotta, Erasmo», in *Dizionario Biografico degli Italiani*, LXX, Roma, Istituto della Enciclopedia Italiana, 2008, pp. 673-675.

TIBY, OTTAVIO, *La musica nella Real Cappella Palatina di Palermo*, «Anuario musical dell'Istituto Español de Musicologia del C.S.I.C.», VII, 1952, pp. 177-192.

— *I polifonisti siciliani del XVI e XVII secolo*, Palermo, Flaccovio, 1969.

TORRE, ANGELO, *Il consumo di devozione. Religione e comunità nelle campagne dell'Ancien Régime*, Venezia, Marsilio, 1995.

TROPEA, GIOVANNI (a cura di), *Vocabolario Siciliano*, I-II, Palermo-Catania, Centro di Studi Filologici e Linguistici Siciliani. Opera del Vocabolario Siciliano, 1977-1985.

VAGLICA, GIOVAN BATTISTA, *Da La Valle... a Mascioni. L'organo della Basilica Abbaziale di San Martino delle Scale*, San Martino delle Scale, Abadir, 2005.

VIZZOLA, GIOVANNA, *Le Lamentazioni del profeta Geremia in Sicilia nel Cinquecento*, PhD diss., Università di Roma 'La Sapienza', 2012.

VOVELLE, MICHEL, *La morte e l'Occidente*, Bari, Laterza, 1986.

ZAGGIA, MASSIMO, *Tra Mantova e la Sicilia nel Cinquecento*, Firenze, Olschki, 2003.

ZARRI, GABRIELLA – MEDIOLI, FRANCESCA – VISMARA CHIAPPA, PAOLA, *"De Monialibus" (Secoli XVI-XVII-XVIII)*, «Rivista di storia e letteratura religiosa», XXXIII, 1998, pp. 643-715.

INDICE

FINITO DI STAMPARE
PER CONTO DI LEO S. OLSCHKI EDITORE
PRESSO ABC TIPOGRAFIA • CALENZANO (FI)
NEL MESE DI GENNAIO 2022

«HISTORIAE MUSICAE CULTORES»

Diretta da Virgilio Bernardoni, Lorenzo Bianconi, Franco Piperno

1. *Mostra di strumenti musicali in disegni degli Uffizi*. A cura di L. Marcucci. 1952.   Esaurito

2. *Collectanea Historiae Musicae*, vol. I. 1953.   Esaurito

3. Parigi, L., *«Laurentiana». Lorenzo dei Medici (1624-1705), Musicista - Letterato - Architetto*. Perugia-Dresda. 1956.   Esaurito

4. Briganti, F., *Gio. Andrea Angelini-Bontempi cultore della musica*. 1954.   Esaurito

5. Roncaglia, G., *La cappella musicale del Duomo di Modena*. 1957, 334 pp. con 17 tavv. f.t.

6. *Collectanea Historiae Musicae*, vol. II. 1956, 478 pp. con ill. ed es. mus.

7. Paccagnella, E., *Palestrina, il linguaggio melodico e armonico*. 1957.   Esaurito

8. Carrara, M., *La intavolatura di liuto del MDLXXXV*. A cura di B. Disertori. 1957, 4 pp. con un foglio per la riprod. dell'originale e con la trascr. sul verso. In busta.

9. Tiby, O., *Il Real Teatro Carolino e l'Ottocento musicale palermitano*. 1957.   Esaurito

10. Lunelli, R., *L'Arte organaria del Rinascimento in Roma e gli organi di S. Pietro in Vaticano dalle origini a tutto il periodo frescobaldiano*. 1958.   Esaurito

11. Ricci des Ferres-Cancani, G., *Francesco Morlacchi (1784-1841). Un maestro italiano alla Corte di Sassonia*. 1958, viii-224 pp. con 14 tavv. f.t. e 1 pieghevole.

12. Allorto, R., *Le sonate per pianoforte di Muzio Clementi. Studio critico e catalogo tematico*. 1959.   Esaurito

13. Gallico, C., *Un canzoniere musicale italiano del Cinquecento*. 1961, 214 pp. con es. mus., 1 tav. f.t. e indici.

14. Georgii Anselmi Parmensis, *De musica*. A cura di G. Massera. 1961, 210 pp. con 5 tavv. f.t. e 1 pieghevole.

15. Gamberini, L., *La parola e la musica nell'antichità. Confronto fra documenti musicali antichi e dei primi secoli del Medioevo*. 1962, xii-450 pp. con molti es. mus. Rilegato in imitlin.

16. Fabbri, M., *Alessandro Scarlatti e il Principe Ferdinando de' Medici*. 1961.   Esaurito

17. *Collectanea Historiae Musicae*, vol. III. 1963, 192 pp. con 13 tavv. f.t. ed es. mus.

18. Massera, G., *La «mano musicale perfetta» di Francesco de Brugis, dalle prefazioni ai corali di L. A. Giunta (Venezia, 1499-1504)*. 1963.   Esaurito

19. *Luigi Cherubini nel II centenario della nascita. Contributo alla conoscenza della vita e dell'opera*. 1962, viii-220 pp. con 11 tavv. f.t.

20. Selden-Goth, G., *Ferruccio Busoni. Un profilo*. 1964, 136 pp. con 3 tavv. f.t.

21. Bonaccorsi, A., *Maestri di Lucca. I Guami ed altri musicisti*. 1967, iv-160 pp. con 10 tavv. f.t. e molti es. mus.

22. *Collectanea Historiae Musicae*, vol. IV. 1966, vi-318 pp. con molti es. mus.

23. Mompellio, F., *Lodovico Viadana. Musicista fra due secoli (XVI-XVII)*. 1966, xii-354 pp. con 40 tavv. f.t. e molti es. mus.

24. *Gioacchino Rossini*. A cura di A. Bonaccorsi. 1968, 262 pp.

25. Donà, M., *Espressione e significato nella musica*. 1968, 144 pp. con molti es. mus.

26. Derégis, H., *Alessandro Marcello, nel terzo centenario della nascita (Venezia 1669-1747). Sei cantate da camera*. 1969, 32 pp. di introduzione e 164 pp. di testo musicale, con 2 ill. f.t.

27. Caselli, A., *Catalogo delle opere liriche pubblicate in Italia*. 1969, xii-896 pp.

28. Nicolai Burtii Parmensis, *Florum Libellus*. Introduz. testo e commento a cura di G. Massera. 1975, 192 pp. con ill. n.t. e 5 tavv. f.t.

29. Rinaldi, M., *Le opere meno note di G. Verdi*. 1975, viii-304 pp. con 12 tavv. f.t.

30. Mariani, R., *Verismo in musica e altri studi*. 1976.   Esaurito

31. Peluzzi, E., *Tecnica costruttiva degli antichi liutai italiani*. 1978, x-426 pp. con 285 ill. n.t. e 5 tavv. f.t. Ristampa 2002.

32. Gamberini, L., *Plutarco «Della Musica»*. 1979, 360 pp. con molti es. mus. n.t. e 2 tavv. f.t.

33. Rinaldi, M., *Il teatro musicale di Antonio Vivaldi*. 1979, viii-280 pp. con molti es. mus. n.t. e 16 tavv. f.t.

34. Dalmonte, R., *Camillo Cortellini madrigalista bolognese*. 1980, 196 pp. con 6 tavv. f.t.

35. *Musica italiana del primo Novecento. «La generazione dell'80»*. A cura di F. Nicolodi. 1981, xii-448 pp.

36. Arnese, R., *Storia della musica nel Medioevo europeo*. 1983, 336 pp. con 17 tavv. f.t.

37. Rinaldi, M., *Wagner senza segreti*. 1983, xiv-602 pp. con una tav. f.t. e molti es. mus. n.t.

38. Giazotto, R., *Le due patrie di Giulio Caccini. Musico mediceo (1551-1618)*. 1984, viii-90 pp. con 23 tavv. f.t.

39. Piperno F., *Gli «Eccellentissimi musici della città di Bologna»*. 1985, viii-200 pp.

40. *Restauro, conservazione e recupero di antichi strumenti musicali*. 1986, ii-282 pp. con 24 ill. f.t.

41. Rinaldi, M., *Le opere più note di Giuseppe Verdi*. 1986, viii-516 pp. con 17 ill. f.t.

42. Gozzi, S., Roccatagliati, A., *Catalogo della discoteca storica «Arrigo ed Egle Agosti» di Reggio Emilia*, vol. I: *Opere complete e selezioni*, 1985, xxii-106 pp.

43. Villani, G., *Il primo e il secondo libro delle Toscanelle a quattro voci*. Introduzione, testi musicali e letterari e apparato critico a cura di F. Bussi. 1987, ii-246 pp.

44. GAMBASSI, O., *La Cappella musicale di S. Petronio. Maestri, organisti, cantori e strumentisti dal 1436 al 1920*. 1987, VIII-514 pp. con 99 ill. n.t. e 1 tav. f.t.

45. ROSSI, F., *I manoscritti del Fondo Torrefranca del Conservatorio Benedetto Marcello. Catalogo per autori*. 1986, XVI-360 pp.

46. Non pubblicato.

47. BRUMANA, B., CILIBERTI, G., GUIDOBALDI, N., *Catalogo delle composizioni musicali di Francesco Morlacchi (1784-1841)*. 1987, 208 pp. con 24 pp. di incipit mus. e 13 ill. f.t.

48. BIANCHINI, G., BOSTICCO, G., *Liceo-Società musicale «Benedetto Marcello» (1877-1895). Catalogo dei manoscritti (Prima Serie)*. 1989, LII-336 pp. con ill. ed es. mus. n.t.

49. *Benedetto Marcello, la sua opera e il suo tempo*. A cura di C. Madricardo e F. Rossi. 1988, VIII-484 pp. con es. mus. n.t.

50. MECARELLI, P., *«Il Zabaione musicale» di Adriano Banchieri*. 1987, VI-162 pp. con 3 ill. f.t.

51. MIGGIANI, M. G., *Il Fondo Giustiniani del Conservatorio Benedetto Marcello. Catalogo dei manoscritti e delle stampe*. 1990, VI-616 pp.

52. BIANCHINI, G., MANFREDI, C., *Fondo Pascolato del Conservatorio Benedetto Marcello. Catalogo dei manoscritti (Prima Serie)*. 1990, XLVIII-426 pp.

53. DE GREGORIO, V., *Gli strumenti musicali nella «Gazzetta Musicale di Milano». (1842-1902). Indice analitico*. 1989, 112 pp.

54. *La figura e l'opera di Ranieri de' Calzabigi*. Atti del Convegno. A cura di F. Marri. 1989, X-234 pp.

55. GAMBASSI, O., *Il concerto palatino della Signoria di Bologna*, 1989, VIII-736 pp. con 8 tavv. f.t.

56. ASSENZA, C., *Giovan Ferretti tra canzonetta e madrigale. Con l'edizione critica del quinto libro di canzoni alla napolitana a cinque voci (1585)*. 1989, 228 pp. con es. mus. n.t.

57. *La musica come linguaggio uniuersale. Genesi e storia di un'idea*. A cura di R. Pozzi. 1990, 288 pp.

58. BRUMANA, B., CILIBERTI, G., *Orvieto. Una cattedrale e la sua musica (1450-1610)*. 1990, XIV-426 pp. con 7 tavv. f.t.

59. VILLANI, G., *Gratiarum actiones in Ser.mi Alexandri Farnesii II natali die a venti voci* aggiunto il mottetto *O sacrum convivium a cinque voci*. Introduzione, testi musicali e letterari e apparato critico a cura di F. Bussi. 1992, 168 pp.

60. GARGIULO, P., *Luca Bati madrigalista fiorentino. Con l'edizione moderna del Secondo Libro de Madrigali a cinque voci (1598)*. 1991, 208 pp. con 3 tavv. f.t.

61. KIRKENDALE, W., *The Court Musicians in Florence during the Principate of the Medici*. 1993, 754 pp. con 13 tavv. f.t. di cui 2 a colori e 2 pieghevoli. Rilegato.

62. BRUMANA, B., CILIBERTI, G., *Musica e musicisti nella Cattedrale di S. Lorenzo a Perugia (XIV-XVIII secolo)*. 1991, XVI-228 pp.

63. GAMBASSI O., *L'Accademia filarmonica di Bologna. Fondazione, Statuti e Aggregazioni*. 1992, X-474 pp. con ill. n.t.

64. CETRANGOLO, A., *Esordi del melodramma in Spagna, Portogallo e America. Giacomo Facco e le cerimonie del 1729*. 1992, 276 pp. con 30 ill. n.t. e 2 tavv. f.t.

65. FABIANO, A., *Le stampe musicali antiche del Fondo Torrefranca del Conservatorio Benedetto Marcello*. 1992, 2 tomi di XXIV-778 pp. complessive.

66. NEGRI, E., *Catalogo dei libretti del Conservatorio Benedetto Marcello*, vol. I. 1994, XXIV-394 pp.

67. GIACOMELLI, G., SETTESOLDI, E., *Gli organi di Santa Maria del Fiore di Firenze. Sette secoli di storia dal '300 al '900*. 1993, 508 pp. con 16 tavv. f.t. di cui 2 a colori e 1 pieghevole.

68. CARBONI, S., *Catalogo dei libretti d'opera del Conservatorio Benedetto Marcello*, vol. II. 1994, XIV-360 pp.

69. CHEGAI, A., *Le novellette a sei voci di Simone Balsamino. Prime musiche su* Aminta *di Torquato Tasso (1594)*. 1993, 252 pp. con 4 tavv. f.t.

70. *Musica e immagine. Tra iconografia e mondo dell'opera. Studi in onore di Massimo Bogianckino*. A cura di B. Brumana e G. Ciliberti. 1993, 246 pp. con es. mus. e 66 ill. n.t.

71. *Tendenze e metodi nella ricerca musicologica*. A cura di R. Pozzi. 1995, XXIV-250 pp. con 3 tavv. f.t. e es. mus. n.t.

72. GATTA, F., *Catalogo dei libretti del Conservatorio Benedetto Marcello*, vol. III. 1994, XIV-408 pp.

73. *Teatro e musica nel Settecento estense. Momenti di storia culturale e artistica, polemica di idee, vita teatrale, economia e impresariato*. A cura di G. Vecchi e M. Calore. 1994, 328 pp. con es. mus. n.t.

74. *Musicologia Humana. Studies in honor of Warren and Ursula Kirkendale*. A cura di S. Gmeinwieser, D. Hiley, J. Riedlbauer. 1994, 598 pp. con 3 tavv. f.t. Rilegato.

75. ARAGONA, L., *Catalogo dei libretti del Conservatorio Benedetto Marcello*, vol. IV. 1995, XIV-338 pp.

76. GRANDINI, A., *Cronache musicali del Teatro Petrarca di Arezzo. Il primo cinquantennio (1833-1882)*. 1995, XII-378 pp. con 40 ill. n.t., 5 figg. f.t. e 29 ill. f.t di cui 16 ill. a colori.

77. *Felice Romani. Melodrammi - Poesie - Documenti*. A cura di A. Sommariva. 1996, VI-366 pp. con es. mus. n.t.

78. DALMONTE, R., PRIVITERA, M., *Gitene, Canzonette. Studio e trascrizione delle* Canzonette a sei voci d'Horatio Vecchi *(1587)*. 1996, 204 pp.

79. *La musica e il sacro*. A cura di B. Brumana e G. Ciliberti. 1997, VI-246 pp.

80. GAMBASSI, O., *«Pueri Cantores» nelle cattedrali d'Italia tra Medioevo ed età moderna. Le scuole eugeniane: scuole di canto annesse alle cappelle musicali*. 1997, 286 pp.

81. MAFFEI, M.I., RUSSO, F.P., *Catalogo del Fondo musicale antico della Biblioteca dell'Accademia di Francia a Roma*. 1999, XXVI-288 pp.

82. Passadore, F., Rossi, F., *Trattatistica e letteratura musicale nel Fondo Torrefranca del Conservatorio Benedetto Marcello di Venezia.* 1999, xx-390 pp.

83. Rossi, F., *Indici del catalogo dei libretti nel Fondo Torrefranca del Conservatorio Benedetto Marcello di Venezia.* 1999, 430 pp.

84. Patuzzi, S., *Madrigali in Basilica. Le* Sacre lodi a diversi santi *(1587) di G. G. Gastoldi: un emblema controriformistico.* 1999, 240 pp. con 10 tavv. f.t.

85. Morelli, G., *Very Well Saints. A Sum of Deconstructions. Illazioni su Gertrude Stein e Virgil Thomson (Paris 1928).* 2000, vi-158 pp.

86. Kirkendale, W., *Emilio de' Cavalieri "gentiluomo romano". His Life and Letters, His Role as Superintendent of All the Arts at the Medici Court, and His Musical Compositions. With Addenda to* L'Aria di Fiorenza *and* The Court Musicians in Florence. 2001, 552 pp. con 64 tavv. f.t. di cui 12 a colori. Rilegato.

87. Roncroffi, S., *Il fondo musicale della Basilica di San Prospero a Reggio nell'Emilia.* 2000, 132 pp. con es. mus. n.t. e 11 ill. f.t. a colori.

88. Gallico, C., *Per Verdi e altri scritti.* 2000, vi-318 pp. con es. mus. e 1 fig. n.t. e 8 tavv. f.t. di cui 4 a colori.

89. Piperno, F., *L'immagine del Duca. Musica e spettacolo alla corte di Guidubaldo II duca d'Urbino.* 2001, x-352 pp. con 11 tavv. f.t.

90. Pasquini, E., *Catalogo della discoteca storica «Arrigo ed Egle Agosti» di Reggio Emilia,* vol. II: 2001, xx-614 pp.

91. *Melodie dimenticate. Stato delle ricerche sui manoscritti di canto liturgico.* A cura di G. Filocamo. 2002, xii-174 pp. con 16 figg. n.t. e 14 tavv. f.t. di cui 4 a colori.

92. Luzzi, C., *Poesia e musica nei madrigali a cinque voci di Filippo di Monte (1580-1595).* 2003, viii-404 pp. con es. mus. n.t.

93. Boccadoro, B., *Ethos e varietas. Trasformazione qualitativa e metabole nella teoria armonica dell'antichità greca.* 2002, 280 pp.

94. *Verdi 2001.* Atti del Convegno internazionale, Parma - New York - New Haven, 24 gennaio - 1° febbraio 2001. 2003, 2 tomi di complessive xxiv-980 pp. con 2 figg. e 105 es. mus. n.t. e 12 tavv. f.t. di cui 8 a colori. Rilegato.

95. Lorenzetti, S., *Musica e identità nobiliare nell'Italia del Rinascimento. Educazione, mentalità, immaginario.* 2003, xii-324 con 12 tavv. f.t.

96. *Ludus Danielis.* A cura di M. Schembri, traduzione di G. Zizza. 2003, xvi-104 pp. con 1 tav. f.t. a colori.

97. Sessa, A., *Il melodramma italiano (1861-1900). Dizionario bio-bibliografico dei compositori.* 2003, viii-536 pp.

98. Rostagno, A., *La musica italiana per orchestra nell'Ottocento.* 2003, vi-282 pp.

99. De Martino, P.P., *Le parafrasi pianistiche verdiane nell'editoria italiana dell'Ottocento.* 2003, iv-232 pp. con 12 tavv. f.t.

100. Ruggeri, M., *Catalogo del fondo musicale del Convento dei Frati Minori di Piacenza, costituito nel XIX secolo da Padre Davide da Bergamo.* 2003, xxvi-502 pp.

101. Gambassi, O., Bandini, L., *Vita musicale nella Cattedrale di Forlì tra XV e XIX secolo. Con un'appendice bibliografica sugli oratorii a Forlì nel Settecento.* 2003, x-194 pp.

102. La Face Bianconi, G., *La casa del mugnaio. Ascolto e interpretazione della* Schöne Müllerin. 2003, 324 pp. con 8 tavv. f.t. di cui 4 a colori.

103. Pasquini, E., *L'Esemplare, o sia saggio fondamentale pratico di contrappunto. Padre Martini teorico e didatta della musica.* 2004, xii-348 pp. con es. mus. n.t. e 14 figg. f.t.

104. Mastrocola, G., *Il Primo Libro de Madrigali a cinque voci di Geronimo Vespa da Napoli (Venezia 1570): edizione e note biografico-critiche.* 2005, x-362 pp. con 4 tavv. f.t.

105. Allevi, G. (detto «Piacenza»), *Monodie, duetti, terzetti, quartetti, dialoghi spirituali, messa dei morti, litanie della B. Vergine, sonate a tre. Secondo e terzo libro delle 'compositioni sacre'.* Introduzione, testi musicali e letterari e apparato critico a cura di F. Bussi. 2004, 380 pp.

106. *Vincenzo Bellini nel secondo centenario della nascita.* Atti del Convegno internazionale, Catania, 8-11 novembre 2001. A cura di G. Seminara e A. Tedesco. 2004, 2 tomi di complessive xvi-706 pp. con es. mus. n.t. e 22 tavv. f.t.

107. Felici, C., *Musica italiana nella Germania del Seicento. I ricercari dell'intavolatura d'organo tedesca di Torino.* 2005, xii-260 pp. con es. mus. n.t. e 1 tav. f.t.

108. *Cappelle musicali fra corte, stato e chiesa nell'Italia del Rinascimento.* Atti del Convegno internazionale, Camaiore, 21-23 ottobre 2005. A cura di F. Piperno, G. Biagi Ravenni e A. Chegai. 2007, x-442 pp. con es. mus., 2 figg. n.t. e 14 tavv. f.t.

109. *Luigi Dallapiccola nel suo secolo.* Atti del Convegno internazionale, Firenze, 10-12 dicembre 2004. A cura di F. Nicolodi. 2007, xxii-538 pp. con es. mus., 2 figg. n.t. e 1 tav. f.t. a colori.

110. Mellace, R., *L'autunno del Metastasio. Gli ultimi drammi per musica di Johann Adolf Hasse.* 2007, 314 pp. con es. mus. n.t.

111. *Arcangelo Corelli fra mito e realtà storica. Nuove prospettive d'indagine musicologica e interdisciplinare nel 350° anniversario della nascita.* Atti del congresso internazionale di studi, Fusignano, 11-14 settembre 2003. A cura di G. Barnett, A. D'Ovidio e S. La Via. 2007, 2 tomi di complessive xxiv-710 pp. con es. mus. n.t., 32 figg. n.t. e 6 tavv. f.t.

112. *Dmitrij Šostakovič tra musica, letteratura e cinema.* Atti del Convegno internazionale, Università degli Studi di Udine, 15-17 dicembre 2005. A cura di R. Giaquinta. 2008, xii-362 pp. con es. mus. n.t., 5 figg. n.t. e 1 tav. f.t.

113. Kirkendale, W. and U., *Music and Meaning. Studies in Music History and the Neighbouring Disciplines.* 2007, xii-644 pp. con es. mus. n.t. e 50 tavv. f.t. di cui 4 a colori. Rilegato.

114. Kirkendale, U., *Antonio Caldara. Life and Venetian-Roman Oratorios.* Revised and translated by W. Kirkendale. 2007, 552 pp. con es. mus. n.t. e 24 tavv. f.t. di cui 5 a colori. Rilegato.

115. Fronzuto, G., *Organi di Roma. Gli organi delle quattro basiliche maggiori.* 2008, xviii-92 pp. con 15 tavv. f.t. a colori e CD-ROM contenente un'ampia documentazione sugli organi romani.

116. Jeanneret, C., *L'œuvre en filigrane. Une étude philologique des manuscrits de musique pour clavier à Rome au XVIIe siècle.* 2009, xii-622 pp. con 116 figg. n.t.

117. *Annibale, Torino e Annibale in Torino. Atti della giornata di studi, Torino, 22 febbraio 2007.* A cura di A. Rizzuti. 2009, x-246 pp. con es. mus. e 1 fig. n.t. e 21 tavv. f.t. a colori.

118. Roncroffi, S., *Psallite sapienter. Codici musicali delle Domenicane bolognesi.* 2009, x-216 pp. con 16 tavv. f.t. a colori.

119. De Angelis, E., *La liuteria ad arco a Napoli dal XVII secolo ai nostri giorni.* A cura di F. Nocerino. 2009, viii-74 pp. con 38 tavv. f.t. a colori.

120. Rodolfi, S., *La famiglia Dell'Alpa. Una stirpe di organari padani del Quattrocento.* 2011, x-282 pp. con 9 figg. e 1 tavola genealogica.

121. Casadei Turroni Monti, M., *Lettere dal fronte ceciliano. Le visioni di don Guerrino Amelli nei carteggi conservati a S. Maria del Monte di Cesena.* Premessa di L. Crippa e prefazione di A. Melloni. 2011, xx-518 pp.

122. Badolato, N., *I drammi musicali di Giovanni Faustini per Francesco Cavalli.* 2012, iv-534 pp.

123. De Luca, M.R., *Musica e cultura urbana nel Settecento a Catania.* 2012, xvi-192 pp. con 17 figg. n.t. e 4 tavv. f.t. a colori.

124. Di Sandro, M., *Macchine musicali al tempo di Händel. Un orologio di Charles Clay nel Palazzo Reale di Napoli.* 2012, x-144 pp. con es. mus. e 4 tavv. f.t. a colori.

125. d'Amico, F., *Forma divina. Saggi sull'opera lirica e sul balletto. I. Sette e Ottocento. II. Novecento e balletti.* 2012, 2 tomi di complessive xiv-580 pp.

126. Sessa, A., *Il melodramma italiano (1901-1925). Dizionario bio-bibliografico dei compositori.* 2014, 2 tomi di complessive x-1012 pp.

127. Conati, M., *Piegare la nota. Contrappunto e dramma in Verdi.* 2014, xxii-212 pp. con es. mus., 2 figg. n.t. e 6 facsimili.

128. *I drammi musicali veneziani di Benedetto Ferrari.* A cura di N. Badolato e V. Martorana. Prefazione di L. Bianconi. 2013, xxxvi-348 pp. con 2 tavv. f.t.

129. Bianconi L., Casali Pedrielli M.C., Degli Esposti G., Mazza A., Usula N., Vitolo A., *I ritratti del Museo della Musica di Bologna, da Padre Martini al Liceo musicale.* Prefazione di L. Bianconi. 2018, xviii-684 pp. con 385 figg. n.t. a colori.

130. Rossi, F., *Catalogo del fondo musicale del Seminario Patriarcale di Venezia.* 2017, xxx-270 pp. con es. mus.

131. *Vincenzo Bellini. Carteggi.* Edizione critica a cura di G. Seminara. 2017, vi-622 pp. con 5 es. mus. e 1 fig. n.t.

132. Anderson, E.M., *Ariosto, Opera and the 17th Century. Evolution in the Poetics of Delight.* 2017, xii-280 pp. con 11 figg. n.t. e CD-ROM.

133. Saiz-Pardo Hurtado, R., *Le opportunità del tempo. Angelo De Santi e la Scuola Superiore di Musica Sacra.* 2017, xx-248 pp. con Appendice digitale su www.torrossa.it.

134. Fava, E., *A.F. Justus Thibaut e la "purezza della musica". Prima versione italiana di* Über Reinheit der Tonkunst *(1826).* 2018, lxxxii-120 pp.

135. *Le sinfonie di Luigi Boccherini. Contesti, fonti, analisi.* A cura di Marco Mangani, Germán Labrador, Matteo Giuggioli. 2019, xvi-296 pp. con esempi musicali e 2 tavv. f.t. a colori.

136. *Il teatro di Claudio Monteverdi. Spettacoli di corte e di palazzo.* Edizione dei testi a cura di Silvia Urbani, Prefazione di Paolo Fabbri. In preparazione.

137. *"Pagine Sparse". Il carteggio di Giuseppe Martucci nei documenti d'archivio del Royal College of Music.* A cura di Federica Nardacci. 2019, xl-176 pp.

138. De Luca, M.R., *Gli spazi del talento. Primizie musicali del giovane Bellini.* 2020, viii-212 pp. con 47 figg. n.t., esempi musicali e 8 tavv. f.t. a colori.

139. Guidotti, F., *Chiese e musica a Lucca. Dalle dotazioni rinascimentali alle soppressioni napoleoniche. Una ricerca documentaria.* 2021, 3 tomi di complessive xx-1346 pp.

140. Grippaudo, I., *Musica e devozione nella «città felicissima». Ordini religiosi e pratiche sonore a Palermo tra Cinque e Seicento.* 2022, xvi-268 pp., con 7 figg. b/n f.t.

CASA EDITRICE LEO S. OLSCHKI - CASELLA POSTALE 66 - 50123 FIRENZE (ITALIA)